國家圖書館出版品預行編目資料

臺灣新詩發展史 / 古繼堂著. -- 增訂再版. --
臺北市：文史哲，民86
面；公分. -- (文學叢刊；29)
ISBN 957-549-040-1 (平裝)

1. 中國詩 - 歷史與批評 - 現代 (1900-)

820.9108 85011144

文學叢刊 ㉙

臺灣新詩發展史

著者：古繼堂
出版者：文史哲出版社
登記證字號：行政院新聞局局版臺業字五三三七號
發行人：彭正雄
發行所：文史哲出版社
印刷者：文史哲出版社
台北市羅斯福路一段七十二巷四號
郵撥〇五一二八八一二彭正雄帳戶
電話：三五一一〇二八

實價新台幣六四〇元

中華民國七十八年七月初版
中華民國八十六年一月增訂再版

ISBN 959-547-040-1

文學叢刊之二十九

臺灣新詩發展史

古繼堂著

文史哲出版社印行

再版前言

《臺灣新詩發展史》，是本人臺灣系列分類文學史中的一部，自一九八九年由人民文學出版社和臺灣的文史哲出版社分別出版了大陸版和臺灣版以來，在海內外學術界和讀者中引起了強烈返響。國內外數十家報刊發表了評論文章，還先後收到上百封讀者的熱情來信，這些使我至爲感動。如今，此書又先後在海峽兩岸分別再版。現借大陸版再版之機，寫此前言，一方面對讀者、評者、出版者表示眞誠的謝意，另一方面向關注此書的人們簡略地報告一下有關情況。

此書是本人多年研究臺灣詩歌的結晶，同時也吸收了臺灣和大陸許多學者的研究成果。從一九八五年開始撰稿，到一九八九年五月十日臺灣版修訂完成，共用工三年有餘。爲了讓讀者了解本書出版後的反應，現摘引幾例海內外學者的評價和讀者來信。

由北京大學教授汪景壽、中山大學教授王劍叢等人合著的《臺灣香港文學研究述論》一書中寫道：『《臺灣新詩發展史》一九八九年五月問世以來，引起了海內外研究者的矚目。

它是包括大陸和臺灣在內的第一部臺灣詩歌史，開創意義顯而易見。尤其是對於臺灣學界的震動，非同凡響。「由遠在臺灣海峽彼岸，未嘗到過臺灣的作者完成此第一部臺灣史詩的力作，令人感佩。也不禁爲臺灣本地學術生態感到汗顏。」「臺灣既無批評的環境，也缺乏有見識有膽量的批評家，以致至今，在我們的學術界和出版界，還沒有一部公正客觀的新詩史。而這是第一部大陸詩評家研究臺灣新詩發展的學術性著作，也是彼岸學者爲臺灣新詩定位，爲臺灣詩人立傳的學術專著。」出自臺灣著名詩人詩評家李魁賢、文曉村的肺腑之言，具有一定的代表性。』(註一) 臺灣詩評家孟樊說：『古繼堂的《臺灣新詩發展史》於一九八九年五月由北京人民文學出版社出版，對於海峽兩岸的詩壇來說，可算是一大盛事。此書是第一本有關「臺灣新詩史」的系統性論著，先不論書的好壞如何，它的出現在詩史上即寓有一定的意義。正因爲是海峽兩岸詩壇的頭一本，旋即由臺灣的文史哲出版社出版了臺灣版。對海峽此岸的詩壇而言，面對彼岸學者搶著先機爲臺灣詩壇建史的這部巨著，詩人和詩論家們難免多少也會感到汗顏。』(註二) 詩評家鄒建軍認爲：『「干之以風力，潤之以丹彩」，這就是古繼堂先生《臺灣新詩發展史》的成功奧秘。也許就是他新穎的詩史觀照主題概示。它凝聚了他近十年的心血，歷史終將證明它確實是一部風力獨具的劃時代巨著。特別是當前中國現代或當代新詩史還未誕生的時候，它的出版就更顯得獨秀孤標。』(註三) 海內外學者在評論《臺灣新詩發展史》時，還爲它總結概括了許多優點和特徵，諸如：『獨道的史觀和史筆』，『善於背景分析』，『巧於捕捉特點』，『精於鑒賞』，『文筆優美』等。臺灣詩人瘂弦來信說：

『這書寫得非常成功，先生能運用有限（不易取得）的資料，把這幾十年的新詩發展，理得如此清楚，又加上精闢論述，令人敬佩。』紀弦來信說：『我仔細拜讀過了之後，……也已把先生大名列入我的知音者名單中了。』詩評家和讀者們的鼓勵和厚愛，曾引起我許多思考。詩，是人類最古老、最悠久、投入心血和智慧最多的藝術之一。中國詩壇，世界詩壇的大師、大家、名家數不勝數，他們的創造，他們的發現，他們的成果浩如煙海。任何再有才華、再有成就的詩人、詩評家，在今古不息、萬里奔騰的詩的長河中，最多只能算是一朵一閃即逝的浪花。一個詩人能夠寫出一部值得人們讚嘆的詩，一個學者能夠寫出一部受到人們讚嘆的著作，爲大河增一滴水，爲春天添一朵花，就算不虛人間此行了。尤其是在當今假冒僞劣產品充斥市場的情況下，每個詩人、每個學者，應該特別強化自己的責任感和使命感，最起碼不應該因作品的假冒僞劣，而受到良心譴責。

《臺灣新詩發展史》雖然因客觀和主觀的原因，還存在著不盡人意的地方，但有幾點本人至今，或許永遠是無憾的。其一，將臺灣新詩放在中國新詩的大格局下進行研究和敘述，以偉大的五四新文化運動爲其思想和藝術的源頭，充分地敘述了臺灣新詩與五四運動的關係。爲臺灣新詩作了較爲準確的時空定位。其二，以民族主義和愛國主義爲標準，以辯證唯物主義和歷史唯物主義爲指導原則和方法，透視和評價臺灣新詩史上的流派、社團、論爭、思潮、詩人、詩作等一切詩歌現象。其三，以理論和實踐相結合的原則，在深入剖析詩歌現象的基礎上，重點總結概括了臺灣新詩發展的內在和外在規律。在臺灣新詩紛紜複雜、歧路叢生的原野上，探索出了其：『崛起——成長——西化——回歸——多元』的發展歷程。這一概括，如今已被海內外學界所接受。其四，實事求是，辨僞確眞，敢於將顚倒了的歷史重新顚倒過來。臺灣詩壇較爲普遍地將紀弦視爲臺灣現代派新詩的創始人，認爲臺灣現代派新詩的歷史自五十年代起始。本人在深入發掘，細緻剖析史料的基礎上，否定了這一歷史假象。提出臺灣現代派新詩的歷史應從一九三五年開始，其創始者爲臺灣詩人楊熾昌，第一個現代派詩社爲『風車詩社』，第一個現代派刊物爲《風車詩刊》。這一發現和認定，將臺灣現代派詩的歷史向前推進了近二十年。受到臺灣詩壇的好評。其五，努力創新，不落俗套，在剖析詩作時，盡可能展示它獨特的視景，釋出它內藏的豐富含意。被臺灣詩人稱爲『詩的解謎人』。其六，破除枯燥、青澀、干癟、乏味的文風，盡可能使語言形象、優美、清新、活潑，用詩的語言完成學術論著。

本著出版之後，有的評論文章中，也談到了它的不足之處。第一種是善意地指出本著某些資料性的漏誤。爲了解決這一問題，此次修訂之前，曾向七十多位設專節和重點論述的詩人們發了一封徵求意見的信，凡來信指正者，均作了更正。第二種是口頭的或書面的指出本著對個別詩人地位定位不當和評價不夠，甚至有不同派別互相攻擊的情況。這種意見本人一律未予採納。對客體怎樣叙述，怎樣評價，體現怎樣的價値觀、學術觀，正好是本著的靈魂，也正好體現出作者的立場和學術個性。因此寧可成爲一孔之見，一家之言，也不願留下人云亦云之嫌。

本著創作於八十年代中期，下限爲七十年代末。當時就有人建議，將下限伸延到八十年代中期。本人認爲，寫史需要有一定的間隔距離；需要一定的歷史澄澱；需要時代塵埃落定後的觀察和分析。那種現場直播式的寫史方法是靠不住的。因而本人沒有採納這一建議。如今歷史又添續了十年，當年的繁花經已泄去，歷史潮頭喧嘩已逐漸讓位給了永久的清流；時代的洪峰後面，已吐露出可變的歷史規跡。同時八十年代又是臺灣文學和臺灣新詩由主潮更迭向多元化、多向化過渡時期，臺灣詩壇展現出了許多新的氣象，湧現了許多卓有才華的青年詩人。因此想借再版之機，多爲讀者提供一些東西，故將八十年代的臺灣詩史續上，定爲《續篇》。因篇幅所限，原版部分又無法作較大改動，所以增加部分重點放在史的概述上，詩人論只能選少數各方面具有代表性的人物加以簡述。每人只能用兩至三千字篇幅。好在本人同時推出一部三十餘萬字的《臺灣青年詩人論》以補缺憾。至於原版部分需要增添之處，就無能爲力了，只有另外尋機彌補。

【附　註】

註一　《臺灣香港文學研究述論》第二十八頁，天津教育出版社一九九一年十月出版。

註二　臺灣《中國論壇》第三十二卷第九期。

註三　《唐山教育學院學報》一九九二年第二期。

古繼堂　一九三六年六月出生於河南省修武縣小古莊，一九六四年武漢大學中文系畢業。現任中國社會科學院文學研究所研究員，臺港文學研究室副主任，中國作家協會會員。大學時期開始寫詩，七十年代末，開始發表詩作，出版有《古繼堂詩集》。詩作曾入選一九八三、八四年《中國新詩年編》、《中國千家詩選》、《中國新時期兒童詩選》等全國性詩選集。

古繼堂於七十年代開始研究臺灣文學，現在已經出版的有：《臺灣新詩發展史》、《臺灣小說發展史》、《臺灣新文學理論批評史》、《臺灣青年詩人論》、《柔美的愛情——臺灣女詩人十四家》、《臺灣愛情文學論》、《靜聽那心底的弦律——臺灣文學論》等多部。並曾編選過《望君早歸——臺灣短篇小說選》、《臺灣詩選》、《臺灣中篇小說選》、《鍾理和中短篇小說選》、《臺灣童話選》、《臺灣民間故事選》等數十部之多，且主編有《臺港澳暨海外華文新詩大辭典》。其對臺灣文學之研究具有突出之貢獻，並為大陸知識份子中少數享有國務院特殊津貼者之一。

1997．1．2．

作者與謝冰心老人、詹澈於 1992 年 9 月 28 日攝於冰心書廬。

作者與錢鍾書合影。

作者與卞之琳攝於
1987 年。

作者夫婦與長女古欣
次女古彥。

作者與羅門、馮至、林燿德於 1988 年 7 月 11 日在馮至公館合影。

作者與艾青、楊平攝於艾青公館。

作者與鍾鼎文攝於 1991 年北京艾青作品研討會上。

作者夫婦於 1995 年 6 月28日旅遊臺中與文曉村、施快年、秦嶽合影。

作者於 1995 年 6 月 20 日海峽兩岸詩學研討會上接受陳委員頒獎。

作者於 1995 年 6 月 20 日與墨人、綠蒂、劉菲、雁翼在海峽兩岸詩學研討會上合影。

作者夫婦在海峽兩岸詩學研討會會場之亞洲企業家聯誼會與彭正雄、文曉村、雁翼、綠蒂合影。

作者夫婦及彭正雄和他的女兒彭雅玲於 1989 年 8 月 19 日攝於北京崑崙飯店。

作者與瘂弦攝於第九屆梁實秋文學獎贈獎典禮會場。

作者與非馬攝於 1987 年深圳。

作者夫婦於 1995 年 6 月 18 日與出版人彭正雄在桃園國際機場出境處口合影。

作者於 1995 年 6 月 18 日與文曉村、彭正雄、麥穗在桃園國際機場合影。

《臺灣新詩發展史》臺灣版序

古繼堂先生所寫的《臺灣新詩發展史》，目前在海峽兩岸還是第一部。數十年海峽兩岸的隔絕和封閉，使我們民族的詩脈斷流。如今，海峽解凍，兩岸詩人渴盼著互相了解和藉鑑。古繼堂先生的這部作品，定會成爲互相溝通的一座橋樑。

寫一部新詩發展史，不是輕而易舉的事，不同於一般性的學術著作。它需要占有浩繁的詩歌史料；需要進行宏觀性的觀察判斷；需要對涉獵的衆多的詩歌現象和作品進行深入細緻研究；需要對衆多的詩歌社團和流派進行分流疏導評價；需要對有爭議和沒有定論的棘手問題作出回答。因此我說，這部著作是浸透著作者的嚴肅的思考和艱辛的探索。大陸的人民文學出版社介紹說：「此書作爲第一部系統論述臺灣新詩發展歷史的學術專著，線索淸晰，資料豐富，持論公允，論述周詳，具有較好的學術質量。」

臺灣詩壇，詩人衆多，流派林立，詩作和詩論異常豐富，它是中國詩壇的重要組成部分。要研究整個中國新詩發展史，必須把臺灣新詩發展史，作爲一個重要的構成部分來研究。

在海峽兩岸半開半閉之際，古繼堂先生的《臺灣新詩發展史》和《臺灣小說發展史》二書，能在海峽兩岸同時出版，不僅爲兩岸文學的交流和藉鑑提供了方便，而且也是縫合中華文學的重要工程。

一九八九年五月于北京

臺灣文學和詩中的「偶數現象」

——《臺灣新詩發展史》臺灣版自序

我總以爲，研究臺灣文學的論著最好也能在臺灣出版。和那裏的對象，卽創作主體和接受主體見面，經受檢驗，經受他們的批評和鑑督。否則，總有隔靴搔癢之嫌。臺灣文史哲出版社有志於弘揚中華文化，促進海峽兩岸文藝的交流，熱情地出版本人幾部關於臺灣文學研究的拙作，使我的上述願望得以實現。該社繼出版了本人的《臺灣小說發展史》之後，接着要出這本《臺灣新詩發展史》。當這本書付梓之時，很想說幾句話。最使人感慨的是海峽兩岸出版的對比。今年一月該社拿到《臺灣小說發展史》複印稿，二月來信告知已經排版，並說很快就可見書，而大陸出一本書的週期長達兩年。據臺灣來的朋友說文史哲出版社只有三個成員：夫妻及女兒，而大陸一家出版社往往二三百人。兩三個月和兩三年的出版週期，兩三個成員和兩三百成員的數字對比，至少爲大陸的出版事業的改革提供了內容豐富的思考題和客不容緩的緊迫感。

臺灣文學史和臺灣新詩發展史上，有一種既偶然也必然，既奇特又平常的「偶數現象」。很多事情都呈重複出現和兩相對仗之勢。例如兩次跨越，兩次回歸，鄉土文學的兩次論戰，現代派的兩次崛起等。這些「偶數現象」的出現，對臺灣文學和臺灣新詩的發展並非無足宏旨，而是關係重大。兩次跨越，係指一九四五年日本帝國主義投降時的臺灣老一代作家，由日文創作轉向中文創作的語言跨越。臺灣文壇習稱爲「跨越語言的一代」。另一次跨越是指一九四九年，一大批大陸小說家詩人渡海去臺，又可稱之爲「跨越海峽的一代」。前一個跨越使日據時期一大批日文作家跨越語言鴻溝回歸母體語言，這一跨越撫平了日本帝國主義的刺刀和大炮給中國民族文學和詩戳下的殘烈創傷。後一個跨越是中國戰亂的結果，一大批大陸小說家詩人無意中作了文學和詩的使者，使大陸與臺灣文學的精神在混亂中實現了結合。「跨越海峽的一代」既是中國內戰的受害者，也是大陸文學和詩的火種的傳播者。他們對臺灣文學和詩擺脫日本的影響，起到了重要的制衡作用。兩次回歸係指臺灣文學和詩從外來文化的籠罩和影響下，回歸到母體文學和詩的懷抱中來。第一次是一九四五年開始擺脫日本「皇民化」文學的桎梏，回到祖國懷抱。第二次回歸是七十年代初期開始，從狂熱西化回歸民族，回歸鄉土。這兩次回歸是臺灣文學和詩的兩次新生。這兩次回歸緣起有所不同。第一次回歸是帝國主義用武力割裂了中國，也分裂了中國文學之魂。第二次是中國內部的分裂，使外來文藝思潮鑽了空子，造成臺灣文學和詩的西化。史實證明，喪失靈魂比喪失土地更爲可怕。日據時期雖然中國文學之魂被割裂，那裏文學的主流是中國的，由於抗擊異民族侵略之需要，文學的民族性格比任何時候都鮮明。而六十年代由於臺灣社會西化，中國民族文學之魂幾乎喪失。這一教訓使我們認識到建立和保護民族文學之魂的極端重要。即使沒有受到外來侵略的情況下，民族文學之魂也有喪失的危險和可能，而且，這種喪失還極不容易使人感到疼痛和驚醒。尤其有個別數典忘祖之徒，以侮辱民族，咒罵母親，傷害祖先爲榮耀，誠令人所不齒。臺灣鄉土文學的兩次論戰雖然名稱相同，但其內容和意義卻大相徑庭。第一次發生在日據時期的二十年代，卽文學的語言之爭。一方主張用臺灣方言寫作，一方主張用白話文寫作。那時在日本人的強權下，臺灣和祖國完全隔離，顯然主張用白話文創作有利於抗日，有利於得到祖國的聲援和幫助，有利於臺灣文學和祖國文學的溝通和結合。第二次鄉土文學論戰發生在一九七七年至一九七八年間，是對鄉土文學的圍攻。但這一運動卻成了臺灣文學向民族，向鄉土全面回歸的標誌。第一次鄉土文學論戰爲白話文學的發展鋪平了道路，第二次鄉土文學論戰則促進了臺灣知識分子民族意識的大覺醒。兩次崛起，卽指臺灣詩壇上現代派的兩次崛起。第一次是一九三五年臺灣老詩人楊熾昌，從日本將法國的超現實主義引進臺灣，形成臺灣第一個現代派詩人羣，成立了風車詩社，創辦了《風車詩刊》。由於傳播媒介和偏見的關係，這次現代派的崛起鮮爲人知，沒有被當今臺灣詩壇接受和承認。但它卻是有組織，有刊物，有創作主張的不容抹殺的歷史事實。因而，本人在此作中首次用歷史的形式把它肯定下來，並重點論述，大聲疾呼，讓歷史事實能夠眞正成爲歷史。現代派在臺灣的第二次崛起是五十年代中期，以大陸去臺詩人紀弦爲首的現代詩社，以大陸去臺詩人覃子豪爲首的藍星詩社，以軍中詩人張默、瘂弦、洛夫三駕馬車爲首的創世紀詩社分別於一九五四年到五六年之間宣布成立。這三個現代派詩社，在臺灣鄉土派的老詩人漢語言還沒有過關，新一代鄉土詩人還未崛起的空檔，一下占領了臺灣詩壇，幾乎囊括了臺灣所有的著名詩人，形成了現代派一家獨占臺灣詩壇的局面。臺灣詩壇不少人把這次現代派的崛起，看作是臺灣現代派的誕生，把紀弦稱爲臺灣現代派的鼻祖，把《現代詩》詩刊看作臺灣首家現代派刊物。其實，這是一種歷史的誤會。在研究了臺灣新詩發展的全部歷史之後，我們應該對歷史的誤會作出歷史的更正，使歷史呈現出本來面目。臺灣新詩現代派的第一次崛起，不僅增添了臺灣詩的新品種，使臺灣新詩現實主義的單軌前進變成現實主義和現代派雙軌發展，而且，現代派用較隱蔽的形式進行抗日，使臺灣多了一種文學的抗日武器。臺灣新詩現代派的第二次崛起，雖然爲臺灣新詩帶來了西化的弊端和晦澀的迷霧，但是這一次崛起打破了反共八股詩控制臺灣詩壇的局面，爲臺灣詩壇輸入了新鮮空氣，促進了大陸新詩和臺灣新詩的結合，提高了臺灣新詩的藝術品格。其弊端和成就，其危害和貢獻都同樣十分突出。

臺灣文壇和詩壇的「偶數現象」，是基於臺灣社會、歷史、文學的「偶數性」內容。臺灣社會、歷史、文學等領域，一直是兩種勢力對壘，歷史上長期以來是外族政權統治，但心靈世界卻是中國的，呈現出外族政權圍剿中國心靈，而中國心靈的火焰最終燒毀外國政權的情形。社會上呈現西化之風和民族勢力，臺灣本省人的生活世界和大陸去臺人的生活世界，在朝人的優越和在野人的抗拒等多偶數性的不和諧現象。文學中有鄉土派和現代派，日本影響和西方影響，官式文藝和在野文藝等多雙向的磨擦。由於臺灣歷史和社會的多災多難，又造成歷史、社會和文化的多處斷裂層和斷根代，凡在斷裂層和斷根代的地方，又都必然出現斷骨的再接和斷根的再生，於是歷史、社會和文化諸種領域和層面，便不斷地出現似曾相識，但卻並非舊戲重演，而是螺旋上升的現象。凡是在歷史、社會、文化的似曾相識處，都呈現「偶數現象」。其他地方雖然有時也會出現這種「偶數性」的現象，但卻不像臺灣，由於歷史、社會和文化的特殊原因，使「偶數性」成爲文學和詩中頻繁出現的一種規律，不能不予以特別的注意。

臺灣新詩發展史　目次

下篇 臺灣新詩的回歸期

緒　論

一、編著《臺灣新詩發展史》的宗旨

我編寫《臺灣新詩發展史》的目的：第一，溝通海峽兩岸詩藝的交流，編織一條詩的彩帶，讓海峽兩岸的詩人、詩評家、讀者的心靈，在這條彩帶上交滙，使我們隔絕已久的詩心，中斷已久的詩脈，在民族的詩根上重新閃射出青春的光彩。第二，探討我們民族新詩發展的共同規律和流向。詩，是文學中的王冠，是衆文學體裁中重要的一種。它是詩人敏銳的詩感對客觀的一種感悟和呈現。在諸多的文學樣式中，它是包含着詩人的主觀感受、主觀發現、主觀創造最多最豐富的一種文學產品。因此，它具有最強的主體意識。它在表達上，往往不是用直白的方式，而是用象徵、隱喻和暗示諸隱含的手段來呈現的。它是人們第二感覺和第三感覺的深邃開拓，最美的詩花往往迸放於潛意識的深層。它是融化和變了形的客觀，通過主觀意識的曲折流露。所以，它不單純是表現生活的工具。更確切地說，它是一種表達情感和思想的工具。詩常常越出規律的圍牆，使不合規律的合乎詩意；打破邏輯的牢籠，使不合邏輯的合乎詩法；衝出時空的羅網，使人們的行爲和視野觸及和觸及不到的地方，都開出燦爛的花朵；詩常常在極度矛盾、反常和猛烈撞擊中閃射出耀眼的光輝。就像將原子放入迴旋加速器中猛烈碰撞，力量越大，速率越高，它越出現奇蹟。詩的活動由於遵循著和其他文學樣式不同的藝術規律，而具有特殊的審美功能。過去人們往往忽略了詩的特殊的審美功能，只一般地從政治的角度去要求詩，因而將詩稱爲「時代的號角」、「戰鬪的鼓聲」等。這實際上是將詩變成了傳達政治意識的工具和附庸。比如臺灣五十年代出現的那種「反共八股」即所謂「戰鬪詩」和大陸上「四人幫」時期出現的政治口號詩，都是這種情況。大陸和臺灣的新詩發展中，有成功的經驗，也有失敗的教訓。作爲中華民族共同的精神財富，亟需加以整理和總結。我寫這本書的原則只有一條：那就是實事求是，從文學藝術的實踐出發，好就是好，劣就是劣。雖然理論創作也有主觀性，但決不讓感情的潮水沖垮和淹沒是非和優劣之疆界。

二、臺灣新詩在中國新詩中的地位

臺灣新詩和大陸新詩產生的時間和背景雖然不完全一致，但大體上相差不遠。臺灣新詩早期受日本短歌和俳句的影響較深，近期又在「西化」的風潮中回旋。早年日本帝國主義對祖國寶島實行法西斯文化專制和掠奪，激起了廣大臺灣同胞強烈的愛國抗日情感，他們火一般的激情燃燒於胸，昇華爲詩，就使臺灣新詩從懷胎、孕育到出生，都具有堅挺的民族風骨。五十年代中期開始的臺灣新詩的西化，卻由於衆多臺灣詩人的嘗試而活躍了臺灣詩壇。尤其在詩歌的表現藝術上，其豐沛新巧，是臺灣詩壇上從來沒有過的。如果對臺灣新詩六十餘年的歷史作一回顧，自一九二四年臺灣新詩誕生至日據時期的二十多年時間裏，臺灣新詩的特色是強烈的愛國抗日情感凝聚而成的突出的民族風骨。這種風骨是堅定的內容和恰切的形式相溶合的結晶。在西化期，雖然西方現代派思潮給臺灣新詩帶來了很多弊端，但是促使臺灣新詩向詩之更高層次邁進，藝術手法的豐富多彩，詩的審美素質的強化和提高，卻是無可置疑的。臺灣新詩進入七十年代民族、鄉土的回歸期之後，在思想和藝術上都進入了一個新的階段。大批新崛起的青年詩人，力排西化之弊，積極創建民族風格，使走入和讀者隔絕對立，幾乎遇到絕境的臺灣新詩，又復活了新的生命。總觀臺灣新詩發展的狀況和一大批有名望的臺灣詩人創作上所取得的成就，臺灣詩壇無疑是中國詩園中一塊肥沃的高產田畝。由於臺灣詩人和外界的接觸和交流比大陸詩人與外界的接觸和交流頻繁和密切，因而在世界詩評獎中獲獎的及被選入國際性詩選集的詩人和作品，臺灣比大陸的數量要多。當然，這種情況是多種因素造成的，並不完全標示著創作成就的高低。但這種情況至少說明，作爲祖國的一個組成部分，其詩的密度和整體創作成就是比較高的。

三、臺灣詩壇現狀

臺灣島位於祖國大陸架的東南緣，南北長三百九十四公里，東西最寬處只有一百四十四公里。臺灣包括臺灣島和周圍的附屬島嶼及澎湖列島，共有大小島嶼八十餘個，可稱爲百島之島。臺灣和它周圍的島嶼宛如一把明珠拋撒在那無邊的天藍色的海面上，在太陽照射下閃閃發光，激人遐想，發人思索，充滿詩情畫意。臺灣與祖國大陸隔海相望，距離福建省最近處只有一百三十公里。早從福州乘船，晚卽可到達臺灣最北部的基隆港。臺灣本島面積爲三萬五千多平方公里，臺灣的陸地總面積爲三萬六千平方公里，人口爲二千餘萬。臺灣是一個多山的海島，高山和丘陵約佔總面積的三分之二，平原約佔三分之一。東部的中央山脈和玉山山脈等五條山系構成地勢險峻、層巒迭嶂的磅礴氣勢。三千九百九十七米高的玉山頂峯冬季也偶爾飄雪，使氣候宜人的臺灣島上也可看到雪景奇觀。由於臺灣全年平均溫度在攝氏二十二度左右，樹木葱蘢，四季常青，終年百花吐香鬪艷，農作物一年三熟。因此，詩在那裏和青枝綠葉一起生長，與萬紫千紅的花朵一起開放。卽使政治氣候和精神的、物質的汚染抑制了人們的詩情，但那裏的詩苑卻仍然繁茂異常。臺灣比較有影響的詩刊，有《現代詩》、《藍星》、《創世紀》、《葡萄園》、《笠》、《秋水》、《大海洋》、《詩人季刊》、《臺灣詩季刊》、《腳印》、《掌握》、《心臟》、《漢廣》、《掌門》、《風燈》、《涓流》、《詩人坊》、《詩友》、《詩畫藝術家》、《新綠》、《海鷗》、《谷風》等二十餘種。此外還有《布穀鳥》和《月光光》等兒童詩刊。目前活躍在臺灣詩壇上的著名詩人有：鍾鼎文、鍾雷、墨人、紀弦（在美國）、余光中、羊令野、羅門、鄭愁予（在美國）、葉維廉（在美國）、楊牧（在美國）、商禽、瘂弦、洛夫、張默、管管、向明、楚戈、大荒、辛鬱、彭邦楨（在美國）、上官予、李春生、王祿松、文曉村、麥穗、劉菲、綠蒂、一信、舒蘭（在美國）、王在軍、謝輝煌、魯松、路衛、李佩徵（在美國）、碧果、方思（在美國）、方旗（在美國）、方華（在美國）、吳望堯（在美國）、張錯（在美國）、桓夫（陳千武）、林亨泰、周伯陽、巫永福、詹冰、錦連、趙天儀、李魁賢、白萩、非馬（在美國）、許達然（在美國）、杜國清（在美國）、郭楓、羅青、高準、金筑、吳晟、蔣勳、蘇紹連、沙穗、白靈、吳明興、台客、賴益成、楊維晨、鄭炯明、李敏勇、羊子喬、陳明台、郭成義、拾虹、陳鴻森、羅智成、張雪映、蔡忠修等。女詩中較著名的有：陳秀喜、張秀亞、胡品清、蓉子、林泠、席慕蓉、夐虹、羅英、陳敏華（在美國）、晶晶、劉延湘、朵思、張香華、馮青、亞媺、涂靜怡、宋后穎、闕雲、莫野、雪柔、葉翠蘋、梁翠梅、夏宇、陳斐雯、羅任玲等。

臺灣二千餘萬同胞中，寫詩的就有上萬人，出版過詩集、比較著名的詩人達數百人。從詩的密度和比例來看，恐怕要數全國之冠。原因之一，自古以來，中華民族就是一個詩的民族，它具有悠久的詩的傳統。詩經、楚辭、漢樂府、唐詩、宋詞、元曲和「五四」新詩貫穿下來的那條茁壯、健碩、充滿生機的詩根，深深地扎在我們民族的心靈中，潛入每個炎黃子孫的意識中。臺灣的新詩從五十年代以來有過幾次突出的發展，有過幾批詩人羣的崛起。比如：第一次是五十年代中期到六十年代初期現代派詩人的出現。當時臺灣奉行「反共抗俄」路線。從魯迅到當代大陸作家的作品，都在查禁之列。從而造成了臺灣一個時期的「無根文學」。臺灣一批知識分子轉而向西方尋求文化營養。一方面使用現代派隱喻、暗示等表現手法，把不便明說的心曲歌唱出來。另一方面尋求苦悶中的精神寄托。這就是西方現代派文學思潮乘臺灣對外經濟開放之機，得以風靡臺灣文壇達二十年之久的簡單背景。臺灣現代派詩人的崛起，實際上是壓迫和阻斷造成的後果。正如臺灣文評家漁父所說：「無可否認，現代詩最初的出現，是具有反叛意義的。在現實上，現代詩所要反叛的是那種令人窒息的官式文藝八股，它代表著文學工作者的抗議精神。」（註一）至於它後來的嚴重弊病使其喪失在臺灣的衆多讀者，那是另一回事。

現代派存在許多弊病，比如一部分作品純粹玩弄文字遊戲，脫離讀者，脫離現實，陷入晦澀難懂的魔障；又如在詩歌理論上的民族虛無主義等，激起了廣大讀者的不滿。在反對「西化」的熱潮中，經過幾次現代派詩的論爭和七十年代中期的鄉土文學論戰，促成了臺灣文化由西化到皈依民族本土的回歸運動。臺灣文學正是回歸運動的一翼。臺灣詩的回歸，在整個臺灣文學回歸中處於先鋒地位。從六十年代《葡萄園》和《笠》的出現開始到七十年代中期，臺灣詩壇湧現出一個龐大的民族型的青年詩人羣。他們創辦的詩刊不下數十種。如《龍族》、《主流》、《大地》、《詩潮》、《草根》等等。這批詩人的崛起，正是對臺灣詩壇西化的一種反撥。從上述兩例，我們便可了解到臺灣詩壇繁榮和詩人密度比例之大與臺灣社會之間的關係了。

其二，臺灣詩壇的繁榮是臺灣詩人對繆斯痴戀般的追求和無私的奉獻精神所使然。在臺灣，詩的道路走得最坎坷、最艱苦。如果愛上了繆斯，那就決定了你終生在清苦中和她廝守，還要耐心地、周到地侍候她一輩子。臺灣的詩刊雖多，但那都是各詩社的同仁們集資辦起來的。他們中不少人是從生活中節約下錢來，拿去投資的。因此很多詩刊都是在危機四伏中過日子，而且是無稿費詩刊。寫詩的人越多詩人就越窮。臺灣沒有專業詩人，所有的詩人都靠別的職業來養詩。比如臺灣著名詩人白萩，他的事業是寫詩，他的職業卻是商人和設計家。搞一個設計，一夜之間可拿到幾萬幾十萬臺幣，他就是靠商人和設計師來養他這個詩人的。詩人對詩藝鍥而不捨的追求和獻身精神，正是中華民族頑強的進取精神和執着的事業心，在他們身上的體現。

四、臺灣詩壇的羣體意識、凝聚力和個人拚搏

臺灣詩壇的羣體意識是令人吃驚的。那裏幾乎所有的詩刊都是由詩社創辦的。每個詩社都擁有一批詩人。一般來說，每個詩社和同名詩刊都有自己大致相同或相近的主體意識和藝術傾向。例如，《創世紀》最初主要由洛夫、瘂弦、張默等軍中詩人發起和組成。《葡萄園》是由反對晦澀詩風，倡導明朗化的詩人羣所組成。《笠》主要由臺灣省籍的鄉土派詩人構成等等。這種以意識和傾向爲軸心結成的羣體，顯示出臺灣詩壇強烈的羣體意識。這種情況和祖國大陸詩壇各自爲戰的情況形成鮮明對照。當然在大陸詩壇上如今也或明或暗地出現了以某些地方特色爲標誌的詩人羣落。比如西部詩人羣落，中原詩人羣落，上海詩人羣落等。但大陸上的這種詩人羣主要表現在作品風格和特色上，而不像臺灣的詩社同仁之間，是一個有形的組織和集體，是每個成員都必須愛護和維持的中心。臺灣詩壇的羣體意識是和臺灣的社會和歷史背景分不開的。臺灣是一個競爭激烈的社會。在弱肉強食的情況下，單憑個人力量難以生存和發展。於是人們便學會了借羣體的力量相抗爭。詩社的功能大體上有這樣幾種：

一是積資創辦詩刊爲同仁提供發表園地；二是藉集體的力量保護自己，擴大影響；三是創造共同的藝術風格。由此結成一個個詩社，從而構成臺灣詩壇濃厚的羣體意識。

臺灣詩壇的凝聚力主要表現在對母體文學的依戀上。臺灣在祖國近代史上，是遭受外侮最重的一個省分。荷蘭老殖民主義侵臺三十年，日本帝國主義佔領臺灣五十年，美帝國主義也阻撓祖國的統一事業。臺灣受帝國主義控制、佔領、踐踏逾百年之久。特別是日本佔領臺灣五十年間，他們在臺廢除中文，強迫臺灣同胞改成日本名字，穿日本和服，實行日本習俗，妄圖斬斷臺灣和中國之間的血緣關係，將寶島永遠併入日本的版圖。但是，臺灣的愛國詩人，如巫永福等，卻用哭泣和呼嚎抒發了對祖國的嚮往。六、七十年代，西化風潮席捲臺灣，激起了臺灣知識分子和廣大讀者的不滿。於是在臺灣文化領域內掀起了一場民族的、鄉土的回歸運動。臺灣新詩就走在回歸思潮的前列。這一聲勢巨大的回歸運動，宣告了西化的失敗。不管是帝國主義的武裝佔領和文化滲透，都無法將臺灣從中國版圖上抹掉；不管是刺刀和鮮花，都無法將中華民族的詩魂從臺灣的詩壇上驅走和誘離；不管經過什麼曲折和磨難，臺灣的詩園總是貼着母親的胸懷開放出中國的民族之花。

但是，臺灣詩人的拚搏，不僅是個人求得生存和發展的重要因素，而且還是臺灣詩壇存在和發展的動力之一，在某種情況下，甚至是決定性的因素。因爲在競爭激烈的社會裏，個人不去拚搏，是完全沒有機會出頭的，卽使有某種偶然的機遇冒出來，也會被競爭的對手扼殺。所以，個人的拚搏，在那裏常常是個人出頭的關鍵。而集體力量的競爭，實際上也是個人拚搏在一定階段和範圍內的聚合。臺灣詩人中沾着血淚的奮鬥故事是很多的。這裏試舉一例：臺灣著名現代派詩人辛鬱，寫了多年詩，到六十年代只出過一本詩集《軍曹手記》。而這本詩集的出版，也帶着濃厚的傳奇色彩。一九六〇年，辛鬱還在軍隊中作事，他很想將自己十二年的創作心血結集，但是又不敢奢望能夠出版。正好他所在的單位有一個印刷中隊。那裏有一架老掉牙的對開圓盤印刷機，是軍中印文件用的。於是辛鬱便給長官寫了個報告，要求在印刷中隊印自己的詩集《軍曹手記》。由於辛鬱對長官打點的好，長官便批准了。報告上還批着：「不准有亂七八糟的內容。」而且是自費印刷。所花三千元臺幣的印刷費，分六個月在薪水中扣完。不管怎樣，只要能出版，辛鬱就高興得難以自抑。本來還規定有「審稿」一關，後因長官調離才幸免糾纏。稿子發排後，辛鬱乾脆到車間參加印刷工作。當詩集排好上機印刷時，突然來了個非直屬單位的長官巡視。他發現印的不是公文，便隨手拿起一張，橫竪看不懂，當即官腔十足地質問身邊的中隊長：「這印的是什麼東西？」中隊長手中捏一把冷汗，急中生智地說：「報告長官，這是練習使用的作業。」這位長官半信半疑，但一時又無法判定眞僞，便轉身將目光射向精神萬分緊張的辛鬱，問道：「你來這裏幹什麼？」辛鬱心中早有準備，順口答道：「報告長官，我到這裏是來學印刷的。」那長官「哼」了一聲，便前呼後擁地走了。中隊長送走長官歸來，辛鬱正要向他道謝，他卻劈頭罵了一聲：「老狐狸！」辛鬱這本詩集，用了九牛二虎之力，花盡自己的積蓄，還欠下債，才印了五百册。他將一百册分送詩友和親朋，餘下的四百册則委托給朋友代銷。後因朋友調動工作，不幸將四百本書全部遺失，以致分文無獲。但辛鬱依然爲自己出版了詩集而高興。在臺灣像辛鬱一樣，在艱難困苦中掙扎發表作品，出詩集的比比皆是。遭受挫折和失敗，甚至碰得頭破血流而仍然堅持拚搏的詩人，也比比皆是，這種堅韌不拔，頑強拚搏的精神和毅力，正是他們取得成功的主因。憑藉這種精神的鼓舞和詩社同仁之間的幫助提攜，推動着臺灣詩壇艱難地前進。

五、臺灣新詩的發展進程

臺灣新詩從什麼時候發端，是一個迄今有爭論的問題。一般來說，人們認爲臺灣新詩發端於一九二三年和一九二四年之間，臺灣有的學者將六十多年來的臺灣新詩劃分爲四個階段，即：從一九二三年至一九四五年爲臺灣新詩傳統的奠定階段；從一九四五年至一九四九年爲臺灣新詩從日文到中文的過渡階段；從一九四九年至一九七〇年，爲臺灣新詩尋求現代化階段；從一九七〇年至一九八六年，爲臺灣新詩回歸本土階段。這種分期法雖有某些道理，但卻不夠科學。我認爲從一九二三年到一九四五年期間，是臺灣新詩在祖國「五四」新文學運動的激勵下，頂着日本帝國主義的高壓政策頑強地誕生和在抗爭中初步成長的時期，從一九四五年至一九五五年前後，爲臺灣新詩的省思恢復和融合期；從一九五六年到一九七〇年，爲臺灣新詩的「西化」期；從一九七一年至八十年代初，爲臺灣新詩的回歸期。在這個發展進程中，臺灣新詩經歷了幾次重大的挫折，也有過幾次高潮和發展。臺灣新詩的幾次挫折和發展，基本上都是伴隨著社會的動蕩和變遷進行的，而有時又是在二者成反比中交錯前進的。比如，日本帝國主義侵佔臺灣，使臺灣的社會和歷史趨於衰落和倒退，但是由於人們愛國情操的激發和昇華，產生了像巫永福等創作的那樣大量的、動人的愛國主義詩篇。這是因爲藝術和社會發展的不平衡規律在起作用。同時我們還可以發現，詩和人們思想感情的發展變化卻是一致的。人們有了美好的思想感情，並將這種思想感情進行藝術的升華，然後借客觀媒體進行表達，於是產生了詩。在這裏，生活在詩中只是一種媒體和假借，而眞正的詩的靈魂和核心卻是由詩人的思想感情所構成的。臺灣新詩發展的歷史過程，是沿著詩藝自身的規律前進的，因此當我們總結和概括詩的發展歷史的時候，應當着重、或主要考慮詩自身發展的特徵。當然對於它的歷史和社會背景也不能忽視，但要防止將詩學消溶到社會學中去。

【附註】

註一　《意識型態的追隨者——試論唐文標》（臺灣《中國時報》一九八六年一月三十日）。

上篇

臺灣新詩的誕生和成長期

第一章 臺灣新詩和五四運動

第一節 臺灣新詩誕生的歷史背景

臺灣自古是中國的領土，假如把中國比作一條燦爛的銀河，臺灣便是其中一顆閃亮的星；假如把中國比作一棵盛開的花樹，臺灣便是花樹上一簇絢麗的花朵。總之，臺灣和祖國血肉相連，不可分割。儘管世界上的新老殖民主義妄圖侵佔臺灣，但他們最終都被趕進了大海。陣陣狂風沙浪，雖然不免暫時使寶島蒙塵，但是經過炎黃子孫的共同努力，寶島終將閃射出耀眼的光芒。

在中華民族開發臺灣的歷程中，臺灣同胞與形形色色的敵人和困撓進行了可歌可泣的抗爭。臺灣文學作爲臺灣同胞抗爭中的精神產品在祖國文學的哺育下誕生了。因此，臺灣文學，特別是臺灣的詩歌，具有悠久的歷史。據史册記載，民族英雄鄭成功於一六六一年驅逐了荷蘭殖民主義者，在臺灣建立了明鄭政權之後，沒收荷蘭人的「王田」，並「鎮岳屯墾」，減輕人民的稅賦，出現了一個政治經濟相對安定繁榮的局面。因此，人們除了物質上的需求之外，對文化精神生活也有了追求。一六六二年，大陸人沈光文到臺後，在臺南善化首倡詩文。從此，文教大興，臺灣始有縣志藝文，詩文唱和。據記載，明永曆十六年春，沈光文自金門入泉州。不幸所乘一葉扁舟遇到颱風，被風吹漂到臺灣。鄭成功知道後，前往拜訪，以禮相迎，並置田宅瞻之。可見鄭成功對知識份子的重視和禮賢下士的風範。鄭成功辭世後，沈光文易服爲僧，並結茅菴以自隱，伴野鶴而清遊，最後移居臺南縣善化鎮社內，招徒授學，組織吟唱社。從此，臺灣的漢文詩開始萌芽。沈光文是臺灣文學史上第一位海峽兩岸詩的使者，也是臺灣古詩的創始人。

清朝興起之後，臺灣文化更加發達。其間臺灣共出了三位翰林、四十一位進士，文風鼎盛，詩運興隆。據連雅堂先生所著《臺灣通史》記載，截至清末割臺爲止，臺灣漢人所著詩文共有八十種，凡一百六十卷。其中尤以郁永河詩文遊記《稗海紀遊》最爲光彩。臺灣文學評論家葉石濤先生說：「我以爲仁和郁永河所寫的《稗海紀遊》是一部臺灣鄉土文學史上永不磨滅的偉大寫實作品，可以媲美安德烈・紀德的《剛果紀行》吧！郁永河的文學跟《剛果紀行》一樣，流貫整篇作品的是濃厚的人道精神。他用卓越的觀察力和分析力，栩栩如生地記錄下來滿清領臺初期，離荷蘭明鄭三代不遠的漢番雜居的社會情況。他使用正確、簡潔、有力的筆觸如實地描劃盡臺灣那雄壯、美麗的風土，榛莽未闢的荒原，蠻煙瘴癘的山河，莫不躍然於紙上。他的作品透露出來的是跟大自然抗爭的人類，充滿鬪志，永不屈服的精神。」(註一)這位被清朝派往臺灣採硫礦製炸藥的郁永河，是一位酷愛遊歷和探險的飽學之士。他以自己卓越的才華，高超的技巧創作出的這部《稗海紀遊》詩文集，不僅是臺灣最早的一部歷史著作，而且是臺灣文學的開創。它本身不僅是臺灣文學早期的一部偉大著作，而且對臺灣文學的發展起了很好的啓廸和示範作用，成爲臺灣文學史上一塊發軔的鋪路石。對臺灣寶島被割讓前的文學所作的簡單回顧，可以使我們了解到、臺灣新詩的誕生並非無源之水，無本之木，而是有其豐沛的歷史和文學之源的。

一八九五年因中日甲午戰爭失利，滿清政府與日本侵略者簽訂喪權辱國的《馬關條約》，將臺灣割讓給日本，引起臺灣同胞和全國人民的極大憤慨和強烈抗議。日本帝國主義佔據臺灣以後，臺灣的武裝抗日運動此起彼落。日本人據臺初期，臺灣人民舉行抗日的武裝暴動不計其數。其中規模較大，給侵略者以沉重打擊的就不下數十次之多。此時，日本佔領者對臺灣同胞進行了殘酷的鎭壓和殺戮。僅一個「噍吧年事件」，日本強盜就殺害了三萬臺灣同胞。日本入侵者一方面對臺灣同胞進行武力征服，另一方面在文化上採取懷柔政策，收攬無恥文人爲其歌功頌德，製造太平盛世之假象。例如：日本在臺第三任總督兒玉源太郎將他的住處取名爲「南菜園」，邀省內舊詩人在此擊鉢吟詩。同時另有一些具有民族氣節的文人，以舊詩作工具，抒發對日本入侵者的不滿。於是臺灣舊詩吟唱對和之聲大起，詩社聯吟會時有舉行。全省的舊詩社幾達百餘個。這種擊鉢吟雖不能一概抹煞，但就其主流來看是不好的。其中不少人不僅敵我不分，美化魔鬼，嚴重喪失民族氣節，以此作爲向上爬的階梯。而且吟風弄月，敗壞鬪志，使人變成了一具文學枯骨，忘記大敵當前，嚴重阻礙了臺灣文學的發展。他們的衰微，則透出了新詩的曙光。

第二節　五四運動和臺灣新詩之發萌

發生在一九一九年的偉大的五四運動，是我國新文學運動的發端。同樣也是臺灣新文學運動的發端。臺灣不少的文學界人士對五四運動與臺灣新文學運動的關係，已經作了正確的、符合歷史情況的論述。臺灣新文學運動的急先鋒、臺灣新文學運動史上第一位新詩人張我軍，在《請合力拆下這座敗草叢中的破舊殿堂》一文中說：「臺灣文學乃中國文學的一支流。本流發生了什麼影響、變遷，則支流也自然而然的隨之而影響、變遷，這是必然的道理。」（註二）臺灣新文學運動的活動家和著名老作家王詩琅，在《日據下臺灣新文學的生成及發展》一文中說到臺灣新文學和五四運動的關係時說：「他的基調本來就具有民族思想和民族意識，況且初期是在五四運動影響下，以白話文爲寫作工具性格極爲顯明」，「而且它又跟五四運動的中國大陸新文學亦步亦趨，反帝、反封建是最大題材。」《臺灣新文學運動簡史》的作者陳少廷說：「臺灣新文學運動是直接受到祖國五四新文化運動的影響而發生的，它始終追求五四以後的新文學之傾向，可以說是發源於中國新文學運動的支流。首倡新文學運動的黃朝琴、黃呈聰、張我軍都是在中國新文學運動後到過祖國的本省青年。」（註三）

毫無疑問，作爲祖國新文學的一個支脈，臺灣新文學的發生和發展都是和它的母體基本上一致的。一九一九年五四運動爆發的那一年，在東京留學的中國留學生，臺灣方面的有蔡惠如、林呈綠、蔡培火等，大陸方面的有馬伯援、劉木琳、吳有容等。他們受到五四運動的影響，在血濃於水的民族意識和同胞感情的凝聚下，以親睦爲號召，取「同聲相應」之意，組織起「馨應會」。在東京的臺灣留學生，根據改革臺灣社會政治之需要，也組織了「啓發會」和「新民會」等。這些留學生組織，都是在五四運動的直接影響和啓示下，抱着救國救民的宏願，自發地組織起來的。比如當時的「新民會」就將下列三條規定爲他們的行動目標：1.爲增進臺灣同胞之幸福，從事政治社會改革運動；2.發行刊物，聯絡同志；3.圖謀與祖國同志接觸之途徑。

日本經過明治維新之後，成爲東西方交流的中介，成爲接觸和觀察西方新思潮之窗口。因此東方一些國家和地區的知識青年，爲尋求救民救國之道，都不約而同地去日本留學，其中也包括中國大陸和臺灣的知識分子在內。大陸的留學生爲臺灣的留學生送去祖國五四運動的信息，臺灣的留學生通過大陸的留學生獲得祖國的聲援和支持。從「新民會」的三條宗旨來看，有兩條是極爲明確的，那就是爲了臺灣同胞的幸福，必須進行政治社會改革，而要進行改革，就必須和大陸親人取得聯繫，得到大陸的支援。所以臺灣和大陸的命運始終是連在一起的。當時受到大陸《新青年》的啓發，臺灣留日學生也在日本辦起了《臺灣青年》雜誌，後來又發展成《臺灣民報》，繼之又移遷臺灣，變成《臺灣新民報》。這個刊物始終是臺灣新文學運動的喉舌，也是臺灣新詩孕育誕生之母體，在五四運動的影響下，有不少臺灣知識青年暗渡海峽，到大陸來尋求抗日救臺之道。他們在北平、上海、厦門、廣州等地發起組織了「臺灣青年會」、「臺灣自治會」、「臺灣同志會」、「臺灣學生聯合會」等。後來臺灣新文學運動的一些主要發難者和領導人，都是由這些到過大陸，直接或間接受到五四運動洗禮的愛國青年中產生的。例如張我軍、黃朝琴、黃呈聰、賴和、吳濁流等，都是其中的中堅份子。而臺灣新文學史上的第一本詩集，張我軍的《亂都之戀》，就是寫於北平，發表在《臺灣民報》上的。由此可見，五四運動既爲臺灣新詩孕育了反帝反封建之健碩詩胎，又爲臺灣新詩培育了發難之詩人。

第三節　臺灣新、舊詩之論爭

臺灣新詩作爲臺灣舊詩之否定，作爲反抗當權者日本帝國主義之精神武器，就注定了其誕生和發展的艱苦和殘酷。和大陸一樣，臺灣新文學、新詩爭取面世的第一仗，是文學的語言之爭，卽白話文和文言文之爭。

一九二三年元月《臺灣》雜誌(卽領導臺灣新文化建設和抗日民族運動的《臺灣青年》，於一九二二年改稱《臺灣》)，發表了黃呈聰的《論普及白話文的新使命》和黃朝琴的《漢文改革論》。這兩篇文章掀開了臺灣白話文改革的序幕。黃呈聰分析臺灣文化落後的原因是因爲「沒有一種普及的文體」，他認爲：「普及白話文是很要緊的工作，是一項新的使命」。他在論述了「白話文之歷史考察」，「白話文和古文研究之難易」，「文化普及與白話文的新使命」之後說：「總而言之，白話文是文化普及的急先鋒，因此自今而後，我們要用這種最快速的方法來普及文化，使我們的同胞明白自己的地位和應當做的。這樣便可促進我們的社會之進步……。」黃朝琴的《漢文改革論》提出：爲了普及教育，提高文化水準，造福民衆，漢文改革是刻不容緩的當務之急。他從個人的體會出發，提出了漢文改革的四條出路：第一，對同胞不寫日文信件；第二，寫信全部用白話文；第三，用白話文發表議論；第四，自願擔任白話文講習會的教師。並且要自掏腰包進行白話文的推廣和宣傳。「二黃」的這兩篇文章，是臺灣新文學運動的先聲。在他們的影響下，一九二三年四月十五日，《臺灣民報》創刊號正式出版，全部使用白話文，並倡導設立「白話文研究會」。由於《臺灣民報》的大力鼓吹、推廣和運用，白話文便很快在臺灣普及開來。

在白話文改革中，舊文學營壘幾乎沒有表現出多大的抗拒力。但是到了新舊文學論爭的第二個階段，當論爭進入實質性問題的時候，雙方便刀槍相見了。當時《臺灣民報》第一卷第四期發表了在上海讀書的臺灣青年許乃昌以筆名秀湖寫的文章《中國新文學運動的過去現在將來》，肯定了白話文學運動的成就，介紹了胡適的《文學改良芻議》和陳獨秀的《文學革命論》，並評介了當時大陸文壇最活躍的作家和他們的作品。一九二四年，《臺灣民報》第二卷第十期發表了蘇維霖（薌雨）的文章《二十年來的中國文學及文學革命的略述》。這些文章形成了對臺灣舊文壇的圍攻之勢。張我軍的一系列文章的發表，更使舊詩人們感到末日到來之恐懼。於是論爭進入短兵相接階段。《臺灣民報》一九二四年連續發表了張我軍的《致臺灣青年的一封信》、《糟糕的臺灣文學界》，說臺灣的舊詩人們不懂什麼是詩，把文學當兒戲；利用詩作沽名釣譽之工具，坑害青年養成好名之惡習。他嘻笑怒駡地說：「臺灣的文士卻戀著龍中的骷髏，情願作守墓之狗，在那裏守着幾百年前的古典主義之墓。」(註四）張我軍的揭露引來了臺灣舊詩壇的宿老連雅堂的反擊。他趁爲林小眉《臺灣詠史》作跋之機，對張我軍等進行嘲諷。他說：「今之學子，口未讀六藝之書，目未接百家之論，耳未聆離騷樂府之音，而囂囂然曰，漢文可廢，漢文可廢，甚而提倡新文學，鼓吹新體詩，粃糠故籍，自命時髦，吾不知其所謂新者何在？其所謂新者，持西人小說戲劇之餘，蓋其一滴沾沾自喜，誠陷井之蛙，不足以語汪洋之海也。」連雅堂此文一出，張我軍立即又在《臺灣民報》第二卷二十六期發表《爲臺灣的文學界一哭》，進行反擊。張我軍發表在《臺灣民報》第三卷二期上的《絕無僅有的擊鉢吟的意義》一文中指斥說：「擊鉢吟是一種什麼東西，大概用不着我來說明了，因爲他們的鉢聲擊得很響亮，所以苟是住在臺灣的人，大概已沒有不知道的了。若強要我說一句，那麼這所謂擊鉢吟是詩界的妖魔，是和我們在前段所說的『人爲什麼要做詩』的原義相背馳的。我們如果欲掃除刷清臺灣的文學界，那麼非把這詩界的妖魔打殺，非打破這種惡習慣惡風潮不可。」(註五）在新舊文學的論戰中，雙方都推出了自己的陣容。舊文學方面出場的有鄭軍我、蕉麓、赤嵌王生、黃衫客、一吟友。新文學方面的有：張我軍、蔡孝乾、前非、懶雲等。這一論戰以詩歌爲主，後又發展到了小說。由於舊文學得到日本當權者的撐腰，新文學在政治上頗受打擊和壓抑。但新文學是初升的太陽，因而論戰最終以新文學的勝利而告一段落。臺灣新舊文學的論戰爲臺灣新詩的誕生掃清了道路，不愧爲臺灣新詩的助產婆。

【附　註】

註一　《光復前臺灣文學全集總序》。
註二　《張我軍選集》第一四頁（時事出版社）。
註三　《臺灣新文學運動簡史》（臺灣版第一六二頁）。
註四　《張我軍選集》第五頁。
註五　《張我軍選集》第二三頁。

第二章 臺灣新詩的發萌和奠基

第一節 臺灣新詩的萌芽期

臺灣最早出現的新詩，是追風（謝春木）以日文創作於一九二三年五月、發表於一九二四年四月十日出版的《臺灣》雜誌上的《詩的模仿》。追風的這四首詩正像標題所顯示的，是模仿之作，還不是很地道的新詩。關於詩的表達工具問題，由於臺灣所處的特殊歷史條件，日本帝國主義對臺灣同胞採取法西斯鎮壓和同化政策，以致很多臺灣同胞喪失了使用漢文的能力。這就形成了臺灣在日據時期和日本帝國主義投降後的一段時間裏，文壇上中文和日文並行的局面。在一九三七年日本帝國主義明令禁止中文之後，更出現了日文獨佔臺灣文壇的局面。怎樣看待臺灣文學中這種特殊現象和這批日文文學遺產？這就涉及對臺灣新詩的處女作《詩的模仿》的態度問題。作爲語言的符號，文字是表達思想感情的工具，文學和文字關係密切。但文學的本質和內容決定於它表達了什麼和怎樣表達。作爲日本民族的語言符號，日文既可以寫出侵略文學，也可以寫出革命性很強的文學。追風的《詩的模仿》，應該承認它是臺灣新詩的濫觴。臺灣新詩的萌芽期可從二十年代初算到三十年代初。在這個時期中，臺灣新詩有了自己的發表陣地。如《臺灣青年》、《臺灣新民報》，還有林進發於一九二四年五月二十一日在臺北創辦的《文藝》，楊雲萍和江夢筆於一九二五年三月創辦的《人人》雜誌等。這個時期臺灣新詩有了在新舊文學論戰中建立起來的詩歌理論，如張我軍的《糟糕的臺灣文學界》、《請合力拆下這座敗草叢中的破舊殿堂》、《絕無僅有的擊鉢吟的意義》和《詩體的解放》等文章，都是臺灣新詩萌發期，具有開創性和奠基意義的詩的理論著作。

一九二六年十一月，《臺灣民報》發動了一次徵集白話詩的活動，共得作品五十首。雖有崇五、器人（楊華）、黃石輝、黃得時、沈玉光和謝萬安等六人的詩入選，但發表的只有崇五和器人的三首詩。然而這次活動的歷史意義無疑地大於作品的成果。一九三〇年八月二日，《臺灣民報》增闢了《曙光》新詩專欄，新詩作品蔚爲一時。一九三〇年吳新榮在日本東京創辦了《里門會志》和《南瀛會志》，寫了《故鄉的輓歌》等作品，加入了臺灣新興的詩歌隊伍。這樣，臺灣新詩自萌發以來，出現了第一個高潮。這個時期，除了張我軍出版了臺灣詩壇的處女詩集《亂都之戀》外，陳奇雲於一九三〇年出版了新詩集《熱流》，在日本留學的王白淵，一九三二年出版了日文詩集《荊棘之道》。這個時期登上詩壇的詩人有：追風、施文杞、張我軍、楊雲萍、縱橫、瘦鶴、江肖梅、啓文、梨生、翁澤生、賴和、虛谷、楊守愚、楊華、赤崁生、徐玉書、朱點人、王白淵、陳奇雲、郭水潭、吳新榮、徐淸吉等三十餘人。當時用中文寫白話詩的，以楊守愚、楊華、張我軍、虛谷等較有成就；用日文寫詩的以陳奇雲、王白淵、郭水潭顯示出了功力。這個時期詩人的特點，大都是身兼詩、小說和理論數職，沒有一個專業詩人。其中不少人以寫小說爲主，寫詩爲輔。

萌芽期臺灣新詩的特點，首先是思想和藝術的不平衡。卽思想較充實，而藝術較粗糙。這是由於臺灣當時處於日本帝國主義的殘酷壓迫下，時代呼喊著詩去爲抗爭而吶喊。由於武裝抗日的接連失敗，抗日的形式由武裝鬪爭爲主轉入以政治抗爭爲主。知識份子也隨卽成爲抗爭的主力之一。於是文學成了抗日陣線的主要一翼。抗擊日本帝國主義的殘酷統治，便當然地成了臺灣新詩的主要的重大的課題。另一方面，由於新詩剛剛誕生，缺乏創作經驗和藝術積累，因此所產生的作品，一般藝術上都比較粗糙。二、形式上活潑多姿。由於是開創期，所以框框還沒有形成，因此八仙過海各顯其能。有較長的抒情詩，也有很短的抒情詩；有十句二十句一節的詩，也有三兩句一節的詩，有老長老長的句子，也有很短很短的句子；有押韵的，也有不押韵的。在形式上呈現出一個百花齊放的局面。三，語言上樸實無華。我認爲作爲藝術品的詩，語言上是應該講究的。應該作到含蓄而優美，否則很難成爲佳作。但是臺灣新詩那時處於萌芽期，加之抗爭形勢要求之急迫，詩人爲了明白快速的傳達思想和情感，沒有功夫去精雕細琢，在這種情況下語言上存在的粗、樸、白的現象，也就是不可避免和可以理解的了。

第二節　張我軍和他的《亂都之戀》

張我軍是臺灣新文學運動的急先鋒，是臺灣新詩的奠基者，他的處女詩集《亂都之戀》

是臺灣新詩的第一塊奠基石。

張我軍本名張清榮，臺灣臺北縣板橋鎮人。一九〇二年出生，因肝癌卒於一九五五年，享年五十四歲。少時家貧，父親早逝，很小就在一家鞋店裏當學徒。後來進入一家銀行當工友，因聰明勤快升爲雇員。他白天工作，夜晚學習文化，進步很快。後來跟一位老秀才學習中文。在一個偶然的機會裏，張我軍服務的新高銀行在厦門開設分行，他被調到厦門工作，因而接觸了中國的燦爛文化。一九二三年新高銀行厦門分行關門，張我軍靠少許的遣散費到北平高等師範學校辦的補習班唸書，不久因錢用光，又被迫回到臺灣，入《臺灣民報》任漢文欄編輯。他利用職務之便，開始大力介紹祖國的新文學運動。一九二五年，張我軍又去北平，考入中國大學國文系，二年級時轉入師範大學，一九二九年畢業。大學畢業後就在師範大學，北平大學法學院，中國大學等校任日文講師。「七七事變」後，任北京大學工學院教授。

張我軍身在北京讀書，心繫臺灣的新文學事業。從一九二四年四月六日的《致臺灣青年的一封信》起，他連珠炮式的在《臺灣民報》上發表了《糟糕的臺灣文學界》、《歡送辜博士》、《爲臺灣文學界一哭》、《請合力拆下這座敗草叢中的破舊殿堂》、《絕無僅有的擊鉢吟的意義》、《揭破悶葫蘆》、《聘金廢止的根本辦法》、《復鄭軍我書》、《文學革命運動以來》和《詩體的解放》等一系列論文。把臺灣舊文學駁得體無完膚，打得落花流水。他的一系列有關詩的文章，成了臺灣新詩的主要理論基礎。尤其是他的《絕無僅有的擊缽吟的意義》和《詩體的解放》等文章，可以說是臺灣新詩奠基的綱領性文獻。這些文章就是對整個中國新詩的發展，也有啓廸意義。張我軍主張詩要有正確的人生觀和眞情實感，重在內容，但也要注意表達技巧。例如他在《絕無僅有的擊缽吟的意義》一文中說：「詩，和其他一切文學作品的好壞，不是在字句聲調之間，乃是在有沒有徹底的人生觀和眞摯的感情。所謂字句聲調乃是技巧上的功夫。不消說，技巧也是不可全缺的。不過技巧在文學上的地位並不是什麼重要的。然而有了徹底的人生觀和眞徹的感情——內容，若更有洗練的表現功夫，——技巧，這是再好沒有的了。」（註一）在《詩體的解放》一文中他又說：「詩是以感情爲性命的，感情差不多就是詩的全部。然而感情若只在心裏高潮而沒把它表現——醇直的表現——出來，還不成詩。所以有了高潮的感情更醇直地把它表現出來，便自然而然的有緊迫的節奏，便是詩了。」（註二）張我軍在文章中一再強調感情和人生觀對詩的極其重要性，是因爲與舊詩擊缽吟戰鬥之需要；是爲了打破擊缽吟唯形式主義的弊端；是爲了擊中擊缽吟沒有感情之病灶。張我軍還舉郭沫若的詩《筆立山頭展望》作爲新詩之標竿。他將郭沫若這首詩全文引錄後說：「這種詩才算是純然的新詩。反對新詩的人都說新詩沒有韵律，這是因爲他們不知道形式之外還有自然的韵律——內在律。反正內在律方才是眞正的韵律呢？如郭君這首詩什麼人敢說它沒有韵律？有人問我中國的所謂新詩怎樣？我便立刻叫他去讀一讀郭沫若君的詩。這樣說並非郭君的詩特別好到怎地，是因爲他的詩才是現代的詩，和世界各國的新詩合致啦。」（註三）

張我軍作爲一個新文學理論的先驅，他是相當有眼光，有魄力的。破，他破得徹底；攻，他攻得猛烈無情；但在對舊文學攻和破的同時，他也明白的提出，要進行新文學的建設，如果沒有新文學作品和理論的出現，沒有東西去示範，去占領陣地，新文學的革命就是一句空話。一切掃蕩和爭論都是白費力氣。張我軍清楚地認識到了這一點，因此他在《新文學運動的意義》一文中這樣講：「自去冬我引了文學革命軍到臺灣以來，在起初三、四個月間，雖然也引起了很大的反動，但那不過是幾個舊文學的殘壘的小卒出來罵陣的罷了。由此可以知道，臺灣的舊派文學不值得一駁或一笑。於是我們第二步是建設了。胡先生（胡適）說，他們（舊文學）所以還能存在國中，正因爲現在還沒有一種眞有價值，眞有生氣，眞可算作文學的新文學起來代替他們的位置。有了這種眞文學和活文學，那些假文學和死文學自然就會消滅了。所以我們希望提倡文學革命的人，對於那些腐敗文學，個個都該有一個彼可取而代之的心理。個個都該從建設一方面用力。要在三、五十年內替中國創造出一派新中國的活文學。」（註四）張我軍是這樣說的，也是這樣做的。他用理論攻擊敵人，掃清陣地，樹立標杆；他以創作去實踐理論，示範別人，佔領陣地。他雙管齊下攻於一役。他的處女詩集《亂都之戀》就是他文學主張的實踐和體現。

《亂都之戀》，作爲臺灣新文學史上的處女詩集，應該得到應有的地位。所謂「亂都」是指一九二三年前後的北平。當時正值奉直軍閥開戰，北平城內外人心惶惶，故曰『亂都』。那時，張我軍在北平高等師範學校辦的補習班裏學習。在這期間，與同班同學羅文淑女士發生了愛情。兩人相愛極深，但卻遭到了羅文淑父母的堅決反對。女方家長強迫羅女士與張我軍斷絕關係，另嫁他人。羅文淑女士毅然決然離開父母，離開家鄉，和張我軍雙雙從北平私奔到臺灣，終成夫妻。張我軍創作的這一組詩，就是反映他們當時與封建禮教搏鬥、爭取婚姻自主的精神表現。《亂都之戀》詩集，是臺灣新詩史上的寶貴的財富。

張我軍作爲臺灣新文學史的奠基詩人，他的詩內容充實，感情眞摯，行文明白流暢。但是過於散文化，有的作品幾乎就是散文的分行排列。表達的直露也使詩缺乏耐讀性。這個詩集中有的作品，取得了內容和形式的較好的結合，例如《弱者的悲歌》。張我軍在這首詩中沒有直接道破弱者是誰，只從大自然中攝取了兩個形象，黃鶯和白雲作爲弱者的代表和象徵。然後將詩人的意願和感情通過它們傳達給讀者，讀者從這兩個形象聯想開去，於是想起了當時處於日本法西斯蹂躪下的臺灣同胞，詩意濃烈。這種象徵手法的運用，雖然還顯得稚嫩，但卻給新詩增添了華彩。這首詩表達了啓蒙詩人悲天憫人的情感。總之，雖然張我軍的詩在新詩的萌芽期就取得了較好的成就，但是這種成就與作爲鬪士和理論家的張我軍的文章相比，卻稍顯遜色。

第三節　賴和與楊華

賴和是臺灣新文學的開拓者，被臺灣文壇尊稱爲「臺灣的魯迅」。他在臺灣是第一個用白話文創作小說的作家，對臺灣新文學的奠基和發展起了先驅的作用。同時由於他在臺灣新文學運動的初期主持《臺灣民報》的文藝欄，培養了大批作家，因此他又是臺灣新文學運動和臺灣新詩的奶母。正如臺灣新文學初期著名的詩人楊守愚所說的：「我常常會這樣想——即便是一種新文學的誕生主要是出於一個新時代的要求，又卽便是新文學的發展是一種必然的過程。但是，當時如果沒有一位像懶雲（卽賴和）氏那樣既有創作上的天才，而又有對新文學事業的推展抱着熱情和決心的人，來擔當、領導這個時期，並擔任這一艘臺灣新文學大船的舵手，則相信臺灣的新文學是無由達成若今日的狀態和成就，而且一定還要走多少迂廻、曲折的發展道路吧！」（註五）由此可以看到賴和在臺灣新文學和臺灣新詩史上的重要性。

賴和，本名賴河。常用筆名懶雲、甫三、走街先等，臺灣彰化縣人，一八九四年四月二十五日出生。曾讀公學校，小逸堂（皆日據時臺灣的小學），拜黃其偉老師學習中文。十六歲入當時臺灣最高醫學學府臺北醫學學校，二十一歲畢業，前往嘉義病院實習，二十三歲回到彰化開設賴和醫院，二十四歲渡海到厦門博愛醫院工作。受到五四運動新思潮的洗禮，二十六歲返臺參加抗日活動，二十八歲加入臺灣文化協會任理事。賴和曾因參加抗日活動兩次被日本人逮捕入獄，但他矢志不移，直到一九四三年一月三十一日辭世。

賴和是個名醫，深得人民的愛戴和信任。他去世後遠近鄉民還到他的墳墓上採野草以治病。在國民黨遷臺後長期受屈，直到一九八五年才得以昭雪平反。賴和是個卓越的作家和詩人。他的白話小說在臺灣新文學史上具有重要意義。賴和的新詩創作，同樣成就卓著。作品有《覺悟下的犧牲》、《流離曲》、《生與死》、《新樂府》、《農民謠》、《滅亡》、《南國哀歌》、《思兒》、《低氣壓的山頂》、《相思歌》、《呆囝仔》等等。賴和屬風暴型的詩人。他的詩是號角也是吶喊，請看他的《南國哀歌》的最後一節：

兄弟們來！來！
捨此一身和他一拚，
我們處在這樣環境，
只是偷生有什麼路用，
眼前的幸福雖享不到，
也須為子孫鬥爭。

賴和英勇無私，寧願在戰鬥中將自己的青春和生命化作勝利的曙光，爲後人造福。他的《低氣壓的山頂》，是一首氣勢磅礡的戰歌：

「這冷酷的世界，
留它還有何用？
這毀滅一切的狂飆，
是何等偉大悽壯！
我獨立在狂飆中，
張開喉嚨竭盡力量，

大著呼聲為這毀滅頌揚，
並且為那未來不可知的，
人類世界祝福。

賴和借大自然的景象，抒發胸中之鬱積，在日本帝國主義製造的政治低氣壓下，他極力呼喚革命之風，抗日之雨，來摧毀敵人的巢穴，沖涮人間的罪孽。從而建設人民的新世界。因此他一方面戰鬪，一方面爲人類的未來祝福。從賴和的詩作中我們也仍然可以感覺到，臺灣新詩誕生初期那種共同的不足，即思想重於藝術的現象。

楊華，是臺灣新詩奠基期的卓越詩人之一。他的詩是在與貧病交迫的命運抵抗和與敵人的抗爭中誕生的。他的詩全是用中文創作的白話作品。按照臺灣學者林載爵的話說，楊華的詩是在異族的殘酷統治，歷史命運的作弄下，一個無力者對生命的眞摰反省和感觸。可見楊華和賴和是不同風格，不同氣質，不同類型的詩人。如果說賴和是風暴，楊華就是淒雨；賴和是投槍，楊華就是顫動的鞭子，如果說賴和的詩是一支高亢的戰歌，那麼楊華的詩就是一曲淒愴的控訴。

楊華，常用筆名楊花，楊器人，臺灣屏東縣人，約生於一九〇六年，卒於一九三六年，活在人世只有三十歲，因此被稱爲「薄命詩人」，楊華生前非常窮困，在貧病交迫中靠敎私塾度日。一九三六年五月四日出版的，由楊逵和夫人葉陶主辦的《臺灣新文學》雜誌第一卷第四號上，刊登了這樣一段有關楊華的啓事：「島上優秀的白話詩人楊華（楊顯達），因過度的詩作和生活苦鬪，約於兩月前病倒在床。曾依靠私塾教師收入爲生，今已斷絕，陷入苦境，企待諸位捐款救援，以助其元氣。病倒於屏東市一七六貧民窟。」這個啓事的刊發日期和楊華去世的五月三十日，相差只有二十六天。可見在這個啓事的刊發之日，楊華已經絕糧斷飲，奄奄一息。一代有才華的中國詩人就這樣在日本帝國主義者製造的貧窮和疾病的夾攻中死去，實在令人寒心！一九二七年二月五日，楊華曾被日本入侵者逮捕過一次。在獄中寫下了著名的詩作《黑潮集》，共五十三首。這部作品奠定了楊華的優秀詩人的地位。詩人通過這五十三首小詩，傾吐了他在強大的敵人面前無奈和淒苦的心情：

玩弄！
侮辱！
這是第幾次了？
雖然我是記不清，
但是記清它做什麼！
（二十五）

詩人雖然徬徨和無奈，但他心中埋藏的火種並沒有熄滅。他不甘心在侮辱中墮落，在苦難中沉淪。

只要是新生的火
她便能燃起已死的灰燼
（二十四）

不僅如此，楊華在監獄中遙望到一線光明。於是他醒了。他要盡到一個詩人的責任，去做自己力所能及的事：

我要從悲哀裏逃出我的靈魂
去哭醒那人們的甜蜜的惡夢
我要從憂傷裏擠出我的心兒
去填補失了心的青年的胸膛！（五十一）

詩句雖不激昂，但卻悲壯；雖不是匕首，卻不失爲清醒劑；雖夠不上戰歌，然而在娓娓的傾訴中，卻將自己生命的曲調，滙入抗日的洪流。臺灣學者林載爵在《黑潮下的悲歌——詩人楊華》一文中，認爲「五十餘節小詩雖然未經潤色，稍嫌散漫，但本其對環境的親身感受，卻一貫地環繞着歷史性的主題——個人與時勢的關係，黑潮是存在於臺灣周圍的海流，故日本船隻漂流而來臺灣者，自古有之。詩集以《黑潮》爲名，多少總含有四方時勢，運通夾迫的意思。也或許是身繫囹圄，對強制性的勢力有特別的感觸吧！」（註六）我覺得楊華這部詩集的內容，是在抒發他對日本帝國主義迫害下的心靈感受。是在寫人世而不是描自然。即使點到自然景觀，也是托物起興，目的仍在寫時勢。因此詩人將詩取名爲《黑潮》，其意是指日本帝國主義在臺灣橫行霸道，胡作非爲，爲臺灣同胞帶來了巨大的災難。這種形勢，如黑潮洶湧。這是對殘暴勢力的一種貶斥和控訴。

楊華是臺灣早期詩人中作品比較豐富的一位。他出版的詩集有《黑潮集》、《心弦集》、《晨光集》等。此外還有未結集的散篇詩作，如《女工悲曲》、《秋贈給我的》、《

春愁》、《夢醒》、《褐色的草舍》、《小詩十二首》、《褪黃的紙窗》、《西子灣》、《愁緒》、《蕭蕭雨》、《春來了》、《溫柔的陽春》、《淡薄的哀愁》、《燕子飛去了後的秋光》等。在臺灣的早期詩人中，楊華的作品藝術上追求自然清新和優美。請看：

雨後的晴空
寂然幽靜
像給淚泉洗過的良心！
（《晨光集》）

他的詩在深邃的意境中包含着某種思想，某些哲理，給人以思考和啓廸。

幽默園中，
撒了滿地的落紅，
這是零碎的詩句呵！
（《晨光集》）

因此，讀楊華的詩，感到有一種很強的感染力和滲透力。這就是藝術的魅力產生的磁性。這表明楊華不僅注意在向讀者傳遞自己的思想、感情，而且在刻意追求怎樣藝術地向讀者傳遞自己的思想、感情。這是一種相當高的藝術境界。楊華夭折於三十歲，無論對臺灣詩壇，或是對整個中國詩壇，都是一個損失。

【附　註】

註　一　《張我軍選集》第二一頁。

註二　《張我軍選集》第四一頁。

註三　《張我軍選集》第四七頁。

註四　《張我軍選集》第六〇頁。

註五　《賴和先生全集》第四二七頁（臺灣明潭出版社）。

註六　臺灣《夏潮》雜誌第一卷第十一期。

第三章　臺灣新詩的成長和發展

第一節　臺灣新詩的成長和發展

從三十年代初期到日本帝國主義無條件投降，大約十五年左右，爲臺灣新詩在日本法西斯的高壓和殘酷迫害下頑強的成長和發展的時期。這個時期的特點是：從社會角度看，是日本帝國主義由瘋狂走向徹底滅亡的時期。日本帝國主義在臺灣的統治隨着法西斯同盟的徹底崩潰和失敗而消失。一九三七年發生在中國的「蘆溝橋事件」（即「七・七事變」）標誌着日本帝國主義的侵略野心的高度膨脹。他們妄圖速戰速決消滅中國，繼之呑併東半球，而臺灣則是他們向南擴展的跳板和中繼站。爲此他們在瘋狂入侵中國內地的同時，在臺灣也加緊了法西斯的「皇民化」運動。一九三七年六月十五日，日本政府在臺灣下令廢止中文，宣佈所有的報刊中文版一律停刊。同時強迫臺灣同胞改用日本名字，改穿日本和服，改行日本習俗。日本官方在臺報紙《臺灣日日新》的主編西川滿，爲配合日本政府推行「皇民化」運動而提倡「皇民文學」，並創辦了御用刊物《文藝臺灣》。他們還成立了「臺灣文學奉公會」，召開「大東亞文學者大會」，「臺灣決戰文學會議」。這都徹底地暴露了日本帝國主義利用文學控制臺灣、同化臺灣的猙獰面目和險惡用心。這無疑也是日本軍國主義垂死掙扎中的迴光反照。從臺灣愛國的新文學運動方面來看，這個時期既是發展的高潮期，也是多災多難的顚簸期。一九三〇年左右，臺灣新文學運動內部由於意見分歧，發生了一次臺灣話文和鄉土文學的論戰。黃石輝和郭秋生等提出，「要用臺灣話做文，用臺灣話做詩，用臺灣話做小說，用臺灣話做歌謠，描寫臺灣的風物。」黃石輝在《怎樣不提倡鄉土文學》一文中說：「你是臺灣人，你頭戴臺灣天，腳踏臺灣地，眼睛所看的是臺灣的狀況，耳孔所聽見的是臺灣的消息，時間所歷的是臺灣的經驗，嘴裏所說的是臺灣的語言，所以你的那枝如椽健筆，生花的彩筆，亦應該去寫臺灣的文學了。」黃石輝和郭秋生的論點發表後，便立即遭到了毓文、林克夫、朱點人的同聲反對。他們認爲：臺灣話粗雜，不足做文學的利器；臺灣話文大陸人看不懂，不便在大陸流行。他們主張用中國白話文寫作，普及中國白話文，以溝通兩岸的文化。這是一場在日本帝國主義統治下發生的論爭，當時主張普及白話文的一方，認爲臺灣是中國的一部份，臺灣和中國是永遠不能脫離的，沒有必要另立臺灣特有的地方性文化，以防止狹隘的地域觀念的抬頭，這更加符合祖國的利益和歷史的潮流。

臺灣新文學運動的喉舌《臺灣民報》，自一九二七年八月由日本東京遷臺灣出版發行，一九三二年四月又改爲日刊，並改刊名《臺灣新民報》。這一時期創刊的文藝雜誌相當多，例如：一九三三年王詩琅、張維賢、周合源等臺灣留日學生，在東京發起組織的臺灣文藝作家協會創辦的《臺灣文學》，一九三四年在東京的臺灣留學生吳坤煌、張文環、巫永福等發起組織的臺灣藝術研究會創辦的《福爾摩沙》，由臺灣文藝聯盟創辦的《臺灣文藝》，由楊逵夫婦創辦的《臺灣新文學》；還有《南音》半月刊，《先發部隊》等等。這些報刊爲臺灣新文學的發展提供了廣闊的陣地。特別是《臺灣民報》於一九三〇年八月二日闢《曙光》詩專欄，爲新詩的發展創造了有利條件。這個時期臺灣成立了不少文學社團，特別是一九三四年五月六日在臺中市小西湖酒家召開的全島文藝大會，宣告成立臺灣文藝聯盟，實現了全島作家，詩人、評論家的大聯合。後又在各地設立支部，是臺灣新文學運動發展到鼎盛期的標誌。這都爲臺灣新詩的發展鋪平了道路。

從臺灣新詩本身的發展來看，這個時期出現了專門的詩刊和詩歌社團，如由率先向臺灣介紹西方現代派詩歌的詩人楊熾昌（水陰萍）組織的「風車詩社」和它的同仁詩刊《風車詩刊》；由邱炳南一九三九年二月創刊的《月來香》詩刊；一九四二年由張彥勳等人發起組織的詩組織「銀鈴會」，及其創辦的《綠草》詩刊。這個刊物雖然是油印發行，但卻擔負着臺灣新詩的過渡任務。該刊一九四七年改爲《潮流》，直到一九六四年《笠》詩刊的創刊，才接替了它。這個時期的詩人如雨後春筍，先後登上臺灣詩壇的除了萌芽和奠基期的詩人外，還有：葉融其、蘇維熊、楊基振、夢湘、朱培仁、陳周和、蔣子敬、嵩林、賴明弘、吳坤煌、翁鬧、楊熾昌（水陰萍）、李張瑞、林修二、丘英二、林精繆、王登山、青陽哲、董裕峰、黃衍輝、吳坤成、楊啓東、楊俊傑、江燦琳、曾壁三、鍾銘鋒、巫永福、楊少民、芳嵐、垂映生、黃寶桃、紀鴻輝、吳一龍、劉捷、楊作舟、李仁田、林國風、邱炳南、邱淳光、龍瑛宗、王昶雄、吳瀛濤、陳千武、林夢龍、曾石火、吳天賞、陳孫仁、陳綠桑、張冬芳、郭啓賢、林清文、邱鴻恩、周伯陽等。這個時期出版的詩集有：楊熾昌的《熱帶魚》、《樹蘭》和《燃燒的面頰》，邱淳光的《化石的戀》和《悲哀的邂逅》，楊雲萍的日文詩集《山河》等。

這個時期臺灣新詩界有如下一些特點：一，比較注意藝術上的追求，開始向豐富性和多元化前進。由楊熾昌的「風軍詩社」及其同仁詩刊引進的西方現代派詩，爲臺灣新詩增加了品種，提供了借鑒。二，詩人由個體化逐步向集團化變化。這個時期臺灣詩壇出現的「風車詩社」、「銀鈴會」以及「臺灣藝術研究會」、「臺灣文藝協會」、「臺灣文藝聯盟」等都在聚集臺灣詩人，爲後來臺灣詩壇濃郁的羣體意識作了組織上的準備。三，這時期臺灣的新詩受到祖國新詩的直接影響，加強了對祖國文學和詩的凝聚力與親和力。例如楊華的詩，就明顯受到了冰心詩的影響；蔡嵩林和賴明弘於一九三四年十二月在北京拜訪了大詩人郭沫若。一九三五年吳坤煌與雷石榆在東京直接交往。張天翼、張資平、郁達夫、冰心、魯彥、沈從文等人的創作被介紹到臺灣。一九三二年十二月郁達夫訪臺，臺灣報紙連載《達夫片片》等。這些都使大陸新文學和新詩對臺灣新詩的發展起到了影響和推進作用。四，在反對日本帝國主義的鬭爭中，臺灣新詩的祖國意識和民族意識得到進一步發揚。

第二節　鹽分地帶詩人羣

鹽分地帶文學，是一種特殊的文學現象。臺灣新文學誕生後，就以臺南、佳里、北門一帶含有鹽分較多的地方，形成了一種有着鮮明地方色彩的，較爲獨特的文學現象。他們的作品，描寫鹽村風物人情，具有鹽村風采情調，表現出強烈的抗擊異民族入侵的精神；展示了當地人民在與貧瘠的自然環境形成的勤勞樸實、堅韌不拔的性格和美德。鹽分地帶的文學傳統從日據時期逐步形成以來，一直在不斷的傳承和發展。臺灣文學界每年在臺南縣的南鯤鯓廟內舉行青年文藝營，參加者達數百人。小說、詩歌、散文都在交流之列。一些著名的作家、詩人、評論家應邀來這裏講學，對交流文學經驗、促進文學創作，都起到了良好的作用。

臺灣鹽分地帶文學形成以來，新詩一直佔主導地位。因此，日據時期，那裏就被稱爲「詩人之鄉」。在二十年代和三十年代之間，那裏就產生了吳新榮、王登山、郭水潭、林芳年（林精鏐）、徐清吉、莊培初等一批著名的優秀詩人，構成了臺灣鹽分地帶詩人羣絡。一九三三年十月，他們發起成立了「佳里青風會」，一九三五年六月一日，又成立了「臺灣文藝聯盟佳里支部」。作爲個體，其創作成就在臺灣詩壇上雖不算大高，但作爲詩人羣絡，卻是不能輕視的，對他們在臺灣新文學史中的地位和作用，也不能低估。

吳新榮是臺灣鹽分地帶詩人羣絡的領袖和靈魂。他多才多藝，既寫詩，也寫文學評論和隨筆。吳新榮，別號震瀛、史民，兆行，臺南縣將軍鄉人，一九〇七年生，早年畢業於日本東京醫學專門學校。他在日本讀書時，曾創辦《蒼海》、《東醫南瀛會志》和《里門會志》等刊物，常與大陸留日學生交往。「誓爲國父信徒」，加入過「臺灣青年會」和「藝術研究會」。返臺後，他開設佳里醫院，一面行醫，一面從事創作。他的作品有：《道路》、《故鄉的春祭》、《思想》、《旅愁》等。著有《震瀛詩集》，編有《鄭靜夫詩集》、《忘憂洞天詩集》等。吳新榮的詩歌創作，可分爲在日本時期和回臺後時期。他把回臺後的創作稱爲：「鹽分地帶時代」。他的新詩自回臺灣之後，才有了明確的追求，創作上呈現出明顯的變化。這個時期吳新榮因親眼看到日本帝國主義在臺灣的殘暴，目睹了人民的苦難，思想上受到了震動，因之，對人生，對時事有了新的看法，思想上趨於成熟。這種情況，給他的創作帶來了新的營養。敵人的殘暴和無恥，人民的痛苦和無奈，成了他創作的主體曲。例如一九三一年他用中文寫的《故鄉的晚歌》最後一節寫道：

「現在呢
登記濟證已屬別人的，
稅金不納不准你動犁，
生死病痛不管你東西，
又嚇又罵說這是時世。」

再如他在《烟囪》一詩中這樣描寫：

「但一到冬天
這白色的屋頂下
資本家嗤嗤而笑

這黑色的烟囱上
喘出勞動者的嘆息
流出腥腥的人間血。

吳新榮是一個具有浪漫氣息的現實主義詩人。他的作品，具有鹽鄉濃郁的鄉土色彩。吳新榮性格豪爽，素有「用力敲鐘，大聲講話」和「放膽文章拚命酒」的美譽。他在《新詩與我》一文中對自己創作上的變化作了如下的說明：「這時代我生理上的變化，使思想也發生變化，已由乳臭時代變化成個主張人權的人。我內心已藏有理想主義，所以眼看日本對臺灣人橫暴的政策，自然發生一種反抗心理。」吳新榮是臺灣新文學運動的活動家之一，曾任臺灣文藝聯盟的執行委員和《臺灣新文學》的編委，於一九六七年去世。

郭水潭，被稱爲「鹽分地帶詩人中的一員大將」。郭水潭，筆名郭千尺，臺灣省臺南縣佳里人，一九〇七年出生。他從文壇起步之日，從事日本的短歌創作。後來接受了新文學運動的影響，感到日本和歌是一種僞造文學，便改換門庭，走進新文學陣營，改作新詩。他的新詩以描寫故鄉的風情，揭露、鞭笞社會的不平等和反抗日本帝國主義的奴役、佔領見長，充滿強烈的民族意識和正義感，以寫實主義的表現手法爲主。例如他的得意之作《世紀之歌》的第五節寫道：

「在民族嚴肅的試煉
戰旗一直在進行的時候

我們已不是虛無主義者
我們已不是浪漫主義者」

詩人在詩中表達了日本帝國主義挑起蘆溝橋事件，點燃了侵略全中國的戰火，「在東亞的一角，龐大的戰爭開始在擴展」的條件下，詩人再也不能沉默了。郭水潭的新詩作品有：《世紀之歌》、《三等病室》、《向棺木慟哭》、《斑鳩與廟宇》、《故鄉之歌》、《蓮霧》、《宋江陣》等，共約六十餘首。他認爲：「一首詩最好能引起讀者共鳴，離開讀者的詩，並不是一首好詩」。臺灣光復之後，郭水潭由於語言的障碍而擱筆。一九七二年六月，他又在《笠》詩刊上發表了一首《無聊的星期天》。

王登山，取材大都來自鹽村生活，被稱爲「鹽村詩人」。他的詩洋溢着鹽區人民濃郁的鄉土情感，展示出在日帝奴役下的鹽村風貌和人民的鬪爭生活，他在《海邊的春》中寫道：

海濱
落寞的身軀凝視着
逐漸昏暗下來的天空
和大海蒼白的顏色
單調令人快樂
啊　春天　春天
跟着來海邊的晝午

寂寞和悲哀
都應該遺忘
盡力勞動吧
堅强地踏在春天的大地活下去

林芳年，是臺灣鹽分地帶創作最豐富的一位詩人。他的詩約有三百餘首。他的創作，早期以寫實手法描寫愛情，後期由寫實轉向唯美追求，作品的思想日趨充實。在談到創作體會時，他說：「一首好詩，必須要能打動人。情境描寫得出來，不但要有粗獷的吶喊，也要具有細膩的描寫……」。林芳年是鹽分地帶傳統文人林芹香之子，但他的創作卻以反抗傳統而著稱。他曾在《鹽分地帶作家論》一文中自述，「我誕生於鄉下古老古香複雜的家庭裏，思想始終站於不穩定境界，有時候過着很甜蜜，有時候突如其來的生活演變，因此我的作品也隨我的處境動搖不定。我參加新文學運動的行列，無疑是要擺脫着思想苦悶的包袱，同時又是一種對傳統的反抗。」林芳年的主要詩作有：《月夜的墳地與石獅子》、《乳兒》、《早晨院裏的樹》、《父親》、《三月新娘》、《孝節和牧羊小女》等。此外他還寫小說與散文。

第三節　臺灣早期的現代派詩人羣

二十世紀初期，日本是東方世界中接受西方思潮最早也最快的國家。那裏既是侵略戰爭的發源地，也是民主反戰思想的傳播地；那裏有革命者尋求救國救民之道的學校和課堂，也有武士道的瘋狂性。當時日本帝國主義者霸佔我國神聖的領土臺灣，但是祖國大陸和臺灣的愛國青年志士卻不約而同地到日本留學，在那裏互相交流和溝通，達到海峽兩岸同胞互相聲援之目的。那時西方不少先進的科學技術和新思潮、新觀念，都是通過日本向東方各國傳播的。西方的現代派文學思潮，就是先傳到日本，再由臺灣的留日學生引進臺灣的。

多年來臺灣流行着一種說法，認爲臺灣的現代派詩是一九四九年國民黨遷臺時，由隨國民黨去臺的大陸詩人紀弦等帶到臺灣的，因此把紀弦當作臺灣現代派詩的鼻祖和倡導者。其實，這是一種以訛傳訛的歷史誤會。西方現代派文學思潮，並不是一九四九年國民黨遷臺時由紀弦等帶去的，紀弦並不能算是臺灣詩壇上現代派的鼻祖。紀弦倡導的現代派詩僅是西方現代派詩在臺灣的第二次回潮。現代派詩最早進入臺灣的時間不是一九四九年，而是一九三五年；現代派詩在臺灣的第一個倡導者是臺灣省籍詩人楊熾昌；現代派在臺灣的第一個社團不是紀弦的「現代詩社」，而是楊熾昌的「風車詩社」；現代派在臺灣的第一個陣地不是紀弦的《現代詩》詩刊，而是楊熾昌的《風車詩刊》。臺灣從日本舶來的現代派和大陸李金髮、戴望舒等從法國舶來的現代派是同一個來源，不過一個是直接從產地批發，一個是從日本轉手引進罷了。

三十年代中期，正值臺灣新文學運動處於高潮期。一九三四年，「臺灣文藝聯盟」在臺中市小西湖酒家召開的全島文藝大會上宣告正式成立。接着臺灣各地和日本東京，都紛紛地建立了支部。臺灣文化界的抗日運動自「臺灣文化協會」成立以來，也進入了一個高潮期。

這時在日本東京讀書的臺灣留學生楊熾昌，因受到日本文壇「超現實主義旋風」的影響，而將日本從法國舶來的超現實主義文藝思潮引進了臺灣。於一九三五年秋天和張良典（丘英二）、李張瑞（利野倉）、林永修（林修二）等人，共同組織「風車詩社」，同時發行《風車詩刊》，以法語爲刊頭標題，每期印七十五本，發行了一年的時間停刊。他們的主張是拋棄中國傳統詩的音樂性和形式，創造一種能夠表達人們內心精神活動的新形式；他們主張作品沒有政治色彩，以防止文學淪爲政治的工具；他們主張純藝術，追求一種「純正」的表現。楊熾昌說：「臺灣當時受日本統治，在這種環境下，我認爲文學應該捨棄政治立場，而追求純正的表現，才能在政治的夾縫中，永遠生存茁壯。」從楊熾昌和「風車詩社」的詩觀裏，我們發現，不管出現在何時何地的現代派，他們主張的共同核心就是：拋棄傳統，脫離政治，追求純藝術，表現人的內心世界。一九三五年，正值臺灣人民與日本帝國主義的鬪爭處在極尖銳的時期，楊熾昌從日本引進西方現代派思潮，並組織詩社，創辦詩刊進行推廣，是有其苦衷和背景的。一九八六年，年近八十歲的楊熾昌在接受訪問時，又對當時自己倡導現代派的動機和目的作了以下的說明：「在日本統治下的臺灣殖民地，從事文學創作的處境困難，實非局外人所能了解。我雖然專攻日本文學不成，但也體認文學寫作技巧方法很多。寫實主義必定引發日人殘酷的文字獄。因而引進法國正在發展中的超現實主義手法，來隱蔽意識的表露。當時我的詩作多在日本詩志發表，進攻日本詩壇，爲日本文壇所肯定。由於在殖民地寫文章的困難，提筆小心，如能換另一個角度來描寫，來透視現實的病態，分析人的行爲、思惟的所在，則能稍避日人的凶焰。」（註一）在楊熾昌與詩社同仁的創作中，都可以看到他們這種良苦的用心。

楊熾昌，筆名水陰萍、南潤。臺南市人，一九〇八年出生。從小在家鄉讀書，一九三二年於臺南二中畢業後赴日本留學，進入東京文化學院。此時他就常有詩作發表在日本的刊物《椎木》、《神戶詩人》和《詩學》等雜誌上。一九三四年因父親亡故而返臺，受聘於《臺南新報》做選稿工作。次年楊熾昌便在家鄉發起組織了「風車詩社」。楊熾昌多年來一直在臺灣的新聞界任職。他的詩集有《熱帶魚》、《樹蘭》和《燃燒的面頰》。未入集的重要詩篇有《花海》、《窗帷》和《茉莉花》（風車同仁集）等。此外還有小說和評論文章。

楊熾昌的創作，充分地體現了他的詩的觀念。現代派常用的表現手法，如象徵、擬人化、詩中意象的快速轉換等等，都在他的作品中得到熟練的運用。請看他的《燃燒的面頰》：

在這亞麻色的落日下
落葉之手套飛舞
在胸膛，在面頰
風在口袋裏溫暖着
秋天之霧

把街燈用柔軟花瓣包裝
恨與悔都在
流動的微光中
面頰在高度孤獨燃燒
名字都忘掉的細紋唐草模樣
耳朵在貝殼響着
砂丘靠近
跟荒涼獨自憐憫

乍看起來，這首詩似乎意象雜亂，很難捕捉詩人在表達什麼。但只要了解現代派的特點，掌握他們一切都是爲了寫內心流動的思緒，即意識流，就可以理解詩人在這裏表達的是一種心緒，或意識的閃現，或心靈的閃電。

在現代派的詩作中，常用奇特的手法，描繪出心中對客觀事物的感受。例如楊熾昌的《黎明》：

蒼白的驚愕
血紅的嘴唇吐出恐怖聲
風裝死著，安寧下來的早晨
我的肉體受傷滿是血而發燒了

詩人描繪的是黎明壯麗的自然景觀，是東方發白，紅日從大海躍出時的情景。我的肉體受傷滿是血而發燒了，這是將太陽擬人化，寫出太陽噴薄而出的一刹那，海水如血淋漓，溫度隨着日升而增加。這些是詩人觀日出霎那間產生的一種奇妙的感受。楊熾昌和他的詩友們，在臺灣新詩誕生不久，爲臺灣詩壇引進了現代派的詩，對臺灣新詩藝術的提高無疑是一種促進。它豐富了臺灣的詩花，也是對臺灣新詩藝術追求的一種補充。但是，他們在臺灣處於異民族的奴役下提出擺脫政治的口號，則是消積的。

第四節　熾熱的愛國詩人巫永福

巫永福在臺灣新詩領域中的地位，正如吳濁流、楊逵、鍾理和在臺灣小說領域中的地位一樣，是橫架在語言斷層上的橋樑。他們不僅在日據時期取得了很高的創作成就，日降後他們仍然保持旺盛的創作生命，迎來了自己創作上的第二個春天。

巫永福，一九一三年生，臺灣省南投縣埔里人。於臺中一中畢業後前往日本，進入名古屋五中就讀。五中畢業後，進入明治大學文藝科。一九三二年，巫永福在東京和張文環、蘇維熊、魏上春、吳鴻秋、黃坡堂、王白淵、劉捷、吳坤煌等人組織臺灣藝術研究會，創辦會刊《福爾摩沙》。並用以喚起臺灣留日學生的民族意識，鼓勵他們從事抗日的新文學創作。在他們的發刊詞中有這樣的話：「臺灣自被編入爲日本人的殖民地以來，在這特殊的國情和經濟上被榨取的政策之下，我們確實喘不過氣……我們應該知道現在的臺灣，不過是表面上的美觀，其實十室九空，可比是埋藏着朽骨爛肉的『白塚』。所以我們必須從文藝來創造眞正的華麗之島。」巫永福是該組織的核心人物。一九三五年巫永福的父親病逝，他因此而返臺。不久便加入臺灣作家抗日的大本營「臺灣文藝聯盟」。一九四一年又加入「臺灣文學社」。臺灣光復之後，巫永福曾任臺中市府秘書、「中國化學製藥公司」總經理，一九六三年後任臺灣新光保險公司副總經理。巫永福是臺灣「笠詩社」的同仁、《臺灣文藝》的發行人，並創設了「巫永福文學評論獎」，對臺灣文學建設作出了很大貢獻。巫永福具有強烈的祖國意識和民族意識，念念不忘促進和維護祖國的統一。一九四一年九月七日，巫永福與臺灣文藝社的同仁到鹽分地帶去訪問，在琑琅山房簽字留念時揮筆寫下了「苦節」二字。後來巫永福解釋說：「因爲苦節這兩個字在當時我的生活及所有記憶中回蕩不散。就是說，我們在異民族日本人的統治之下，我們這些臺灣知識份子，都有共同的意志及願望，要求臺灣的進步，要求臺灣的現代化，而透過藝術文化的運動使大家更能堅持我們漢家兒女的傳統精神。不被日本人同化爲日本皇民，乃是我們不可否認的原則。這原則猶如大漢蘇武被放逐到冰天雪地的北海，孤零零的牧羊，仍不屈於淫威而變節一樣。我們在臺灣，在日本人的淫威之下總能像蘇武在北海，一定能克服多種艱難而勇敢地苦守中華兒女的氣節。這樣終久也會有回大漢的一天的。」（註二）由此可見，巫永福思念祖國感情之執着和懇切。八十年代初，臺灣鄉土文學派內部發生了一次關於臺灣文學前途的爭論。有人提出臺灣文學是不受重視的所謂「邊疆文學」，表現出消極情緒。巫永福則認爲祖國文學是一個整體，各省文學會出現不平衡，但沒有什麼所謂「邊疆文學」（大意）。由於巫永福的心時刻和祖國、民族連在一起，因此這種對祖國、對民族無比深厚的愛，也無時無刻不凝聚在他的作品中，形成了他詩中強烈的祖國意識和民族意識。請看他的《祖國》的第一節和最後一節：

「未曾見過的祖國
隔着海似近似遠
夢見的，在書上看見的祖國
流過幾千年在我血液裏
住在我胸脯裏的影子
在我心裏反響
呀！是祖國喚我呢
或是喚祖國??

……

「風俗習慣語言都不同
異族統治下的一視同仁
顯然就是虛偽的語言
虛偽多了便會有苦悶

還給我們祖國呀！」

像被遺棄的兒子，在皮鞭下呼喚着母親；像被販賣到遠方的女兒，在蹂躪下哭叫着自己的家鄉。尤其是「祖國在海的那邊，祖國在眼眸裏」，兩句詩飽含了多麼豐富的內容。我們從詩句中彷彿看到一個熱血青年在隔海眺望祖國那眼巴巴的形象。「還給我祖國呀！向海叫喊，還給我祖國呀！」雖然已時隔四、五十年了，但至今我們彷彿還能聽到那聲音在大海的波濤上滾動。

長期處在日帝血腥統治下的臺灣，如同失去了父母的孤兒。久而久之便在臺灣同胞的心靈中形成了一種孤兒意識。在巫永福的作品中，愛國情感和孤兒意識取得了和諧的統一。請看《孤兒之戀》的第四節：

「日夜想着難能獲得的祖國
愛着難獲得的祖國
那是解纜孤兒的思維
醫治深深的恥辱傷痕
那是給予自尊的快樂
使重量的悲哀消逝
使沉溺的氣憤捨棄深淵

呀，難能獲得的祖國尚在」

在日本法西斯的殘酷統治下，詩人寫出這樣的愛國詩篇，其巨大的意義在於詩人痴戀祖國的英勇和無畏。巫永福作品產生的年代，新詩在藝術上還很不成熟。尤其是一些激憤之作，爲了抒發出壓抑在心中的憤怒，往往顧不到藝術上的推敲和修飾。但是儘管如此，我覺得巫永福的詩作，還是有其藝術特色的。即不求字句的華麗，單求情感之眞切；不求一詞一語之奇，單求整體的通達連貫。夾敍夾議，步步將作品推入高潮。臺灣光復之後，直至六、七十年代，巫永福是臺灣日據時期的老詩人中，少有的保持旺盛創作精力，不斷有新作問世的詩人。從一九七一年四月到一九七八年中，巫永福發表的新作近百首，這樣的創作量是相當可觀的。而且他的新詩理論也頗爲精到。巫永福在《美麗島詩集》中，談到他對詩的看法。他說：「由自己的獨特個性出發，選擇其詩的形態以語言技巧地表現其詩情詩感，以顯示對人生的感性及思想。換言之，由主觀的燃燒而成爲客觀化的純粹的詩的感受，再由其所把握的視覺角度以簡約適切的語言組織的效果及修辭，表現其多端的姿態而構成新的世界或新的現實。這樣成爲生命的動態及美感而能引起讀者的共鳴與共感者即爲好詩……」，巫永福認爲詩要首先由詩人主觀感情上的燃燒，再去引發對客觀事物的感受。然後用適切的語言和良好的修辭手段，將多姿多彩的境界表達出來。在生命的動態和美感的流動中，去喚起讀者的共鳴。他特別強調先由主觀到客觀，強調在動態中完成詩的創造。

【附註】

註一 《臺灣文藝》第一〇二期，一一三—一一四頁。

註二 《沖淡不了的記憶》《震瀛追思錄》第八一頁。

第四章　臺灣新詩的斷層期

第一節　斷層期的社會和文化背景

一九四五年八月十五日，日本帝國主義宣告無條件投降。被霸佔、奴役五十年的臺灣寶島，重新歸入祖國版圖。六百三十萬臺灣同胞，奔相走告，萬人空巷地歡呼和慶祝這個偉大的日子。他們以主人公的態度，維持了國民黨第十七軍十月十七日接收前這兩個月眞空期間臺灣的治安與和平。臺灣著名愛國作家吳濁流在他的自傳體小說《無花果》中，對這兩個月的情形作了眞實的描繪：「置身於政治的眞空時代，能夠大家一條心完成很好的自治，這在世界政治史上是罕見的例子。這些青年團員沒有報酬，沒有受到任何人的命令，確保了自八月十五日到接收人員來臺的兩個月間的治安。特別是在夜間，猶如冬天的防火警備的冬防期間一樣，各地的青年輪流負起責任，很有秩序地，平安無事地渡過這眞空狀況。這是島民值得驕傲，有必要大書特書的事情。」

爲了迎接祖國親人的早日到來，臺灣同胞在基隆碼頭搭起了瞭望臺。但是他們的滿腔熱望，卻因政治腐敗等多種因素，造成百業凋弊，糧食匱乏，通貨膨脹，民不聊生。這種情況「使臺灣居民對於光復的歡欣，急速幻滅，而轉成憤怒和失望」。終於發生了一九四七年的

「二·二八事變」，死傷之衆，數以千計，魯迅先生的好友許壽裳就是在這次慘案中，於二月十八日夜被人用亂斧砍死的。藝術家黃榮燦被處死，作家兼學者李霽野、李何林等被迫逃回了大陸。

由於日本帝國主義在臺灣廢止中文，瘋狂地推行「皇民化」運動，剝奪了臺灣同胞學習和使用祖國語言文字的權利，以致一九四五年日本投降之後，使臺灣文化出現了一個斷裂層。大部分臺灣詩人和作家不願再用日文寫作，但又對中文十分陌生，於是只好封筆不寫或再從識字班學起。同時有一些通曉中文的作家也心有餘悸，或保持沉默，或棄文他圖。因此造成了臺灣文壇的一片死寂。一九四五年之後的一段時間裏，雖然就整體來看臺灣文學的成就很少，作品微乎其微，是一個斷裂層。但局部來看，還是在發展。這個時期主要的文學刊物和文學活動有：一是，一九四五年十一月由游彌堅、許乃昌、陳紹馨、王白淵、楊雲萍、沈相成和蘇新等人，以克服殖民地文化，創造中國之一員的新文化爲目的發起組織的「臺灣文化協會」，並創辦會刊《臺灣文化》。這個組織和刊物幾乎吸引和團結了所有的臺灣文化名人和大陸去臺的學者作家。例如詩人有吳新榮、楊守愚、洪炎秋、劉慶瑞、黃得時。作家有呂赫若、呂訴上、廖漢臣、戴炎輝等。大陸去臺學者、作家、藝術家有臺靜農、袁阿、黃榮燦、李霽野、李何林等。在大陸的許廣平和田漢也給該刊投稿。因之，《臺灣文化》具有濃鬱的魯迅精神。這個組織還出版了許壽裳的《魯迅的思想和生活》。二是，楊逵創辦《一陽周報》，刊行《臺灣文學》第三期，主持《力行報》，並於一九四八年發行《臺灣文學叢刊》和《中國文藝叢書》，不遺餘力地爲發展臺灣文學而努力。他用中、日文同時刊發了魯迅先生的《阿Q正傳》。三是，臺灣新竹民間人士黃金穗創辦了《新新》雜誌，這本刊物由一九四五年二月創刊，到一九四六年十月停刊，共出版八期。這個刊物團結了當時大部分的著名詩人，如周伯陽、王白淵、吳瀛濤等。四是，臺灣《中華日報》和《臺灣新生報》分別於一九四六年二月二十日和一九四七年五月四日創刊，設文藝副刊。五是，這個時期魯迅、巴金、茅盾等人的作品及《紅樓夢》、《水滸傳》和《金瓶梅》等書進入臺灣，蘇聯的優秀作品如高爾基的《母親》、蕭洛霍夫的《靜靜的頓河》也在臺灣流行。這些主要的報刊，不僅爲臺灣文學在斷層期的發展提供了園地，而且還溝通了祖國大陸文學和臺灣文學的連繫。

這個時期比較活躍的臺灣作家詩人有：楊逵、吳濁流、鍾理和、蕭江梅、葉石濤、廖清秀、龍瑛宗、陳火泉、文心、吳瀛濤、詹冰、黃昆彬、丘媽寅、王溪清、蔡德本、賴傳鑒等。他們發表的作品中既有小說，也有詩和評論。吳濁流的名著《胡太明》（後改爲《亞細亞的孤兒》）就是這個時期出版的。這個時期文學作品的內容，大體上有三個方面。一是繼續揭發和控訴日本帝國主義在臺灣犯下的滔天罪行；二是描繪當時臺灣人民的痛苦和窮困；三是把鋒芒指向當時臺灣腐敗的統治者。這個時期的臺灣文學，雖然成就不大，作品不多，但是有些作品還是起到了時代脈搏的作用。從楊逵、吳濁流、鍾理和等人的作品中，我們可以感應到歷史的腳步。

第二節　開在斷層上的詩花——銀鈴會

從一九四五年八月日本投降到五十年代初期，是臺灣文學的斷層期。這個斷層期的結束，是臺灣光復後第一代臺灣作家、詩人正式登上文壇；一些在日據時期的老作家掌握中文後開始再創作；一九四九年隨國民黨去臺的一大批大陸作家開始在臺灣文壇上紮了根。從詩的角度看，從日本投降到一九五一年十一月紀弦等人在臺灣《自立晚報》上辦起《新詩周刊》，這個斷層期長達近七年之久。在這七年中，銀鈴會則是唯一繼承和傳播臺灣新詩種子的詩社。他們創辦的油印刊物《緣草》，是這個時期臺灣唯一的詩刊。

銀鈴會是一九四二年在臺灣新文學處於非常艱難的情況下，由詩人張彥勳等發起成立的。參加這個新詩社的詩人有詹冰、林亨泰、蕭金堆和錦連等。《緣草》發行到一九四七年改刊名爲《潮流》，一直到一九六四年笠詩社的成立和《笠》詩刊的創辦，才取代了它的活動。它的同仁都轉入了笠詩社，成爲該詩社的中堅力量。銀鈴會詩人的創作成就雖然不算很高，但是，它作爲斷層期一根獨立的支柱，支撐着臺灣詩的大廈。日據時期愛國主義的詩得以下傳，後來的詩人能在吸收前人成就的基礎上，立足新的起點再出發，銀鈴會的功勞是不可磨滅的。它的歷史作用和歷史意義比它的創作成就更爲重要。

關於銀鈴會的創作情況，張彥勳一九八二年在臺灣《笠》詩刊第一一一期（十月號）發表的一篇《探討銀鈴會時代的重要詩人及其創作路線》的文章中，進行了介紹和論述。只要我們經常注意《笠》詩刊的情況，就可以從中看到銀鈴會的影子。銀鈴會詩人們堅持現實主義的創作方法。他們從對客觀事物的感受出發，以平實的筆觸去回饋現實。關於他們創作上的特色，我們從張彥勳等發表的詩作便可看到端倪。

張彥勳，臺灣省臺中縣後里人，一九二五年出生，臺中縣一中畢業，是銀鈴會的發起人和《緣草》詩刊的主編。現爲笠詩社、《臺灣文藝》和《臺北歌壇》的同仁。張彥勳以寫詩爲主，兼寫小說、評論和兒童文學，出版的著作有十餘種。他在主編詩刊期間同詹冰、蕭金堆等一起克服了重重困難，爲繼承臺灣新詩的傳統作出了很大的努力。張彥勳的作品以樸實、細膩著稱。請看他的《葬列》的前兩節：

「咚鏘　咚鏘
咚鏘　咚鏘
大鼓的雷鳴
銅鑼的狂響
和着嗩吶窒悶的悲咽
孝男抽噎着　哀號
一排長龍的行列
以樂社鑼鼓陣作先鋒　而後

陌生人組成的素花圈在飄動
再後是紅色袈裟的僧衆
夢囈似的呢喃着
南無阿彌陀佛」

從詩中可以看出，它比二十年代新詩誕生初期的詩作成熟多了。作品的內在節奏和韻律感，給人以協調的印象。不足的是昇華不夠，因此詩味較欠缺。

蕭金堆是銀鈴會的重要臺柱。他不太拘泥寫實，而是從抒情中追求詩的靈動。如《山的誘惑》：

海拔三千幾百公尺
動蕩着蒼鬱的大樹海，
像螞蟻般蠢動，
我被淹沒在蒼鬱的海水裏。

自然的誘惑啊！
帶着恐怖，
抑壓在整個心靈。

好像
　羊齒化做手指
　樹皮兒吐着紅舌頭
　血從樹上淋淋的流下來。

詩在情景交融中迸放出濃鬱的詩意和情趣。張彥勳在《探討銀鈴會時代的重要詩人及創作路線》一文中認爲，銀鈴會的作品「大致可分爲三種傾向：一爲較主知性的作品；二爲較抒情性的作品；另一種是屬於較鄉土性的作品。」(註一)按照這種分法，張彥勳的創作應歸入較爲鄉土性的作品。而蕭金堆則屬於第二種，卽較爲抒情性的作品。

【附　註】

註　一　《笠》詩刊第一一一期。

第五章　「跨越語言」的一代詩人

第一節　「跨越語言」一代詩人的特徵和內涵

「跨越語言」的一代詩人，是臺灣詩壇上特有的歷史現象。它是由臺灣歷史變遷和政治形勢的變化留下的遺跡；它是日本帝國主義侵占臺灣和在臺灣實行法西斯同化政策的結果；它是臺灣這一代人經歷了兩種語言環境的見證。「跨越語言」的一代詩人，是指日據時期用日文創作，臺灣光復後喪失了祖國語言的能力，失去了用祖國語言文字創作詩歌的一代詩人。就詩歌藝術來說，他們都是具有豐富創作經驗的詩人，但就詩的表達工具——語言文字來說，他們卻變成了文盲。如果把日文創作和中文創作之間比作一道鴻溝，他們可稱爲「跨越語言鴻溝」的一代。更確切一點說，他們是「跨越文字」的一代，或者說是「跨越書面語言」的一代。臺灣「跨越語言」的一代詩人，不識漢字，但能說漢語。由於創作主要是通過書面語言來表達的，因而他們只好由文盲起步，從學漢語做起。

這一代詩人雖然失去了表達的工具，但是他們對祖國有一顆熾熱的心；他們有一種其他人所缺少的重新回到祖國母親懷抱裏的巨大喜悅；他們有豐富的創作經驗和較高的素養。一句話，他們具有除文字以外的詩人的一切條件和素質。因而命運和事變絕不能摘掉他們頭上的詩人桂冠。他們經過刻苦學習，在掌握了漢語表達工具之後，重新煥發了詩的生命。

臺灣「跨越語言」的一代詩人，現在大都已進入老年。他們是笠詩社中的老一代詩人。例如巫永福、陳秀喜、吳瀛濤、林亨泰、詹冰、張彥勳、錦連、桓夫、周伯陽、蕭翔文、許育誠等。本應把他們放在笠詩社中去敘述，但是由於這些老詩人起步早，有的從三、四十年代就開始了詩歌創作，而笠詩社直到六十年代中期才成立。其次，「跨越語言」的一代是臺灣詩壇特有的現象。此外，笠詩社是臺灣最大的一個詩社，老中青三代詩人中各個層次都有突出的人物，如果把他們都放在笠詩社中去敘述，也難以安排。出於上述考慮，才將「跨越語言」的一代詩人作單章敘述。臺灣「跨越語言」的一代詩人很多，他們不僅有很高的創作成就，而且與臺灣那塊土地一起經歷過磨難、痛苦和新生。由於篇幅所限，只好再選幾位在這裏略加論述。

第二節　陳秀喜

陳秀喜，臺灣省新竹縣人，一九二一年十二月十五日生，曾任笠詩社社長。她德高望重，被尊稱爲「姑媽詩人」。她自學成才，對日本短歌有較深的研究，直到三十六歲才開始重新學習中文。一九七〇年八月，日本京都的「早苗書房」出版了陳秀喜的日文短詩集《斗室》。這本詩集的出版給陳秀喜帶來了極大的喜悅，同時也帶來了難以擺脫的苦惱和悲傷。她說：「當詩集送到家裏的時候，只有我自己好像產生了個嬰兒。但料想不到我的兒女們都不承認這個有『片假名』的小妹妹，因爲他們不諳日文，連看都不看它一眼。這樣的事使我領悟到，語言的隔閡，給予我的冷落和寂寞越來越大。」陳秀喜在掌握了中文表達工具之後，迎來了創作上又一個蓬勃的春天。在不長的時間內，她就連續出版了《復葉》、《樹的哀樂》、《灶》和《嶺頂靜觀》四本中文詩集，在臺灣詩壇上取得了應有的地位。

陳秀喜熱愛祖國。在日本帝國主義的淫威下，祖國是盛開在她心靈深處的一朵美麗的珊瑚花。不管什麼時候，她都以「我是一個中國人」而自豪。如《我的筆》：

眉毛是畫眉筆的殖民地
雙唇一圈是口紅的地域
我高興我的筆
不畫眉也不塗唇

「殖民地」，「地域性」
每一次看這些字眼
被殖民過的悲愴又復甦

數着今夜的嘆息
撫摸着血管

血液的激流推動筆尖
在淚水濕過的稿子上
我寫着

我是中國人
我是中國人
我們都是中國人

陳秀喜的詩和她對祖國的感情一樣，樸實、親切、深沉，沒有半點做作之嫌。她攝取的意象，畫眉、口紅等，都顯示了一個女性詩人的特徵。

在陳秀喜的詩中，熾熱的愛祖國、愛民族的情感是和濃鬱的鄉土情懷凝聚在一起的。鄉土情懷生發於愛祖國和愛民族的情感之中，而愛祖國、愛民族的感情，又深紮在臺灣的那塊土地上。在她的心目中，鄉土和祖國、臺灣和大陸就像搖籃和母親的關係一樣。她筆下的《臺灣》，便是這種思想的形象體現。

充滿草香、花香、樹葉香的臺灣寶島，在大海波濤的拍擊下，多麼像祖國母親的手在輕推着的搖籃。詩人獵獲的意象準確而生動。全詩既寫鄉情又蘊含着思念。在陳秀喜的筆下，臺灣和祖國是不可分割的。

陳秀喜的詩中還充分地表現了經過歷史長期積澱而成的中華民族的文化心理。陳秀喜巧妙地咏唱了在異族嚴酷統治下，炎黃子孫仍然保持着對祖國、對民族的無比忠誠。請看她的《耳環》一詩的第三、四兩節：

「他們無知的妄舉
是統治者驕傲的遺傳
耳環如祖國的手安慰我
撫着我的面頰
使我更神氣闊步

當時　十八歲的我
深信母親的話
耳環就是
中國女孩的憑證
臺灣光復　那一天
不必檢驗耳朵的針洞」

詩人用回憶的方式把這首詩寫得相當眞實、深沉、感人。想起陳秀喜耳朵上的針洞、耳環和她小心翼翼地保護那針洞、耳環的情景，怎不使我們聯想起蘇武身陷匈奴，持節牧羊，把手中節看作比生命還要寶貴，卽使死身也不死節的感人場面。這證明了中華民族這種以物守節的文化心理是代代相傳、根深蒂固的。像「耳環如祖國的手安慰我／撫着我的面頰」、「耳環就是／中國女孩的憑證」等詩句，都寫得眞切而動人。普通的詩句中蘊藏着深深的內涵。這樣的詩，恐怕只能出在「跨越語言」一代詩人的筆下。

第三節　詹　冰

詹冰，本名詹益川，臺灣省苗栗縣人。從中學時代起，就嘗試用日本的和歌與俳句創作。一九四四年九月畢業於日本明治藥專，一九四二年曾與張彥勳、林亨泰、蕭金堆、錦連等發起組織「銀鈴會」，創辦《緣草》詩刊。臺灣光復後開始學中文，一九五八年開始當中學教員，又逐漸用中文寫詩。他是笠詩社和《笠》詩刊的創辦人之一，出版的詩集有《綠血球》、《實驗室》和兒童詩集《太陽・蝴蝶・花》等。

詹冰是臺灣早期的現代派詩人，在詩的表達藝術上，曾進行過多種開拓和試驗。臺灣著名鄉土詩人李魁賢說：「在本質上，詹冰是一個典型的知性詩人」。詹冰以知性和計算之法不斷清醒地探索着詩國的奧秘。他說：「詩人如小鳥任憑自然流露的情緒來歌唱的時代已過去，現代的詩人應將情緒予以分析後，再以新的秩序和型態構成詩。創造獨特的世界。因之詩人該習得現代各部門的學識和教養，傾注其所有的知性來寫詩」。「我的詩作可以說是一種知性的活動。簡言之，我的詩法是計算……。」（註一）詹冰主張把現代各部門的新學識引進詩中，然後把感情加以分解，再溶入這些事物之中，因之詩人寫詩的過程是按照算術的程式進行的。詩中的成分和劑量都是經過清晰計算過的。這樣做是爲了抑制感情在詩中的泛濫，使詩呈現一種冷靜、沉鬱或者慢節奏的狀態。請看他的《液體的早晨》：

瞬間
初生態的感覺
游泳在透明體中
毫無阻力——。

現在，
談新詩般我要談
被玻璃紙包裹着的
新鮮的風景。

例如，
水藻似的相思樹下，
成了魚類的少女
搖着扇子的魚翅。

於是，
早晨的 Poestes
好像 CO_2 的氣泡，
向着雲的世界上升。

這首詩像詩人深居簡出，與世無爭的脾氣和個性。他把早晨形容成液體，於是一切都有了水性，便都成了透明，可以分割和計算的對象了。首先是作品形式上的分割和計算。詩的四段被分解和計算得十分齊整，每段四行，必以兩字開頭；其次是感情上的計算分割。每一段詩的感情含量都差不多，似乎沒有什麼暴烈舒緩、輕重濃淡之分。此外，這首詩引入了不少新的名詞，例如爲了形容空氣清新透明，詩人用了玻璃紙包裹着的新鮮的風景，爲了較準確地表達早晨的情景，詩人連 CO_2、溫度計都搬進了詩。由於詹冰追求詩的知性和計算，因此就十分注意詩的意象的經營和視覺形象的創造，這就不可避免的和圖像詩產生了機緣，所以詹冰在詩的形式的追求上又有圖像詩的出現。由於這種追求，使詹冰在臺灣的圖像詩中，成了具有代表性的詩人，他說：「詩人大概可分爲三類。思想型、抒情型及感覺（美術）型詩人。圖像詩的創作，與欣賞是適於感覺型詩人的。」（註一）無疑，詹冰把自己列入感覺型詩人。他的《山路上的螞蟻》、《水牛圖》、《雨》等，都是較著名的圖像詩。他的《山路上的螞蟻》是這樣寫的：

螞蟻螞蟻螞蟻螞蟻螞蟻螞蟻

蝗蟲的大腿
螞蟻螞蟻螞蟻螞蟻螞蟻螞蟻
螞蟻螞蟻螞蟻螞蟻螞蟻螞蟻
蜻蜓的眼睛
螞蟻螞蟻螞蟻螞蟻螞蟻螞蟻
螞蟻螞蟻螞蟻螞蟻螞蟻螞蟻
蝴蝶的翅膀
螞蟻螞蟻螞蟻螞蟻螞蟻螞蟻

這是一首寫給兒童看的圖像詩。詩人經過精心的觀察、巧妙的計算和安排，形成兩列前進着的蟻陣，共同挾抬着蝗蟲的大腿、蜻蜓的眼睛和蝴蝶翅膀的隊列，引起人們對現實生活的聯想。不過圖像詩如果寫得不好，很容易忽視內容，流於形式主義。

在臺灣「跨越語言」一代的詩人中，詹冰是一個勤奮並富於獨創性的詩人。他的藝術技巧和主張，與紀弦倡導的現代派不太相同。他雖然強調知性和計算，但不主張詩的虛無和反傳統。他的詩意境高遠、氣象空濛，但仍是開在泥土上的花朵。請看《插秧》：

水田是鏡子

照映著藍天
照映著白雲
照映著青山
照映著綠樹

晨天在插秧
插在綠樹上
插在青山上
插在白雲上
插在藍天上

這首詩簡練、優美。以靜襯動，繪製出了一幅精美的插秧圖。整首詩只有一個水字，就引出了一個透明的水上世界。和現實主義的表現手法不同，詩人寫水中映照、反射出來的情景。那是採用一種虛寫的手法，讓讀者從詩人描繪的天上圖景中去想像地上的一切。在這裏，詩人運用了電影中的推拉搖移手法。由鏡頭中顯出畫面，然後，一個個鏡頭便在推拉搖移中展示出來。眞是詩意清澈，匠心獨運。

第四節　林亨泰

林亨泰，臺灣臺中市人，一九二四年十二月出生，一九四六年九月入臺灣師範學院讀書，一九五〇年畢業，後當上了臺中市的中學老師。一九五三年到彰化縣高工教書。一九五六年，他參加了紀弦在臺灣組織的現代派，一九六四年又成了笠詩社的創辦人之一，並首任《笠》詩刊主編。林亨泰起步甚早，曾是銀鈴會的重要詩人，出版的詩集有：日文詩集《靈魂的啼聲》，中文詩集《長的咽喉》、《林亨泰詩集》、《爪痕集》等，還有詩論集《現代詩的基本精神》。林亨泰是臺灣「跨越語言」一代中年輕的詩人，被人們稱爲「一位充滿神秘魅力的人物，又是一位隱者詩人」。說林亨泰是一位充滿神秘魅力的人物，是由於他在學識和創作方面都顯出與衆不同的獨特性；說林亨泰是一位隱者詩人，是因爲他的作品不常出現於報刊，但又有很大的影響和魅力。林亨泰在銀鈴會時期，卽他的早期創作中，充滿了濃重的鄉土味和社會批判意識。那個時期，他寫過一首《按摩者》的詩，詩中洋溢着對弱小者、對窮人的憐憫、熱愛和同情。同時，對惡勢力、對欺壓窮人的豪富給以鄙視和痛斥。請看他這首詩的最後一節：

「但他的任務
却是給走馬似的女人
消滅游街後的脚酸
給過飽的富豪
按摩着多油的大腹

給凶猛猛的打手
暢流那凝結着的血管
假如做得到
他要捏死這些惡魔
為了他是離開了一切的幸福」

林亨泰早期的作品不僅具有強烈的社會批判意識，顯示出一個現實主義詩人的氣質，而且表現出了與那社會的罪惡勢不兩立的氣概。詩中充滿了濃烈的鄉土情懷和氣息。如《鄉莊》：

吸一口
粒的憂鬱
村裏
有水牛
與老者同在
終日 鼓着腮幫子
嚼個不停……

五十年代中期，林亨泰參加了紀弦組織的現代派。這時，他的詩風開始由現實主義轉向現代派。以《林亨泰詩集》與早期的日文詩集《靈魂的啼聲》相比，風格和寫法上顯然發生了極大的變化。但是又不同於其他現代派詩人。他的詩並不晦澀難懂，而且一直保有濃厚的鄉土氣味。就以爭議最大、被貶爲形式主義的兩首《風景》詩來說，也是充滿泥土氣息的。如第一首：

農作物 的
旁邊 還有
農作物 的
旁邊 還有
農作物 的
旁邊 還有
陽光陽光曬長了耳朵
陽光陽光曬長了脖子

林亨泰不愧是一個詩藝探索家。和林亨泰同爲笠詩社發起人的桓夫，這樣評論林亨泰：「詩人的氣質本來就帶有一點彆扭的脾氣。林亨泰在詩創作或詩論所做的行爲，意圖提醒這個昏昏欲睡的詩壇，對於詩壇流行的詩作嚴厲的批判，有時會顯然表現出人家向左，他就右走；人家走右，他卻反而向左；經常竪立着與衆相反的旗幟，令人感到怪異，或說令人感到神秘。而且，他並非像另一種追求異數世界的詩人那麼怪誕不經。」（註三）這正是詩人在創新的道路上不倦地追求的表現。當現代派詩人追求的晦澀，炫耀詩人異於常人，從而使詩走入魔幻的情況下，林亨泰卻獨樹一幟，不僅把詩寫得明白易懂，而且不脫離鄉土。這是難能可貴的。他認爲，「那些所謂美麗的風景特徵，有如被大頭針訂牢的蝴蝶或昆蟲一樣的標本，更像被人類去勢的狗或猫一樣的家畜，那些標本化或家畜化的風景也許是美好的。但是我還是讓給那些懂得價值的人去玩賞吧！我寧願盡力去探求還沒有被那些懂得價值的人的足跡所踐踏過的地方，縱然那是有着猙獰的容貌而不能稱爲風景，或者不過是醜陋的一角而不足以稱爲風景，可是，我以爲只有在這裏，方才體會到人類居住的環境的眞正的嚴肅性。」（註四）如果詩人有什麼怪異，有什麼離羣，那麼，這種不蹈別人覆轍，永遠向着沒有價值的地方去發現有價值的東西，或許就是林亨泰的神秘和怪異之所在。

第五節　陳千武（桓夫）

陳千武，原名陳武雄，筆名桓夫，臺灣南投縣人，一九二二年生，曾任臺中市文化中心主任，現任臺中博物館館長，臺中市一中畢業。日本帝國主義佔領臺灣時期，陳千武曾被迫充當「特別志願兵」，運往南洋給日本人當炮灰，經歷了無數痛苦和磨難。他於四十年代躋身臺灣詩壇，開始用日文寫詩，曾出版日文詩集《徬徨的草苗》、《花的詩集》以及與人合著《若櫻》等。臺灣光復後重新學習祖國語文，改用中文寫詩，出版中文詩集《密林詩抄》、《不眠的夜》、《野鹿》、《安全島》等。陳千武除寫詩外，還寫小說、評論，搞日文翻譯。出版有詩論集《現代詩淺說》，譯著有《日本現代詩選》、《田村隆一詩文集》、《現代詩的探求》，並有日譯《華麗島詩集》、《臺灣現代詩集》、《媽祖的纏足》。陳千武還將他被日本帝國主義抓往南洋當兵的親身經歷和感受，寫成自傳體系列小說《臺灣特別志願兵的回憶》，他的小說《獵女犯》，獲一九七七年度吳濁流文學獎小說獎。他的長子爲臺灣著名青年詩人陳明台。

作爲一個經歷過無數苦難，和死神打過無數次交道的陳千武，特別強調詩的批判意識。近兩年他曾公開發表自己的詩觀，說：「一，對於飛翔自由世界的夢幻，樹立理想鄉的憧憬，現實的醜惡常變成一種壓力。以各種不同的手段，挾制着人存在的實際生活，導誘人於頹廢、甚至毀滅的黑命運裏，迷失了自己。感受這種醜惡的壓力，而自覺某些叛逆精神，意圖拯救善良的意志和美，我就想寫詩；二、認識自我，探求人存在的意義，將現存的生命連續於未來，爲具備持久性的眞、善、美而努力，就必須發揮知性的主觀精神，不斷以新的理念批判自己，並注重及淨化自然流露的情緒，但不感溺於日常普遍性的感情，而追求高度的精神結晶。我想以這種方式，獲得現代詩眞正的性格。」(註五) 簡言之，陳千武寫詩的目的是有感而發，在於批判現實和淨化自己。他的這種詩觀是一貫的，在他早期的詩作中就有明確的顯示。請看他發表在一九四〇年九月五日《臺灣新民報》上的《油畫》一詩：

監禁室的墻上
我凝視着一張油畫

浮出顯明的赤黃
的風景
畢竟在訴説什麼？
寂靜的房間
挾在鐘的敲打聲裏
遥遠的昔日的夢
奔向我的惱中閃過
赤黃的風景的山
懷念的故鄉
毫無華美的生活
人生二十的煩惱是什麼？
童心喚起我
看，在将來
我的童心也知道
命運怎樣呵

這首詩大概寫於一九三八年，因爲一九三八年詩人正好是二十歲。看來這是詩人遭遇某種不幸被敵人監禁在囚室中，從一張墻壁上的油畫引起的感觸。這裏詩人用比較隱含的語言，對日本佔領者進行了揭露和批判。那就是號稱華麗之島的臺灣，在日本人的奴役下卻「毫無華美的生活」，這是一種具有內在威力的諷刺。詩人有的作品是描寫他被迫當炮灰時的極其悲慘、淒厲的生活的。詩人把那種替人當炮灰欲生不得、欲死不能的心情表達得相當充分。請看他寫的小說《輸送船》序詩《信鴿》的最後幾句：

「一直到不義的軍閥投降
我回到了，祖國
我才想起
我底死，我忘記帶了回來
埋設在南洋島嶼的那唯一的我底死
我想總有一天，一定會像信鴿那樣
帶回一些南方的消息飛來……」

這首詩構思非常特殊，詩人被抓去當炮灰，九死一生。不僅是槍子、炮彈，而且有瘴癘之地的瘟疫流行，生還的希望是十分渺茫的。陳千武能完璧歸趙，恐怕是百里遇一。由於自己明白沒有生還的希望，因而不如首先把死找個隱蔽處埋起來，也就是把生的希望埋起來，走到哪算哪。不料日本軍閥投降了，自己居然回到了祖國，眞是做夢也沒想到。但是自己回來了，生的希望卻仍然留在那裏。詩人沒有描寫戰爭的殘酷、戰場的可怕，但在詩中你會感到多少年以後，可怕還在詩人心中徘徊。這種生活，這種感受，這種作品，只有當過炮灰人的筆下才有。這是「跨越語言」一代詩人作品的特色之一。桓夫作品的社會批判和自我淨化意識，是他作品的主宰和靈魂。到了後期的作品中，這種意識表現得更加深刻和感人。他發表於一九八四年十二月二十一日臺灣《民衆日報》上的《神在哪裏》的最後一節中寫道：

「在地球上
很多人被召去做神
很多人變成神像般的植物人
神在！
可憐的遺族們哭喊不停
却在祈求不到的地方
神在！
在野心家們的法制裏神在」

從這節詩中便已透露出全詩的精神。這首詩具有強烈的批判性，神在哪裏？神與野心家們互相爲用，狼狽爲奸。殘酷地迫害着善良的人們，將千千萬萬生靈變成植物人。神說穿了就是世界上所有的野心家們用來欺騙、壓迫、剝削或殘害無辜者的工具。詩人一針見血地揭穿了這罪惡的陰謀。詩人微妙地把對神和野心家的揭露與自己的寫詩結合起來。一方面顯示了詩人「我要繼續把詩寫下去」的決心，另一方面增加了詩的包容度。著名詩人林亨泰在評論陳千武的詩時指出：「桓夫的詩由於自我批判的火焰燃燒自己而完成的，因此，要說它有着火焰式的熱情嗎？然而卻又蘊含批判式的冷靜嗎？（原文如此）它卻又不那麼冷峻，那麼晦澀，這不是知性與抒情有了恰到好處的融合的證據嗎？」（註六）桓夫把新詩和現代詩加以分別，他認爲新詩是「究明現象的」，而現代詩是「究明本質的」。不管桓夫的這種分類是否合理，但他在創作中遵循這種主張，努力讓詩透過生活的紛紜現象，去挖掘和深究埋藏在生活深處的思想本質，卻是詩的最根本的成功之道。因而桓夫的詩才越寫越好，思想和藝術在時間的推移中同步趨於完美。林亨泰說：「照道理說，用笨拙的中文所寫的，應該比用優越的日文所寫的要拙劣，可是事實上恰恰相反，他的中文詩所表現出來的意境遠比他的日文詩要深邃得多。」（註七）

臺灣新詩從誕生到「跨越語言」的一代，及臺灣新詩的斷層期，詩的發展變化情況大致如此。

從上面的論述來看，這一段臺灣新詩發展的主要特點是：一、詩的誕生和發展與祖國大陸新詩的誕生和發展，基本上是同因同步的。臺灣和大陸新詩出自一個母體，那就是從五四運動發端的祖國的新文學運動。同時臺灣的新詩在自己具體的誕生和發展過程中，又顯示出了自己的個性；二、臺灣新詩的誕生和發展基本是和臺灣的政治命運連在一起的。在日本帝國主義的血腥統治下，臺灣同胞在武裝鬪爭被殘酷地鎮壓下去之後，臺灣人民轉入了非武裝的合法和非法相結合的，以文化爲主的抗日鬪爭，臺灣的新詩就是適應這一形勢而出現的。

在它誕生之後，又義無反顧地走上了抗擊民族敵人的戰場。因而在它的血脈和靈魂裏無時無刻不流動着濃烈的祖國意識和民族意識。它的誕生和成長都是伴隨對祖國的思念和對敵人的仇恨進行的，呼籲和吶喊成了它生命的主要特色。三、由於日本人強制推行「皇民化運動」，妄圖斬斷臺灣和祖國之間各方面的血緣關係，特別是精神文化的血緣關係，從而極力地向臺灣同胞灌輸日本的文化毒素。廢止中文、控制一切報刊和書籍的發行，因而使日本文化滲入到臺灣的血液中，特別是日本的和歌和俳句對臺灣新詩產生了較深的影響。不僅有的詩人的創作是從和歌與俳句開始的，而且至今在臺灣有的詩作中，還可窺見到和歌和俳句的影子。應該說，作爲一種藝術，和歌與俳句也是可以和應該借鑒的。從事和歌與俳句創作及受其影響也不是什麼壞事，主要是看作品傳輸的內容。不過也不可否認，臺灣一部分新詩受到和歌與俳句的影響，是日本帝國主義霸佔我國領土臺灣的一種遺跡。四、臺灣新詩的斷層期是臺灣新詩史上特有的現象。這是日本法西斯主義者妄圖永遠吞並臺灣的罪證，是日本法西斯主義者在臺灣推行消滅民族政策犯下的嚴重歷史罪行。但是在這個斷層期中，廣大臺灣愛國作家克服種種困難，重新學習祖國語言文字，直至重新執筆創作，這表現了臺灣愛國作家的非凡才華和毅力，表現了臺灣愛國作家對祖國母親的深厚感情。這種情形，既是一種困難也是一種鍛煉。在這種艱苦的磨煉中，「跨越語言」的一代作家、詩人又迎來了第二個創作上的春天。五、臺灣新詩在誕生和發展的階段就進行了藝術上多元化的探索。現實主義和現代派多種創作方法，多種詩歌流派豐富了臺灣新詩的形式和內容。

【附　註】

註一　《笠》詩刊，一九六四年六月創刊號《笠詩影》。

註一　《圖像詩與我》（《笠》詩刊八十七期六〇頁）。

註三　《詩人林亨泰與風景》。

註四　《林亨泰的文學觀》（《臺灣自立晚報》一九八四年四月二十三日）。

註五　《桓夫的文學觀》（臺灣《自立晚報》一九八四年八月二十二日）。

註六　《自覺的批判者》（《自立晚報》一九八四年八月二十二日）。

註七　《桓夫的位置》（《笠》第三期，一九六四年十月）。

中篇

臺灣新詩的再興與西化期

第六章　臺灣新詩的重新起步

第一節　大陸新詩和臺灣新詩在混亂中結合

一九四九年，是中國歷史發生重大變化的一年。這一年，中國歷史重新調整了步伐，中央政權在動亂中發生了轉移。隨着政治結構的變化，當時有二百多萬人湧進了臺灣。他們中三教九流，黨、政、軍、民、大商巨賈、文人學者、作家詩人無所不有。那時去臺的大陸詩人有：紀弦、覃子豪、鍾鼎文、李莎、王藍、宋膺、余光中、楊喚、鍾雷、張秀亞、彭邦楨、公孫嬿、羊令野、上官予、葛賢寧、葉泥、墨人等。他們有的是三十年代就登上中國詩壇的老詩人，有的崛起於四十年代，有的去臺前就出版過詩集，有的曾發表過詩作。這些詩人中，以紀弦和覃子豪創作成就最高，在當時中國詩壇上就是著名的詩人。這些大陸去臺詩人無意中卻作了大陸新詩的使者和大陸新詩火種的傳播者。他們溝通了海峽兩岸詩藝的交流，促進了臺灣新詩的蓬勃發展。例如，紀弦、覃子豪、鍾鼎文、葛賢寧、李莎等，一九五一年十一月便借臺灣《自立晚報》的版面，創辦了《新詩周刊》。這是臺灣當時處於極度混亂局面中的唯一的詩刊。該詩刊到一九五三年九月停刊，共出了九十四期。其意義不在它的創作成就高低和作品達到了什麼樣的水平，也不在於這個詩刊規模之大小。它的意義在於，它是一道溝壑之間的橋樑，臺灣新詩踩着這座橋走向了更廣闊的天地。一九五二年八月，紀弦獨資創辦《詩誌》詩刊。該刊雖然只出版了一期就停刊了，但作爲一九四九年以後臺灣第一個詩刊雜志，還是有一定的意義的。那時大陸去臺的這批詩人中，除了少數人的作品外，詩的主流是不好的。一部分詩人違背了文學自身的原則，把詩當作政治工具，寫了不少反共八股。一九五〇年四月，成立了以張道藩爲首的「中華文藝獎金委員會」，提倡和獎勵反共作品。在這種氣候下，「戰鬪詩」成爲時髦。這些詩作大都政治性有餘藝術性不足。當時獲「文獎會」獎的反共詩如：《豆漿車旁》、《女學生和大兵》、《魔鬼》、《飲酒詩》等，現在舉兩首短詩如下：

你，你不要吐出那
悲壯而感傷的句子，
不要唱那首舊的軍歌。
你，英勇健强的老兵啊！
上帝不會讓你死亡，
全世界愛好自由的人，
也要你作一個
永不凋謝的花朵。

——《不凋謝的老兵——歌麥帥》

「唉唉，這遍地烽火，滿眼的狼烟！
而那罪惡的五星旗，
龐然的陰影的覆蓋下，
今天的節目是魔鬼的跳舞，
狗的宴會，傀儡的戲劇，」

「隨着王師百萬，飄洋過海，
乒乓劈拍噠噠轟隆隆地打回來。」

——《飲酒詩》

這些詩對我們認識反共八股作品的面貌和了解當時臺灣文壇情況有一定的價值。

但是也有一些大陸去臺詩人如楊喚等，和其他詩人的一部分作品，通過實際的交流，將大陸新詩的經驗和傳統，帶到了臺灣詩壇，促使了大陸新詩和臺灣新詩的結合。有位臺灣老詩人稱這種結合爲：「兩個詩球根的結合」。這種結合具體表現爲內容和形式的兩個方面：內容方面是新詩的精神和經驗方面的結合。這種精神和經驗包括現實主義和現代派兩大範疇。形式上的結合主要表現爲大陸去臺詩人和臺灣本省籍詩人一起組織詩社，創辦詩刊等。例如臺灣省籍詩人林亨泰、吹黑明、錦連、楊牧（葉珊）、白萩、夐虹等，都分別參加了紀弦組織的現代詩社、覃子豪組織的藍星詩社和張默、洛夫、瘂弦組織的創世紀詩社等。通過他們的共同活動，共同創作，把原係海峽兩岸的詩的精神和經驗融合到了一起。這種結合有一個過程：經過一九四九年到一九五二年的動蕩、穩定、觀察和了解之後，從一九五三年起，即從現代、藍星和創世紀的組織、發動和創刊等活動，才完成了這種結合的過程。雖然在一個相當長的時間裏，臺灣詩壇成了現代派的天下，但臺灣詩壇自身從新詩誕生以來，在祖國五四新文學的培育和影響下形成的強烈的現實主義精神，和大陸去臺詩人帶去的大陸新詩的現實主義精神，也在默默地結合和成長。後來臺灣詩壇對臺灣新詩西化的尖銳批判，就是這種現實主義詩歌的精神結合和發展的具體表現。七十年代初期，臺灣詩壇龐大的青年詩人羣的崛起，標誌着臺灣新詩由西化到回歸的開始，是臺灣新詩的現實主義精神和大陸新詩現實主義精神結合和發展到高峰的表現。

第二節　傳播大陸新詩現實主義精神的詩壇慧星楊喚

楊喚寫詩的生命雖然很短，但在臺灣詩壇上卻是一個十分響亮的名字，楊喚雖然不拉幫結派，但他卻是受到臺灣各個詩派和衆多詩家都尊敬的詩人；楊喚雖因早逝作品不多，但他卻是被人們普遍尊稱爲「天才」的詩人。他作品的強大的藝術生命，遠遠地超過了他個人的生命。他是一位名副其實的短命而長久的詩人。他在臺灣新詩和大陸新詩的結合中，在臺灣新詩的重新起步時期，是一位非常重要的詩人。楊喚是眞正的用自己的生命在寫詩，用自己的心靈在開創臺灣兒童詩的事業。

楊喚，本名楊森，原籍遼寧省興城縣人，一九三〇年九月出生於遼東灣的菊花島上。一九五四年三月七日，因去臺北市的西門町鬧區趕看《安徒生傳》的電影，遇車禍身亡，終年只有二十五歲。罪惡的車禍，撞滅了臺灣詩壇上一顆最亮的星。楊喚的童年十分不幸，在襁褓中喪母，靠祖母撫養。後來祖母又不幸去世，命運把楊喚推入了倍受繼母虐待的痛苦之中。楊喚小學畢業後，考入了家鄉的初級農業畜牧學校。一九四七年初畢業，父親病故，便隨二伯父由天津轉山東青島，在那裏當上了《青島日報》的校對。一九四八年升爲該報文藝副刊編輯。這個時期，他以羊角、白鬱、羊牧邊、路珈等筆名，發表了大量詩作。青島文藝出版社爲他出版了處女詩集。一九四九年楊喚隨國民黨去了臺灣。楊喚去世後，詩人紀弦和覃子豪等人發起組織了「楊喚遺作編輯委員會」，在朋友們的努力下，共出版了三本著作：《楊喚書簡》，這實際上是一本非常優美的散文詩。詩集《風景》和《楊喚詩集》。

楊喚到臺灣之後，環境極爲艱苦，他和同事們一起住在四面透風、上面漏雨的席棚裏，多天沒有四壁御寒，夏天既悶熱不堪，又有蚊子叮咬。他身患痢疾躺在床上，舉目無親，思家而不得歸。楊喚的童年雖然極爲不幸，在家鄉沒有過上一天舒展的日子，但是身處異境的臺灣和家鄉比較起來，家鄉仍然是那麼可愛。請看他的《鄉愁》：

在從前，我是王，是快樂而富有的，
鄰家的公主是我美麗的妻。
我們收穫高粱的珍珠、玉蜀的寶石，

還有那掛滿老榆樹上的金幣。
如今呢？如今我一貧如洗。
流行歌曲和霓虹燈使我的思想貧血。
站在神經錯亂的街頭，
我不知該走向哪裏。

詩人用倒述的手法，從回憶家鄉生活時的快樂，一下跌進了現實的狂亂、貧血、無聊和茫然中。這首詩表面看來，自然流暢，不着痕迹，實際上詩人用的是「內功」。首先，結構上，是由家而臺灣，卽由過去而現在，與一般作者從眼前觸景生情，再引發過去的結構法相反。這種結構法是適應詩的主題之需，感情由歡樂而轉到壓抑，從而激起人們對目前情景之思考。詩的語言明朗而優美，而且帶着哲理性的思考，思想和藝術上達到很好的結合。這在五十年初期的臺灣新詩中，是不多見的。本來這首詩已經把詩人的思想傾向表達的很明白了，但「不知道該走向哪裏」的尾句，說明詩人還有些茫然，還在尋求着探索人生的答案。

詩人在《失眠夜》中寫道：

今夜，又一次
我免於被封鎖在痛苦的睡眠，
在沒有燈的屋子裏，

自己照亮自己。於是
紙烟乃如一枝枝粉筆，
在夜的黑板上，
我默默地寫着，
人生的問題與答案，
美麗的童話和詩句。

詩人用象徵、暗示的手法，在詩中用了不少很有內涵的雙關語，「沒有燈的屋子裏」既是指詩人所住的具體的小環境，也是指詩人生活的社會的大環境。詩人被嚴嚴的籠罩在黑暗中，只能自己照亮自己。烟頭忽明忽暗寫在夜的黑板上，實際上是詩人用思索作筆寫在現實的黑板上。詩的意象優美、清晰，具有思想內涵，發人深思。

經過反復的痛苦的思索，詩人終於明白了，於是他發出了憤怒的質問。請看他的《二十四歲》：

白色小馬般的年齡。
綠髮的樹般的年齡。
微笑得果實般的年齡。
海鷗的翅膀般的年齡。

可是啊，
小馬被飼以有毒的荊棘，
樹被施以無情的斧斤，
果實被害於昆蟲的口器，
海鷗被射落在泥沼裏。

Y·H你在哪裏？
Y·H你在哪裏？

Y·H是楊喚英文名字的縮寫。詩人自比小白馬等美好的事物，質問爲什麼要坑害他們。最後兩句你在哪裏？憤怒的感情已燃燒到了極點。可是詩人仍然沒有、也不可能找到改變那惡劣處境的良方妙法。在憤怒無法得到平息、痛苦無法得到解脫的情況下，詩人曾經想到以死作抗爭，將生命之火憤然一燒了事。他的《垂滅的星》中寫道他要用自殺來抗議。詩人想用裁紙刀將靜脈血管割斷，讓心靈中憤怒的河咆哮着泛濫起來。使憤怒從傷口中噴射出來，要比從口中呼喊出來的力量大得多。字面上看似乎平靜，實際上卻把憤怒上升到了極限。這首詩虛虛實實，小中見大，顯得很有力量。最末兩句星淚相映，使情和景交融在一起，作了全詩的回應。「我忘記了爬在臉上的淚」，表現了這顆星熄滅時，所處的一種精神狀態。這首詩寫的雖然是自殺，但詩人卻把死寫得平靜中顯憤怒，美麗中顯悲壯。

由上述分析可以看到，楊喚的詩充滿了強烈的現實主義批判精神。在當時的大陸去臺詩人中，如果說紀弦是現代派的主將，那麼楊喚則是現實主義的代表。而且楊喚的現實主義精神和一般的現實主義有所不同，有其非常獨特的表達藝術：那便是平靜中表現出激蕩，優美中顯露出悲壯。感情上雖然強烈，但語言上並不劍拔弩張；內容上雖然深沉，但形式上仍然輕鬆活潑。這種獨特的藝術手法，使楊喚的現實主義得到了昇華。楊喚去世後，他的作品成了臺灣中、小學的教材。據說三十多來年，凡是從臺灣的中小學畢業的學生，全都讀過楊喚的作品。凡是想從事詩歌創作的青年，沒有不受楊喚詩作的影響的。楊喚的現實主義精神，深深地扎根在臺灣的詩園中，同時它又成了臺灣現實主義詩作生根成長的土壤。所以，在大陸新詩和臺灣新詩的結合中，楊喚起了重要的作用。僅此一點，楊喚就是一位值得充分肯定的詩人。當然，楊喚的創作也是有師承的，他的詩明顯吸收了綠原詩的營養。

楊喚的作品數量雖然不太多，但他涉及的題材和類型卻是多方面的。他的哲理詩寫得相當精彩。組詩《詩的噴泉》，可看作是臺灣哲理詩的代表。楊喚還是臺灣兒童詩的開拓者。五十年代初期，他就看到了臺灣兒童精神上的饑渴，於是將自己至少一半的創作精力獻給了兒童。爲兒童寫了不少十分優美的童話詩，奠定了他的臺灣兒童詩的開創者的地位。當然，由於楊喚所處的環境和死神過早地奪去了他的生命，使他對一些事情還沒有來得及看清，其中個別的消極的作品也是有的。

第三節　臺灣新詩走向西化的歷史背景

五十年代，五四以來不少新文學作品，和所有大陸新老作家的作品，一概列爲禁書。無情地斬斷了臺灣文學和祖國文學的血肉連繫，使新出生的臺灣同胞從小就失去了接觸祖國五四以來新文學的機會，造成了臺灣文學的一段無根期。臺灣女詩人張香華在一篇文章中說：「這一代臺灣的詩人，面對一個事實，那就是很不幸的，由於政治因素，在成長的期間，接觸到中國大陸本土的新詩非常有限，因爲根據當局規定，凡是一九四九年，沒有跟隨國民黨遷移到臺灣，而仍留在中國大陸作家的作品，一律不準閱讀。」（註一）正是由於這一原因，像缺少良好土壤的莊稼，限制了臺灣詩人創作的成長，也迫使一部分青年知識分子轉求於西方。這種政治的，社會的原因，也是臺灣新詩西化的重要因素。例如臺灣著名作家、詩人郭楓說：「他們利用政治力量，掌握了大量的傳播媒體來擴散影響，在五四以後的新詩作品又多遭受禁絕的情況下，於是，就壟斷了整個詩壇。詩壇的情勢如此，再加政治、教育、社會的同步配合，寫詩的人能不望風披靡的可說絕無僅有，一般文學青年想在詩國尋夢的，更難免在現代詩的噩耗中沉淪了。」（註二）嚴重封閉和阻斷下的臺灣文學，產生了強烈的變革的要求。但是文學自身要求變革是一回事，而客觀形勢是否爲文學的變革提供了條件，和提供了怎樣的條件，是另外一回事。它將會直接影響到文學變革的方向和內容。那麼臺灣新詩爲什麼會朝着西化的方向變革呢？因爲向祖國大陸的新詩尋求借鑒的方向被堵死了，而向西方尋求出路的大門卻越開越大，因此臺灣新詩只好向西方求師。青年詩人向陽說：「由於文學傳統在特殊的政治背景下產生了脫節現象，文學工作者自然轉向西方尋求學習。」又如余光中說：「傳統的既不可親，五四的新文學又無緣親近，結果只剩下西化的一條生路或竟是死路了。」(註三)那麼，臺灣當時的客觀形勢爲臺灣文學和臺灣新詩的西化提供了怎樣的背景呢？

五十年代的臺灣，一方面依靠美援，另一方面對美國也存有戒心。所以也在暗暗地尋求自救之道。爲了解放農民的生產力，國民黨於五十年代初在臺灣實行了「土地改革」，並推行了多期的四年或六年「經濟建設計劃」，搞了十項和十二項重點建設工程。六十年代初，宣布實施「開放經濟」和「內外結合」的政策。根據臺灣資源缺乏的情況，和針對美、日等主要資本主義國家技術密集的情況，臺灣決定大力發展以勞力密集爲基礎的加工出口業。這樣一方面可以吸收外國的技術和資金，另一方面又可以開發臺灣的勞力資源，於是便開始大力組建加工出口區。臺灣六十年代初就相繼公布了《獎勵投資條例》和《加工出口條例》。臺灣實行經濟對外全面開放之後，很快迎來了六十年代開始經濟起飛的「黃金時代」，據統計，到一九七八年底，臺灣共獲外國投資七十四億美元，華僑投資十九億美元，技術合作一千一百件。出口總額從一九六二年到一九七八年劇增五十餘倍。拿一九五二年和一九七八年相比，「國民生產毛額」由十六億餘美元增至二百四十六億美元，人均達到一千四百五十三美元。「國民收入」由十五億美元，增至二千二百七十億美元，人均達到一千三百三十八美元。工業總產値由百分之十七點九，上升到百分之四十點三，農業由百分之三十五點七，下降到百分之十二。上述情況表明，臺灣已由一個封閉式的農業社會，變成了一個開放型的資本主義社會了。臺灣經濟的對外開放，既笑臉迎客，也開門揖盜，導致了臺灣社會的「西化」。西方現代派文學思潮就隨着臺灣社會的西化湧進臺灣。臺灣現代派的產生和發展，是臺灣文學西化的主要標誌。臺灣現代派在臺灣文學領域裏，主要的集中在臺灣新詩上。臺灣現代派小說的影響和臺灣現代派詩的影響，是不能相比的。西方現代派文學思潮在臺灣出現，既有積極影響，也有消極因素。積極影響是在一定程度上打破了臺灣的思想禁錮，爲臺灣文學贏得了一定的自由天地，使臺灣相當一部分對「反共八股」文學不屑一顧的文學青年，有了施展才華的機會，改變了臺灣文學被「反共八股」窒息的局面，對提高臺灣新詩的藝術素質，作出了貢獻。其消極影響是民族虛無主義和嚴重的形式主義及其演化出來的一系列弊端，惹怒了臺灣廣大讀者，脫離了臺灣現實。這也是它走向失敗的主因。

【附註】

註一　《一個臺灣新詩人的成長——在愛奧華國際作家寫作計劃提出的報告》。

註二　《海之歌》第三頁《也是一種自由》。

註三　《天狼星》第一五三頁。

第七章 臺灣現代派詩的崛起和關於現代派的論爭

第一節 臺灣現代派詩的崛起

臺灣現代派詩的崛起，比臺灣現代派小說的崛起時間要早得多，大約相隔十年左右；臺灣現代派詩的影響，比臺灣現代派小說的影響要大得多；臺灣現代派詩的陣容，要比臺灣現代派小說的陣容大得多。以紀弦爲首的現代詩社、以覃子豪爲首的藍星詩社和以張默、洛夫、瘂弦三駕馬車並進的創世紀詩社，雖然個人創作傾向和作品風格不同，三個詩社之間也發生過不同意見的爭論，但是從他們的基本傾向看，都屬於臺灣現代派範疇。這三個詩社的崛起、發展和衰落的過程，就是臺灣現代派詩崛起、發展和衰落的歷史。在一九六二年葡萄園詩刊創刊，和一九六四年笠詩社成立之前，臺灣詩壇基本上是由這三個現代派詩社一統的局面。

現代派在臺灣詩壇的崛起，最早是以紀弦爲首創辦的《現代詩》詩刊爲標誌。紀弦是三十年代中國詩壇的老詩人，曾和徐遲、戴望舒一起創辦過《新詩》月刊，是那時大陸現代派的一員。他到臺灣後，將大陸詩壇現代派的精神和餘緒帶到了臺灣，一心要以臺灣爲基地，擎起現代派的旗幟，成立一個以他爲軸心的現代派社團，完成其未竟的事業。爲了給這一目標鋪路，他繼創辦《新詩周刊》和《詩誌》之後，又聯合了一批詩人於一九五三年二月在臺北創辦了國民黨遷臺後的第一個正規詩刊——《現代詩》詩刊。後來，他又在《現代詩》詩刊的基礎上，成立了具有更大規模的現代詩社。紀弦曾在一九六七年發表過一篇《自祭文》的文章，這樣描述過自己：「你是這個時代的鼓手，你是開一代新紀元的中國詩的大功臣，你是文學史上永不沉落的一顆全新的太陽。」紀弦既如此自負，以臺灣詩壇領袖和一代詩雄自居，成立詩派是意料中的事。經過周密策劃和安排，一九五六年一月十五日，以紀弦爲首的現代詩社終於在臺灣成立。當天舉行了隆重的慶祝大會，加盟者共八十三人，後來發展到一百一十五人，幾乎囊括了臺灣大多數知名詩人。紀弦高興得手舞足蹈，據說他在會上朗誦自己的詩作時，興奮得從桌子上跳上跳下，表現出久已期待之宏願得以實現後的激動心情。現代詩社成立後，紀弦將《現代詩》詩刊變爲現代詩社的社刊，一九五六年二月一日出版了現代詩社成立專號。這期刊物封面上，加注了「現代派詩人羣共同雜誌」的字樣。刊登了《現代派公告》第一號，扉頁上印着八十三位加盟者的名單。紀弦以「領導新詩再革命」和「推動新詩現代化」的口號爲號召，對當時在所謂「戰鬥文藝」的壓抑下，正在尋求出路的臺灣文學青年，具有極大的誘惑力，因此，紀弦現代詩社的旗幟一豎，便一呼百應。

就正式成立詩社來說，臺灣現代派的另一支勁旅藍星詩社，是最早宣告成立的。它的創始人和發起者是另一些大陸去臺的三十年代的老詩人覃子豪、葛賢寧、鍾鼎文和當時屬於新銳的余光中等。他們於一九五四年六月借臺灣《公論報》副刊版面創辦《藍星》詩刊，後又創辦了《日刊》、《月刊》、《季刊》、《年刊》及出版了《藍星詩選》等，以風格多樣和創作自由展示出他們的特色。該詩社的第一號人物覃子豪，雖以批評紀弦的虛無洋化而飲譽臺灣詩壇，但他們是現代派之間不同主張的爭論。就藍星詩社的主導傾向看，他們是屬於臺灣現代派中一支比較溫和的力量。

和「藍星」、「現代」鼎足而立的臺灣現代派的另一支勁旅創世紀詩社，成立於一九五四年十月。他們是一批由在臺灣南部左營的國民黨軍隊中的一批青年詩人組織起來的。發起人是臺灣現代派的大將張默、洛夫、瘂弦等。其成員全是國民黨的軍中詩人。他們開始以「新民族詩型」爲號召，當紀弦的「現代派」趨於衰落之後，《創世紀》於一九五九年第十一期改革版面，後來從左營遷往臺北，取代了「現代」、「藍星」的地位，乘機大發展，成了現代派後期的大本營，造成了現代派後期的一段中興局面。

「現代」、「藍星」和「創世紀」三大詩社在臺灣興起的現代派運動，規模宏大，占據了整個臺灣詩壇；時間之長，達二十年左右。一九五七年六月二日成立的臺灣「中國詩人聯誼會」，實際上是帶有一定政治色彩的，三個現代派詩社之間的聯絡和調節機構。因此參加這個聯誼會活動的，也主要是現代派三個詩社的成員。由於臺灣社會的、歷史的和文學本身的原因，現代派運動在臺灣的興起是必然的，是不以人們的意志爲轉移的。歷史上任何一個文學運動，它的作用和影響總是兩個方面的，即積極方面和消積方面。當然由於它們的性質和內容的差異，其積極方面和消極方面的程度也不一樣。就臺灣現代派文藝運動來說，我認爲其積極的作用和影響有下列一些方面：

1.它打破了臺灣文藝界的思想禁錮和精神封鎖，打破了僵化的文藝政策，改變了「反共八股」的所謂「戰鬪文藝」統治臺灣文壇的局面。

2.爲臺灣文壇輸入了新鮮血液，吸收了新鮮空氣。使處於封閉狀態下的臺灣文學青年不僅找到了一個對抗「反共八股」文學的方法和武器，而且找到了一個可以發揮和施展才華的天地。

3.開創了臺灣新詩探索、追求和表達藝術的良好氣氛，特別是在象徵、暗示、寓意和意象捕捉、營造等方面，把臺灣新詩的藝術提升到了一個新的層次。

4.通過大批現代派詩人二十多年艱苦的創作，爲祖國文學寶庫增添了無數詩的珍品，這不僅是臺灣詩壇的功勞，也是祖國詩壇的驕傲。

但是現代派的消極影響，也是非常嚴重的：

1.由於它的過於洋化，使它沒有能夠在臺灣詩園中眞正紮下根來。像一個西方來的洋小姐，沒有能入鄉隨俗，放下洋腔、洋調、洋架子，在中國的土壤裏成長。而是孤傲淸高，孤芳自賞，瞧不起土生土長的中國姑娘，因而引起了中國姑娘們的氣憤和反對，使它的處境越來越孤立，最後不得不乾脆敗下陣來。

2.由於裝腔作勢，故弄玄虛，把精力完全集中在化粧上，塗的脂粉太厚，抹的口紅太多，因而失去了本來面貌。人們幾乎沒有辦法辯認它，只能靠猜、靠估。雖然這不是它的全部，而是一部分，但卻給人們造成的影響不佳，以致使批評它的人們連它們中那些眞正端莊美麗的素質也忘記了。

3.由於它們來自西方，它們中的很少數討厭中國而愛西方、愛美國，因而操着一幅崇洋媚外的腔調，這便激怒了中華民族的情感，使它們幾乎喪失了在中國繼續居住的條件。

第二節　紀弦和他的《六大信條》

紀弦是當代臺灣詩壇上一位非常重要的詩人，是五十年代臺灣現代派名副其實的領袖。五十年代臺灣現代派的崛起，有其不可磨滅的貢獻和功勞。它對臺灣新詩打破僵局走向繁榮，作出了應有的努力。但是不可否認，功勞和缺陷，成績和不足，常存在於一個事物的對立體中，因此紀弦對臺灣現代派在臺灣詩壇造成的弊端和消積影響，也負有一分責任。當現代派受到批判和攻擊時，紀弦往往首當其衝。在臺灣爭議最大、被詬病最厲害的，也是紀弦爲現代派制定的《六大信條》，即六大綱領。這六大綱領和現代派同時誕生，它的全文是：

1.我們是有所揚棄並發揚光大地包含了自波特萊爾以降一切新興詩派之精神與要素的現代派之一羣。

2.我們認爲新詩乃是橫的移殖，而非縱的繼承。這是一個總的看法。一個基本的出發點，無論是理論的建立或創作的實踐。

3.詩的新大陸的探險，詩的處女地之開拓，新的內容之表現，新的形式之創造，新的工具之發現，新的手法之發明。

4.知性之強調。

5.追求詩的純粹性。

6.愛國反共，追求自由與民主。

這六大信條第一條開宗明義，拜宗立祖。第二條表明自己的基本立場。第三、四、五條是表示對詩本身的追求，而主要是對詩的形式之追求。第六條是適應政治環境的口號。這六條中最核心、最被詬病、受到口誅筆伐的是第二條和第四條。因爲第二條充滿着民族虛無主義之意和崇洋媚外之嫌；第四條涉及到新詩的抒情本質，知性的強調和詩的抒情性是相對立的。這六條公布以後，立刻引起很大反響，不少人紛紛發文表章進行批駁。在批駁的人中最具代表性的是臺灣藍星詩社的首領、老詩人覃子豪。他在《新詩向何處去？》的文章中指出：「中國新詩應該不是西洋詩的尾巴，更不是西洋詩的空洞渺茫的回聲，而是中國新時代的聲音，眞實的聲音。」文中說：「若全部爲橫的移植，自己將植根於何處？」覃子豪針對紀弦的六大信條，在文章中提出了中國新詩的「六條正確原則」。這六條原則是：

㈠詩的再認識：詩並非純技巧的表現，藝術的表現實在離不開人生；完美的藝術對人生自有其撫慰與啓示、鼓舞與指導的功能。㈡創作態度應重新考慮：一些現代詩的難懂不是屬於哲學的或玄學的深奧的特質，而是屬於外觀的，即模糊與混亂，暗晦與曖昧。詩應該顧及讀者，否則便沒有價值。㈢重視實質及表現的完美：所謂詩的實質也就是它的內容，是詩人從生活經驗中對人生的體驗和發現，沒有實質詩無生命，如何表現這實質，詩人應該嚴肅的苦心經營，有中肯的刻劃。㈣尋求詩的思想根源：強調由對人生的理解和現實生活的體認中產生新思想。詩要有哲學思想爲背景，以追求眞理爲目標。故詩的主題比玩弄技巧重要。㈤從準確中求新的表現，樹正標準，有了標準才能有準確。㈥風格是自我創造的完成：自我創造是民族的氣質、性格、精神等等在作品中無形的表露，新詩要先有屬於自己的精神，不能盲目地移殖西方的東西。

覃子豪與紀弦針鋒相對，這是相當有見地的詩觀。是覃先生幾十年創作經驗的總結，也是中國五四以來新詩經驗的概括，它對於醫治現代派的空洞、虛無、晦澀和軟骨病，確是一劑良藥。這六條原則不僅是對紀弦六大信條的否定和批駁，而且是醫治和改變六大信條造成惡劣影響的具體方法。這「六條正確原則」對臺灣新詩後來的發展產生了良好的、深遠的影響。紀弦的六大信條受到激烈批判之後，他又發表文章對六大信條進行重新闡釋和辯解。他在《新現代主義全貌》中，稱自己的現代主義爲「新現代主義」。他說：「我的理論就是一種革新了的現代主義，可稱之爲新現代主義、後期現代主義或中國的現代主義。」這種現代主義是「國際現代主義之一環，同時是中國民族文化之一部分。」紀弦被指責得最厲害的是帶有濃厚民族虛無主義色彩的移殖論。他在被尖銳地批判之後，又發表了《論移殖之花》，對他的《移殖論》進行再解釋。他說：「文化交流爲自然之趨勢，而移殖是人工的努力，人工的努力順乎自然之趨勢。」經過移殖的花朵經過創造、呈現了民族色彩、成了中國民族文化的一部分。盡管紀弦在被批評後，對自己的主張又作了重新解釋和調整，但那六大信條仍然漏洞百出，一直沒有逃脫人們的非議。

我認爲文學理論和文學創作既有連繫又有區別。理論不等於創作，創作也不等於理論。一個人的理論主張更不等於一個流派所有人的主張。在文學活動中，創作實踐和理論脫節的現象是常有的事。任何一個文學流派的作家、詩人，都不會是按照他們理論家劃的藍圖來建房子的。即使本人既是作家又是理論家，他的作品也不會都是從他的理論模子裏造出來的。紀弦的六大信條既不是盟員大會通過的，也沒有規定爲每人必遵的守則。它更多地帶有紀弦個人的色彩。即使紀弦自己的詩，也不都是這六條的產物，何況當受到激烈批判時，紀弦的主意又一改再改、一變再變。臺灣現代派留下的那些被人們當作典型批判的作品，也不能完全看作是六大信條的「罪過」。臺灣現代派的創作和他們的理論比較起來，理論比創作更糟糕。因此他們的幸運在於他們的理論和創作相脫節，在於現代派的絕大多數詩人並不把紀弦的六大信條當作自己的信條。

第三節　對現代派的批判和現代派的反駁（上）

從六十年代以來，臺灣詩壇發生過多次論爭。這些論爭的內容，全是集中在對現代派詩歌理論上的民族虛無主義、創作上的晦澀難懂諸問題上。這些論爭的形式，全表現爲人們對現代派的批評、指斥和現代派大將們的回敬、反擊。

現代派像一個傳說中的怪物，如同多面獸之類的東西，於五十年代中期闖入了僵死的臺灣詩壇後，引起了多方面人士的驚訝。有的從這個角度向它發動進攻，有的從那個側面向它展開挑戰，也有好心的讀者被它的文字遊戲惹怒，向它作出憤怒的一擊。總起來看，這樣的論爭大約有以下幾個回合。最早向現代派發難的並不是臺灣鄉土文學的代表人物，而是站在衛道者立場的蘇雪林教授。蘇雪林教授是一個頗有學術素養的著名學者，但是她的觀念非常保守。自五四以來，她一直站在魯迅的對立面反對魯迅，反對新文學運動。從大陸到臺灣後，她還繼續出版反對魯迅先生的專著《我論魯迅》等。蘇雪林是臺灣學術界保守勢力的代表人物，從她的身份我們就可以大致知道她站出來反對現代派的意圖。蘇雪林於一九五九年七月在《新詩壇象徵創始者李金髮》的文章中，批評現代派把新詩弄得「隨筆亂寫，拖沓雜亂，無法唸得上口」。（註一）蘇雪林的文章一發表，立即遭致了覃子豪的反駁。覃子豪本來是批評現代派的，但他卻第一個出來批評批判現代派的蘇雪林。可見他對現代派的批評和蘇雪林是不同的。覃子豪在《論象徵派與中國新詩》一文中，肯定當年現代派在祖國大陸出現是「應時而起」的必然現象，臺灣的現代派是「《受到了無數新影響而兼容並蓄的綜合性的創造。」但覃子豪同時指出臺灣現代派「由於盲目擬摹西洋現代詩，其結果常以曖昧爲含蓄，生澀爲新鮮，暗晦爲深刻，成爲了僞詩」。蘇、覃二人的論爭，是從文學的歷史現象着眼，由中國二、三十年代的現代派連繫到臺灣當前的現代派，進行歷史比較而論的，是發生在學者和詩人之間的論爭。在他們論爭的同時，也有來自讀者方面，用讀者的眼光和口吻對現代派進行批評的。一個署名門外漢的讀者投書《自由青年》，他說：「我要代表廣大的讀者羣向詩人們呼籲：詩人們啊，請從你們那象牙之塔尖上走下來吧！走出來，走到羣衆之間來，用你們敏銳的才思，生花的妙筆，寫一些爲我們所理解，所欣賞的好詩。愉悅我們，啓發我們，使我們感動，使我們興奮，使我們哭和笑吧！讓我們在快樂的時候，縱情地歌唱它；寂寞的時候，用它來排遣愁思；頹喪痛苦的時候，更從它獲得莫大的安慰與勇氣；讓它像甘泉一樣，來滋潤我們的心田，讓它成爲我們生活中不可缺少的一分精神食糧吧！你也許以爲這會降低了你的身份，貶損了新詩的藝術價値麼？可是，你現在的作品，儘管藝術價値多麼的高，其奈讀者們看不懂何？讀者們是沒有那麼多閑情去鑽你們的迷魂陣的！詩人們，請把鎖匙交給讀者吧，不要再在文學上故弄那一套曖昧，朦朧的玄虛了！我們不需那些只有專門讀者和門人子弟才能懂的詩，我們要平易動人，老嫗都能解的詩；我們不一定要明白語言宣告的詩，但要能懂易懂的詩。請爲我們寫吧！」文人學者之間的論爭，雖然具有理論性和歷史感，但是讀者的批評卻更眞切、更動人、更擊中要害。這種祈訴式的批評，也許更能觸動詩人們的心靈和隱密。如果說上述的論爭只是一個小小的序幕，那麼下面便有了眞槍眞刀的閃光，進入了正規戰。

一九五九年底，交戰開始。邱言曦發表了《新詩閑話》雜文，以銳利的鋒芒刺向現代派，招致了現代派詩人們的羣起反攻；寒爵以《四談現代詩》，把諷刺的尖刀直指現代派領袖紀弦，於是一場混戰開始。邱言曦的《新詩閑話》，從中國古詩的傳統出發，批評了現代派詩的空洞和晦澀。他說：「詩必須是可以讀得懂的，而不是醉漢的夢囈；必須在造句的習慣上可以通得過的，而不是鉛字的任意排置；必須是具有韻律的可以擊節欣賞的詩句，而不是詰屈聱牙的散文的分行……。」（註二）如果說邱言曦的文章還主要是從詩的形式方面對現代派提出了責難，那麼寒爵的《四談現代詩》，則是從詩的本質上給了現代派以迎頭一擊。他說：當時法國的思想界，曾充滿了幻滅、厭世、懷疑、悲觀、自暴自棄的氣氛，似乎人類已走進了黑暗的深淵，因此發出無可挽救的頹廢、絕望的嘆息；人們爲了毀滅個體的存在，便向酒精中求痲醉，向女人身上找耽迷，反映在文學上則是頹廢和病態的呻吟。我們的詩人不應該把這種頹廢的意識移殖到我們的詩園中來。寒爵認爲這種背逆時代的走向，是一種不應有的逃避現實。在這次論戰中，臺灣一些重要的文藝刊物，如：《現代詩》、《創世紀》、《文學雜誌》、《筆滙》、《現代文學》、《劇場》、《文星》等，都捲入了批判和反擊的活動。各方大將均出場亮了相，這次論爭，涉及的方面較廣，包括新詩的內容和形式的各個方面。但是如果把他們論爭的焦點和實質歸納起來，基本上還是一個新詩應該寫什麼、怎樣寫和寫給誰看的問題。也就是中國新詩從五四以來，一直爭論而沒有得到徹底解決的民族化和大衆化的問題。歷史在螺旋式和波浪式的發展、上升過程中，總會遇到一些表面上看來似曾相識，但實際卻已大不相同的問題。卽使形式上差不多，但其時間地點和條件也已大不相同，已被歷史悄悄地轉換了。所以我們不能用靜止的眼光把發生在臺灣五十年代末、六十年代初的新詩論戰，看作是五四時期和三十年代新詩民族化、大衆化論爭的翻版，也不能把這一論爭和一九四九年以後發生在大陸的新詩論爭相提並論。但是，歷史和文學的發展是有其連續性和繼承性的，特別是我們這個民族和這個國家不同地域不同時期的文學之間，其連續性和繼承性就更是當然的了。也就是因爲這個緣故，我們看到臺灣新詩論爭的問題感到是置身其中，而不是置之度外；感到有些腔調和語言彷彿我們讀文學史時，都曾經碰到過。下面，試以余光中在反駁對現代派的批評時發表的兩篇有代表性的文章《文化沙漠中多刺的仙人掌》和《摸象與畫虎》作些剖析。余光中這兩篇文章的矛頭所向是反擊邱言曦的，它們從這樣幾個方面批駁對方：1.臺灣現代派並不是法國象徵派和早年李金髮的遺風。余光中說：「新詩壇主要由三個詩社形成，卽藍星、現代詩與創世紀。其中極少數的作者在早期的作品中容受了李金髮的影響，或者在理論上曾經傾向於法國的象徵派，然而他們在今日已經超越了象徵派，甚且不屑一談象徵派了。」2.現代派的詩要打破和超越傳統。他認爲和中國傳統比較，現代派的詩「在於整個價值觀念，整個美學原則的全面改變……現代詩人更求潛意識的發掘，知性的冷靜觀察，以及對於自我存在的高度覺醒；我們願意了解科學，但是要求超越機械；我們要打破傳統的狹隘美感，我們認爲抽象美是最純粹的美，我們認爲不合邏輯是美的邏輯。」3.余光中對詩的大衆化不以爲然，而且情緒相當偏激。他認爲：在氣質上，詩人是異於常人的，「大衆之中究竟有多少人能在沙中見世界，在鴉背人見朝陽日影的？」詩就是產生在象牙之塔裏，是詩人自己的世界。這個世界是不必也不會爲一般沒有藝術訓練與修養的人所接受。詩人也不屑使詩大衆化，至少我們不願降低自己的標準去迎合大衆。大衆不解應自己去提高水平」，「表現得成功的作品不被讀者接受，其過在讀者」。4.余光中主張詩可以脫離現實，超越人生。他說：「高山流水之互相默契，藏之名山的偉大期待，是藝術情操之最高表現。」余光中的第一、二兩條雖然不無道理，那就是我們不能把六十年代臺灣現代派詩人的創作一棍子打死，不能把它們看作是沒有變化和創新的頹廢的法國象徵派或早期李金髮作品的照搬。這種以偏概全，由部分而否定整體的觀點是不對的。但是，完全否定法國象徵派和李金髮的影響，似乎也不符合事實，而且沒有必要。我們對傳統要有一個辯證的看法，對中國幾千年的詩的傳統一筆抹殺，一概否定是不對的。但是如果把傳統看作是天經地義，神聖不可侵犯之物，也不對。所以既不要一聽傳統就嗤之以鼻，也不要一聽說打破傳統就神經緊張。詩經對楚辭來說是傳統，楚辭如果不打破詩經，就永遠沒有楚辭；楚辭對漢賦，樂府來說，是傳統，不打破楚辭，漢賦和樂府就出現不了；漢賦和樂府對唐詩就是傳統，不打破漢賦和樂府就沒有唐詩；唐詩對宋詞、元曲是傳統，不打破唐詩、宋詞，元曲就不存在……，歷史證明，任何一個文學的高峰都是在打破原有的傳統中建立的，不打破原有的傳統，新的旗幟就樹立不起來。因此，余光中的「打破傳統的美感」和臺灣現代派詩人們的反傳統並不是什麼大逆不道的壞事，而是一種創新的勇氣。但是從另一方面看，任何一個文學的高峰都不是從荒地上立起來的，而總是在吸收了前人成就的基礎上創立的。因此，傳統可以打破，但不能拒絕吸收和一筆抹殺，那樣的空中樓閣是難以建立起來的。至於余光中所主張的第三、四兩條，那是一種偏激之論。余光中本人的作品不就是要給今人看的嗎？

若說發表、出版與「藏之名山的偉大期待」，余光中的作品不也是不斷地發表和出版，而沒有寫好後送到哪座大山的黑洞藏起來，期待子孫後代去發現它。何需期待什麼？這不過是不滿現世的詩人，把希望寄托在未來罷了！可是今之不被理解，來世豈不更加渺茫？假如沒有讀者的承認，誰也不可能成爲詩人。所以詩旣不能脫離現實，詩人也不能離開讀者。由此來看詩的民族化和大衆化，對任何一個詩人和流派來說，都不是毫無意義的。即使你否定了老的傳統進行創新，你也要創造民族之新才行。民族化和大衆化是和藝術的生命連在一起的。沒有了這兩化，藝術也就消亡了。當然余光中後來認識到了自己的偏激，作出了文學作品「唯有眞正屬於民族的，才能眞正成爲國際的」精闢論斷。這是個很大的轉變，是十分令人欣慕的。

第四節　對現代派的批判和現代派的反駁（下）

以批判臺灣現代派詩的晦澀、難懂和西化爲內容的新詩的論爭，從五十年代後期開始就一直連續不斷。在這一批判中，徐訏、龍天、象水、夏濟安等都發表過文章。但這一批判有高潮也有低潮，有浪峰也有谷底。到了七十年代初，這一批判又像山洪爆發，掀起了第三次高潮。那是在新加坡大學執教的關傑明教授，於一九七二年九月在臺灣《中國時報》的《人間副刊》上連續發表了《中國詩的困境》和《中國詩的幻境》，批評現代派是「文學殖民主義的產品」，斥責現代派的作品是對西方的模仿、抄襲和學舌。不久，臺灣大學客座教授唐文標又連續在臺灣《文季》、《中外文學》和《龍族評論專號》上發表了《僵斃的現代詩》、《詩的沒落——臺港新詩的歷史批判》、《日之夕矣——平原極目序》、《什麼時代，什麼地方，什麼人》等四篇被稱爲「核彈」式的文章。他以尖銳、潑辣、無情的筆調，對現代派進行了空前猛熱的批評，聲稱：「詩不是供一些玩票的詩人做排遣個人感情，或以文字排七巧板的；詩不是供貴族文人逃避現實的玩藝兒。」他呼籲詩人要重視中國詩的歷史經驗，要重視楚辭和民間文學的傳統。他對現代派的大將們進行剖析，毫不掩飾地指出：他們「生於斯，長於斯，而所表現的文學竟全沒有社會意義，歷史的方向，沒有表現出人的希望。每篇作品都只會用存在主義掩飾，在永恒的人性，雪呀夜呀，死啦血啦，幾乎無意義的詞中自瀆。」(註三)唐文標最後毫不容情地說：「請他們站到旁邊去吧，再不要阻擋青年一代的山水陽光了。」唐文標還明白無誤地宣判現代派的死刑，號召人們從它身上踏屍而過。他說：「今日的新詩，已遺毒太多了，它傳染到文學的各形式，甚至將臭氣閉塞青年作家的毛孔。我們一定要戳破其僞善的面目，宣稱它的死亡，而希望中國年輕一代的作家，能踏過其屍體前進。」(註四)唐文標無情地宣告現代派的死亡和叫現代派諸君們靠邊站的聲音，深深地刺痛了現代派的神經。現代派詩人們便羣起而攻之，於是論爭發展到人身攻擊的地步。顏元叔在《中外文學》二卷五期上發表《唐文標事件》，余光中在二卷六期上發表《詩人何罪》等文章，進行反擊。他們說唐文標是企圖「一竿子把現代詩人打翻」。唐文標現代派的批判雖然不無一棍子打死和矯枉過正之嫌，但臺灣的理論家們事後總結這一論爭時仍然指出：「唐文標的幾篇文章衝擊和影響力相當大，逼得詩人們不得不做一些反省，而逐漸地擺脫病態的現代主義的束縛，另闢蹊徑，重返傳統——不是形式，而是一種自覺的認知。於是討論文學裏的時代社會意識的文章便多起來了，不染人間煙火的作品開始受到嚴厲批判。詩人們也喊出：「唯有眞正屬於民族的，才能眞正成爲國際的了。」（余光中語）。（註五）

在對現代派的批判中，另一名猛將是臺灣《詩潮詩刊》的主編、臺灣著名詩人高準。他於一九七二年便在臺灣《大學雜誌》上發表長篇論文：《論中國新詩的風格發展與前途方向》，該論文後經修改又發表在他主編的《詩潮詩刊》上。高準在這篇文章中全面地對現代派進行了剖析，這篇文章的第三節：《蔓延着病害》中指出，總觀二十餘年來現代詩的各種弊端，梳理而列舉之，可分爲下列八項。高準開列的八項弊端的題目是：1.拖踏堆砌，結構散漫；2.叫囂吶喊，流爲口號；3.摧毀韻律，詰屈聱牙；4.排斥抒情、毀棄性靈；5.蹂躪漢語、曖昧晦澀；6.割絕傳統，喪心病狂；7.矯揉做作，頹廢虛無；8.摒絕社會，痲木不仁。（註六）高準對現代派開列的這八大罪狀，雖然將現代派的病症揭露無遺，但有的地方卻不夠準確。例如第一、二兩條就不太符合現代派作品的實際。現代派作品中「拖踏堆砌，結構散漫」之作可能偶而也有之，但現代派的多數作品正好是嚴謹凝練，用語考究，作品含概量較大；現代派作品中「叫囂吶喊流爲口號」之作不能說絕對沒有，但現代派作品卻是以象徵、暗示、歧義等手法見長，表現過於隱含，有時甚晦澀。

我們應該怎樣來看待臺灣現代派的理論和創作？這需要對現代派進行全面的研究之後才能作出結論。不過從臺灣新詩論爭的本身來看，至少可以這樣估價它的意義：1.這一論爭調動和引起了臺灣各方面人士對臺灣新詩命運的關注。他們紛紛發表意見躋身於文學活動。2.經過激烈的爭辨，人們從現代派的反駁中更加深了對現代派的認識，消除了一些誤解；現代派從人們的批評中認識了自身的弱點，從而爲他們改變創作路向打下了思想基礎。不經過這一爭論，余光中喊不出「眞正唯有屬於民族的，才能眞正成爲國際的」口號；不經過這樣的論爭，瘂弦也很難意識到「粗浮的觀照和生澀的傳達技巧的重重限制下，這觀念造成我的失敗。」（註七）3.經過這一論爭促進了臺灣新詩民族化和大衆化的發展。多數現代派詩人認識到了脫離讀者，離開自己民族土壤的危險性。4.這一論爭直接催生了臺灣詩壇七十年代初期一個巨大的民族型的青年詩人運動的爆發，和一個龐大的多姿多彩的青年詩人羣的崛起。5.通過這一論爭大大地促進了臺灣新詩的理論建設，從而改變了現代派一統臺灣詩壇二十年的局面，促使了臺灣新詩向多元化方向的發展。在七十年代初期的青年詩人運動中，青年詩人們提出的豐富多彩的詩觀。就是例證。

【附註】

註一 載《自由青年》一九五七年七月。

註二 《新詩閑話》（《中央副刊》一九五九年十一月二十日—二十三日。）

註三　《天國不是我們的》一九〇。

註四　《天國不是我們的》一四四。

註五　《三十年來臺灣文藝的論爭》（何欣）。

註五　《詩潮詩刋》一九七八年十一月第三期。

註七　引自臺灣詩人羅青的《理論與態度》。

第八章 現代詩社和它的詩人羣

第一節 現代詩社及其功過

以紀弦爲首的臺灣現代詩社，於一九五六年一月二十日成立於臺北市，出版《現代詩》詩刊。當時加盟者八十三人，其中籌備委員會委員九人，他們是：紀弦、葉泥、鄭愁予、羅行、楊允達、林泠、小英、季紅和林亨泰。其他同仁是：丁潁、丁文智、于而、方思、王容、王牌、王璞、王裕槐、史伍、世紀、田湜、白萩、古之紅、田毓祿、沉宇、李冰、沙牧、李莎、巫寧；辛鬱、吳永生、吹黑明、吳慕適、阿予、邱平、青木、亞倫、依娜、秀陶、金鈴子、思秋、春暉、風遲、胡德根、流沙、秦松、夏秋、唐突、徐礦、孫家駿、唐劍霞、彩羽、張航、曹陽、梅新、麥穗、尉天驄、黃仲琮（羊令野）、張秀亞、張拓蕪、陳奇萍、黃荷生、陳瑞拱、陳錦標、傅越、舒蘭、蜀弓、蓉子、綠浪、銀喜子、劉布、黎冰、蓮松、德星、魯蛟、魯聰、蔡淇津、盧弋、靜予、錦連、戰鴻、謝炯（金筑）、羅門、羅馬。之後加入者十九人。他們是：小凡、平沙、余玉書、李漢龍、林野、姑子律、星辰、奎昊、馬朗、涂大成、張爲軍、曹繼曾、項杰、楓堤、蔣篤帆、薛志行、薛柏谷、蘆莎、蘇美怡。

現代詩社是自紀弦於一九五三年創辦《現代詩》詩刊起便開始醞釀籌備的。雖然在現代派的三大詩社中，它正式成立的時間最晚，但它的影響卻是最早、最大的。它是第一面在臺灣詩壇上樹起的和「反共八股」不同的詩的旗幟。在它的同仁中雖然也有少數寫過「反共八股」作品的詩人，但就現代詩社的絕大多數同仁和詩社的基本宗旨來看，他們是把詩的追求和詩藝的創造放在首位的。和以反共爲主題的「戰鬪文藝」是不同的。比起「戰鬪文藝」來，現代詩社從事的是眞正的藝術創作。這對「戰鬪文藝」是一種沖擊和挑戰。現代詩社，對五十年代臺灣詩的隊伍建設，以及在介紹吸收西方詩歌藝術上，都作出了重要的貢獻。現代詩社的一些主要詩人，比如紀弦、鄭愁予、白萩、羊令野、林泠、方思等，對臺灣新詩在五十年代重新起步起了重要的作用。但是現代詩社作爲一個詩人羣和詩歌社團，由於缺乏統一的認識和藝術志趣，帶著過多的加盟入股的色彩，缺少連接心靈的紐帶，自成立那天起就過於鬆散。加之紀弦的《六大信條》並不是經過所有盟員或大多數盟員共同制訂或討論表決通過的，基本上是紀弦自己的詩觀和藝術趣味的反映，因而對大家只有影響力，而無約束力，基本上沒有起到盟綱的作用。這個詩社的成員，在結盟以前既不屬於一個流派，結盟以後又沒有一致的藝術追求，因而它的成立就預告着它的轟轟烈烈的外表裏潛藏着嚴重的內在危機。紀弦爲現代詩社制定的新詩「橫的移植」而非「縱的繼承」的西化方針，在中國的土地上難以扎根。當《六大信條》受到多方面的批判時，紀弦對自己的主張發生動搖。一九五九年他將《現代詩》詩刊主編之責交給黃荷生，開始由前臺退到幕後，後來他又數度宣布「解散現代派」，取消「現代詩」。例如一九六二年七月他在《葡萄園》詩刊的創刊號上發表了《回到自由詩的安全地帶來吧！》的文章，進行自我批判。他說：「中國現代詩運動，成則歸功於我的倡導，敗則歸咎於我的誤導。」《現代詩》詩刊辦到第四十五期，即一九六二年二月，實在支撐不下去了，便被迫宣布停刊。現代詩社自此也就從臺灣詩壇上隱沒。

紀弦一九六七年曾在《創世紀》詩刊上發表了一篇《現代詩運動二十周年感言》的文章。他以玩世不恭的態度說：「現代派運動都是依照我的性格而行之，我要辦詩刊我就辦了，我要組織詩派我就組了，一旦我感到厭倦，我就把它停掉，把它解散掉，一切不爲什麼，完全是一個高興不高興的問題。」現代派在臺灣詩壇的第二次回潮和衰落，的確和發起者、鼓吹者、倡導者紀弦有很密切的關係，不然他也不可能被人遵稱爲五十年代臺灣現代派的領袖。但是一種文藝思潮的出現和一個文學流派的形成，絕不是一個人的能力可爲的，而是和政治、經濟、文化、社會等各種因素連在一起的，是一種羣體努力的結果。就現代詩社來說，由於紀弦等的努力，詩刊和詩社五十年代是創辦起來了，這只是形式上的表現。而他提出的《六大信條》一出世就遭到各方批判，並沒有眞正得到實行。現代派在五十年代，雖然有三大詩社鼎立，但內部紛爭迭起，互相攻擊和牽制，並沒有在創作上取得很突出的成就。現代派眞正的興旺發展，還是在六十年代臺灣的社會經濟對外開放之後，也就是在紀弦招架不住各方的批評而宣布解散現代派之後。所以紀弦在大力組織現代派的時候，臺灣的現代派並沒有眞正地組織起來，而當紀弦宣布解散現代派之後，現代派卻眞正地發展起來，控制了臺灣詩壇。事實的發展並不像紀弦所說，想組派就組了，想解散就解散了，完全是個高興和不高興的問題，而是恰恰相反。《現代詩》詩刊在停刊二十年之後的一九八二年，又由它星散在各地的舊部羅行、羊令野、商禽、林泠等，重新聚會，經過努力再次復刊，遠在美國的紀弦又充當了該刊的顧問，這個小小的插曲，不是和紀弦的個人喜歡論開了個小小的玩笑嗎？所以不能太歸功於個人的作用。

第二節 紀弦

紀弦，本名路逾，曾用筆名路易士和青空律。一九一三年出生於河北省。祖籍陝西盩厔人，一九三三年畢業於蘇州美術專科學校，後來去日本留學，三十年代中期自日本返國，以路易士筆名發表詩作。一九三五年結識了從法國留學歸來的戴望舒，一見如故。於是便與戴望舒、杜衡、徐遲集資創辦《新詩》月刊。一九四五年日本投降後曾一度棄文經商，一九四八年冬由上海去臺灣。一九四九年入臺灣成功中學教書。政治上一直處於受壓抑的境地，因此一直鬱鬱寡歡，心情不樂。一九六四年從成功中學退休後，到美國定居。紀弦一生寫詩不少，他出版過的詩集有《行過的生命》（一九三五年）上海未名書屋）、《在飛揚的時代》（一九五一年）、《摘星少年》、《飲者詩抄》（以上是大陸時期作品）、《檳榔樹甲集》、《檳榔樹乙集》、《檳榔樹丙集》、《檳榔樹丁集》、《檳榔樹戊集》（以上爲臺灣時期作品）。紀弦還出版了兩本詩選集：《紀弦詩選》和《紀詩自選集》。到美國定居後又出版了《晚景》詩集。

紀弦於三十年代在中國詩壇起步之日，就受到戴望舒的啓蒙和影響，在和戴望舒、徐遲一起自籌資金辦《新詩》月刊之時，情投意合，相聚甚歡。但當時由於日本帝國主義侵略的炮火將他們打散，使紀弦早年前萌發的現代派詩的意識和要有一番建樹的宏圖未能施展。因此，他到臺灣後還一直秉承着當年現代派的餘緒，妄圖圓當年的現代派之美夢，成爲詩壇上「一顆永不落的太陽」。紀弦在大陸的日子裏和到臺灣去的初期，也寫了一些反共詩。但是當紀弦稍稍冷靜地觀察一下周圍的情景，他便發現自我的理想和客觀的社會環境之間存在着尖銳的、不可調和的矛盾，感到了理想被扼殺而有破滅的威脅。請看他的《現實》一詩：

甚至於伸個懶腰，打個呵欠，
都要危及四壁與天花板的！
匍匐在這低矮如鷄塒的小屋裏，
我的委屈着實大了：
因為我老是夢見直立起來，
如一參天的古木。

這首短短的小詩，寫得非常巧妙而精萃。整首詩用了一個象徵，就是詩中的小屋，實際上是一詞二意。在它的本意後面還隱着一個帶有極深刻思想性的象徵境界，那就是除了詩人居住的具體的斗室外，還指詩人生活的社會。詩人生活的社會，連打個呵欠，伸個懶腰的餘地都沒有，就像一個鷄窩。這比喩既貼切又尖銳。由於沒有辦法直立起來，因此詩人才老在夢中直立起來，像一株參天的古木。詩人把鷄窩和參天古木放在一起，從而把矛盾的尖銳推到了極端。要麼把鷄窩拆掉，要麼將古木折斷，二者必居其一，不可調和。這首詩的藝術特點還在於以平淡顯激憤，詩人將不可抑制的憤怒淡化在平常的語言之中，淡化在詩的巧妙的結構之中。表面上看來詩人十分平靜，但如地火在地層下運行，如岩漿在山腹中燃燒，當讀者稍稍估量一下詩句的內涵，稍稍品味一下詩人的寓意，馬上便感到了雷霆萬鈞之力。這便是這首詩的藝術魅力之所在。

紀弦到臺灣後，隨着他的處境之惡化，隨着他感到外來壓力的日益增加，他再也冷靜不下來了，幾乎要被現實環境逼瘋了。他失去了人之常態，憤怒像火山一樣的爆發了，於是他寫下了最有名的詩篇《四十的狂徒》。紀弦生於一九一三年，四十歲正好是一九五三年。紀弦這首詩是寫作於他到臺灣六年之後。從詩中可以看出，那時他在臺灣的處境相當惡劣。一方面得吸粉筆灰以求生存；一方面要辦詩刊追求藝術；另一方面還要對付不時飛來的子彈、黑刀、匿名信。這一切是因爲什麼？紀弦在詩中寫道，就是因爲他有才華、能幹、善良和正直。紀弦這首詩對對手揭露得淋漓盡致，把對手使用的卑鄙手段，毒惡用心，甚至罪惡的心理活動，都揭露無遺。而這一切又都是用非常明白的，甚至是口語化的語言表達的。然而這詩並不顯得粗俗，更不是空喊口號。它將憤怒、斥責、揭露、控訴和自謙、卑恭、大度、容忍等複雜的情緒和心理活動溶滙在一起，形成了一首昂揚、激越、雄渾、抒情和哲理相交織的戰歌。這是一首戰鬪性、時代感都非常強烈的現實主義詩篇，從中看不到一點現代派的氣味和痕迹。不僅如此，紀弦的所有詩篇幾乎都是用明朗的語言寫成的，其中生澀、朦朧的詩篇極少。尤其是他到臺灣後寫的作品，其用語和結構彷彿更加明朗化。人們不禁要問：臺灣現代派的領袖人物的詩，爲什麼很少有被人們通常批判的那些晦澀、難懂的東西呢？由紀弦的創作，我悟出了一個道理：凡是戰鬥性強的作品，凡是詩人急欲表達自己的意志和心情的作品，都不是、或極少是朦朧之作。因爲他要急切地將自己的思想和意志，用傳感性很強的語言和結構形式告訴別人，他要以最大的打擊力置對手於死地，於是他便沒有功夫去朦朧、去晦澀了。因爲朦朧和晦澀達不到他預期的效果，得不到應有的收穫。而朦朧、晦澀的作品，只有在作者不願意和不便於明白表達意志和心境的情況下，才會出現。從紀弦的作品來看，明白並不等於直露和淺薄。恰恰相反，只要思想豐富深刻，內容堅實，採取適當的藝術形式表達出來，就會達到：明白而不直露，深沉但又含蓄。紀弦有一首詩叫《狼之獨步》，這是比他《四十的狂徒》一詩中的情緒還要激烈、憤怒，幾近白熱化程度的詩，此詩的藝術表現手法卻是相當成功的：

我乃曠野裏獨來獨往的一匹狼
不是先知，沒有半個字的嘆息
而恆以數聲淒厲已極的長嗥
搖撼彼空無一物之天地
使天地戰慄如同發了瘧疾
並刮起涼風颯颯的，颯颯颯颯的

這就是一種過癮

詩人在極度困難和極端憤怒的情況下，變成了一隻旁若無人、視強敵如草芥的狼。面對打擊和迫害，他像狼一聲長嗥，使天地像發了瘧疾般都戰慄起來。眞是到了一人拚命萬夫莫當的地步了。在狼的吼聲中大地上竟刮起了一股涼風，使人身上起鷄皮疙瘩。詩中連用六個「颯」字，以強調狼吼之陰森可怕。這首詩的意思表達得雖然明白，但卻帶有點現代派的味道。紀弦是一個性格孤傲，寧折不彎的漢子。他時時以檳榔樹自喻，到臺灣後連續出版了檳榔樹詩集甲、乙、丙、丁、戊五本，就是要以檳榔樹的堅韌、筆直、挺拔和寧折不彎的形像作自我象徵。紀弦的外部形像酷似檳榔樹，精瘦細高，常叼着大煙斗筆立窗前凝思，宛如靜靜地沉思在海濱的檳榔樹。在紀弦的詩中雖然充分地表現了對對手的蔑視，但卻也帶有一點玩世不恭的積習。他在紀念現代派二十周年《感言》中的情緒，在他的詩中也有表現。紀弦的詩不隨波逐流，不趨炎附勢，使他的對手咬牙切齒地恨他，但卻對他毫無辦法。他的這種性格既是對對手進攻的武器，也是一種有效的防身器械。

紀弦的作品，在藝術上也是非常講究的。除了上面我們分析過的他善於平中出奇，淡中見怒，將表層的憤怒化爲深層的可以裂變的力量等藝術特色之外，紀弦特別善於在作品中運用象徵手法。而且他對象徵手法之運用多數場合是整體象徵。也就是在整體事物上和整首詩中運用一個象徵，把他要表現的主題含蓄地傳遞給讀者。紀弦有過不少寫蒼蠅的詩。例如：《人類與蒼蠅》、《蒼蠅》、《蠅死》、《蒼蠅與茉莉》等等。他借蒼蠅這個人們非常討厭的形像，來象徵人世間一些非常醜惡的行爲。但有時他又把蒼蠅這種醜惡的東西和最美的東西放在一起，以證明醜和美的同時存在又都是必然的和合理的，表達出一種深刻的哲理思想。他在運用蒼蠅的形像上，一會兒斥責，一會兒嘲諷，一會兒排拒，一會兒又給以合理的存在。這表現了老詩人紀弦具有非常豐富的藝術觸覺，和非常靈敏的藝術感知，很善於從一個相同的事物中，挖掘出不同的藝術埋藏。例如詩人在《人類與蒼蠅》這首詩中運用了一種強烈而幽默的諷刺藝術，把蒼蠅象徵人類的一種劣根性。這裏詩人並不是與人類爲敵，將人類的所有成員都比作蒼蠅。而是從詩人所處的社會環境出發，將那裏的爾虞我詐、奸淫、刼盜、暗害、傾壓等種種醜惡現象，擴而大之。把它比作人類世界中的垃圾堆。而那些在上面活動的鑽營之徒，便是這垃圾堆上的蒼蠅。從另一個角度看，詩人將蒼蠅從美學方面進行描繪，得出人類中的渣滓和無耻之徒，還不如那些蒼蠅呢！這首詩雖然很短，詩人卻使用了意念上的套層結構。即：蒼蠅和垃圾堆，蒼蠅和人，作各自的、但卻又是連繫在一起的對比。不僅擴大了詩的題旨，而且豐富了詩的內涵。由此我們可以看出老詩人紀弦詩藝的深厚功力。

紀弦的詩，藝術上的變化非常豐富，而且他在藝術手段上的變化，並不是玩弄文字遊戲，而恰恰相反，是形式配合內容之需要，把手法的變化和作品的思想情緒變化緊密的連繫在一起。這種藝術特色可稱之爲「形隨意移」和「意形相彰」。請看《二月之窗》：

二月來了，

我撫看着無塵的煙斗，
而且有所沉思。
我沉思於我之裸着的
淡藍的下午的窗——
彼之透明的構圖使我興憂。
西去的遲遲雲是憂人的，
載着悲切而悠長的鷹呼，
款冉地，如青青海上的帆。
而每一個窈窕多姿的日子，
傷情地，航過我的二月窗。

我們要弄清楚「形隨意移」和「意形相彰」的藝術特色，首先就要弄清楚這是一首表達了什麼思想含意和顯示了什麼樣的感情色彩的作品。據我看，這是一首淡而濃的鄉愁詩。說它淡是文字上淡，說他濃，是詩人表達出的內心情感上的濃。紀弦是個嗜煙如命的人，他的最富自我特徵的形象，就是嘴裏叼着一個大煙斗，手持拐杖獨自立在書室窗前，一圈圈，一圈圈的吐着雲霧，默默地沉思……。這首詩表現的正是這種情景：二月的南方，春暖花開，詩人嘴裏叼着煙斗，沉思在窗前。那窗外的圖景激起了詩人對故鄉的深沉的思念。窗外飄着西去的令人煩憂的雲。雲象愁思，愁思如雲，雲和愁思互爲象徵又互相轉化，勾起了詩人對故土的憶戀。「載着悲切而悠長的鷹呼」，是表達詩人內心裏劇烈的感情進發。那遲遲的雲和悲切的情恰成鮮明地對比。正因爲感情悲切而悠長，才顯出雲是那樣的緩慢，不能急速地將詩人之鄉思傳遞給思念中的親人。詩人用一個「切」和一個「遲」作對照，把心中的情感強化到了十分感人的程度。接着詩人作了非常貼切的想像，天上的白雲冉冉，如海上的帆。詩的最後兩句再從想像中回到現實，情緒也隨着內容的轉換變得淡然。詩的節奏也由急而變緩，顯示出了優雅、閑適而傷感的情調。二月是美妙的日子但卻傷感地，航過我的二月窗。這是在盼故鄉而不得歸之後的失望和傷感，熱烈化爲冷淡……整首詩不管內容和形式都是非常完美的。

紀弦是臺灣詩壇現代派的領袖，也是橫跨中國詩壇五十年的重要的老詩人。不僅在臺灣詩歌史上應有他重要的位置，就是在全中國詩歌史上也不應將他忽略。詩人一生獻身祖國詩壇，老來卻獨居異邦，即使在那樣艱苦的環境中，仍然沒有放下詩筆，還不時地在臺灣的報刊上看到他的作品。這種老驥伏櫪的精神和勤奮不輟的態度，是值得祖國詩壇同行敬佩的。

第三節　鄭愁予

鄭愁予是中國詩歌藝術長河中一顆閃亮而神秘的星。讀了他的作品，彷佛面前站着一個中國當代的李商隱。有時又覺他詩中還兼有李白的豪放之情。說他神秘就在於，很多人感覺到他的詩受中國古詩和詞的影響深，而他自己卻不以爲然；人們都稱他爲「浪子詩人」，而他卻並不同意；他詩中表現的是一個書生氣質的多情種，但實際上他卻是運動場上的健將；他當過臺灣青年登山協會常務理事，滑雪委員會委員；他的文學修養很深，但他卻並非中文系的科班出身；他身爲臺灣現代派的重要成員，但他的詩卻和現代派的詩法相左。這一切都使鄭愁予身上彌漫、籠罩着一層厚厚的、濃濃的神秘色彩。

我開始接觸到這個名字時感到既奇怪又新鮮，覺得這個名字就是一個謎。後來終於從他的詩中，從他喜歡的中國古詩人的作品中，找到了答案。楚辭《湘夫人》中，帝子降兮北渚，目眇眇兮愁予」。辛棄疾《菩薩蠻》中「江晚正愁予，山深聞鷓鴣」的句子，傳達出中國古今詩人心中相通的那點靈犀。

鄭愁予，本名鄭文韜，原籍河北省，一九三三年出生於山東濟南。由於他父親是個軍人（生前爲臺灣三軍參謀大學教育長，名叫鄭曉嵐），他的童年隨着父親的軍旅生涯走遍大江南北，長城上下，飽覽大陸各地的風土人情、山水風光。早年曾在北平的崇德中學讀書，十四歲那年（卽一九四七年）入北京大學文學班學習。一九四九年隨家人去臺灣，住在新竹縣。鄭愁予在新竹中學時非常愛好體育，除任臺灣青年登山協會常務理事和滑雪委員會委員外，還是臺灣省的田徑代表和臺灣陸軍足球代表隊隊員。鄭愁予從新竹中學畢業後，考上了臺灣「中興大學」法商學院，畢業後在臺灣基隆港務局工作。這一工作爲他寫下大量優美的航海詩提供了條件。鄭愁予一九六八年赴美，在聶華苓主持的愛荷華大學國際寫作班研究，獲碩士學位。現在美國耶魯大學東亞語文系任高級講師。

鄭愁予的詩歌創作是早年在大陸讀書時起步的。一九四七年就在北京大學文學班的校刊上發表了一首題爲《礦工》的詩，同年他將一首名爲《爬上漢口》的詩投寄給《武漢時報》，以醒目的字體登在該報的刊頭上，使鄭愁予受到了極大鼓舞。接着他的詩作如噴泉源源而出。一九四九年的春天，鄭愁予自費出版了他的第一本詩集《草鞋與筏子》（燕子出版社）。這是鄭愁予在大陸時期創作成果的總結。一九四九年冬天鄭愁予到達臺灣以後，一面學習，一面寫作。他的作品受到了紀弦的賞識，一九五二年紀弦在臺北約見了鄭愁予，對鄭氏給予了嘉勉，使鄭愁予信心大增。從此開始了他正式的詩人生涯。一九五六年成了紀弦現代詩社中的主要成員。鄭愁予到臺後出版的詩集有《夢土上》、《衣鉢》、《窗外的女奴》。一九六八年赴美後，又在臺灣出版了四本詩集：《鄭愁予詩選集》、《鄭愁予詩集》、《燕人街》（這是他早年在大陸生活的寫照）和《雪的可能》。

鄭愁予不管在臺灣詩壇上，還是在全中國的詩壇上，都是一個很特出的詩人。他出版的詩集雖然不是最多的，甚至算不上多。但像他那樣被廣大讀者和詩評家傳唱、贊美、引用，經常流傳於口頭和筆端的名篇名句，是不多的。他的《錯誤》、《水手刀》、《殘堡》、《小小的島》、《情婦》、《如霧起時》等詩，不僅令人着迷，而且使人陶醉。臺灣的廣大青年詩歌愛好者，很少人不拜倒在他的足下的。他的詩在臺灣詩壇上傳唱的程度，恐怕不亞於李後主、李商隱。人們爲什麼會如此偏愛鄭愁予的作品呢？這確是一個值得探討的問題。

要想打開一把鎖，必須找到那把鎖的鑰匙；要想找到一個神秘的去處，關鍵是找到通向它的道路。我以爲鄭愁予的作品最能引起共鳴、最能打動人的地方，莫過於「美」和「情」兩字。而這兩個字又是互相連繫，互相襯托，互爲補充的。鄭愁予對美的開拓是從兩個方面進行的：一是內容美，二是形式美。不少人從鄭愁予的詩中看到，有不少關於浪子生活和旅人生涯的描寫，因而把他稱爲「浪子詩人」。對於這一點，鄭愁予表示過疑議，他說：「許多人也寫文章談我的作品，我認爲很少能觸及到我的寫作精神和中心所在。因爲我從小是在抗戰中長大，所以我接觸到中國的苦難，人民流浪不安的生活，我把這些寫進詩裏，有些人便叫我『浪子』。其實影響我童年的和青年時代的，更多的是傳統的仁俠的精神。如果提到革命的高度，就變成俠士、刺客的精神。這是我寫詩主要的一種內涵，從頭貫穿到底，沒有變。」（註一）浪子和仁俠之間雖有某種相似點，但浪子和仁俠在本質上是不同的。對於浪子和仁俠的認識，涉及到對鄭氏作品精神的理解問題，鄭氏在這個問題上的辯解，目的也是爲了使人們對他的作品有正確的了解。當然鄭愁予在詩中的仁俠揭示的是一種氣質和精神，是一種和內容緊緊地連在一起的豪放、爽快、豁達之神韻，並不是說詩人寫的都是俠義之士。在鄭愁予的作品中，這種精神的表現又是多方面的，有的可能是描寫闖蕩江湖的俠義之士，例如《如霧起時》：

我從海上來，帶回航海的二十二顆星。
你問我航海的事兒，我仰天笑了……
如霧起時，

敲叮叮的耳環在濃密的髮叢找航路；
用最細最細的噓息，吹開睫毛引燈塔的光。

赤道是一痕潤紅的線，你笑時不見。
子午線是一串暗藍的珍珠，
當你思念時即為時間的分割而滴落。

我從海上來，你有海上的珍奇太多了……
迎人的織貝，嗔人的晚雲、
和使我不敢輕易近航的珊瑚的礁區。

鄭愁予大學畢業後，在臺灣基隆港任職多年，對航海人的生活，對海洋上的知識太豐富，太熟悉了，因而寫了不少關於航海和海洋的詩篇。對什麼事物熟悉是一回事，但寫什麼是另外一回事。熟悉只是爲寫作提供了條件。鄭愁予寫海洋和航海最主要的是他的仁俠之氣找到了浩瀚的大海這個無邊的可以自由馳騁的疆場，可以充分施展的天地。而那曠達不羈的豪俠之氣和航海者之間，又產生了天然的連繫。《如霧起時》這首詩寫的就是一個大海上的弄潮兒。詩的開頭兩句就表現出主人公難以掩飾和抑制的豪情和放浪形骸的個性。尤其是「仰天笑了……》等詩句，簡直把髮梢帶着海風，衣襟上還跳躍着浪花的航海者的神態寫活了。

主人公帶給情人的禮物也是十分奇特的，那便是航海的二十二顆星。這首詩作於一九五四年；當時詩人正好二十二歲。二十二顆星實際就是詩人自己，詩中充溢着調侃的情趣。詩中情人的模樣也是非常奇特的，每一特徵都和航海連在一起。敲叮叮耳環，在濃密的髮叢裏找航路，吹開睫毛引燈塔的燈光……。總之，目光、眼珠和思念時的淚滴都一一地在大海中找到了對應。詩的最妙處是尾句，「使我不敢輕易近航的是珊瑚的礁區」。在航海者的眼裏，他的情人不僅美極了，而且有點玄妙和神密。美得如珊瑚，神密得也像海上珊瑚的礁區。這一詩句既表現了情人之美，也表達了對航海或對情人深深的摯愛，彷彿愛到了有點陌生的程度。鄭愁予在詩中把航海者的豪俠和深情，粗獷和細膩，外在和內心的美溶滙在一起，使其形像在讀者面前和盤托出。

鄭愁予的詩，既豪放曠達，又情意綿綿。有人讀了鄭氏的愛情詩後，認爲鄭愁予是臺灣現代派中的婉約派。我以爲這種評價不無道理。鄭愁予詩中確有溫庭筠詩的那種曲折動人、情意綿綿、欲語還羞的情韵，但這只是鄭愁予詩作中的一個方面，而且是次要的一面。鄭愁予詩中既有溫庭筠，也有蘇東坡。情如溫庭筠，意似蘇東坡。他綜合了婉約派和豪放派兩家之長。請讀他的膾炙人口的《錯誤》一詩：

我打江南走過
那等在季節裏的容顏如蓮花的開落

東風不來，三月的柳絮不飛
你底心如小小的寂寞的城
恰若青石的街道向晚
跫音不響，三月的春帷不揭
你底心是小小的窗扉緊掩
我達達的馬蹄是美麗的錯誤
我不是歸人，是個過客……

這首詩中的主人公想像他的妻子或情人，在深深地思念他。詩的結構非常特別，用一種倒裝的寫法。本來開頭兩句應是結尾，而主人公從前門走過而不入，於是思婦失望，那期望已久的容顏才如蓮花開落；那熾熱的情才心灰意冷。但如果按正常結構把這兩句放到最後，就一方面顯得意念上過於灰冷，另一方面在詩的結構上顯得平淡無奇。經詩人一倒裝，就使詩的意念和結構一下變得新穎多了。就像一朵被旱得折熠了的花，澆上一盆水，頓時就光彩奪目。詩的中間一段寫思婦的情態。東風不來，三月的柳絮不飛，有「東風無力百花殘」之意。盼不到意中人歸來，心中自然沒有蓬蓬的柳絮飛騰之狀。因而那顆寂寞的心，也就是一座孤寂的小城。跫音不響，三月的春帷不揭，聽不到意中人的足音，意態慵懶，雲鬢不整，那小小的心靈如窗戶緊閉。這思婦的相思病害得是何等的嚴重！詩的最後兩句本來應該是，我不是歸人，是個過客，因而我達達的馬蹄是美麗的錯誤。詩人來個小小的倒裝，又給詩增添了無盡的想像的餘地。該詩最受人稱讚的是「美麗的錯誤」，因爲思婦聽到了馬蹄聲，但這馬卻過家門而不入，敲響了心靈的鐘聲，卻不在心中駐足，於是更使思婦難受；聽到了馬蹄聲是美的，但並不在家裏停留因而又是錯誤，所以才出現了這種不協調中產生的特殊的幽默和美感。從詩中可看出詩人並沒有表現出消極厭世的、或帶有某種破壞性的浪子意識，而是將中國傳統的豪俠之氣，融入作品的內容之中，變成詩的一種內在基調。這種內在基調又通過一定的藝術形式，傳遞出醉人的美，給人一種品味不盡的藝術魅力。

用浪子意識來概括鄭愁予作品的思想是不準確的，而簡單地把鄭愁予的詩歸之於婉約派，也同樣不準確。鄭愁予自己在談到這一點時說：「有許多學者他們並沒有眞正知道寫詩的技巧在什麼地方，原因就是沒有辦法探討出來，所以便說鄭愁予是婉約派。其實我的詩的語言，有很多是很安靜的，簡練的，只有那麼一段時間，我寫的是比較婉約些罷了。……現在所謂豪放派的詩，就是使用別人的文學豪放語言，做成豪放的假像。現在假如眞眞實實地寫詩，並沒有所謂豪放派。倒是臺灣有一種安靜的詩和嘈雜的詩，這種安靜的詩，便被人誤會成是一種婉約。因爲安靜嘛，眞正的一種抒情的語言是安靜的。此外，有些人寫得很嘈雜，是指他寫的詩，並不是他自己眞實的抒情語言。臺灣今天只有眞實的詩和虛僞的詩，或者說是眞實的詩和僞造的詩，或者說是安靜的詩和嘈雜的詩。並沒有什麼婉約派和豪放派。」(註二)

一個人的感情可以有深有淺，有淡有濃，但不可有眞有假，時眞時假，眞眞假假。否則他的詩就一定會陷入玩弄文字遊戲的形式主義泥坑。那樣就談不上打動人，感染人。鄭愁予的詩正像他自己所說，是安靜的詩，是眞實的詩，是眞情的詩。世界上的事物，眞、善、美是連在一起的，而與之相對應的是假、惡、醜。一個人的作品要想寫得美，就必須表達自己的眞情實感，吐胸中之塊壘。鄭愁予說：寫詩要：「忠誠，對自己誠，而不是唬唬人的，如果寫的東西連自己都不確定，那就是不忠實。」(註三) 忠實就是要忠實於自己的感情，通過一定的技巧和形式，將自己表現在作品中。這種感情可以是深深的、淺淺的、淡淡的、濃濃的、纏綿的、激動的、壓抑的、含蓄的、豪放的、憂鬱的、興奮的、低沉的、衝動的……，但無論是什麼情態的感情，都必須是自己的、眞實的。鄭愁予的作品的感情是眞實的。因而它蘊含着一種強烈的打動人心的力量。請看他的名篇《水手刀》：

長春藤一樣熱帶的情絲
揮一揮手卽斷了
揮沉了處子般款擺着綠的島
揮沉了半個夜的星星
揮出一程風雨來

一把古老的水手刀
被離別磨亮

被用於寂寞，被用於歡樂
被用於航向一切逆風的
桅蓬與繩索……

水手的生活充滿離別、團聚、悲哀、痛苦和歡樂，他們的生活是人世最顛簸的生活。作一個水手的妻子，那就意味着一生中絕大部分的時間要守活寡。而當一個水手就要作好忍受孤獨和寂寞的準備。鄭愁予這首詩取最有特徵的水手刀作象徵，來寫水手的心情，實在是高明。因爲以酒澆愁愁更愁，以刀斷水水更流。水手們手中雖然有刀，能夠斬斷家鄉的島，能夠斬斷半夜的星星，能夠揮出一程風雨顚沛的旅程，卻斬不斷、揮不沉心中之情。一把古老的水手刀被離別磨亮，最見眞情。水手們卽使與海洋爲伍，心情寬闊奔放，但也有深藏在心靈深處的鄉情，親情。水手刀被離別磨亮，雖無纏綿悱惻之態，卻有動人心弦之情，從中可以感覺到那心靈深處的巨大而深沉的離別之痛。尤其是磨亮二字，下筆微妙，蘊蓄的情感深莫可測。詩的尾句，被用於航向一切逆風的桅蓬與繩索，表達了主人公所向航程的艱難和險惡。這種航程的艱險和離別的痛苦交織在一起，把詩的感情濃度上升到了難以化解的程度。從而可以體會到詩中追求感情的眞和深，可感到詩人眞正作到了忠於自己，同時也忠於自己的讀者。

鄭愁予詩中之情美麗而不柔靡，豪放而不粗俗，看似平常，實則內在深沉，因而很容易引起讀者的共鳴，很容易和讀者的感情產生交流。這種共鳴，這種交流，不似鳥聲悅耳，也不像笛音悠揚，而是有一種播種和植根的效果，撥動着讀者的深部神經，產生一種內在的心靈交響。例如他的《小河》一詩就具有這種深沉的效果。

詩人筆下的小河，是一條不幸的、充滿悲憤和哀痛的小河。這河中流的不是水，是各種人的悲哀，是各種悲哀中沁出的淚水。從敗陣將軍、被貶官吏、迷途商旅、脫逃戌卒，到更加不幸的詩人。那些人還有眼淚可流，詩人的眼淚卻早已流乾了，因而只能無淚地躺在小河的身邊，用無聲的語言向小河傾訴自己難以言狀的痛苦。此詩乍看彷彿並不感到它的深邃，細品才眞眞地知道它的分量。然而詩的精華還在末段。詩人從人生來，但並不能擺脫那痛苦的人生，還得無奈地向人生走去；小河從遙遠來，雖然相知，但卻不能久留，還得匆匆分手各奔東西。詩人把人和河的情意寫得相當親密，這親密不是用表面的語言表達的，而是通過作品中感情的流動顯現的，因而這感情更帶內在性。然而雖然他們相聚又分離，卻將他們共同的意願和友誼編織成歌，遺落在那相聚時的土地上。這是詩人《邊塞詩五首》中的最後一首，寫得分外情絲綿綿。

鄭愁予還是臺灣愛情詩的高手。他那醉人的愛情詩，是彈動青年男女心弦的手指；他那色彩斑斕的愛情詩，是拴住千萬青年男女的彩帶。然而鄭愁予的愛情詩的重要特色不是以詞藻取勝，它們仍然是以內在的情感動人。他的愛情詩不扭揑、不作態、情眞意摯，沒有一般愛情詩那種俏麗、淺薄和譁衆取寵的痕跡，鄭愁予愛情詩的情感，不一定是高尙的和潔白的，有時甚至是非常庸俗和自私的，但是他的愛情詩的情感卻無一例外，都是非常自然和眞實的。正因爲其眞，所以有時卽使很自私的情感，也有一種動人的魅力。請看他的名篇《情婦》：

在一青石的小城，住着我的情婦
而我什麼也不留給她
只有一畦金線菊，和一個高高的窗口
或許，透一點長空的寂寥進來
或許……而金線菊是善等待的
我想，寂寥與等待，對婦人是好的。

所以，我去，總穿一襲藍衫子
我要她感覺，那是季節，或
候鳥的來臨
因我不是常常回家的那種人

鄭愁予這首詩之所以取得很大成功，並不是在其感情的高尚上，而是在其感情的眞實上。詩中的主人公是個愛情的霸權主義者，他佔有妻子，還要再佔一個情婦。而且對情婦的感情要獨佔，自己遠離了，也不給情婦一點自由。把她鎖在青石小城的深閨之中，什麼也不給她留下，只給她留兩件物品，還是精心選擇爲自己所用的。一是金線菊，因爲此物象徵着善等待，二是一個高高的窗口，好讓她寂寞難耐時從窗口向遠處眺望他。而他去時穿件藍衫子，要讓情婦感覺如天色般的衫子象徵着季節，象徵着候鳥傳來了他的信息，以免她對他失望。這是個愛情上的徹底的利己主義者，但這種情感不僞裝不雕飾，在詩中使情、景和諧一致，產生了強大的藝術感染力。鄭愁予寫愛情詩，擅於向深部鑽探，把井挖得很深，使感情之井泉水清澄，甘美可口。如他的《雨絲》一詩：

我們底戀啊，像雨絲，
在星斗與星斗間的路上，
我們的車輿是無聲的。

曾嬉戲於透明的大森林，
曾濯足於無水的小溪，
——那是，擠滿着蓮葉燈的河床啊，
是有牽牛和鵲橋的故事
遺落在那裏的……
遺落在那裏的——
我們底戀啊，像雨絲，

斜斜地，斜斜地織成淡的記憶。
而是否淡的記憶
就永留在星斗之間呢？
如今已是摔碎的珍珠
流滿人世了……。

以綿綿無盡的濛濛雨絲比喻愛情，是最貼切不過了。鄭愁予寫的是牛郎與織女的愛情悲劇，這一歷史傳說不知被多少詩人寫成詩。可是鄭愁予這首卻不落俗套，悲劇不悲，詩中所寫之物雖然地上有，但卻有一種天上的澄明；詩中所寫之情雖然是人間有，但卻染有神仙的飄忽。天上地下，人間仙界，互相印證，互相輝映。詩中有幾處妙語如珠，如「曾濯足於無水的小溪」，很能激起人們對天河的遐想；如「有牽牛和鵲橋的故事遺落在那裏的……」，既以今人的口氣論古，又能使人想起今人的身分。詩的容量相當豐富。詩的尾段更爲精彩，遺落的戀像雨絲織成淡淡的記憶，然而這記憶並不是永遠留在星星之間，那古老的故事，那痛苦的經驗，如今如摔碎的珍珠流滿人間……變成了大地懷抱中無數雙痴情的戀人情侶了。它就像牛郎織女播下的愛情種子，如今已經綠滿人間。詩人如此處理一個古老的愛情故事，既強化了感情的濃度，又閃爍着古今輝映的色彩。

鄭愁予的詩具有臺灣現代派詩的長處，但不存在臺灣現代派詩的缺點，其主要原因是鄭氏不做表面文章，而是執意追求詩的內容的豐厚。他把中國的傳統意識和西方現代派的表現技巧相結合；把西方的技巧化在中國傳統的意識之中，使之適合中國內容的需要，使內容和形式結合得渾然一體。使你只感覺到它是中國的，而感覺不出它是外國的。因而楊牧在《鄭愁予傳奇》的長篇文章中這樣說：「鄭愁予是中國的中國詩人。自從現代了以後，中國也有些外國詩人，用生疏惡劣的中國文字寫他們的『現代感覺』，但鄭愁予是中國的中國詩人，用良好的中國文字寫作，形象準確，聲籟華美，而且絕對地現代的。」（註四）楊牧是很了解鄭愁予的，楊牧講「自從現代了以後，中國也有些外國詩人」這話是很挖苦的。但他對鄭氏的評價是十分中肯的。不過他把鄭氏之中國化只是從語言的角度來強調，這只說對了一部分，而忽略了我們上面分析的中國的思想和感情，這是鄭愁予中國的最根本的所在。鄭愁予自己對此也有論述，他說：「我不管你這個現代詩是中國的現代詩，還是西方技巧的產物，關鍵還是在寫詩的人，有沒有把中國傳統的精神放在詩裏。如果沒有的話；你就是完全用五言七言古詩的形式去寫，而你所表現的，不是中國傳統的東西，還不一定能講是中國詩。」（註五）由此可以看出，鄭愁予是特別強調詩的精神和內容的。鄭愁予取得了運用外國技巧，表達中國傳統精神，而達到作品中國化的經驗。他說：「任何一件事情都不能全盤搬別人的技巧。剛才我講到造房子，你們可以用外國人技巧來造房，但造出來的卻是一個中國的房子，寫現代詩完全也應這樣。現在的許多所謂現代詩，沒有中國傳統的東西。我能說這句話，因爲許多人認爲我是最具傳統精神的一個寫詩的人。所以我說這句話應該是很誠實的，沒有任何的矯情。我可以說我不是受中國現代詩的影響，也不受翻譯小說和翻譯詩的影響，而是直接和運用外國的技巧，但爲什麼別人感覺到我的詩比較生活化和具有濃厚的中國傳統呢？第一就是我的詩從頭到尾貫穿着傳統的情操，就是仁俠精神。我在詩裏表現的敦厚，仁俠這種情操，是屬於傳統的，這跟技巧不是有直接關連的。我要說技巧是要來表現內容，就是說要表現某種內容，不一定要用中國傳統的技巧……。」(註六)

從鄭愁予的創作經驗可以得出這樣一個結論，以內容和精神爲主來選擇和運用形式者，內容和形式俱活，形式和內容融爲一體。即使採用的現代派的表現技巧，它也隨着內容和精神的表達，演化入內容和精神中去了。在精神和形式達到和諧統一的情況下，人們就再不去注意形式了。在人們忘記了形式的情況下，那時形式就達到了絕妙的高度了。反之，如果不講求精神和內容，只去注意和追求形式，那就會陷入形式主義的泥沼，不僅使人感到內容空洞，而且會使人感到，形式彆扭，這樣就形式和內容俱失。上述的情形和效果是，越注重精神者，最後精神和藝術俱獲；越追求形式者，最後精神和藝術兩失。鄭愁予的經驗很值得注意。人們常說鄭愁予是一個很善於化腐朽爲神奇的詩人。一些很平淡的字句，在鄭愁予的筆下頓時產生奇效，閃射出耀眼的光芒。如《錯誤》一詩中，美麗本是一個很俗的詞，但詩人把美麗和錯誤搭配在一起，立刻便詩意盎然。再如在《右邊的人》一詩中，詩人形容老年人的步履蹣跚，用「以着白髮垂長的速度」，給人非常新奇的感覺。在同一詩中追憶老夫妻往日甜美的生活，用「你屨種於我肩上的每日的棲息，已結爲長眠」，就使人耳目一新。種在肩上的棲息，一語呼喚出了多少回憶中的幸福。種和棲息搭配，使棲息有了扎根的含意。鄭愁予這種化腐朽爲神奇的地方，都有一個特點，那便是給「腐朽者」注入強大的新生命，使原本空洞的東西，充滿着豐盈的內容。所以創作首先要注重精神和內容，是鄭愁予的經驗之談，也是千百例文壇實踐所證實的眞理。鄭愁予從七十年代初到八十年代初，沉思十年，很少發表作品。他是在思考，在蓄勢待發。八十年代以後又開始起步，其作品顯得更爲成熟，更加強了對人生的思索。鄭愁予年逾半百，如繼續保持以往的藝術青春和勢頭，是很有希望成爲中國詩壇的大詩人的。

第四節 羊令野

羊令野，本名黃仲琮，一九二三年元月二十日出生於安徽省涇縣黃村，一九三八年十五歲從師左杏邨習古詩，開始古詩創作。一九四五年他創作的新律詩已達三百餘首，至此他已「名驚全縣詩壇」。據他說，一九五〇年去臺時這些古體詩均留在家鄉，至今還念及那些早期的產兒。羊令野二十歲左右改作新詩，一九四八年隨國民黨軍隊到浙江金華創辦《浙西周報》，另在《蘭西導報》創辦《詩陣地》周刊，共出版了八期。同年他的處女詩集《血的告示》以田犁的筆名在金華出版。一九五〇年羊令野隨軍隊去臺灣，在軍中主持《前進報》。一九五二年他與翟牧、郝肇嘉三人合出了一本《筆隊伍》，係詩、散文、小說的合集。這是國民黨遷臺後軍中的第一本文藝作品。一九五四年他的散文集《感情的畫》，在臺灣嘉義縣出版。一九五六年，羊令野加入了紀弦的現代詩社。同年他與鄭愁予、葉泥在嘉義借臺灣《

商工日報》版面，創辦《南北笛》詩刊。一九五九年羊令野從嘉義調到臺北「國防部」工作。一九六八年出任國民黨軍隊的詩歌隊首任隊長，同時在臺灣《青年戰士報》創刊《詩隊伍》周刊。這年十月，他的第二本詩集《貝葉》出版。接着，一九七五年，出版《必也正雜文集》；一九七八年，出版評論集《千手千眼》、《見山見水》和散文《面壁集》；一九七九年，出版《羊令野自選集》。羊令野從一九三八年開始寫詩至今，已有將近五十年的詩齡。羊令野在一九七九年出版的《羊令野自選集》的《自序》中寫道：「如果回溯自己從事詩的創作，從傳統格律到現代詩，這已是四十年的光景了。四十年中，一直保持這分寫詩的興趣，卻也不是一件容易的事，譬如說，我的第一步是踩在傳統詩的格律裏，形式雖然易於改變，惟語言的突破乃是最艱難的超越，三十五年前詩的語言固是平淡無奇，如果想蛻變格律詩的語言，而以散文語言來寫詩，可說脫胎換骨，難之又難，」這段話既簡括了羊令野寫詩的歷程，又顯示了他詩歌創作道上跋涉的艱辛，

羊令野在臺灣的現代派詩人中，有一種比較特殊的地位。其一，他曾任軍中的首席詩官，因此對臺灣詩壇有點居高臨下的威勢。這不是說羊令野本人凌駕在別人之上，而是他的地位自然地賦於了他的那種優勢。二是羊令野是臺灣現代派詩人中唯一的由古格律詩的創作轉向新詩創作的，因而在他的新詩作品中吸收古詩的風韻和表現方法是比較明顯的。由於這兩個原因，使羊令野的個人威望和創作成就之間顯得不是那麼吻合。

羊令野「從傳統中燦然走出，汲取古典詩的精華」，在臺灣現代派中自創一格。他的詩

繼承和吸收中國古詩營養是比較明顯的。有的是從題材和內容上吸收，化古爲今，在古意中拓出當今的境界，塑造出今日之意象。請看他的《紅葉賦》：

我是裸着脈絡來的
唱着最後一首秋歌的
捧出一掌血的落葉啊
我將歸向我第一次萌芽的土地

風為什麼蕭蕭瑟瑟
雨為什麼淅淅瀝瀝
如此深沉的飄泊的夜啊
歐陽修　你怎麼還沒賦個完呢

我還是喜歡那位宮女寫的詩
御溝的水啊緩緩的流
我啊　小小的一葉載滿愛情的船
一路低吟到你的跟前

在這首愛情詩中，詩人巧妙地運用古詩中的典故，使現代愛情詩充滿古樸古香的氣味。

這首詩運用了兩個典故，一是「歐陽修你怎麼還沒賦個完呢？」宋代文人歐陽修曾作《秋聲賦》，賦中是一片秋風掃落葉的肅殺之氣。羊令野反用其典，埋怨歐陽修嘮嘮叨叨沒完沒了，一方面表現了秋葉對秋風的厭惡之感，另一方面襯托出紅葉急不可耐的心情。第二個典故是唐朝宮女紅葉題詩的故事。宮女長期被關在深宮高牆之中，被殘酷地踐踏了青春，剝奪了愛情和婚姻的權利。但她心中愛情之火苗不滅，於是將愛情詩寫在紅葉上，順着御溝的流水傳給外面的情人。羊令野借古頌今，並且賦予了新的內涵。詩的開頭一段，表達的是葉落歸根，尋找故土之意。這一層意思雖然是一種思親懷鄉之情，但它和紅葉題詩的故事有着內在的連繫。一方面紅葉被秋風吹落要回歸故土，另一方面宮女也期盼着回到自己的家鄉，回到自己的親人身旁。這裏遊子的思鄉和宮女的思親兩層意思無間地融合到一起了，顯示了詩的意象的豐富性。詩貴含蓄，含蓄的內容之一就是詩要具有豐富的意象和多層含意。詩和小說、散文等不同就在於，詩要具有歧義性，要在描寫對象意義和象徵對象意義之間造成一個廣濶的空間地帶，造成一個使讀者似有似無，捉摸不定，但又絕對無法排除的幻象體。這個幻象體還要如同電影和電視螢幕上在不穩定狀態中閃出的多層重影，給讀者造成無限的幻覺和想象。這就是描寫對象本身意義的確定性和象徵對象本身意義的不確定性。這樣就大大的擴開了作品的容量和含量。詩意便從此出，詩的含蓄也由此來。羊令野的《紅葉賦》已取得了這方面的藝術效果。

羊令野的作品中，思親懷鄉之作比較動人。但他表達這樣的情感，並不是赤裸裸地喊出來的，像《紅葉賦》，那是一種自然之流露。對這種感情之表達，在臺灣詩人的作品中，形式變化多端，內容豐富多彩。比如有嘆瓶花之無根，有哀長風之不測人意等。而羊令野在《屋頂之樹》中，卻選擇了一種新的角度。這首詩實際上是詩人自我形象的寫照。表面看來屋頂之樹彷彿有些高傲，但實際上心靈中卻非常孤獨和痛苦。當我們聽到：你的名字呢？／你的家族呢？／你不落腳於土地。」的聲音時，不是可以想像到一個沉思中的詩人在用無語之聲，以反躬自省嗎？他既不屬於叢林，也不屬於植它的那隻手，更不屬於他所生活的那座城市，他是個徹底的棄兒，他無花也無果，是一種不屬於土壤的植物。作品表面平淡，但深層中，那文字的背後卻翻卷着鋪天蓋地的波濤。雖無激烈之語，卻有激奮之情，作品之動人處恐怕也在於此。

羊令野雖然在軍隊中混了三十一年，幾佔他生命旅程的一半，但從作品中還看不出他是一個飛揚跋扈、威嚴不可冒犯的軍人；也印不出他是一個鐵血面孔的上校軍官。相反，在不少詩中，還表現了他明朗柔美的情懷。請看他的《薔薇》：

夜陷於瞳睛的仰望
環珮揉碎一廊屧響
而貝齒咀嚼不出那婀娜的一瞬
時間之姿遂凝結在水晶帘上

薔薇啊！以你多刺的手
握住那滾地而來的旭日
刺繡一個燃燒的早晨
讓許多鳥語朗誦

詩的開首就爲我們創造了一個非常美的意境。一個身穿環珮古裝、神態婀娜多姿的古代美女，在悵然的仰望夜空。她那美麗的姿態被月光映照在低垂的門帘上。這是一個思盼中的痴情的美女，她通宵達旦地凝望着，可見她的相思是多麼深沉！天亮了，那女子的心情一下也亮了。於是目光中閃現出一個明亮而燦爛的早晨。薔薇在詩中是美女的自喻，她從曙光中迎接着一個美好的時辰。

羊令野雖然是臺灣現代派詩人，但他的詩觀是積極的。他主張詩要有內容，詩要反映現實，詩要表達詩人的眞實感情。因而他對臺灣流行的那種晦澀難懂、脫離生活、空洞無物、卻自命清高的作品和現象非常不滿。他在一九七五年寫了一首名爲《蟬》的詩，對臺灣詩壇的那股惡劣風氣進行了辛辣的諷刺：

整個夏天
你的鼓噪不休
那種重複調子
令人思慮的

不知道誰抄誰的語言
高枝而棲
飲露餐風
你的自鳴清高
却在一夜西風裏
噤住了自己的一張嘴
說你是懦夫也可以
說你是哲者也可以
不過
最難熬的冬來霜雪
等你脫殼之後
頂多是個空洞的標本

羊令野於一九八一年五月曾在一篇《蟬之吟》的短文中，對這首詩進行了闡釋。文中有這樣的話：「今天許多或者少數所謂自鳴高潔者，不是鼓噪於異域，就是噤聲於故土，當其脫殼時，遂成了一枚空洞的標本。這也是蟬之一種面貌和聲音，裸現於域外文壇者，此與駱氏（指初唐駱賓王）筆底的蟬比照，總覺得彼輩未能作到：『有目斯開，不以道昏而昧其視；有羽自薄，不以俗厚而易其貞』。一位詩人，文學家如果昧於事實眞理，未能擇善而固執之，則其人品與文品等而下之不足道。這等人旣失去眞我，也失去了眞實的生命與生活意義了。」（註七）羊令野批評臺灣惡劣的文風，是有眼力的。但文中所抨擊之作者，我不一定附合。這裏只在說明羊令野的詩觀。

羊令野還有長詩《貝葉》和與詩人彭邦楨的和詩《叫花的男人》。羊令野自已對這兩首詩是很看重的。他說：「《貝葉》十三首詩，是我住在衡陽街的時候，案牘生活中的副產品。在介壽館的四樓，紛繁的公務處理之際，我常在另一心靈世界騁馳。《貝葉》在這般情況中誕生，也是奇跡。」不過被羊令野稱之爲奇跡的《貝葉》，彷彿並沒有產生太大的反響，這恐怕和詩所表達的不關痛癢的內容有關。

羊令野的詩歌理論和他的創作實踐是一致的。他很突出的強調兩點：一是強調寫詩感情要眞。他在《羊令野訪問記中》講：「我覺得從事詩歌作者，首先要『眞』。……因爲詩人能見得眞實，他就能打破生死名利的枷鎖，他就能獲得心靈的眞實自由，而且能面對人不堪其憂自已不改其樂的艱困生活。如能達到此一地步，他寫的詩就是淸眞而神化了。」（註八）羊令野詩歌理論和創作中另一個突出的特點是，強調學習和吸收中國傳統古詩的必要性。他在同一篇文章中說：「在我的詩中，嘗試把許多古典的詞滙賦於新的意義，或者說新的生命。而這種再生的詞滙，常常使整首詩的語言張力更有韌性與彈性。同時使衆多的意義達至和諧，完整地表現了我需表現的意識——周密深廣地布着一種渾然一體的境界。這也許是我從傳統詩中獲得了一把語言的鑰匙，開啓了自己的門徑。」（註九）

第五節 林泠

林泠，本名胡雲裳，廣東省開平縣人，一九三八年出生於四川省的津江縣，童年隨着父輩的足跡旋轉，在西安和南京等地度過。一九五八年，她畢業於臺灣大學化學系，後赴美深造，獲美國佛吉尼亞大學博士學位。打那之後，她一直服務於美國的化學界，現在美國一個化學研究所主持藥物合成研究，是個有成就的化學家，也是一個卓有成就的詩人。

林泠是臺灣詩壇上一個獨特的現代派女詩人。她的作品和她顚沛的人生連在一起。她的詩表現出一種冰雕玉琢般的冷峻的美感。我在《臺灣女詩人十四家》中這樣評價過林泠的作品：「別人的詩，是火冶煉出來的，而林泠的詩，卻是嚴寒凍出來的；別人的心和感情是熱的，而林泠的心和感情卻是冷的。她的感情像一個巨大的晶瑩的冰山，而她的藝術寶殿就是這個冰山雕刻成的魔宮。」我們說林泠獨特的第二個原因是，她是臺灣詩壇上一個年輕的老詩人。林泠如今已經四十有八，就其年齡來說，已經不年輕了，但是拿她的詩齡和年齡相比，她卻還是年輕的。五十年代初期，當她還是一個初中的小女生時，便躋身於臺灣詩壇，成爲紀弦組織的現代詩社中一位受人注目的女詩人。四十八歲的年齡，大約已經有三十四年左右的詩齡了，這在一般的情況下是很少見的，但她的作品卻不算豐富。三十多年的心血，只結晶出一本《林泠詩集》。當然應該除去她中間十多年的封筆時間。即使算她二十年的實際詩齡，只出一本詩集，產量也是很低的。可是林泠詩作的質量卻相當高。一九七八年英國出版了一本《企鵝世界女詩人選集》，這本書是由柯斯曼、基芙、韋佛三個外國女界名流編選的。包羅古今中外所有最著名女詩人的作品。入選作品的年代是由公元前十六世紀至現代各國詩壇。縱跨人類三千五百年的歷史。入選的世界各國女詩人共有一百九十二名，包括五十六個國家及四十餘種不同文化傳統的女詩人。西方被選中的著名女詩人有沙佛、羅塞娣、狄金蓀和白朗寧夫人。中國古今女詩人中被選入的共有五人，她們是：朱淑貞、李清照、秋瑾、冰心和林泠。林泠是本詩集中最年輕的中國女詩人。在世界名家的眼中，林泠的名字和李清照、冰心等的名字並列在一起，僅此一點，就可以看出林泠在世界詩壇上的影響。由別人對林泠作品的評價中，也可以反襯出林泠作品質量之不一般。

在臺灣才華卓越的、衆多的女詩人中，我是把林泠的名字擺在前茅的。不管別人對林泠作什麼樣的評價，在我的天平上，林泠是臺灣女詩人中的佼佼者，是整個臺灣詩壇上最優秀的詩人之林的人物。

林泠有一種超人的、奇妙的藝術觸角。有一種穿透事物表層、裏層，直達事物核心的能力；她能從人家司空見慣的事物中，跳過一意二意直捕三意四意的本領。人們開會、看戲、看電影散場以後，本來是嘈雜不堪，人聲鼎沸，熱流滾滾的場面。但是在林泠的藝術觸角裏，卻完全是另外一回事。她從那沸騰的熱浪下面發現了一股零度以下的寒流。從本質上來說，人們的相聚是一種歡樂和熱烈，人們的散伙是一種寒冷和不幸。因而她寫出了這樣驚人、出人意料的詩。請看她的《散場以後》：

冰冷的液體，帶着氾濫的狂熱
從一堆熔解的雪塊溢出來
——散場以後——
我也走出，隨着他們
走出，也像其中的一滴
散了

多麼寒冷的意念啊
有誰能找回
原野上散失的羊羣？
（寒冰怕是這樣形成的）
我豎起領子
縱然沒有風，一切都是靜蕩蕩的
一雙無目的蝙蝠

自暗中飛出，又投身於另一個
黑暗裏，沒有愚蠢的猶豫

散場後被挾裹在散場的人流裏，你擁我擠，熱氣臭氣混合在一起，本來是很難受的。在這種處境中，詩美是很難進入意境的。但林泠卻由「散」這一意念觸動，馬上向深部開掘，層層剖析，層層深入，直搗核心。首先是由散的意念引起，把熱變成冷把從人山人海的劇場中湧出的人流，變成從巨大的冰山下溶化出來的水四面外溢。而自己就是縱穿橫流冒冷氣的冰水中之一滴。然後再深入一層，『把冰山下溶化出的水和人生的離散』相連繫，於是賦予了那意象以深刻的思想內涵和主題意識。特別是結尾處又一轉，使詩的思想更深入一層，給人留下了無限的遐想。人生離散之後結果又如何呢？就像沒有眼睛的蝙蝠，從一個黑暗裏飛出來，又鑽入另一個黑暗裏。離散後，逃亡後的人生就是如此，林泠對此體會太深了。

林泠這個筆名，或許是有點什麼來歷的。也可能詩人從寫詩的那一天起，心中就是一團冷冷的意念，就決心要向冷冷的美感中去探索那冷冷的、散着寒意的藝術。一般說來，人生的離散是痛苦的，是帶着濃鬱的寒意的。因而，車站、碼頭常常收留人們簌簌的淚滴。但是按照常理，人間的團聚總應該是熱烈而歡樂的吧！總應該是有些溫暖的吧，尤其是久別重逢，那急切的渴望中更應該溢出喜悅之情。可是林泠卻不然，滿懷渴望走到了老友的門前，她卻閃出了常人所沒有的念頭。請看她的《造訪》：

你不必驚喜

昔日的遊伴，將十年的冷漠
在你家的門環下搖落
倘若時間是誓約，我已撕碎了
時間的記錄，那遠遠擄來的一身塵土
已為這小城的風沙拂盡

多麼奇怪，昔日的玩伴相別十年，她卻劈頭蓋腦地叫對方不必驚喜。她叩在朋友門板上的不是渴求和希望，而搖落在朋友門環下的卻是冷漠。從詩中的描寫看，林泠造訪的可能是少年曾相戀的對象，既然沒有了任何激情何必來造訪呢？不是一種自尋苦惱嗎？詩中描繪的仍然是詩人對人生的態度。她感到人間沒有了歡樂和笑顏，因而在應該有激情的地方卻反而出現了冷漠。時間把詩人的一切幸福感和美好的願望和理想都撕碎了，在時間的折磨中把一個柔情的小姑娘變成了一個心灰意冷，彷如冰棍似的人了。林泠的意識之冷和藝術之冷與她飽嘗人生的離散之苦，成年後又獨居異域，很少享受到少年時代應該享受的鄉土的親情和溫暖，根本沒有青年時代應該享受的故國山河的哺育之情，有極大的關係。因爲她的人生旅程中充滿太多的離散，太多的痛苦，太多的冷漠，太多的不幸。這些都積澱在他的意識中，聚成了一冰山。因此那裏溶出的便是一種寒冷。林泠於一九八二年七月十七日給臺灣詩人張默寫過一封信，信中有這樣一段話：「我的少年不像別人的，是一段很不順心的過程（甚至可說是期期艾艾），那時候就靠寫一點詩，搞一點化學，才算把自己從『可能危險』的境地中拉了回來。這一點也能不自覺地在我的早期作品中顯現了出來。使那些作品『淚濕青衫』和『少年永嘆』有稍稍地區別」。林泠的自白爲我們對她作品的了解加上了良好的注腳。

林泠詩作的最顯著的藝術特色，是形象鮮活，意境深遠，清新而優美。這些藝術特色，具體的表現在：一、她把現代詩和童話緊密地結合在一起。給童話以詩美，給詩以童話的心靈；給童話以詩的節奏和韻律，給詩以童話的清新與活潑，使詩和童話在藝術上達到融合。但是林泠寫的並不是童話詩，她是將詩童話化，將童話詩化，使它們在美學上產生出一種新的質。將兩種藝術的最優素質，統一在自己的作品中。請看她的《雲的自剖》：

「列子御風而行……」

——莊子・逍遙遊

降生於太陽的故居
海洋是青塚，如同天上小小的隕石
夜歸的漁火是憑弔者的淚滴

我常常想起，想起
多年前，有個愛穿紅衫的女孩
徐行過人間：

以霧的姿態
雨的節奏
流泉的旋律
而隨手撒落落的火焰與雪花
便形成了赤道和南北極
……我常常想起
海洋是青塚，如同天上小小的隕石
夜歸的漁火是憑弔者的淚滴

童話是將客體擬人化，詩人以第一或第三人稱對客體進行敘述，而作者很少在作品中站出來說話。童話詩要求有較完整的故事，要求有比較明顯的人物形象和性格，而且一般是寫給少年兒童閱讀的。但林泠的這一類詩卻不是這樣。詩的客體和童話故事中的人物，既是一個，但又不是一個。他不處於詩的中心和主導地位，而是詩人用賦和比的方法引出在來的。這樣的詩中，詩人是抒情的主人公，處於詩的主導地位；童話中的人物只是一個插曲。例如《雲的自剖》這首詩，從第二段的：「我常常想起……」到最後一段的：「我常常想起……」都是詩人在敘事抒情，而那個霧的姿態、雨的節奏、泉的旋律的雲——童話中的主人公，只是詩人用來敘事抒情的對象。因此這樣的詩和純粹的童話詩是不同的。二、超凡脫俗，摔掉陳舊格式，在情景交融中把詩美提升到一個新的境界。愛情是文學的永恒題材和主題，古今中外的文人幾乎無不在愛情的領域試筆。千人描萬人寫，愛情就像大自然的財富取之不盡，挖之不竭，常取常有，常挖常新。但是他們必須具備一個最基本的條件，那就是創造出獨特的通向那財寶的道路。如果照着別人的腳印去取寶，那只能一無所有，或者頂多拾取一點牙慧和殘物。林泠不同，她是一個非常善於開拓新途徑的詩中高手，因而她便能從千百萬人寫爛了的題材中，挖出新的藝術財富。請看她的《阡陌》：

你是縱的，我是橫的
你我平分了天地的四個方位

我們從來的地方來，打這兒經過
相遇，我們畢竟相遇
在這兒，四周是注滿了水的田隴

有一隻鷺鷥停落，悄悄小立
而我們寧靜地寒喧，道着再見。
以沉默相約，攀過那遠遠的兩個山頭遙望

（——一片純白的羽毛輕輕落下來。）

當一片羽毛落下，啊，那時
我們都希望——假如幸福也像一隻白鳥——
它曾悄悄落下。是的，我們希望
縱然它們是長着翅膀……

這是一首非常美麗的愛情詩，詩的開頭就不同凡響，你是橫的，我是縱的，你我平分了天體的四個方位。這一方面是指這對情人久別重逢，他們從不同方向來，在交叉的道口不期然相遇；另一方面暗指他們相聚的一刹那，感情驟然膨脹和衝動，彷彿整個世界都屬於他倆的了。一個「相遇，我們畢竟相遇」深含着他們久久的各自期待和渴望。但這兩個人又非常善於克制，在那麼衝動的情況下，他們既沒有擁抱，也沒有接吻，只是目目相視，以沉默相許。沉默相許透露出了他們胸中埋藏着的激情的火山。這一對情人不知遇上了什麼災難，是家長反對，還是傳統禮敎的束縛，或者是權勢的壓迫。總之，看來是遇到了他們自身難以克服的困難。詩人巧妙而含蓄地在這裏留下一個空當而躲開了一般描寫愛情的那種接吻，擁抱，互相厮磨的庸俗之筆，使她表達的感情和詩美都染上了超凡脫俗，高雅純淨的色彩。最受稱道的是在四周是水的田隴上設立了一隻象徵着愛情的白鷺鷥。當兩個情人無可奈何分手後，再默默回望之際，鷺鷥也起飛了。更妙的是它落下了一片純白的羽毛。這純白的羽毛不就是兩個情人的幸福之感嗎？不就是他們沉默相許的內涵嗎？最後一段詩人或明或暗地點了一下那隻白鳥的用意。詩中的情感雖然是經過詩化、藝術化了的，但那卻是十分深沉和眞摯的。明用象徵，暗達意志，將願望和理想自然而和諧地凝聚在客體中，使內容和形式，思想和藝術渾然地成爲一體。請看她的《不繫之舟》的第一節：

「沒有甚麼使我停留
——除了目的
縱然岸旁有玫瑰、有綠蔭、有寧靜的港灣
我是不繫之舟」

詩人從無窮無盡的事物中，選取了一個最能象徵自我，表達意無反顧地追逐理想和決心的意象——行進中的船。爲了追求理想，像起錨斷纜之舟，不戀玫瑰、綠蔭和港灣，不達目的決不罷休。

林泠是一個非常熱愛祖國的女詩人。她在詩中對這種情感作過出色的描繪。例如在《紫色與紫色的》一詩中，驕傲自己的作品是東西方藝術的結合，她以楓葉紅象徵着東方的中國，以海洋藍象徵着西方。它的形體是中國農家小院的牆頭上爬的牽牛花，它們柔韌的藤，芬芳的花，從海峽彼岸爬到了臺灣，又從臺灣爬到了美國。但它不管爬得多遠，其根仍然在中國，因爲它的聲音，是古老的無定河中那冷冷的流水。在一首短短的，只有九行的小詩中，林泠便生動而形象地將自己詩的聲音，詩的色彩、詩的本質、以及詩人的成長過程和詩與自己人生的關係，概括描寫的完整而突出。這的確是詩人高超的詩藝和非凡的才華的體現。

第六節　方思、方莘、方旗

方思是臺灣詩壇上一顆閃亮而短暫的星。五十年代臺灣詩壇正是反共八股氾濫的時候，方思以他獨特的、閃耀着哲理光輝的、清麗優美的小詩，劃破了臺灣詩壇的沉寂。爲臺灣詩壇增添了些許清新的氣息。在那些日子裏，方思和楊喚的作品，是臺灣詩壇的一個異數。

方思本名黃時樞，一九二五年出生於湖南省長沙市。一九四九年去臺之前就寫詩，到臺後，一九五三年出版第一本詩集《時間》。同年，紀弦創辦《現代詩》詩刊，方思是其重要成員。一九五五年，他出版第二本詩集《夜》。這本詩集以最高票數獲臺灣現代詩獎。一九五六年紀弦組織現代詩社，方思又是骨幹。一九五八年，方思出版長詩《豎琴與長笛》。這本詩集是方思告別臺灣詩壇之紀念性作品，從此以後方思便從臺灣詩壇上消失了。方思後來去了美國，現在美國一個大學圖書館任館長。

方思作品的主題在於以豐富的表現手法簡練的筆墨探討人生的哲理和生命的奧秘。他的這一類詩寫得精巧明麗，意象鮮活，在詩人輕快的抒情和娓娓的敍述中，那深含着人生哲理的思想便不知不覺地傳達給了讀者。請看他的《港》：

風向針定定地指向東南

雲陰沉沉地壓着大桅小檣
黑黝黝的銅像仍然冷冷地站着
一隻小鳥飛起
投入茫茫一片灰白
這就是生命的訊息
突然遠處傳來一聲鐘響
不知哪條船又要出港

詩的開頭，詩人創造了一種沉重而壓抑的氣氛。這象徵着生活環境。但是這種陰雲密佈的氣氛並不能將生命完全扼死，因爲生命是比一切都頑強的東西。就在這種環境和氛圍下，一隻象徵着生命的小鳥起飛了，而且遠處也傳來了起航的鐘聲，那裏有船要出航。詩人用簡潔的筆墨和樸素的語言，表達了生命的不可戰勝、不可扼止的思想。方思的藝術觸覺是很靈敏的，表現手法也相當靈活，在表現同一思想的詩中，詩人卻運用了相反的手法。請看他的《重量》：

啊，這美麗而明朗的世界
充滿了輕笑細語浮光與掠影

向日葵禮拜朝陽
雲雀頌讚黎明
虹搭一座橋通向黃金的田野
鐘聲響澈谷間每一朵小花

但是——突然
現在成為這樣的靜，這樣的靜
像我的心一樣
我的心就感覺到，啊，這世界的重量

詩人晨游，眼中的一切都是那樣清新而美麗，那樣活潑，一切死的東西都被擬人化，賦於了意識和生命。向日葵禮拜朝陽，雲雀讚頌黎明……彷彿是一幅有聲的畫，又彷彿是一首色彩斑爛的歌。但這些描寫是爲了襯托靜中出現的思想主題，卽有了這些鮮活的生命，世界才有重量。詩人從動中拱托靜，在靜中用心靈去容納，去感知這充滿生命世界的奧秘。

方思的詩，用哲學的目光去探索生命的奧秘。和此一主題相呼應的，是他從生命的奧秘之樹上去採擷人生哲理的果實。他的《美德》等詩，是這方面的代表作品。在《美德》一詩中，詩人的目的是要用他的詩筆，去犂開那生活的黑色土層，從而發現那埋在土層裏的美德。詩人從早晨的景象中選擇了美麗芬芳的薔薇和晶瑩透明的露珠，這兩個極其美麗而又都非常短暫的事物搭配在一起，揭示出了人生雖美但卻非常短暫的事實。植根於泥土的，必須回歸到泥土去，這是詩人從短暫的人生中概括的生活邏輯和哲理。這是警句名言，是這首詩的核心。在這首詩中，詩人採取不分段的分段法，將這首詩分爲兩半。前半段表明要爲美的死亡哀嘆，後半段表現出不要浪擲生命。雖不是純粹的哲理詩，但卻深含着人生哲理。

方思的作品最顯著的藝術特色是簡潔凝練，以極少的文字容納盡可能多的思想內容。在他的作品中，幾乎沒有廢句廢字，每個字句在作品中都擔任着要職。一個個都是操作員，沒有一個是可有可無的監工。他的詩的精練不是少數和多數，而是全部。在他的作品中，你很難挑出一首沒有任何思想內容的廢詩。請看他的《奧義》一詩。

戴面巾的異教女郎
以選擇的眼光看人
肆無忌憚地
你低着頭走過
白色的臉似乎罩上了黑色的
網紗
每一個人尋覓另外的一半

我不是我，你不是你
這是神的奧義

這是一首帶着宗教色彩的愛情詩。第一段用兩句半描繪出了一個心中燃燒着熊熊的愛的火焰的教女，衝破宗教教規，大膽而毫無顧忌地用目光去選擇意中人。第二段只用了兩句就描繪了一個羞羞答答的男青年。他被那個教女盯得羞紅了臉，不僅低下了頭，連臉色都嚇白了，彷彿那女郎的面紗罩到了他的臉上。最後一段點題，講明他們都在尋找另一半，因而我不是我，你不是你，而是我中有你，你中有我。這正好和《聖經》中有關男女婚姻的說教相符合。因而這對青年的動作，正是《聖經》中神的奧秘之義。這首只有八句的詩，充分地表現了詩人的出色技巧。

臺灣詩壇存在着以方思爲首的「方家詩派」的說法，如余光中說：「所謂方派，當然是我自撰之詞。但如眞的曾有什麼方派的話，勉勉強強，似乎可以數出三方：方思、方莘、方旗。」（註一〇）六十年代前後，方思那種古樸典雅，小巧凝練酷似絕句式的詩的風格和形式，曾引起過臺灣一部份青年詩人的羨慕和追求。余光中曾把方莘、方旗、鄭秀陶、薛柏谷等詩人都列入方派弟子。而且認爲方莘是這般弟子中最突出的一個。「他曾經巡禮過方思那種冷穆的古典境地。然而在一度嚮往方思的作者中，方莘乃是獨特而傑出的，所以他終於超越他的先驅。」（註一一）不管臺灣詩壇上有沒有「方家詩派」，但一部份年輕詩人曾追求效法方思的詩風，因而形成了和方思的詩相似和相近的風格，卻是事實。爲了不遺漏臺灣詩壇這一大潮流中的小波浪，現將方莘、方旗略加敍述。

方莘，本名方新，祖籍山西省，一九三九年出生於四川，臺灣淡江文理學院（淡江大學前身）畢業，現任教於臺灣輔仁大學。出版詩集《膜拜》等。方莘是臺灣現代派中較年輕而有突出才華的詩人。他的詩小巧凝練，內容充實，常常發出驚人之想，寫出驚人之筆。在普通的題材上唱出令人驚嘆的歌。請看他的《月升》：

黃昏的天空，龐大莫名的笑靨啊
在奔跑着紅髮雀斑頑童的屋頂上
被踢起來的月亮
是一隻剛吃完的鳳梨罐頭
鏗然作響

這首詩寫得非常生動而奇特。詩人採用濃縮的表現技巧，把黃昏時晚霞燃燒得通紅的天空，比作人臉上一個小小的笑靨。不管天空和臉之間有沒有關係，但晚霞的熱烈火紅和笑靨上向外不斷輻射擴散的熱烈歡樂氣氛，在情緒上是相通的。詩的這一比喻可以說夠奇了，但更奇的是詩人把落日晚霞比作一個冒冒失失、滿臉紅雀斑的頑童。他神色慌張地在屋頂上奔跑，大約是想逃脫西沉的命運，卻無意中踢着了空罐頭似的月亮，於是月亮便帶着響聲在這個冒失鬼的足下被踢而升起。初看，彷彿是一首純風景詩，細想卻有反叛世俗的思想含意。一般人把夕陽西下看作沒落，把黑夜來臨看作不祥之兆。而方莘卻把一個沒落和不祥的意象，寫成鏗鏘有聲的來臨，這中間不失爲有新的思想含意。余光中說：「方莘在現代詩中的地位是特殊的，因爲他開向現代詩的幾扇門，原來就是特殊的。」從方莘的作品和余光中對他的評價中可以看出，方莘在臺灣詩壇上並非等閒之輩。

方旗，本名黃哲彥，臺灣省臺北市人，一九三七年生，臺灣大學物理系畢業，一九七三年獲美國馬利蘭大學博士學位，現在該校任教。出版的詩集有《哀歌二三》和《端午》。他的詩風和方思、方莘的相似。所不同的是，他的詩帶有更濃鬱的中國古樸之風，結構上多用齊腳不齊頭的形式。請看他的《四足歌》：

上帝呀，自從我們的祖先學習
　　樹族直立起來之後
已是多麼久而我們又是多麼累了
今天我要不匍匐下去成為四足獸
是要費多大的力量才能撐持呢

這首詩的含意較深，表達的思想比較曲折。詩人說，我們從猿變成人，化了多麼長的時間，用了何等的代價？而如今，要不再回到野獸的年代，又將要付出怎樣的力量和代價？言下之意是，如今詩人所生活的社會道德淪喪，價值觀念扭曲，人性被毀，豈不是要反回四足行走的境地嗎？

第七節 羅 英

我在《臺灣女詩人十四家》中稱羅英爲「夢幻中的詩神」，她是臺灣現代派中最現代派的女詩人。以其作品的獨特性，飲譽臺灣詩壇。

羅英，湖北省蒲圻縣人，一九四〇年出生，一九四九年隨家人去臺灣。臺灣女子師範專科學校畢業，現在臺灣主持一家幼稚園。她是一個詩的家庭，她的丈夫商禽，是著名的臺灣現代派中的「鬼才」詩人。他們生活在一個詩的環境裏，夫婦倆常常「淡泊得像是靜靜地站在不顯眼的角落，默數着這一日的悲悽與歡樂；看着花開花謝，潮起潮落；看着熙熙攘攘的人羣與雲朵；聽着吹拂無定向的風。周圍的世界似乎只是爲着像他們這樣的人作着一連串的表演，而他們是冷靜地觀察者和記錄者。他們從容不迫地將這些記錄整理，並賦予心靈的嚴肅與冷靜的本性。」(註一二)從季紅描繪的他們這幅生活和創作的圖景中，我們彷彿可以聽見羅英那淡泊清高，不染塵俗，無怨無怒的一顆清純的詩心的跳動。羅英的詩一不寫愛情，二不寫現實，而是以超凡脫俗的清純筆調，以高度純化和詩化了的詩的意念，表現出自我感覺的心靈世界。在這個心靈世界中，有輕輕淺淺，薄薄淡淡，有如月色、蟬翼般的哀怨和憂愁。請看他的《象羣》：

象羣

冉冉地

寫在鐘聲上的
脚印
正步隨着從暮靄中升起的
一尾
月亮

在月之涓涓長髮上的
火鳥
亦匆匆地
將夜色
銜進衆象滙成的
河流中

象之河
載着沉沉的
夜
流向

滔滔的
時光的
海洋

在這首詩中，詩人抒寫了對時光流逝人生苦短的一種輕微的嘆息。詩中雖然表現出一種微微的，淡淡的哀愁，但卻並無及時行樂之意。隱隱地含有一種催人進取之情。哪一種意思都不太明顯，哪一種情緒都不太強烈，這樣的作品正和羅英的生活環境、情調和她淡淡的人生企望相吻合。

詩的靈感，有很多因素可以觸動，可以在任何一次心靈的震顫中爆發。但愉快的靈感和苦澀的靈感，幸福的靈感和悲哀的靈感，它們產生的條件和環境卻不一樣。愉快和幸福的靈感，大都產生於心靈全方位開放時的悸動中，而苦澀和悲哀的靈感，一般發生在心靈半掩狀態下的精神壓抑中。因而前者熱，後者冷；前者奔放，後者徐緩。臺灣不少女詩人的靈感都產生在第二種心靈狀態中。詩中冒出的是寒氣和冷意。羅英也屬後一種情況。但她詩中的冷氣是輕微的，並不襲人。她的《髮》一詩，描寫了夜晚詩人坐在梳妝臺前，梳理着濃濃的黑髮。被這一景象激發，詩人產生了聯想，把髮和夜連在了一起，又把夜和哀愁相搭配，於是在急劇流逝的時光中，便產生了一種失落感和被驅迫感。因而當那時光之風在髮叢間跑過的時候，好像是在渴想着種一畦玫瑰色的死亡。但詩的最後一段，感情卻在壓抑中又有回升。眼前的燭光也流進髮叢中來了，這和時光的風不同，有着一種暖意。好像血液的腳步在前進。在這首短短的詩裏，詩人情感上顯示出迭宕變化。

和淡淡的、微微的哀愁相連繫的，是羅英在作品中表現出的那浮雲飄霧般的冷寞和悲涼。如她的《雪球花》：

在春之廢墟上僅有的
一朵
是開在大地創痛之額際
寂寞的
雪球花

在一男子綿綿而崎嶇的夢裏
雪球花
因突然被記起而
盛開着
開在
風之起伏的浪濤間

雪球花

不經萎謝
突然就死於
冷冽的
月華下

這是一齣十分不幸的人生悲劇。一個象徵着非常美麗的女子的雪球花，她在春天的廢墟上寂寞的開放了，開在大地創痛過的額際，雖然芳香宜人卻無人問津。好不容易突然在一個男人的夢裏出現，但其命運卻是那麼悲慘。還年輕輕的、不經自然的萎謝就突然暴死，死在了那冷冷的月光之下。可能是不堪生活的折磨自己結束了生命；可能是因社會的罪孽死在了別人的手中。這是詩人運用象徵手法寫出的一首非常感人的作品。詩人雖然沒有明白地表示抗議，但這事實的本身就帶着強烈的抗議。作品的可貴之處是，用並不激憤的言詞，表達出了深沉的悲劇意念。詩人把哀嘆和悲憤一起埋入了對事情的描寫和抒咏中。

羅英生活在臺灣的社會裏，但不隨波逐流，不同流合汚，以一個詩人的良心，以一個藝術家的責任感，不倦地進行藝術追求。她爲人的品格，映照在她的作品中，她的作品深深地印證着她的人生。我們不能用短淺的目光，實用主義地去衡量文學作品的社會效益。我們應該把文學作品，尤其是臺灣作家的作品，放在更廣闊，更深遠的民族文化歷史的層面上去考查；放在更廣大、更長久的、發展中的民族文學的背景中去評判。如此我們就會擁抱，融滙和接納更豐富的文學創造；就會不把我們的民族文學圈定在一個狹隘的範圍之內。例如，我們認爲現實主義的文學是優秀的文學，但是十億多人的中華民族，幾千年的文學歷史並不能以現實主義爲滿足；我們認爲浪漫主義文學是優秀的，但是浪漫主義文學同樣不能概括中華文學的傳統。中國既然有生長現實主義和浪漫主義的土壤，爲什麼就尋找不到栽培現代派的泥土？現代派在臺灣，作爲一種文學的主導潮流來說，它是失敗了，但作爲文學的一個流派、一個品種來說，它仍然存在着，生長着。例如像羅英這種遠離現實的作品，仍然有人閱讀，有人讚美。羅英說：「我寫詩，只是自己覺得快活。」這種快活就是文學娛樂功能的體現，就是文學審美功能產生的效果，就是詩的藝術效果的一種表現。那麼作爲一個具有獨特風格的女詩人，她在藝術上有哪些獨自的特色呢？

其一，她有獨特的感知世界的方式。羅英在觀察和認識世界的時候，帶着一種非常強烈的主觀色彩。在她頭腦中反映出來的客觀事物，並不是事物的原始形態，而是經過詩人的情感之水浸泡，再經詩人變色的目光幻化之後，再以新的形態出現的。在這種情況下出現的事物，只是一種藝術的形態，只是一種詩人眼裏的藝術映象，而不是物理學家和化學家眼裏那種公式下或定義下的物質。例如戰爭是非常殘酷的，正義的戰爭壯烈，非正義戰爭醜惡。但在羅英的眼裏，戰爭卻是「一朵玫瑰／將淚水／拋灑在／炮聲起伏的浪濤間。」戰爭中的死者，只有英雄和狗熊之分，只有恨和愛之別。但是在羅英的眼中，卻是「他的眼睛／突然流着野蜂的蜜／流着玫瑰的／芳香。」羅英對死者既不恨也不愛，而是一種欣賞的態度，只是呈現一種淒涼的景狀。羅英這種獨特的感知世界的方式，使她的作品呈現出一種嶄新的姿態，在任何第二個詩人的筆下寫戰爭的作品中，都不會出現似曾相識的情況，更不會有撞車的痕跡。她的這種感知和描繪世界的方式，在數學，物理學、化學等領域中，是絕對不允許的，但在藝術的宮殿裏，不僅允許，而且是一種創造。

其二，靈活多樣的表現手法。

羅英詩中的明喻、隱喻、象徵、明轉、暗渡等手法的運用自如，在不知不覺之間，她的詩的描寫和象徵對象已經幾次輪轉；她的詩的人稱已經幾度調位。這種方法給詩留下了很大的空間跨度，但又有內在的意義相連。她在語言的運用上形成一種羅英式的語言和格調。極其精練短促的句子，明快的旋律和節奏，她的詩讀起來如同穿插在多條而短促的胡同中，雖然一再轉彎，但卻有脈絡可循，雖有些撲朔迷離，但終能找到方向。她的詩的這種效果，是羅英將分行和斷句分開而取得的。在羅英的詩中，分行不等於斷句，而斷句又不等於分行，有時三、五行一句，有時一行中可包括兩句，這樣就大大的增強了詩的節奏感。

其三，變化莫測，捕捉意象的多種本領。

羅英的詩筆，彷如魔術師手中的魔棒，任何事物到了她的筆下，都會出現千奇百怪的變化。在《夢》一詩中，薔薇花的香味，會向空中升起衆多的手指，在《正午》一詩中，鐘聲十二響會變成一片盛開的菊花；在《雲的捕手》中，虹會自泥沼中伸出手指般的新芽……。整個世界就彷彿是裝在羅英魔袋中的物質，當她要進行表演時，隨時可能會拿出奇怪的新招。

羅英是一個具有非凡才華的詩人，就她的詩的新奇感和獨特性來說，她不僅是臺灣詩壇上的佼佼者，也是中國詩壇上的一個異數。她勇敢的打破語言的語法，打破詩的舊的程式，打破邏輯的正常推理，打破時間的正常時序和定位；將世界納入自己的意念中重新進行編排和組合，使不合語法的合乎詩法，不合邏輯的合乎藝術，開創了羅英的獨特的藝術世界。閱讀羅英的詩，是一種新奇的享受。臺灣著名現代派詩人洛夫曾經這樣評價羅英的詩：「她的詩不但超越了現實的浮冰，超越了時間與空間的限制，而且也突破了事物的定義和歸類，把我與宇宙萬物壓縮在同一個平面上，這不正是莊子的齊物境界？有時她甚至在詩中改變了萬物的位置和秩序，把我們的現實世界打破，而後重新組合爲一個新奇的神話世界，或卡通世界，重組的力量卽源於她直覺的綜合能力。因此我相信她對事物的直覺感受力，遠勝過她對事物的思辨力，我也相信，她沒有一首詩或一個意象是透過科學的觀察得來，我更相信，我們如以讀散文的頭腦去理解她的詩，而希望從中獲得某些可以證實的眞理，那將是徒勞無功的。事實上她的詩大多不在傳達可以譯出的散文意義，甚至也不在反映她實際生活中的經驗。據我個人的體驗，她的詩乃是當外物偶而觸動了她的某根感覺之弦時，所激起的一連串心靈的回響，有時這種回響會形成一種屬於音樂的抒情狀態，一種『此中有眞意，欲辯已忘言』的純感覺世界。」（註一三）

【附註】

註一　《揭開鄭愁予的一串謎》（《中報月刊》一九八三年四月，彥火）。

註二　《揭開鄭愁予的一串謎》（《中報月刊》八三年四期）。

註三　《大珠小珠落玉盤》第一二四頁。

註四　《中國作家論》第七六頁（葉維廉主編，臺灣聯經出版事業有限公司出版）。

註五　《揭開鄭愁予的一串謎》。（楊牧）

註六　《揭開鄭愁予的一串謎》。

註七　《蟬之吟》（《中華民報》一九八一年五月二日。

註八　《詩人羊令野訪問記》（《羊令野自選集》）第三四四。

註九　《詩人羊令野訪問記》（《羊令野自選集》）第三四二～三四三頁。

註一〇　《中國現代作家論》第二七八頁。

註一一　《中國現代作家論》第二七七－二七八頁。

註一二　季紅：《羅英的語言和她內在的世界——雲的捕手讀後感》（《創世紀》詩刊一九八一年十二月號）。

註一三　《向羅英的感覺世界探險》（《創世紀》詩刊八二年六月號）。

第九章　藍星詩社和它的詩人羣

第一節　藍星的閃光

藍星詩社成立於一九五四年三月，覃子豪爲社長，主要同仁有鍾鼎文、余光中、夏菁、蓉子、鄧禹平、司徒衛。後來陸續加入的有：羅門、周夢蝶、張健、向明、敻虹、方莘、黃用、吳望堯、阮囊、商略、王憲陽、沉思、楚戈、曹介直、曠中玉、吳宏一、菩提、白浪萍。八十年代吸收的新人有苦苓、羅智成、方明、天洛和趙衞民等。從一九五四年到一九六四年的十年間，是藍星詩社興旺發達的黃金時代。後來由於覃子豪的去世，鍾鼎文的退出，余光中、夏菁、吳望堯、黃用等人的出洋，藍星詩社基本上處於癱瘓狀態。從一九六四年到一九八二年近二十年裏，由羅門和蓉子夫婦在自己的燈屋裏，維繫着藍星一顆微微跳動的心。每逢同仁返臺，由羅門夫婦作東，在燈屋裏聚餐議論社務。所以在後二十年的艱苦歲月裏，羅門和蓉子成了藍星詩社不死的靈魂。一九八〇年八月，由羅門、蓉子、向明、周夢蝶、敻虹等在燈屋裏商議，決定重新恢復藍星詩社的活動，討論《藍星詩刊》復刊。一九八二年初，《藍星詩刊》正式復刊，從此藍星詩社又恢復了較正常的活動。

藍星詩社在臺灣的詩社中佔有重要的地位。它資格最老，刊物最多，它出版的刊物有：

最早在臺灣《公論報》上出版的《藍星周刊》，繼而由覃子豪主編的《藍星季刊》，余光中和夏菁主編的《藍星詩頁》，同時還有臺灣《文學雜誌》上的詩專欄，《文星雜誌》上的詩頁。有一個時期他們還在臺灣宜蘭縣的《宜蘭青年》雜誌上闢衞星詩刊。此外，他們還出版《藍星詩選》。他們有充分的園地發表同仁的創作和研究成果，有充分的條件施展自己的才華，有充分的武器和別的詩社較量。據統計，僅由藍星詩社自己出版的同仁的作品，包括詩集、散文集、評論集共達五十二種，編發各種詩頁、詩刊三百二十七期，詩社同仁共出版詩集約七十種。由此可見，藍星詩社爲臺灣詩壇，爲中國詩歌寶庫提供的產品是非常豐富的。

藍星詩社最具特色和最引以自豪的是「自由創作」的路線。他們沒有統一的宗旨，各人按照自身的條件和才能自由發展。這樣的主張，可以天高任鳥飛，海濶憑魚躍，使詩人們的才華和抱負、個性和嗜好，得到充分的發揮和發展。容易形成個人創作上的特色和風格。在他們的詩歌理論中，覃子豪主張民族型、傳統型的新詩；主張詩應反映現實和人生，關照讀者。而余光中偏向於詩要學習西方，主張詩可以脫離現實，可以不顧讀者。在創作上，同仁之間並不同屬於一個流派。余光中、向明、羅門等是屬於現代派的一羣，而蓉子、夐虹等的作品中則含有較多的傳統成分。藍星詩社的「自由創作」路線，的確爲他們的同仁開闢了廣闊的創作天地，使他們的詩作，大都取得了比較突出的成就。因此，人們才普遍認爲：「藍星詩社個人的成就，較詩社的成就與貢獻大。」而他們的不少詩人的名氣和影響，也遠遠的超出了他們的詩社。這種個人成就大於整體成就，個人影響超過整體影響，一方面顯示了這種創作路線的優越性，正像羅門在《藍星的光痕》一文中所說：「藍星所提倡的自由創作觀念，推演到詩與藝術創作無限廣闊的境域與最高的欲求，是更合理化了。」他還說：「詩人與藝術家在創作時，總是站在最前衛的位置，將時空（古、今、中、外）推入永恒的一瞬間，然後將絕對的我放進去，主宰着一切以新的美感秩序與型態出發。這就是說詩人和藝術家在創作時最需要自由，他知道用什麼方法更能將自己與一切，全然自由地解放在創作裏去，因而他勢必尊重別人可自由採取其他方法。只限用一種方法，等於是用鳥籠來養鳥，用自由的更多的方法，等於是用天空來飛鳥，可飛出更廣闊自由且多彩多姿的世界來……。」（註一）但是無可諱言，這種主張同時也暴露了藍星詩社自身的弱點，那便是組織過於鬆弛渙散。同仁們各持一端，難以形成統一的主張和見解。他們的刊物多，顯得熱鬧，一方面表現出一種繁榮景象，但另方面也是不團結的一種表現。由於余光中和夏菁與覃子豪有分歧，所以在覃子豪主編《藍星季刊》的情況下，余、夏二人另立爐灶，創辦《藍星詩頁》。藍星詩社主要成員之間的糾葛，也影響了該詩社整體成就的提高。

藍星詩社由於組織鬆散，主張不一，因而他們和外界發生的論爭，多是表現爲個人論爭的形式。例如覃子豪和紀弦之間的關於現代派六大信條的論爭，余光中和洛夫關於詩集《天狼星》的論爭等等。從論爭的內容來看，更顯示了藍星詩社同仁之間詩觀的差別，甚至對立。余光中和黃用是站在現代派的立場上，對邱言曦對現代派的批判進行反擊，而覃子豪卻是站在中國民族傳統的立場上，對紀弦的西化詩觀進行批判。羅門原來是紀弦的現代派中的大將之一，藍星詩社的後二十年，他是該社的靈魂人物。尤其是復刊後的《藍星詩刊》，羅門是主要的當家人之一。因而羅門的詩歌主張，當然會影響藍星。而在藍星恢復活動後新吸收的青年詩人中，苦苓等則是鄉土寫實詩人，是比較重視作品主題思想的詩人。這樣新復刊的藍星，仍然保持他們單求自由、不求統一的傳統。藍星雖然是屬於臺灣現代派的一羣，但就藍星詩社的整個情況來看，他們在現代派的三大詩社中，顯示了與衆不同的特色，那便是他們西化的程度不像現代和創世紀那麼嚴重，對西方現代派思潮的鼓吹也沒有其他兩個詩社那麼賣力。他們的同仁中如覃子豪、蓉子、敻虹、余光中、楊牧等在創作中比較注意吸收中國古詩的傳統，因而他們的作品都具有中國傳統詩的素質。臺灣不少詩評家說，藍星是現代派中的「溫和派」。我想這一評價的依據大約是由此而來的。

第二節　覃子豪

覃子豪和紀弦一樣，原是舊中國詩壇上的老詩人，是一九四九年以後臺灣詩壇上的領袖人物。不管是在詩歌創作和詩歌理論上，覃子豪都取得了較高的成就。他在臺灣中年一代詩人的心目中，具有父親和師長的雙重形像。覃子豪在臺灣沒有家屬孩子，但他病重住院期間，臺灣的一些著名中年詩人如鄭愁予、羅行、羅馬、楚戈、辛鬱、洛夫、張拓蕪、梅新和瘂弦等，都以學生的身分輪流晝夜值班，守護在他的床前。他去世時，他的學生從臺灣各地來弔祭。他的學生柴棲鸞，以感恩的心情，抱着一日爲師、一生爲父的念頭，自願披麻戴孝當孝子跪在他的靈前，代表覃子豪先生的家屬向來賓們答禮。覃子豪離開人世之後，人們爲他建築銅像作永久紀念。覃子豪在臺灣沒有親屬，但他的親人比誰都多；覃子豪在臺灣沒有兒子，但他的葬禮比任何一個作家之子爲他父親舉行的葬禮都隆重。他作爲一個不朽的詩魂和師長的形像，永遠留在了人們的心目中。

覃子豪，四川省廣漢縣人，一九一二年一月十二日出生，一九六三年不幸因肝癌病逝世於臺灣，終年五十二歲。覃子豪一九三一年畢業於南京私立安徽中學，後赴北平，進中法大學讀書。一九三五年東渡日本，入日本東京中央大學，一九三八年畢業返國。覃子豪曾任國民黨「第三戰區」設計委員，一九四四年到福建在福建新聞界工作，一九四七年去臺灣，先後在臺灣「物資調節委員會」和臺灣省糧食局任職。一九五一年他與鍾鼎文、紀弦、葛賢寧等，借臺灣《自立晚報》版面，編輯出版臺灣一九四九年以後第一個詩刊，即《新詩周刊》，任主編。一九五四年，他與鍾鼎文、余光中、夏菁、鄧禹平等組成藍星詩社，任社長。同時創辦《藍星詩周刊》，任主編。一九五七年八月二十日，又創辦《藍星詩選》，任主編。一九五八年《藍星詩頁》創刊，任主編。一九六一年六月十五日《藍星詩季刊》創刊，任主編。在編輯出版上述詩刊的同時，覃子豪還主持「中華文藝函授學校」的新詩講座兼詩歌班主任，並擔任「中國文藝協會」、「青年寫作協會」、「中國詩人聯誼會」的理事和監事。一九六二年應菲律賓「文藝研究會」之邀，到菲律賓去講新詩。從覃子豪的經歷來看，他幾乎將自己的生命獻給了繆斯，既是詩人，又是詩歌理論家、批評家和詩教家。覃子豪出版的著作有：詩集《自由的旗》、《生命的弦》、《海洋詩抄》、《向日葵》、《畫廊》、《未名集》等。詩論集有：《詩的解剖》、《論現代詩》、《詩的創作與欣賞》、《詩的表現方法》、《世界名詩欣賞》、《詩簡》一、二集等。他去世後，生前友好和他的學生們組成：覃子豪全集出版委員會，經過收集和整理，分別於一九六五年、一九六八年、一九七四年編輯出版了三巨册《覃子豪全集》。

覃子豪的詩歌理論和主張，集中地表現在他和紀弦等人關於新詩論戰的文章裏，以及他的詩論著作裏。概括起來，有這樣一些方面：他主張詩歌應該反映現實，反映人生；主張新詩在繼承中國古詩和民歌傳統的基礎上，可以向外借鑒和吸收，但是他堅決反對西化；他主張內容和形式相結合，既要重視詩的實質，卽內容，又要苦心經營詩的表達藝術；他主張個人的風格和創造應和民族的氣質、性格和精神等溶爲一體，實際上應是這些東西在作品中無形的表露；他認爲臺灣現代派詩的晦澀，不是思想和內容的深奧，而是形式上的模糊和混亂；他主張中國的新詩，應該是中國民族性格、民族精神和民族氣質的自然流露；主張詩要有深厚的哲學思想作基礎，從對人生的理解和對現實生活的體認中去發現新思想、新主題，因而詩的主題比較技巧更爲重要。覃子豪從論爭中產生和提練出來的這種以繼承爲主不忘吸收；重視內容但不忽視技巧；既要學習別人但不西化；重視人生和現實是爲了從中發現新的主題等詩歌主張。不僅對紀弦的六大信條是一個有力的批判，而且爲臺灣新詩的發展奠定了良好的理論基礎。因而對臺灣的新詩產生了深遠的影響。

覃子豪的詩歌創作，在臺灣詩壇上是大家之一，大體上可分爲三個時期，卽大陸時期、到臺灣後又可分爲五十年代和六十年代兩個時期。覃子豪的早期和中期創作，基本上是秉持上述詩觀，體現了一個中國傳統型詩人的風貌，顯示了深厚的功力和卓越的技巧；表現了明朗而不淺顯，含蓄而不晦澀的雄渾、健朗的風格。請看他寫於一九五〇年的《追求》：

大海中的落日
悲壯得像英雄的感嘆
一顆星追過去
向遙遠的天邊

黑夜的海風
括起了黃沙
在蒼茫的夜裏
一個健偉的靈魂
跨上了時間的快馬

這是一首表達詩人理想和願望的詩。詩人面對落日西沉的茫茫無際的大海，展開了自己的想像。詩人把那火紅的落日象徵着自己的追求和理想，那麼壯麗，那麼燦爛，那麼遼遠。那落日雖然卽將西沉，海風和黃沙雖然刮起，但是希望和追求並沒有完結，並沒有隨之毀滅。詩的最後兩句突然一轉，在悲愴中顯出了新的希望，在黑暗中透出了一線光明。「一個健偉的靈魂／跨上了時間的快馬」，表現了在困苦環境中詩人生生不息的追求。這詩寫得意境明朗壯闊，節奏雄健明快，結構嚴謹而完整。表現了詩人圓熟的創作技巧。再請看詩人寫於一九五二年六月的《獨語》：

我向海洋說：我懷念你
海洋應我
以柔和的潮聲

我向森林說：我懷念你
森林回我
以悅耳的鳥鳴

我向星空說：我懷念你
星空應我
以靜夜的幽聲

我向山谷說：我懷念你

山谷回我
以溪水的淙鳴

我向你傾吐思念
你如石像
沉默不應

如果沉默是你底悲抑
你知道這悲抑
最傷我心

這是一個心中充滿抑鬱的人，在無法和不便當面向對方表達相思和愛慕的情況下，採取一種自問自答的方式，來抒發內心的淤積。詩人通過森林、海洋、靜夜、山谷的一呼一應進行鋪墊，直到第五節才轉向心中的人兒表達其思念，而回答卻是沉默不語，因而詩人感到傷心。詩結構層次分明，格調輕捷，讀之給人一種纏綿悱惻之感。這首詩的一連串意象都非常美，表現了詩人捕捉意象上的非凡才能。詩之不足是結尾不夠含蓄，過於直白，使全詩受到了損傷。

如果說《獨語》是一種假借意象進行抒情的清麗小品，那麼在《向日葵》這首詩中，詩人則是借助象徵的手法，增強了詩的表現力，開拓了較《獨語》更爲深沉的思想境界。在《向日葵》（之一）中，詩人把詩比作太陽，而自己是虔誠的向日葵。向日葵對太陽來說是絕對忠實的，天天準確無誤地迎它送它。詩人對詩就像向日葵對太陽一樣，無比忠誠，詩人用貼切的形像和語言表達了對詩忠貞不渝的愛，表現了詩人對繆斯的獻身精神。爲了表達對繆斯眞誠的愛，詩人要用自己眞實的生命去塑造太陽的形體，就是要將生命轉化爲詩。當他老了的時候，他要剖開自己的胸膛，將一生結成的果實，一粒粒地灑播在復蘇的大地上。詩人不倦地舉行講座，眞誠地向青年們傳授詩藝，就是將種子播進那活着的血肉的土地上。從另一個層次分析，如果把太陽比作眞理，而詩人是向日葵，詩人要向那廣闊無邊的世界去追求眞理，去追求人生的眞諦，以生命化作眞理，傳播眞理，可能更符合詩人的本意。

臺灣研究覃子豪詩的人不少，洛夫作爲覃子豪的晚輩對他的詩的評價，還是比較中肯的。洛夫在《從「金色面具」到「瓶之存在」——論覃子豪詩》一文中，對他作了這樣的評價：「覃子豪先生的詩穩實而圓熟，明澈而含蘊，但穩實並不意味着保守，明澈也不就是完全可解。從創作實驗、修正、探索與求證的各個歷程看來，我們可以淸楚看出他走過來的一步一痕的腳印。他創作經驗的動向是如此循序漸進，步履是如此從容穩健。他的詩是代表着一種理性的，自覺的，以及均衡的發展。而他生命的季節也極爲分明，該開花時他開過花，該成熟時他便結果，他早期的作品具有古典的嚴謹與精致，有人生的批評，也有信念的寄托。但他後期的作品卻顯示出一種新的轉向，不僅是象徵表現的執着，且有對現代主義新表現的賞試與實驗。他企圖在物象的背後搜尋一種似有似無，經驗世界中從未出現過的，感官所不及的一些存在……。」

正像洛夫所講，覃子豪晚期的詩風有比較明顯的轉變，即由實向虛；由可知可感向不可捉摸，由明朗向隱晦；由抒情向主知；由現實主義向現代派方向轉變。這種轉變和他五十年代與紀弦論戰時所闡發的理論不太吻合，也就是說逐漸地向他自己曾經批判和否定的那一面移動了。這方面的作品集中地表現在他的《畫廊》等詩集中。例如：《金色的面具》、《黑髮橋》、《域外》、《黑水仙》、《夜在呢喃》、《瓶之存在》等等。覃子豪的這一從具象性向抽象性的變化，帶有着一種自覺地追求性質，而不是一種無意識的活動。由此可以判定，覃子豪晚期是在藝術觀念上發生了變化，而不僅僅是藝術趣味的轉移。覃子豪在詩集《畫廊自序》中曾經談到他的這一轉變，他說：「第二階段我所探求的是人們不易察覺虛無中所存在的東西，它是神秘。面具空虛的兩眼較之一個雕像的盲睛，更令人產生幻覺。而這幻覺不是情感，不是字句，是情感與字句以外的假設。《金色面具》啓發我去證實一個夢的世界。它不是空想的，而是現實生活所反映和昇華而成的一個微妙世界……在第三階段中，我由神秘奧義中發現事物的抽象性。《瓶之存在》和《域外》便是抽象表現的實驗。」覃子豪在這篇文章中還說：「表現這種抽象的形象，是由外形的抽象性到內在的具象性，寫由內在具象還原外在抽象。從無物之中去發現存在，然後將其發現，物化於無。《瓶之存在》便是由這種法則表現的。」因《瓶之存在》篇幅過長，不便引舉，現以《黑水仙》爲例，作點分析。《黑水仙》中寫道：

你是從何處來的？

不可追求的會際，不可尋覓的遇合
不可等待，不可守候
在午寐夢土的岸上
初識你眼睛裏的黑水仙
那煥然的投影
袪盡我一切欲眠之時的迷惑
第二自然，是不可捕捉的
不可思議的奧深
幻中的黑水仙
我欲皈依那絕對的純粹
而我已溶入無限的明澈
金黃色的蕊，閃爍着奇妙的語言

是奧深的通知，釋放我的苦惱
於你眼中的黎明？
純粹、明澈的所在
只可遇合，不可尋覓
黑水仙，水之精靈
生長於潺湲的忘懷之河

這是覃子豪詩風轉變後的一首代表作。詩人追求虛幻，追求夢境，追求可以會際，不可尋覓，可遇而不可求的那種玄妙與深奧；追求那欲皈依絕對的純粹，但卻已化入無限的明澈的不可捉摸的境界。這也可能就是覃子豪所說的「感情與字句之外的假設」和「物化於無」的玄妙之境吧！詩中的主角黑水仙到底指的是什麼，它又象徵着什麼？是值得思索的。如果詩人所寫的眞正的自然界的黑色的水仙花，那麼它怎麼會生長在「忘懷之河」呢？怎麼會達到欲辨已忘言的境界呢？它怎麼會可遇而不可求呢？如果把它看作是一首情詩，黑水仙是詩人心目中的情人，但那情人爲什麼又是不可等待、不可守候的呢？我以爲按照上述兩種理解都是不能盡如人意的，也是不能令人信服的。詩中有：「第二自然，是不可捕捉的」和「幻中的黑水仙」之句，這點十分重要，詩人明白地點出了這黑水仙不是第一自然中的水仙花，而是第二自然中捉摸不到的黑水仙。也就是說，這黑水仙是屬於精神世界的，而且是非常純粹而明澈的，它還可以釋放你心頭的苦惱，它還可以給你眼中引來黎明。到此，意義就應該十分清楚了，那就是詩人筆下的黑水仙是象徵着眞理，象徵着一種美好理想的追求。《黑水仙》一類的詩已經表明，覃子豪五十年代與紀弦辯論時所主張的詩的抒情已被「知性」所代替，這裏脫離生活，不能離開現實和繼承中國詩的傳統等主張，也已化入了現代派的風韵之中。不過從藝術上看，覃子豪此時的詩藝是顯得更加嫻熟圓潤了。

第三節　余光中

余光中是臺灣詩壇上一個相當複雜的詩人，作品題材上浩闊而豐沛，形式上善拓而多變，內容上良莠而兼具。因此研究余光中，不能用研究一般作家作品的方法，必須敞開胸襟，擴開視野，用多視角、多層次的目光進行透視。既不要談到他好的一面時，把他說得天花亂墜；也不可涉獵他消極面時，輕易地將他全盤否定。我想，對余光中的作品，應該從縱橫兩方面進行交叉研究。從縱的方面探討他的創作道路和作品善拓多變的可貴的創作經驗，從橫的方面剖析他豐富複雜良莠兼具的內涵。

余光中，福建省永春縣人，一九二八年九月九日出生於南京市。九歲那年抗日戰爭爆發，隨父母逃難往江蘇、安徽一帶，次年到達上海。後又輾轉抵達重慶，在四川讀中學，隨之又轉入南京青年會中學，畢業後，考取了北京大學和金陵大學。因北方戰火蔓延，余光中未去北京大學報到而留在南京金陵大學讀外文系。大學二年級時轉到厦門大學，大學三年級時經香港去臺灣。余光中到臺灣後進臺灣大學外文系繼續就讀，二十三歲臺大外文系畢業。

之後，在軍中當了三年的翻譯官，退伍後在臺灣東吳大學及臺灣師範大學任教。一九五八年去美國，在愛荷華大學讀美國文學及英文寫作課。獲藝術碩士學位。一九六四年二度赴美，講學一年，教授中國文學。一九六九年三度赴美，在史丹福大學教書。一九七一年返臺，在臺灣師範大學任教，並任臺灣政治大學西語系主任。余光中一九七四年起到香港中文大學任教，一九八五年返臺。現任臺灣中山大學文學院院長及外文研究所所長。

從臺灣詩壇的習慣分類來看：余光中應該是道地的學院派詩人。余光中在詩歌創作上起步較早，他早年在南京和厦門讀大學期間就喜歡寫詩。那時他大約共寫了十餘首詩，發表在當時厦門的《江聲日報》和《晨光報》上。但是余光中眞正的創作生命，即把詩當作自己的事業，是到臺灣才開始的。一九五二年他二十五歲，出版了處女詩集《舟子的悲歌》。其後陸續出版了《藍色的羽毛》、《鐘乳石》、《萬聖節》、《蓮的聯想》、《五陵少年》、《天國的夜市》、《敲打樂》、《在冷戰的年代》、《白玉苦瓜》、《天狼星》、《與永恒拔河》、《余光中詩選》和《隔水觀音》等共十四本詩集。就詩集的出版數量來看，余光中在臺灣詩人中是名列前茅的。

余光中是個複雜而多變的詩人。他變化的軌迹基本上是隨着生活環境的變化，而變化着自己的詩風。因而在臺灣稱之爲「藝術上的多妻主義詩人」。余光中曾經多次談到他詩風變化的情況。他在《白玉苦瓜》詩集的序中說：「少年時代，筆尖所染，不是希頗克靈的餘波，便是泰吾士的河水。所釀也無非一八四二年的葡萄酒。到了中年，憂患傷心，感慨始深，那枝筆才懂得伸回去，伸回那塊大陸……。」余光中這段創作情況的高度概括，既是符合他個人的創作情況的，也是符合臺灣一般現代派詩人的創作路向的。先西化後回歸，基本上是臺灣整個詩壇三十多年來的一個走向。余光中自入中年以後，鄉愁詩不但劇增，而且寫得十分動情，尤其是一九七四年到香港任教的十年間，他的筆更從香港伸進祖國大陸，寫下了不少懷鄉名篇，表達了落葉歸根的心境，顯示了他思想和創作上的更加成熟。

余光中不僅創作上多變，他在詩歌理論上和詩的觀念上也經歷了相當巨大的變化。在臺灣早期的詩歌論戰中，余光中的《摸象與劃虎》等文章，和在七十年代中期的鄉土文學論戰中他的《狼來了》等文章，都相當強烈地顯示了主張西化，無視讀者和脫離現實的態度。他曾經說過：詩人「不屑於使詩大衆化，至少我們不願降低自己的標準去迎合大衆」的話。如果把余光中此時的觀點和一九八二年底，他在接待青年文學評論家李瑞騰訪問時的談話對比，就可以看出，余光中的觀念有了根本的改變。在這次訪問中，余光中在談到關於詩的大衆化時說：「大衆化是一個理想，很難作到，另一方面，藝術至上論也相當危險。所以我《詩選》（《余光中詩選自序》）中針對大衆化的言論提出小衆化的說法。」從不屑大衆化，到大衆化是個理想，這是一個根本性的轉變。一個是不爲也，一個是不能也；一個是拒絕，一個是最高目標。這就是差別的實質。此外，在對待生活，對待傳統，對待異國文化的態度上，早期的余光中和後期的余光中，也發生了根本性的變化。七十年代中期，他在香港修改《天狼星》詩集時，在該書的後記中還認爲：「它的反叛性不夠徹底，現代主義的一些基本條件，它都未能充分符合。它不夠晦澀，詩中不少段落反而相當明朗；它也不夠虛無，因爲它對於社會和文化有點批評的意圖。虛無，該是全盤否定，甚至包括自我的尊嚴。」（註二）他認爲那時他還不是一個成熟的現代派，《天狼星》失敗的原因是「因爲定力不足而勉強西化的緣故——就像一位文靜的女孩，本來無意離家出走，卻勉強跟一個狂放的浪子私奔了一程那樣。」（註三）而到一九八一年六月，他寫《余光中詩選》序——《剖出年輪三十三》時，他的認識就不同了。認識到自己民族居住的地方對創作的重要性了，這是一種從西向東的根本轉變。余光中在這篇文章中說：「創作的環境十分重要。我覺得至少對我而言，詩人不宜久居異國……詩人久離了本土的生活和語言，主題和形式難免不生脫節的現象。」（註四）尤爲可貴的是，余光中是從自己的切身體驗中得出的結論。另外，余光中的變化還表現在他對待鄉土文學的態度上。七十年代中期，臺灣鄉土文學大論戰時，余光中對鄉土文學是相當反對的。他認爲臺灣的鄉土文學是「毛澤東的工農兵文藝在臺灣登陸了。」但是到了八十年代，余光中對鄉土文學的態度便完全不同了。他在答李瑞騰訪問的談話中說：「新古典詩，是中國精神的時間化，至於鄉土詩，則是中國精神的空間化，殊途而同歸於中國精神。」由於余光中在一些基本的觀念上發生了根本的轉變，顯示了由西方到東方的明顯軌迹。因而臺灣詩壇，送余光中一個「回頭浪子」的雅號。

上面我們對余光中的創作歷程從縱的方面，作了一些對比研究，闡釋了余光中前後期在文學觀念的一些基本問題上，發生的根本變化。這對認識余光中，是非常重要的。一個人的一生，是探索、開拓、前進的一生。在這複雜的人生歷程中，曲折、顛簸、失誤和勝利、前進、喜悅都是不可避免的。對一個人來說，早期活潑，後期穩重；早期青澀，後期成熟是完全符合規律和邏輯的。因而余光中的變化是令人高興的。

下面我們想從橫的方面對余光中的作品作些論述。余光中不管是在臺灣詩壇上，或是整個中國當代詩壇上，都是一位重要詩人；不管是臺灣新詩史上或是整個中國新詩史上，都應該有他的地位。從余光中的作品來看，呈現出以下的特色：

1.他的不少作品呈現出一種政治抒情詩的風貌。在詩的特質上顯示出豐沛、浩濶、聯想翩翩，特別是他的一些以組詩形式構成的長詩，如《天狼星》、《敲打樂》等，從不同方面，多角度、多對象地揭示一個主題。使人有應接不暇、汪洋而來的感覺。《天狼星》是余光中六十年代初期的作品，分十一章，共六二六行，是余光中作品中最長的一首。這部長詩基本上是由各自獨立的十一首短詩組合而成，分開來各有主題，合起來又有統一的意念。詩人巧妙地通過自我，將海峽兩岸和中國幾千年的歷史揉合在作品中，進行了廣濶而浩瀚的抒情描寫。這首詩產生的年代，正是在臺灣文學狂熱的西化期，當時臺灣整個詩壇都幾乎陷入追求晦澀虛無的浪潮之中。余光中作爲這個浪潮中的一滴水，或者一個波浪，這位現代派的大將，在這首詩中當然不會不受到西化的影響。有些詩句雖然是描寫中國歷史人物的，但那幾千年的人物頭上卻也被抹上了一道現代派的油彩。例如《大度山》一章中，寫卓文君的段落就有這樣的句子：「卓文君死了二十個世紀，春天還是春天／還是雲很天鵝，女孩子們很孔雀／還是雲很瀟灑，女孩子們很四月」。但是，說實在話，作爲一九六一年前後臺灣文壇的產品，這詩正如余光中自己所說：還是西化得虛無得很不夠，很不徹底的。這詩表明余光中雖然號稱現代派的大將，但他還不是一個道地的現代派詩人；這詩雖然呈現出中西混雜、土洋結合的狀貌，但它的中國味基本上還是占着主宰地位的。再如《鼎湖神話》中有這樣的句子：「而且把頭枕在山海徑上／而且把頭枕在嫘祖母的懷裏／而且續五千載的黃粱夢，在天狼星下／夢見英雄的骨灰在地下復燃／當地上踩過奴隸的行列。」又如《多峰駝上》中有這樣的句子：「就這樣夢着，醒着，在多峰駝背上／回去中國，回去，啊，終於回去／這樣的中國——人在海外，客在江湖／不見伽藍在洛邑，城闕在西都／不見門矗玄武，侏儒西域的使臣／大明宮高峻的石階／矑腥的膝蓋不見來跪拜。」這部詩發表以後，曾引起詩壇的論戰。

七十年代中期，余光中在香港教書期間，借這部長詩出版之機，進行了比較大的修改，壓縮了三十六行，全詩爲五百九十行。在余光中的所有作品中，《天狼星》還是應當占有相當的位置的。和《天狼星》比較起來，余光中在美國寫成的另一部長詩《敲打樂》，不管從哪個角度來說，都比不上《天狼星》。尤其詩中對中國的詛咒多於贊頌，顯示了其思想的動蕩和灰暗。詩中雖有這樣的段落。

「當我死時，葬我，在長江與黃河

之間，枕我的頭顱，白髮蓋着黑土
在中國，最美最母親的國度
我便坦然睡去，睡整張大陸
聽兩側安魂曲起自長江、黄河
兩管永生的音樂，滔滔，朝東
這是最從容最寬闊的床」

——《當我死時》

但也難以彌補那一聲聲呼叫和詛咒，也難以置信會突然喊出「嫁給舊金山」的口號。有的臺灣詩評家對余光中對中國的詛咒多於贊頌，也表示難以理解。這可能要算余光中詩作中的瑕疵！

2.余光中詩的另一個特色，是大量地吸收和運用中國古詩中的精華，造成自己既典雅又古樸的詩風。余光中曾經爲文將他和楊牧、敻虹等臺灣詩人單列爲「新古典主義詩人」。余光中、楊牧、方思和女詩人敻虹等人的作品中，是吸收了不少中國古詩的精華，有不少懷古之思，有的已經達到相當入化的境界。但是我認爲這只是他們個人詩作的一種顯著的特色，還沒有從理論上、創作意識上、藝術風格上形成爲一個較穩定的流派。他們屬於現代派詩人在回歸中比較注意吸收中國傳統詩藝的詩人，把這種特色作爲他們個人創作風格和藝術追求的一個方面，是完全可以的。余光中作品中的這一追求已經超越了藝術方法的範疇，成了他作品題材和主題的一部分，因而構成了他作品的愛中國、愛民族思想的重要組成部分。余光中這方面作品比比皆是，舉不勝舉。余光中在學習和吸收古詩方面是很下苦功的，爲了創作《湘逝》，他花了將近一個月的時間，把杜甫晚年的所有著作重新溫習一遍，並將其中三、四十首代表作反覆吟咏，從中獲得入詩的意象和感想，然後進行整理，重新組合，再進入創作過程。因此，余光中凡是較有份量的詩，都是積極地去「追」來的，而不是消極的「等」來的。例如他的《唐馬》中有這樣的句子：

「驍騰騰兀自屹立那神駒
刷動雙耳，驚詫似遠聞一千多年前
居庸關外的風沙，每到春天
青青猶念邊草，月明秦時
關峙漢代，而風聲無窮是大唐的雄風
自古驛道盡頭吹來，長鬃在風裏飄動」

這首詩中的「青青猶念邊草，月明秦時，關峙漢代」，是運用唐朝詩人王昌齡的《出塞》一詩中的「秦時明月漢時關」。但余光中用在這裏描寫唐朝神駒的形象，恰到好處。這一方面顯示了余光中的古典文學基礎的雄厚，另一方面也顯示了余光中的手筆不凡。我們對待古典文學遺產，一不能抄襲，二不是當作廢紙和擺設，我們的任務在於學習、吸收、運用，使古爲今服務。這樣才是正確的繼承態度。余光中的不少作品中都比較恰切的吸收和運用古詩，把死物變成活物，把古物變成今物，這種態度是值得稱道的。但有些地方也存在消化不良的現象。

余光中吸收古代文化的營養，造成自己作品古樸典雅風格的另一種方法，是直接描寫古物，以古喻今，或在描寫古代的人和事的過程中，表現出中國的歷史感。這方面的作品也是大量的。如《唐馬》、《羿射九日》、《白玉苦瓜》等。這方面的作品最被人們稱道的是《白玉苦瓜》。

余光中在回答李瑞騰的訪問時說：「我體悟出，懷鄉不一定要提長江、黃河，從小事細物中亦可寄托自己對於家鄉或母土文化的孺慕，我的近作《夸父》和《一枚松果》卽是如此。」我想《白玉苦瓜》也應是余光中通過小事物表達對家鄉和母土文化的孺慕的一例。《白玉苦瓜》寫的是臺灣故宮博物院裏收藏一件白玉做成的古文物——苦瓜。余光中通過對這件文物的雕琢、製作成爲藝術品的過程，實際上放大到整個中華文化在中國母親乳汁的哺孕下，誕生、發展和成熟的過程，歌頌了中華大地的慈母之恩，贊譽了中華民族源遠流長的優秀的文化傳統。「古中國餵了又餵的乳漿，完美的圓膩啊酣然而飽」，豈止是一個苦瓜，哪一個吸吮中國母親奶汁長大的炎黃子孫，讀到這樣的詩句不捫心自問：「碩大似母親，她的胸脯／你便向那片肥沃匍匐／用蒂用根索她的恩液」這明明是在寫幼子匍匐在母親的胸脯上吮奶，讀了這些詩句誰能不千恩萬謝偉大的母親？說這首詩是懷鄉詩、反思詩、尋根詩，都是具有充分的根據的。不過這詩的意義還不僅在此，更重要的還在詩的結尾：「一首歌，咏生命曾經是瓜而苦／被永恒引渡，成果而甘」。表面看，詩人是在描寫白玉被雕琢成永恒的藝術品，變成果永久甘甜，而實際上表達了中華文化的優秀傳統永傳不息。

3. 余光中詩作的另一個特色是樹影般的描繪，音樂般的抒情。余光中是個藝術上的多妻主義者。因此，他的作品的風格極不統一，有《天狼星》的壯闊，也有《西螺大橋》的鏗鏘；有《鄉愁》的清麗小巧，也有《等你，在雨中》的柔細纏綿。一般說來，他的詩的風格是隨作品的題材而異的。表達意志和理想題材的詩，一般都浩闊鏗鏘，而描寫鄉愁和愛情的作品，一般都細膩而柔綿。我在這第三個特色中講的詩，主要是指鄉愁詩和愛情詩，先請看余光中的《鄉愁》一詩：

小時候
鄉愁是一枚小小的郵票
我在這頭
母親在那頭

長大後
鄉愁是一張窄窄的船票
我在這頭

新娘在那頭
後來啊
鄉愁是一方矮矮的墳墓
我在外頭
母親在裏頭
而現在
鄉愁是一灣淺淺的海峽
我在這頭
大陸在那頭

詩人用一種舒緩清淡的筆觸，表達出了濃烈而深沉的情感。形式輕巧，內容深沉，是作者高水平、高境界的功力的顯示。《鄉愁》的焦距隨着歲月的流失而加大，感情隨着時間的增長而加深。小時候鄉愁僅僅是一枚小小的郵票，感情上的損失可以用通信來補償。長大後鄉愁是一張窄窄的船票，思念意中人可以乘船去相會。唯有到了如今，鄉愁變成了一灣淺淺的海峽，思念大陸，渴盼親人，卻不是那麼容易的事。詩雖小，但含蓄的生活內容卻極爲豐富；語言雖然平常，但它包含的情感卻無法測量。

余光中的愛情詩，寫得也是相當精美的。像《等你，在雨中》、《碧潭》、《白霏霏》等，都是很動人的作品。他的《等你，在雨中》帶有詞的韵味，描寫一位少年和他的小情人約會。這小伙子風雨無阻，在荷塘邊的濛濛細雨中淋着，眼巴巴地望着，小情人遲遲不來，引起了小伙子內心的種種獨白和想象。這首詩基本上是以第一人稱的形式，用獨白寫出的。詩的開頭三句勾勒了一個相當優美的環境和氣氛。在那紅蓮如焰的池畔，在那濛濛細雨黃昏，蟬落蛙起，一位美少年在巴望着情人。一會兒在約會的時間之內，一會兒時間過了，在約會的時間之外，小伙子有點着急了，瑞士錶說都七點了，表示了內心的微怨之情。正當小伙子等得焦急之時，一位美麗如仙子般的少女，從雨後的星光下，從燃燒般的紅蓮叢中走來了。那輕盈的體態步屨，那美如蓮花般的面容，就像一首美麗清新的小令，就像姜白石詞中描寫的那古典美人。情、景和人物融爲一體。詩人把現代人的感情和古典美揉合到一起，把現代詩和古代詞熔爲一爐，使詩達到了相當純淸精緻的境界。

余光中的詩有很多値得總結和肯定的地方。但是無可諱言，也有不足。例如有的詩表達的不夠含蓄；有的詩結構比較鬆弛；有的詩意被政治意識所破壞等等。這些不足，在余光中的作品中雖然居於很次要的地位，但也是一點遺憾。

第四節　羅　門

羅門是臺灣現代派的十大詩人之一，也是最有特色的詩人之一。不斷地追求和探索，使他的詩不斷地拓出新境，進入一個新的天地。

羅門，本名韓仁存，一九二八年十一月二十日出生於廣東省文昌縣。一九四二年進入國民黨的空軍幼校，一九四八年畢業，進入杭州筧橋空軍飛行官校。到臺灣後，一九五〇年因踢足球腿部受傷，停止飛行。羅門離開空軍後，曾當過半年的職業足球隊員，一九五一年考入臺灣民航局工作，直至一九七六年退休。現任藍星詩社社長。

羅門由空軍走進詩國的殿堂，有着必然的和偶然的兩種因素。必然因素是他有詩的才華，詩的感覺，詩的素質。也就是有作爲一個詩人的內因。偶然因素是一位人間的「詩的女神」，舉起繆斯之火，點燃了他詩的火花，激發了他詩的靈感。羅門在回答高歌的《訪問記》中說：「那是一九五四年，我在民航局工作，蓉子已經在詩壇上很有名氣了。由於她的激勵，加上愛情，輝亮出我潛在的靈感，使我寫了一首《加力布露斯》。那是一首以整個年青的心靈去喚醒生命與愛情的詩。這首詩發表後，曾引起當時詩壇覃子豪與紀弦的重視，更激動了我創作的力量。於是，當我與蓉子在詩神的祝福下，成爲夫婦後，我便被一種不可阻擋的狂熱帶進詩的創作世界中來了——如果那些往日在我年輕的心靈中，衝激着詩與音樂的美感生命，是一條未曾航行過的冰河。那麼，蓉子的出現，便是那製造奇蹟的陽光，使冰河湧動了。」(註五)羅門和蓉子是一九五五年結婚的，在羅門的心目中，他的夫人蓉子在他詩的生命中佔有非常重要的地位。是澆活他詩的生命的甘露，是溶化他靈感冰河的一輪光芒四射的太陽。羅門還講：「我常常想，若在未來的時日裏，我確能創作出世人認可的作品時，我將永遠對這兩個人感激不盡。一個是女詩人蓉子……另一個則是貝多芬——我心靈的老管家。他在我生命中埋下了那超越不凡的力量，時刻教導我，提醒我在探向事物與生命的根源時，必須使用深入的心靈。」（註六）一個有名望的女詩人甘願嫁給尚未成名的羅門，又把羅門引進詩園，自然是恩重如山，情深似海了。因而羅門把蓉子比作他詩的太陽，這種溶合着濃烈的感情成份的讚頌，當然是可以理解的。也正因爲這個緣故，羅門對蓉子是百依百順，婦唱夫隨。羅門本是紀弦組織的現代詩社中的大將，因爲夫人蓉子是覃子豪的門下，是「藍星詩社」卓越的女詩人，因而羅門也很自然地離開現代詩社轉向藍星，後來變成了藍星的靈魂人物。羅門的加入藍星，蓉子是一重要因素。由此也可看出，蓉子在羅門心目中的地位。從羅門講的貝多芬是他「心靈的老管家」這句話中可以看出，羅門詩的產生和形成，音樂起着重要的作用。這一點也和他的夫人蓉子相似。蓉子在一篇談詩的創作經驗的文章中也說，她的詩的形成往往是先有一種音響，一種旋律，在心靈震顫起來，然後產生意念發展成詩。而羅門那詩的最初胎兒，往往也是貝多芬給他播下的。由此可見羅門跟蓉子學得是不錯的。名師出高徒，在蓉子的調理下，羅門在臺灣詩壇異軍突起，很快和蓉子並駕齊驅。羅門的作品在數量上雖不及蓉子，但在開拓和創新方面，蓉子則自嘆不如羅門。羅門在三十餘年的創作生涯中，不管是創作上和理論上，都有了可觀的成果。他出版的詩集有：《曙光》、《第九日的底流》、《日月集》（羅、蓉合集，英文版），《死亡之塔》、《隱形的椅子》、《羅門自選集》等。他出版的詩論集有《現代人的悲劇精神與現代詩人》、《心靈訪問記》、

《長期受着審判的人》等。這些成就使羅門獲得了不少榮譽：一九六六年獲菲律賓前總統馬科斯「馬科斯金牌獎」；一九六七年他的《麥堅利堡》一詩獲「馬科斯金牌獎」；一九六九年獲菲律賓總統「大綬勛章」；一九七三年獲文學榮譽學位。他和蓉子並被稱爲「中國傑出的文學伉儷」。

羅門寫了大量理論文章並出版了多部詩論集，表現了他在詩歌理論上的深入思考和創見。他從創作中總結出理論，用理論來指導創作，這種理論和創作的緊密結合，成了他在臺灣詩壇上的一個重要特色。

羅門曾經提出詩人創造「第三自然」的觀點。他把原始的自然界，即日月星辰、江河大海、森林曠野、鳥獸魚蟲等歸入第一自然。把經過人工製造的物質文明歸入第二自然。把陶淵明的「採菊東籬下，悠然見南山」，王維的「江流天地外，山色有無中」和一切詩人、藝術家創作的高度精神文明歸入第三自然。他在《與藝術家創造了第三自然》的文章中說：「無論是進入內心的那種無限的嚮往也好，進入物我兩忘的化境也好……都不外是進入我們所指的那個使一切獲得完美與充分存在的第三自然，——它正是詩人和藝術家創造的。」他認爲，這第三自然。就是使一切「存在與活動於完美的結構與形式之中」。最後他明確地爲第三自然下了這樣的定義：「第三自然是掙脫一切阻撓，獲得其極大的自由與無限的含容性，永爲完美而存在，使時空形成一透明無限的宇宙。古今中外納入其中，呈現出一併列相容的呼應性的存在。」（註七）由這一觀念出發，羅門認爲，詩人和藝術家的任務不在於對事物的外在形態的摹擬，而在於開發人類的心靈世界。詩人藝術家必須永遠活在可見的內心世界中。他說：「我敢斷言，一個詩人與藝術家，若不用深入的心靈來創作。他抓住人類的心靈也絕不會深刻與久遠。如果他的心靈已被鄉願與現實的勢利所浸蝕與毒化，則他的藝術生命除了趨向死亡，便沒有其他的路可走了。」(註八) 由於羅門在理論和創作上都極力主張追求對心靈世界的挖掘和開發，因此他被稱爲「心靈大學的校長」。他在詩中，總是透過事物的表層結構，把筆刀刻入那內在的深層之中。例如他的《窗》：

猛力一推　雙手如流
總是千山萬水
總是回不來的眼睛

遙望裏
你被望成千翼之鳥
棄天空而去　你已不在翅膀上

聆聽裏
你被聽成千孔之笛
音道深如望向往昔的凝目

猛力一推　竟被反鎖在走不出去
的透明裏

這首詩，寫的是詩人處在一種被現實的社會環境和生活壓迫困擾得喘不過氣來的情景中，詩人憤怒一擊，猛力一推，推開眼前的障礙，脫出身邊的困境，斬斷現實的藩籬，以便能進入一個更廣濶、更自由、更潔淨的理想境界。於是詩人選擇了「窗」這個具有濃郁象徵的意象，表達了這一衝刺和終於沒有成功的眞實。詩的第一節表現了詩人爲突破眼前的困境所作的努力，這是詩人的行爲和動作。其中第二、第三句是對萬水千山那無限廣濶的世界的嚮往。這是透過表層，表達主人公心靈深層的活動。第二節表現了詩人心靈衝出去獲得自由的狀態。一用形——千翼之鳥，一用聲——千孔之笛。詩的結尾句，表現了一種現實的眞實，那猛一推的結果並不太理想，而是反被鎖進了走不出的透明裏。可見周圍惡勢力之強大。這也說明詩人銳敏的目光，看到了個人奮鬪、個人拚搏是無法眞正獲得自由的。整首詩運用一種超現實主義的象徵手法，透過事物的表象，揭示了人物內心的活動。這比一般的描繪人物的外部形態，和直接白描人物的外部行動的詩要耐讀多了。結尾句的「透明裏」寫的是一種心靈的觀察，卽主人公雖然沒有能獲得自由，但他內心裏對一切都是看得十分清楚的。

再如《流浪人》，整首詩幾乎都是在寫主人公的內心活動：

被海的遼濶整得好累的一條船在港裏
他用燈拴自己的影子在咖啡桌的旁邊

那是他隨身帶的一條動物
除了它，娜娜近得比甚麼都遠

把酒喝成故鄉的月色
空酒瓶望成一座荒島
他帶着隨身帶的那條動物
朝自己的鞋聲走去
一顆星也在很遠很遠裏
　帶着天空在走

明天　當第一扇百葉窗
　將太陽拉成一把梯子
他不知往上走　還是往下走

這首詩描寫一個從海上流浪回來的浪子，茫然的不知去向，在咖啡館裏產生的一系列內心的悸動。臺灣詩壇捕捉意象的高手羅門，一開始便用兩句不凡的詩拉開了詩的序幕：「被海的遼濶整得好累的一條船，他用燈拴自己的影子在咖啡桌的旁邊」實際上應該是，他像一條被海的遼濶整累了的一條船，被自己的影子拴在咖啡桌邊。詩人將詩句那樣一變化，顯出一種新鮮感，這也是現代派詩人常用的句式。同時爲了承接下一句「那是他隨身帶的一條動物」，詩人故意把影子繫燈，說成是燈繫影子，顯得協調而不重複。除了它，娜娜近得比甚麼都遠」一句勾出了那個流浪漢在借酒吧女解悶的內情外態。「近得比甚麼都遠」寫得相當俏皮而傳神，似乎連吧女那種既要取悅客人但又有防備的神情都傳達出來了。對流浪漢心靈深處的揭示，集中的表現在第二節裏。「把酒喝成故鄉的月色，空酒瓶望成一座荒島」，仿如電影的蒙太奇手法，中間迭印了許許多多複雜的心理活動。把酒喝成故鄉的月色，是流浪漢在喝酒時，想起了自己漂泊異鄉的孤獨，引發了內心的鄉愁。於是那故鄉的樣態便通過一種幻想出現在酒中。空酒瓶望成一座荒島，說明這流浪漢在咖啡館呆的時間已經不短了。酒瓶都喝乾了，而越喝越感到心裏的空虛，越喝越感到靈魂的荒蕪，於是空酒瓶在他的眼裏變成了荒島。實際上是流浪漢的心靈，是一座漫漫的荒蕪之島，在百無聊賴的情況下，拖着疲憊且搖晃的身子離咖啡店而去。詩人不用腳步聲，而用「朝自己的鞋聲走去」，顯得靈動而傳神。「帶着天空在走」，寫活了這個流浪漢醉酒後天旋地轉的神情，無聲地流露出他內心深處的痛苦。末段詩人想將詩寫出一點希望，但事實是無情的那個流浪漢只能從流浪的路上來，再到流浪的路上去，他茫茫然，仍然不知該流浪到哪裏。由上述可看出，羅門的詩一是追求詩和詩句的高度凝煉，盡量擴大詩和詩句的含蓄量和容納度。二是在着力探求人物心靈世界的潛意識，即第二、第三、甚至是第四感覺。例如，空酒瓶望成荒島，這已是一系列感覺串連起來得出的意象，如果沒有流浪漢那一系列的潛意識活動，酒瓶和荒島是很難連繫起來的。即使都有荒和空的含意，但那也難以理解，因而要解開這詩句，必須順着詩人創作時的意念途程，向反推過去，把詩人跳過的東西再接上去，然後才能找到酒瓶和荒島之間的連繫。這種潛意識的追求和表達，大大地豐富了詩的表現力，增加了詩的濃度。羅門有部詩論叫《心靈訪問記》，他在開拓心靈的荒地上是下了很大的功夫的。羅門怎樣向心靈深處開挖，怎樣透過表層和淺層去捕捉那深層的東西呢？訪問記中的描繪，對我們了解羅門的創作是很有幫助的。他在談到創作《第九日的底流》一詩時說：「就拿《第九日的底流》這首詩來說，我就曾把自己沉入一切的底層世界，傾聽其內在活動的聲音，並且表現出生命與時空在美的升華中存在與活動的狀況，以及那種帶有宗教色彩與音樂性的美感世界。當時，我不僅把燈屋裏所有的燈光都關掉，使整個時空產生一種無盡地空茫的壓力，我更不止一次地，讓貝多芬的音樂衝擊着我，淹沒我，使我的精神接觸到超越與深邃的一切，以至到最終，它們已成爲我自己。我的感悟和體驗，使我透過深一層看見，幾乎認出了永恒的臉貌。因此詩句也自然透過精神的深刻面，而擊亮生命的本質，這本質可說是上帝的沉醉之物。」(註九)這段話中，羅門形象而生動地通過一首詩在創作過程中怎樣切入事物的深層，抓住生命的本質的描繪，有聲有色地爲我們繪製了一幅圖畫，通過這幅圖畫，我們又可從個體到一般的去理解羅門的詩歌理論和創作。

羅門借助他詩歌理論的鏡子，可以十分敏銳地觀察到事物的深層，看到它的本質。但羅門並不把自己的目光，定死在一個點上，而是移動地去對許多事物進行觀察。當他發現一個有價值的目標時，就要把它看穿看透。羅門用組詩的形式寫過幾部長詩，如《第九日的底流》、《死亡之塔》、《麥堅利堡》、《隱形的椅子》、《都市之死》等。《第九日的底流》是由多首無韻體的詩組織而成的。詩人透過身邊的現實去反覆探討生命、時間和永恒的關係及其意義。臺灣詩評家陳慧樺在談到這首詩時說：「當我們把全組詩研讀再三後，我們就會發覺，它們並不是一個邏輯的發展。它們是心靈進入到物體內，跟它們撞擊後的實況報導。」臺灣詩人兼教授張健認爲這首詩是「詩人羅門生命的重心」。羅門本人對這首詩也非常喜愛。因爲詩人在這個他創造的世界裏找到了自我，看到了生命的意義。《死亡之塔》是爲紀念藍星詩社的社長覃子豪的逝世而寫的。表達了羅門對覃子豪之死的傷感和哀思，展示了覃子豪的形像和作品的巨大意義。詩中奇想迭出，佳句頗多。《麥堅利堡》是非律賓馬尼拉市郊的一個地方，那裏埋葬着第二次世界大戰期間，太平洋戰爭中和日本交戰陣亡的七萬名美軍將士。羅門一九六一年到非律賓，去墓地憑弔，寫下了這首詩。此詩曾獲非律賓前總統馬科斯金牌獎。詩人在這首詩中，以悲憫的情懷和濃烈的人道主義精神，表示了對在第二次世界大戰中爲反對法西斯而犧牲的美軍將士們的深摯懷念。現將這首詩寫在下面：

戰爭坐在此哭誰
它的笑聲　曾使七萬個靈魂陷落在比睡眠還深的地帶
太陽已冷　星月已冷　太平洋的浪被炮火煮開也都冷了

史密斯　威廉斯　煙花節光榮伸不出手來接你們回家
你們的名字運回故鄉　比入冬的海水還冷
在死亡的喧噪裏　你們的無救　上帝的手呢

血已把偉大的紀念沖洗了出來
戰爭都哭了　偉大它為什麼不笑
七萬朵十字花　圍成園　排成林　繞成百合的村
在風中不動　在雨裏也不動
沉默給馬尼拉海灣看　蒼白給遊客們的照像機看
史密斯　威廉斯　在死亡紊亂的鏡面上　我只想知道
　那裏是你們童幼時眼睛常去玩的地方
　　那地方藏有春日的錄音帶與彩色的幻燈片

麥利堅堡鳥都不叫了　樹葉也怕動
凡是聲音都會使這裏的靜默受擊出血
空間與空間絕緣　時間逃離鐘錶
這裏比灰暗的天地線還少說話　永恒無聲

美麗的無音房　死者的花園　活人的風景區
神來過　敬仰來過　汽車與都市也都來過
而史密斯　威廉斯　你們是不來也不去了
靜止如取下擺心的表面　看不清歲月的臉
在日光的夜裏　星滅的晚上
你們的盲睛不分季節地睡着
睡醒了一個死不透的世界
睡熟了麥堅利堡綠得格外憂鬱的草場

死神將聖品擠滿在嘶喊的大理石上
給升滿的星條旗看　給不朽看　給雲看
麥堅利堡是浪花已塑成碑林的陸上太平洋
一幅悲天泣地的大浮雕　掛入死亡最黑的背景
七萬個故事焚毀於白色不安的顫慄
史密斯　威廉斯　當落日燒紅滿野芒果林於昏暮
神都將急急離去　星也落盡
你們是那裏也去不了

太平洋陰森的海底是沒有門的

這首弔亡詩不同於一般的弔亡詩，它帶有史詩的性質。說它帶有史詩的性質，但它又不具體去描寫歷史，而是以深沉的抒情和沉鬱的氣氛，深深地打動着人們的心。現代派詩人的作品本來是主張知性，排斥抒情的。但羅門此詩卻相反，句句段段都飽含着濃烈的感情。詩中許多詩句讀了簡直能使人心情沉重得發冷，催人淚下。這樣飽和着深情的抒情句子，在典型的現代派的詩中是少見的。此外這首詩裏，詩人是非常注意適合主題表達的氣氛的營造的。詩的開頭便立言不凡，「戰爭在此哭誰／它的笑聲，曾使七萬個靈魂陷落在比睡眠還要深的地帶。」詩人以擬人化的手法，將戰爭這個狂人的情態和罪惡一語俱陳。第二節詩人營造了一個非常冷冽的氣氛，太陽冷，星月冷，連太平洋的波濤被戰火煮開後也冷了。詩人有點爲壯士們惋惜和怨恨，雖然光榮，但節日卻沒人接你們回家，只有你們的名字被冷冰冰的運回家去。詩人甚至質問上帝「上帝的手呢？」爲什麼不來救救這些死難者？第二節和第三節以沉靜的氣氛表現了墓地的莊嚴和肅穆。最後一節創造了一個黃昏的景色，因爲黃昏是鳥歸巢人回家的時刻，但這些將士卻永遠回不去家了。全詩的氣氛和主題非常和諧一致，這種氣氛的創造對表達作品的思想，突出詩中的感情，有着非常明顯的效果。

羅門是臺灣詩人中較早和較集中地剖析、批判資本主義罪惡的聚集地——城市的罪惡的。他從所謂的資本主義的現代文明中，深刻地看到了醜惡和罪孽混合而成的本質。一九五七年，當臺灣還沒有跨進資本主義的門坎時，羅門就敏銳地觀察到了那裏正在發生和發展的不治之症，寫下了《都市的人》這首頗富哲理的詩。

　他們的腦部是近代最繁華的車站，
　有許多行車路線通入地獄與天堂
　那閃動的眼睛是車燈，
　隨時照見天使和惡魔的臉。

　他們擠在城裏，
　如擠在一隻開往珍珠港去的船上，
　慾望是未納稅的私貨，良心是嚴正的關員

　這裏所寫的那些人，決不是一般的城市貧民和勞動者，而是那些以城市爲賭場的冒險家。開往珍珠港的船，並非實指美國太平洋上的珍珠港，而是泛指開往發財之地。這首詩對諷刺對象心靈的揭露，既嚴厲而又深刻。羅門抓住城市這個題材，不斷地深入開拓，使他贏得了臺灣「城市詩國發言人」的稱號。一九六一年，他又寫下批判性更強烈更徹底的長詩《都市之死》。在這首詩詩中，詩人寫下了這樣的詩句：

　「人們用紙幣選購歲月的面貌
　在這裏　脚步是不載靈魂的
　在這裏　神父以聖經遮目睡去

凡是禁地都成為市集」

和在別的作品中一樣，羅門在這首詩中還是把筆的刻刀伸入人們的靈魂深處進行解剖。從人們的慾望、意念中去挖出那痛苦和無恥的眞實。「伊甸園是從不設門的／在尼龍墊上，榻榻米上，文明又是那條脫下的花腰帶／美麗的獸，便野成裸開的荒野／到了明天，再回到衣服裏去。」羅門運用豐富的想象，爲資本主義的現代文明畫了個像：它不過是既無恥且醜惡的那條「脫下的花腰帶」，也就是說，資本主義的現代文明是和色情緊密地連繫在一起的。在羅門的眼裏，資本主義《都市的旋律》是這樣的「短裙飛來隻隻鳥／長裙飛來朵朵雲／腰不扭動河會死／胸不挺高山會崩／眉不畫濃月會暗／唇不塗紅花會謝／一滴香水一池春／一個眼波滿海浪。」

羅門不僅用現代派詩的形式描寫資本主義劇毒下的城市面孔，而且用民歌的形式道出那裏的污濁。《都市的旋律》這首詩，就帶有濃鬱的民歌風味。現代派的作品並非都是晦澀難懂之作，關鍵是看你寫什麼和怎樣寫。在羅門揭露資本主義的所謂城市文明的詩中，就有用現代派的手法寫出的明白易懂的作品。例如《咖啡廳》就是一首較典型的現代派的作品。第一節是以無生命的物來比喻有生命之物，第二節反過來以有生命之物來比喻無生命之物。羅門運用同樣的排比句式將許多事物同時作聯類對比，於是一個閃動的眼睛，抹着口紅的嘴，露着肩膀，露着大腿，露着乳房的，充滿着色情氣味的夜，便在我們眼前栩栩如生地飛動了。這首詩雖然是用現代派的手法創作的，但卻具有強烈的現實性，它是臺灣都市夜景的一幅十分逼眞的圖畫。由此我們可以看到，現代派的藝術手法，一樣可以用來反映現實。羅門是臺灣現代派詩人中，最能和現實結合的詩人。他的作品的意義和成就，使他在臺灣現代派的十大詩人之中，無愧地名列前茅。羅門寫的大量優秀的城市詩，奠定了他的臺灣城市詩人的基礎，爲他贏來了都市詩人的桂冠，也使臺灣有了專門描寫都市的「都市詩」這一品種的出現。

第五節 蓉 子

五十年代初期，一隻美麗的青鳥，在臺灣詩壇上起飛，三十多年以來，一直翺翔在臺灣詩壇的上空。她被臺灣著名詩人余光中譽爲：「臺灣詩壇上開放得最久的菊花」。這隻美麗的青鳥就是女詩人蓉子。

蓉子，本名王蓉芷。一九二八年五月出生於江蘇省一個教會家庭裏，一家三代都是虔誠的基督教徒。蓉子高小和初中都是在江蘇省江陰縣的教會學校裏就讀。後因戰爭關係，她曾轉入揚州中學讀過一個學期的初中，之後又轉入上海華東區基督教聯合中學讀到初中畢業，再升入高中部。但仍因戰爭關係學校解散，蓉子不得不又轉入金陵女子大學的附屬中學就讀。高中畢業後，考入一所農學院的森林系，只讀了一年，一九四九年二月便去了臺灣。

蓉子是臺灣詩壇上一九四九年以後出現的第一個女詩人。從一九五〇年起，她便開始了詩的生涯。早期的作品，大都發表在《新詩周刊》和《現代詩》詩刊上。她是以覃子豪爲首的藍星詩社的早期同仁。一九五三年她的處女詩集《青鳥集》在臺灣出版。成爲國民黨遷臺後臺灣第一本女詩人詩集。一九五五年她與羅門結婚，把羅門引進詩壇。在她的啓發和幫助下，羅門很快成了臺灣現代派的著名詩人。蓉子創作刻苦，詩的產量在臺灣女詩人中居首位。雖然是業餘創作，但三十多年以來她已出版了十多部詩集。例如：《青鳥集》、《七月的南方》、《蓉子詩抄》、《童話城》、《兒童詩集》、《日月集》（與羅門合作，英譯選集）、《維納麗沙組曲》、《橫笛與豎琴的晌午》、《天堂鳥》、《蓉子自選集》、《雪是我的童年》等。此外，蓉子還出版了一些別的文集。蓉子一九七八年退休之前在臺北市「國際電訊局」工作，夫妻倆一天到晚忙的不可開交。因此蓉子和羅門在沒有到退休年齡以前，早就巴望着退休，好爲詩魂找一個安靜的場所，爲自己創作造一個恬適的環境。蓉子和羅門先後退休後，便在他們燦亮的燈屋，從事創作、聚客，過着頗爲安適的生活。

蓉子的處女詩集《青鳥集》，雖是一九五三年在臺灣出版，但蓉子嫁給詩神，並不是到臺灣以後的事。早在家鄉讀小學時，她就開始作「現代李清照」的夢。初二時，一次老師布置作文，別的同學都寫了作文交了，而蓉子卻大膽地寫了一首詩代替作文交了。詩交上之後，蓉子的心如十八個吊桶打水，七上八下，不知老師會怎樣發落。但等的結果卻出乎蓉子的意料，老師作的批語是「東西很好……字不好」。蓉子看到老師的批語高興極了，由此，她彷彿拿到了去往詩國的通行證，便下定了要做詩人的決心。蓉子的幼年時代，非常喜歡冰心和泰戈爾的詩，她常模仿冰心的作品進行創作，因而同學們送她一個雅號「冰心第二」，蓉子以此爲榮。所以蓉子走進詩國的大門，啓蒙老師冰心是指路人。冰心五四時期那露水般清新、珍珠般玲瓏的詩風，明顯地凝結在蓉子的作品中。請看蓉子一九五二年發表的小詩《笑》：

最美的是
最真
啊！
你聰明的
為什麼編織你的笑？
笑是自然開放的小紅花
一經編織
便揉皺了

不管是詩的小巧的形式、清新優美的風格，還是詩的感情上和哲理上的蘊蓄，彷彿都有冰心的影子在晃動。五十年代初期，蓉子剛登上詩壇，努力學習前輩詩人，借鑑他們的表達藝術，學習中有獨創，獨創中有借鑑，這是一種良好風尚。這是任何一個新起步的詩人都不可超越的必經之路。

蓉子出生在一個三代基督敎徒的家庭裏，少年時代，每逢「主日會」，便幫父親布置敎堂，拉動鐘繩，撞響鐘聲。後來，她還當上了基督敎唱詩班的手風琴手，她還閱讀過不少希伯萊民族的詩歌，因而那些宗教詩從蓉子在搖籃裏聽家人哼唱的聲音裏，便播進了她幼小的心靈。特別是在當小提琴手時，希伯萊雅樂對她的薰陶，幾乎成了她詩胎孕育的一種方式。蓉子在詩集《七月的南方》後記中說：「有時爲了表達某一心緒的動蕩，我心中首先會響起一種應和的旋律，由這旋律發展下去就成了詩。有時就因爲一首詩的音樂性找不到了，我就停止了它的創作。我的詩必須有我的感覺和旋律。」蓉子這種孕育詩的方式，說明了她十分注意自己詩中的音樂性。她的詩是和音樂的節奏、旋律共一個生命的，是不可分割的，沒有音樂便沒有詩。沒有音樂的感動，就談不上詩的萌芽。但是假如我們深入研究一下，蓉子的這種孕育詩的獨特方式，這種詩與音樂相結合的奇妙程度，這種特別敏銳的音樂感知等，是怎麼形成的呢？又是怎麼成爲一種特別的感知世界和接受外界的一種方式，以致影響了她的一生？這恐怕和她從小就受宗教音樂的薰陶有關。她的對宗教音樂的特殊感情，甚至成了她信仰中的組成部分，所以才對她產生了那麼大的魔力。因此，蓉子的詩歌創作也受到宗教觀念的嚴重影響。希伯萊民族的詩歌，爲蓉子的創作提供了豐富的營養。蓉子的作品《維納麗沙組曲》，就鮮明地打上了這種影響的烙印。請看這組詩的第一首《維納麗沙》：

維納麗沙
你不是一株喧嘩的樹
不需用彩帶裝飾自己。

你靜靜地走着
讓浮動的眼神將你遺落
因你不需在炫耀和烘托裏完成
——你完成自己於無邊的寂靜中

維納麗沙是繪畫大師達芬奇的名畫，這是一幅帶有宗教般神秘色彩的作品，畫面上是一個充滿異域色彩的美女。這個形象貫穿於全組十二首詩中，成爲這組詩的主角；這個形象是詩人理想的化身，外表上雖然充滿異域色彩，但感情上卻流動着中國婦女的血液，因此維納麗沙實際上是詩人蓉子的投影。蓉子在談到這組詩時說：「這組詩是自我世界的描繪，自我靈魂的畫像，一股孤獨堅定的徐徐足音，當她走過山巓平原，發出一些眞實的回音……。」維納麗沙這個形象的中西結合、內外雜陳的情況，正和蓉子相像。因而蓉子創造出這樣的作品，塑造出這樣的形象，是順理成章的。此外，這作品的旋律和節奏的靜穆氣氛，彷彿將讀者帶進了莊嚴肅穆的教堂一般。蓉子作品中呈現出的「靜美」和「冷凝」，不僅僅表現在《維納麗沙組曲》中，而是蓉子作品整個風格的一種體現。請看她的《傘》：

鳥翅初撲
幅幅相連　以蝙蝠弧型的雙翼
連成一個無懈可擊的圓

一把綠色小傘是一頂荷蓋
紅色朝暾 黑色晚雲
各種顏色的傘是載花的樹
而且能行走……

一柄頂天
頂着艷陽 頂着雨
頂着單純兒歌透明音符
自在自適的小世界

一傘在握 開闔自如
闔則為竿為杖 開則為花為亭
亭中藏着一個寧靜的我

詩人在詩中描寫的傘本來是一個動的世界，但詩人卻又讓它動中有靜，以動襯靜。在動的世界裏表現出了一個「亭中藏着一個寧靜的我」，這樣一個安適寧靜的靜美世界和自由自主的小小王國。一個人的藝術感受往往和他的生活習慣、體驗，和他感知外界事物的第一印象，有着極大的關係。如果一個人常常生活在十分熱烈的環境中，養成一種狂熱的性格，那他就一定對熱烈的場面非常敏感。反之，叫在教堂裏的肅穆氣氛中生活慣了的蓉子，去感知那熱烈的場面，從而創作出熱烈的作品，那等於趕着鴨子上架。因此，我們在蓉子的作品中很少看到感情熱烈、氣勢磅礴的頌歌。

蓉子詩作的另一個特色，就是學習和繼承了中國古詩的傳統，創造了自己作品的濃鬱的古典美的韻緻。這種古典美不是某一種因素構成的，而是多種因子相聚集、相融合的結果。如題材的選擇、語言的運用、氣氛的營造等。余光中所說的臺灣詩壇上新古典主義流派如果成立的話，我想至少也不應忘記蓉子。例如她的《一朵青蓮》，這首詩的素材本身就帶着中國傳統的色彩。然而更主要的是它的古典美還表現在詩的內容和氛圍上。這朵在星月下獨自沉吟、靜觀天宇、不事喧嘩的青蓮，站在荷塘畔，在朦朧的月色中散發着一種芬芳的清香，看上去仿如籠罩在輕紗薄霧中，似眞似假，如夢似幻的一個美女。那蓊鬱青翠、艷麗的色彩，彷彿帶着一片紅焰從寒波中慢慢地升起，這形象，這氣氛，都透露出一種令人陶醉的古典美。我想這也可能是詩人自我生活感受和自我形象的一種寫照。蓉子作爲一個女詩人，她自身就具有一種古典美的追求，她和丈夫羅門構築的那個別緻的「燈屋」，恐怕也是這種追求的表現之一吧！

蓉子熱愛祖國悠久的歷史，熱愛中國古老的文化傳統，熱愛偉大的中華民族。但是由於祖國分裂，海峽阻隔，她卻不能到故宮、長城、黃帝陵、祖宗廟宇中去憑弔，去朝拜，去祭奠。她從臺灣到漢城去眺望北國，去遠望漢家陵闕寫下的《古典留我》之作，實在令人酸鼻。

蓉子一九六五年參加臺灣女作家三人代表團，訪問南朝鮮時，觸景生情的寫下了這首思國懷古之作，寄托了她深深的思念。這首詩的寫法很別緻，詩人近寫漢城，實寫祖國；身在漢城，心在祖國；用眼前之景勾起遼遠的相思和回憶。所以詩的標題就十分別緻，既不叫漢城留我，也不叫漢城懷古，也不叫漢城抒情，而叫「古典留我」。這標題裏把視線透過漢城射向了祖國，伸入了唐宋。詩的第一段點題，第二段通過對眼前景物的描寫，十分自然而微妙地作了過渡。鳥聲像雨點滴落在鬼面瓦上，這詩句不僅貼切，而且飽含着激情把死景都寫活了。尤爲精彩的是「一處處都是廻響……」這既是眼前景又是轉入回憶的一種過渡，接下去就是望江南，夢北國……。詩的第三段插入了一個有趣的情節，漢城街頭出現了一個老漁翁，他靜釣於千年前的湖泊，表現了詩人對今日戰爭的厭倦和對和平的嚮往。最後一段寫詩人透過眼前景看到了期盼中的唐宋。唐宋實際上是中國的代名詞。蓉子這種散發着古典美的作品很多，因而它構成了蓉子作品的一個重要特色。

在蓉子的作品中，靜美、古典美和淒愁連在一起，形成一種輕盈的形式中表現出深沉的內容。她的《晚秋的鄉愁》一詩，是這方面的代表作。

蓉子在詩集《七月的南方》後記中說：「倘若我無眞實的創作意欲，我就不勉強自己來發出音響……我願意更多地把握自己一些，而並不急於做一時的跳水英雄，去贏得片時的喝采；我願意更多地顯露自己的面貌，但必須是有靈魂和實質爲後盾。」在現代派詩人一片追求虛無的聲音中，蓉子公開地宣布沒有創作意欲就不發出音響，並以靈魂和實質作後盾，這不能說不是一種勇氣和可貴的追求。在《晚秋的鄉愁》一詩中，詩人以象徵的手法，寫一棵插在古典花瓶中的、生長在異鄉而接觸不到泥土的瓶菊。她的思念如輕風，似淡雲，像流水越過山山水水，落在了故鄉昔日的家屋。但這一切不過是一種意念，而實際上那瓶中如深潭之水，而十月的生長期，都寄托着詩人那種可觸及到的悲涼。詩中的「每回西風走過／總踩痛我思鄉的弦」，詩句既深沉而又強烈。

蓉子還爲孩子們寫詩。她的《兒童詩集》、《童話城》等，都是獻給兒童們的禮物。作爲一個女詩人，蓉子的創作無論在臺灣和整個中國當代詩壇，都是難得的。

第六節　敻虹

敻虹在臺灣詩壇被稱爲「繆斯最鍾愛的女兒」。她才情勃發，情眞意摯，以自己的處女作《金蛹》脫穎而出。她的詩，風格典雅，韵味清新，所以又被人們譽爲「李淸照第二」。從人們的稱讚中便可知道，她在臺灣詩壇上不同凡響。

敻虹，本名胡梅子，臺灣省臺東縣人（其母是福建省龍岩人）。一九四〇年出生，一九五八年臺東女子中學畢業。後考入臺灣師範大學藝術系，一九六二年畢業，到中學去當老師。敻虹是文壇的多面手，既是詩人，又是畫家，除了寫詩繪畫之外，還兼任社會上的設計師和插花工作。一九七四年敻虹曾應邀到美國愛荷華大學國際寫作中心，去學習和研究一年。

夐虹十五歲開始寫詩，那時她還是臺灣東部海濱一個中學生。據余光中說，那時他主編臺灣《公論報》的《藍星》詩頁時，投稿的新人裏面頗有幾位在東海濱讀書的女學生。其中的夐虹不但筆名令人遐思，而且作品清婉柔美，具有晚唐南宋之風，簡直可稱之爲現代詞。余光中還說：「當時我有事南下，黃用代編一期，迫不及待，把夐虹來稿置於刊首。之後，凡我所編詩刊，包括《文學雜誌》和《文星》詩頁，夐虹的新作無不採用。」打那之後不久，夐虹就成爲當時由覃子豪、余光中等發起組織的、以覃子豪爲盟主的藍星詩社的同仁了。在詩歌創作的道路上，夐虹苦練成材，詩藝精進很快。她的詩的產量雖然不算太豐富，但詩的質量卻很高。幾乎每一首小詩都是精巧玲瓏的藝術品，一經發表，便引來衆目投注。如今夐虹雖然只有四十八歲，但她已是一個具有三十年詩齡的詩壇老將了。她既是老詩人中的「青年」，又是中青年詩人中的老詩人。到目前爲止，夐虹出版的詩集有《金蛹》、《紅珊瑚》、《白色的歌》、《夐虹詩集》等，她的每一首詩都是她在詩歌道路上留下的堅實的足跡。

夐虹的詩很美，美在她對意象的營造上，美在她對詩意深入的開拓上，美在她對事物奇特而又合乎情理的想像上。普普通通的一個蝶蛹，進入夐虹的思維鏡頭中，卻變成了一首色彩斑爛、含意深刻的詩篇。請看她的《蝶蛹》：

當有人在樹下靜坐

是什麼使你仰臉，什麼使你望見
那慘金的亮殼？——
希望也曾如此垂掛在
高高的枝椏，如此等待着
夏，我要悄悄迸發——
叩開我的金殼，伸出我的彩翅
以嫩嫩的驚嘆，以心跳——呵，如此美
難道夢中之夢早被窺知，而石膏像
睜開了眼，當一切都被給以靈魂……
而初遇之初，美羅織成網
有人被縛住，當靜坐在樹下

奠虹抓住了「蛹」是生命之母的這一特殊的、極富詩意的特徵，將想像的帷幕大大的拉開，於是那慘金的亮殼就變成了理想的母體，希望的胎盤。因而，希望才在高高的枝椏上垂掛，夏，才悄悄的迸發。難道這僅僅是蝶從蝶蛹中誕生？否，在蝶蛹的標題下，已經陳倉暗渡，變成了整個生命界和精神領域中一切美好東西的誕生。那叩開金殼，伸出彩翅，那水淩淩、嫩生生的希望和理想，化作具體形象出生了。這裏簡直可以聽到希望和理想的心音的跳動。初遇之初，美織成羅網，這是多麼輝煌絢麗的分娩啊！一個金蛹，誕生了一個輝煌的世界。作爲夐虹的處女集，不僅是對新生事物泛泛的歌頌，也具體的傳達了夐虹作爲一個詩壇新秀降生的意義。

　　夐虹表現理想的作品不少，除了《金蛹》之外，還有《白鳥是初》、《未及》、《不題》和一系列寫「藍」的詩皆是。從金蛹到白鳥，事物產生了質變，而夐虹的希望和理想也從金蛹中出生成長。金蛹中剛出來的彩蝶雖然非常美麗，但它是脆弱的，是經不起風吹雨打的。當它在《白鳥是初》中長成了強健的翅膀，不僅能經受風雨，而且可抗擊嚴冬時，詩人在這首詩的後面加了個注：「白鳥，代表我至遠至美的童夢，那幾乎是不可追尋的幸福。孩提時，我常夢見白鳥，體態嬌小，翎羽瑩潔，靜靜地跳躍於桂樹的細枝間，葉陰使空氣變得清冷。這一直是我最珍愛的秘密。謹以此詩贈給藍。」此注印證了我們對這首詩的思想的分析。白鳥代表着詩人的理想和希冀是沒有問題的。「那無窮的白正成熟着完美豐盈着生命」代表着詩人理想的實現和成熟。從白鳥到神，更表示了從物質到精神境界的過渡和提升。但比較難以理解的是詩人在注的末尾寫了一句「謹以此詩贈給藍」。那麼藍到底是什麼呢？是個人名嗎？不是。要想揭開「藍」中的秘密，還需要將目光擴大，去巡視夐虹整個作品中「藍」的含意。我們談夐虹的作品，會碰到很多藍出現。例如：以藍作爲標題的詩就有《藍珠》、《藍光束》、《藍色的圓心》和《藍網之外》等。詩句中出現藍的就更多了，隨便一數恐怕就不下數十處。例如：《則你是風景》中有「此地滿是藍．浩浩的沈寂／我們返回最初，正是冬」；《海逝》中有，「藍色的季節」；《藍珠》中有「我的宇宙冷縮冷縮／冷縮成藍珠」；《不題》中有「從迢迢的視漠中走出／啊藍，請上我的階／紛繁的聲，在你之後」等等。不管是藍作爲詩的標題出現也好，還是藍在詩句中出現也好，詩人基本上是用它來代表神，代表信仰。因而我們說詩人是把藍作爲理想和希望的象徵，是不會錯的。因爲詩人生活在臺東海濱的卑南溪畔，她從小常常打着赤腳在海濱的沙灘上，草地上，入神地眺望那無邊藍色的大海，仰望那掛滿星斗的藍色的夜空。藍對她的印象太深了，簡直成了她生命中的因子。因此她就很自然地選擇藍來象徵希望和理想。她描寫藍，就是描寫希望；她歌頌藍，就是歌頌理想。

敻虹詩作的另一個重要主題和題材是愛情。這一類詩在敻虹作品中佔着相當大的比重。敻虹的愛情詩有敻虹的特色，那便是以充沛飽滿的感情，譜成美麗悲傷的愛情悲劇。讀這些作品，有一種冷冽哀傷的淒美感，悄悄地襲擊讀者的心靈，使人久久不能釋懷。初戀是人的生命中最動人、最純潔、最甜蜜和最令人憧憬的時刻，即使失敗了，也會在心靈深處留下淒美的記憶，令人回味。就像一片美麗的彩霞被風吹散了，但在你的目光觸及之處，彷彿永遠有那片美麗的彩霞的投影在晃動。敻虹的《殞星》便是這種淒美的映像：

愛情光化而去了

遺下點點的點點的，啊！為什麼是
葡萄燈盞之明滅
為什麼是回憶，是一窗細雨
是一窗淚！
讓我，啊！輕聲問你
問你問你問你
再問你：
那裏去了呢？
我少年時代的第一曲戀。

詩人把美麗的初戀比作一閃卽逝，但卻火花四濺的殞星，這象徵着美的事物的急促和短暫。隨之詩人又把它比作「葡萄燈盞之明滅」，它比殞星更美，但更易消逝。這些無比美的事物卻都具有形體急速消逝，而美麗的形象和靈魂永遠長存的特性。用它們來比喩失敗的初戀是最恰當的了。「是一窗細雨，是一窗淚」，彷彿有一個痴情女在憑窗遠眺，追憶那至美的然而消失了的昨日而漱漱淚下。於是非常激動地一連來了四個問你問你再問你，以急促的旋律和節奏表達了追悔者情急如焚的心境。語句中彷彿爆出了憑窗人的心跳。《水紋》一詩雖然表達的也是一種失戀後的心境，但和《殞星》相比，卻是一種不同的情致。水紋是因水的輕蕩在水面激起的細小的波紋。這是事情發生後在心靈上引起的一種似近似遠，似有還無的輕微的傷感。夐虹以此象徵曾經發生過，但卻已平復了的戀，在心頭漾起的水紋一樣的懷想。雖然這種懷想沒有殞星那麼急促，那麼強烈，那麼傷心，但卻比殞星清新而柔美，像華燈謝盡，卻仍然能夠看見那微弱的青光的尾巴。

這首詩描寫了詩中第一人稱的主人公，即詩人自己，稚傻而狂熱地愛上了一個並不眞心愛自己的男子。詩的開頭就說，我忽然想起了你，但不是散伙以後的你。那時，日夜盼望和你聚首，竟埋怨人潮都是朝着散的方向，常常一直等到萬燈謝盡的時刻，也等不到你。於是詩人明白了自己不過是單相思，萬念俱灰，像小草從綠油油的草原被移植到荒原。接着詩人有點悔悟和自我怨恨，也許我不該眞的，那麼痴情地愛上你，而只該像玻璃那樣雖然透明但卻不那麼眞切。回顧和悔悟之後再和詩的開頭相呼應，那失戀而平服後的傷感如那遠行的船和船邊的水紋。詩雖然不長但感情上卻幾經跳躍變化，句和句，段和段之間的跳接幅度相當大，空間距離和時間距離也相當寬。詩的主線和脈絡十分清楚。

在夐虹的愛情詩中很少有成功的不帶悲劇性的愛情。《海誓》一首，可能算個例外吧，但當你讀完全詩，那詩的結尾，就像將你沉入激情的海底之後，一下又將你反彈出來，告訴你這並不是一個現實中發生的事，而是小時候聽來的故事。由實到虛，由激動到空茫，仍然和悲劇的愛情故事差不多。這首詩眞有點鐵成金、化腐朽爲神奇的妙境。

詩的首節極寫愛的熾熱，愛的頑強，愛的堅貞。簡値是你中有我，我中有你。次段想象到了年老，兩人卽使有一人仙逝，我也要手心裏握你一束華髮，永不變心，直到老死。第三段寫死了之後，也要化作雙雙對對的蝴蝶，那時當你再生，破蛹而出，第一次睜開眼看見的便是我。詩人信誓旦旦宣告生生世世都是情人。最後一句反射全詩，將詩由實而虛提升到了一個更高的層次。就愛情詩來說夐虹是臺灣詩壇上的大家，她的愛情詩情感深沉細膩，想象奇詭，花招迭出，引卑俗入奇境，看似平常，突顯奇效。不僅在臺灣是佼佼者，就是在中國整個當代詩壇，也是一般人望塵莫及的。

有人說女詩人只能手巧綉花，感情纏綿的寫情詩，而格調鏗鏘、氣魄豪壯的詩作似乎和女詩人無緣。夐虹的創作打破了這一說法。她不僅在愛情詩上獨佔魁首，就是寫氣魄宏大的頌歌，也不比男詩人差。夐虹筆下的《臺東大橋》、《東部》等作品，顯示出了她這方面的心胸和才華。因這些作品較長，現各引其中的一段，作爲例證。請看《臺東大橋》詩中的描寫：

「如抱的鋼絲曾奮力堅持
與萬匹馬力的山洪，決
臂力、張力
如蛟的鋼魂終於不支
鋼斷
如英雄之崩倒」

看了上段詩，就可以了解，女詩人的胸中並不是光裝着柔如長春藤般的愛情，也有如英雄之崩倒的迫人的氣勢。此外，夐虹的一些凝練、含蓄、意味深長的小詩，更是詩中的精品。一首小詩，是一個有益的啓示；一首小詩，是一個深邃的思想；一首小詩，是一個清新的早晨；這首小詩，是朵幽香無盡的小花。現舉一首《夢》作例證：

不敢入詩的
來入夢
夢是一條絲
穿梭那
不可能的
相逢

這首僅有六行、二十二個字的小詩，它容納的生活量、給人的哲理啓示、包容的深邃的思想和含意，並不亞於一首長詩。詩能達此境，可說是爐火純清、技藝嫻熟了。

第七節 楊 牧

楊牧，本名王靖獻，曾用筆名葉珊。臺灣省花蓮縣人，一九四〇年九月六日出生。楊牧是個語言能手，他會說臺語、普通話、日語、阿美族語（高山族的一個族系）、英語，還學過希臘和德文。楊牧自臺灣花蓮市明義小學畢業後，考入花蓮中學初中部與臺灣著名小說家王禎和同年級。一九五五年升入該校的高中部，一九五八年高中畢業，大學聯考落榜，次年再參加大專聯考，入臺灣東海大學歷史系，讀了一年便轉入該校的外文系。一九六三年大學畢業，一九六四年赴美，入美國愛荷華大學詩歌創作班，一九六六年獲藝術碩士學位。同年十月又入美國柏克萊加州大學比較文學系，一九七一年獲比較文學博士學位，並升任麻州大學中國文學及比較文學助理教授，年底改任西雅圖華盛頓大學助理教授，一九七二年升任副教授。

楊牧從詩壇起步較早，他在高中時期，即五十年代中期就開始了詩歌創作。那時用葉珊的筆名向《現代詩》、《藍星》詩刊、《創世紀》、《葡萄園》詩刊和《野風》等文藝刊物投稿，並曾與陳錦標等在《臺東日報》上編輯《海鷗》詩周刊和《更生報》文藝周刊。一九五九年出版第一本詩集《水之湄》。楊牧的詩創作量相當豐富，作品數量可與高產的余光中媲美。同時，他的散文也在臺灣盛極一時，和余光中一樣，在詩和散文兩個領域，都同時取得了可觀的成就。楊牧出版的詩集有：《水之湄》、《花季》、《燈船》、《傳說》、《非渡集》、《瓶中稿》《楊牧詩集》、《北斗行》、《吳鳳》、《禁忌的遊戲》、《海岸七疊》等。散文集有《葉珊散文集》、《年輪》、《楊牧自選集》。評論集有《傳統的與現代的》。楊牧爲藍星詩社同仁。

楊牧是臺灣省籍的非常有才華的現代派詩人。他的詩歌創作比較明顯的分爲兩個時期。詩選集《非渡集》對前期的創作進行了總結，接着他便和葉珊時期告別改名爲楊牧。他前、後期轉變的明顯的標誌是由抒情詩向追求敍事詩的階段過渡。

由於他的詩中有不少古代題材，例如《林冲夜奔》、《延陵季子掛劍》、《續韓愈七言古詩山石》、《吳鳳》等，在其他作品中也引入了不少古語古物，因而，余光中曾把楊牧和自己一起列入新古典主義詩派。我認爲新古典主義在臺灣還未形成一個文學流派。楊牧基本上是屬於現代派，我把他仍歸入臺灣現代派中的學院派詩人。

楊牧的詩創作和別的現代派詩人的不同之點，在於楊牧十分重視敍事詩和史詩的創作。他在《新文學的舊困擾》一文中說：「我們短的地方實在不少例如史詩、悲劇之闕如……中國的敍事詩沒有成長。」楊牧可能是以開拓中國文學的新領域和塡補中國文學之空白的雄心，而把自己相當大的一部份創作精力都投入了史詩和敍事詩的創作。楊牧所講中國史詩、悲劇之闕如，敍事詩之沒有成長，不一定完全和中國的文學實際相符合，但詩人的開拓精神是好的。這種爲中國文學創基立業的想法，是一種民族責任心的表現。楊牧秉承着他的這一意志，在史詩和敍事詩的創作上取得了可喜的成就。楊牧的不少組詩也具有史詩和敍事詩的性質，例如《淒涼三犯》、《十二星象練習曲》、《北斗行》、《將進酒》、《流螢》等。在這些詩中，詩人幾乎都有人物的描寫，但不一定是對人物的整個形象和性格的刻劃；在這些詩中，幾乎都有故事敍述，但不一定是完整的故事情節。這裏需要對史詩的看法作點說明。

我以爲史詩並不是歷史敍事詩的簡稱，而是指那些以重大題材爲藍本，或通過人物，通過事件，或抒情或敍事，反映出一個民族、一個國家或一個地區歷史和時代風貌，對歷史和時代的發展演變有預測和啓示作用的作品。否則，不管寫歷史和寫現代，不管作品的規模如何，都不能稱爲史詩，而應屬於組詩和敍事詩的範疇。對於敍事詩的寫法，當今世界因人而異。有的敍事詩既有人物性格的刻畫，也有完整故事的敍述，這樣的作品以敍事爲主、抒情爲次。也有的敍事詩，只是人物的側、點描寫和故事的片、段敍述，一面敍述一面抒情，作品通過敍事和抒情兩條紐帶相貫穿；也還有一種敍事詩讀起來很象抒情詩，人物和故事在詩中只隱約可見，甚至從單章節來看並沒有人物和故事，而詩人完全是以抒情手段來完成對事情的表達，這類作品是以抒情爲主要手段的敍事詩。由於詩藝的精進，詩人們對詩的世界的深入開拓，而今詩的形式千變萬化、豐富多彩。評論家的責任在於從詩人們的創作實踐中概括、總結，進行優選。臺灣現代派詩人葉維廉在《葉珊的傳說》一文中論述到敍事詩和抒情詩的區別時說：「如中國的《孔雀東南飛》和變文裏的敍事詩，是以事件的發展爲幹，先因一事（受時空限制的事，如某時某地有某人）發展到另一事，再引起另一事，其程序是直線追尋，其語法是以因果律爲據的。敍述者常常站在正被陳述的經驗之外，把事件的前因後果一一縷述，敍述者自己並不陷入經驗裏，所以無法直接交感。但在抒情詩裏（包括狹義的以愛情爲主的抒情詩和廣義的和自然冥合的抒情詩）事件的輪廓是模糊的，前因後果是近乎不知——但並非不可感，起因可能很多，但其間關係非常曖昧，詩人往往在一刻的內裏縈回，故不受此事引起彼事的邏輯限制。換言之，抒情詩往往不是單線追尋的；還有，詩人假想一個聽衆，而常常是自己對自己說話，所以其狀出神，其語態是獨白的自言自語，其旋律斷續如夢，依賴自由聯想，多以回憶爲線。其中和敍事詩最大的區別是：抒情詩人陷入自身的經驗之中，自歌自舞，以致忘形。所以最純粹的抒情詩根本沒有敍述的程序，只有情緒的本身。所有的進行全是內在的，其間事物雖有向外的投射，但無因果可循。」(註一〇)按照葉維廉的這一觀點，楊牧的許多詩就不能列入純粹的抒情詩行列，而是抒情和敍事兩者中間的作品了。就是楊牧的早期代表作《水之湄》，也不能算是純粹的抒情詩了。請看《水之湄》：

我已在這兒坐了四個下午了
沒有人打這兒走過——別談足音了
（寂寞裏——）
鳳尾草從我袴下長到肩頭了
　不為甚麼地掩住我
說淙淙的水聲是一項難遣的記憶
我只能讓它寫在駐足的雲朵上了

南去二十公尺，一棵愛笑的蒲公英
風媒花把粉飄到我的斗笠上
我的斗笠能給你甚麼啊
我的臥姿之影能給你甚麼啊

四個下午的水聲比做四個下午的足音吧
倘若它們都是些急躁的少女
無止的爭執着
——那麼，誰也不能來，我只要個午寐
哪！誰也不能來

詩人在詩中表現了一個閑少年在閑暇無爲的心情下的那種莫名曠遠的寂寞感。如果說這也是一種精神的陶醉和追求，那也只能是一種清高、渺茫和淡愁。詩人莫名其妙地在水邊守候了四個下午了，但他在那裏等候什麼呢？連他自己也不知道。他只是等在一片深深的寂寞裏，連鳳毛草都從他的袴下長到他的肩頭了，甚至慢慢地將他掩住。這種意象並非在實寫客觀事物，而是在表達主觀世界。是一種寂寞感將詩人從頭到腳都掩蓋住了，而不是眞正的鳳尾草長得那麼快。接下去詩人寫周圍環境之靜，直到尾段，詩人才感覺到時光的流逝。詩人在詩中追求的完全是一種幻覺、一種夢、一種虛無。這也可能就是人生到了十七、八歲時的那種朦朧、捉摸不定、似有似無的虛幻意識。這雖然是詩人的早期作品，但詩中情和景的溶合，色調的調配，意象的選擇，都十分和諧優美。

楊牧是一個知識相當豐富廣博的詩人，中外古今、天文地理，無不融滙在他的作品中。他的《十二星象練習曲》寫天上的黃道十二星座，一個星座一首，共十二首組成。詩人將星座擬人化，虛寫天上，實寫人間，賦於星座以人的情感，人的意識，來批評和提示人間的不平和缺失。這一組詩和另一組《北斗行》，都涉獵了相當豐富的天文知識。楊牧作品中表達的情緒，大多是一種寂寞、孤獨、渺茫、哀愁，這可能是與詩人追求悲劇意識有關。在《水之湄》中是一個莫名的寂寞世界；在描寫各星座的詩中，是個遼遠的、可望不可及的空茫世界；在《夜歌》的組詩中，那搗碎的樹影，那苔鮮的女神，彷彿並非人間物，而《孤獨》一詩，更把這種一脈相承的意識作了淋漓盡致的描繪。請看《孤獨》：

孤獨是一匹衰老的獸
潛伏在我亂石磊磊的心裏
背上有一種善變的花紋
那是，我知道，他族類的保護色
他的眼神蕭索，經常凝視
遙遠的行雲，嚮往
天上的舒卷和飄流

低頭沉思，讓風雨隨意鞭打
他委棄的暴猛
他風化的愛

孤獨是一匹衰老的獸
潛伏在我亂石磊磊的心裏
雷鳴刹那，他緩緩挪動
費力地走進我斟酌的酒杯
且用他戀慕的眸子
憂戚地瞪着一黃昏的飲者
這時，我知道，他正懊悔着
不該冒然離開他熟悉的世界
進入這冷酒之中，我舉杯就唇
慈祥地把他送回心裏

詩人以一匹衰老的獸比喻人們的孤獨感，將一種空靈的、莫名的意念和情緒形象化、擬人化，作了非常恰適的表達。詩中最精彩的詩句是兩段開頭重複出現的兩句。一匹衰老的獸，潛伏在亂石磊磊的心裏，既表現了詩人孤獨的心靈狀態，也刻劃了獸的形象；既是心靈揭示，又是形象描繪，用語可謂妙極！該詩分爲兩段，兩段分別表達了孤獨表現的不同階段和不同形式。第一段描寫孤獨處於一種萌動和生成時的狀態。第二段描寫的是孤獨的中後期，即雷鳴刹那，緩緩挪動，是孤獨要走出心靈之門了，要到那以酒澆愁愁更愁的酒杯中去了。到此時孤獨者處於一種發愣的神態，一種痴呆的樣子，然後又慢慢蘇醒，無可奈何地將酒一飲而盡。於是孤獨又回到了它原來的位置。應該說這首詩，是相當成功地探索了人們極其廣闊無邊的心靈世界中的一個區域。我以爲詩的價值在於它的獨特和創新，孤獨和寂寞是人類情感中客觀存在的事實，詩既然是以抒發情感爲特徵的藝術，它在人類情感的世界中就不應該有禁區。我們便不應該認爲《水之湄》和《孤獨》等作品表現的情感不夠積極或不甚健康而貶低它的價值。

楊牧的作品中，以中國古代歷史事跡和人物爲題材的作品，我以爲《林冲夜奔》更具特色。詩人在詩的正標題下，有個副標題《聲音的戲劇》。這個副標題包含着這樣幾層意思：其一，毫無疑義，這表明詩人在作品中對聲音，即音樂效果的刻意追求。其二，詩中的情節進展，基本上是以聲音推進的，有風聲、雪聲、山神聲等等。「聲音的戲劇」更突出了聲音在作品中的作用和地位。其三，作品雖然以第一折、第二折等形式出現，但它並不是一種眞正的劇本。因爲它不是像話劇那樣以場景和對話方式表現的。詩人命以「聲音的戲劇」就可以躲開眞正戲劇的要求和限制。《林冲夜奔》不是戲劇而是一首敍事詩。詩的每一折等於是每一節，從第一節到第四節都是按照《水滸》中故事的情節發展進行的。例如第一折是《風聲、偶然風、雪混聲》，主要是以風雪的口吻講林冲的遇害、發配及到倉州後的情況，頗像一首序詩。但那風雪的眼睛中卻是一個有情的世界，它是同情和援助林冲這條好漢的。由於風雪暗地裏這一幫助，使高俅派陸謙來害林冲的計劃落空，於是才演出了下面夜奔的戲。第二折是《山神聲、偶然判官、小鬼混聲》，這一折以山神的口吻，作爲見證人和暗地的保護者追述魯智深野猪林中救林冲、及風雪壓塌草料場、判官小鬼保護林冲脫險的情景。第三折中分甲、乙、丙。甲爲《林冲聲、向陸謙》，主要以林冲的口吻講看到陸謙時的悲憤焦急之狀。這一折是林冲從逆來順受到反抗，繼而殺陸謙，表現了林冲反抗性格的升華和完成。乙爲《林冲聲》，表現林冲殺了陸謙後短暫的茫然心情。丙爲《林冲聲、向朱貴》，主要表現林冲經柴進推薦上梁山，見到梁山好漢朱貴時的心情。

第四折《雪聲、偶然風、雪、山神混聲》這一節是詩的尾聲，以雪的口吻講林冲上梁山後的情景。這一節中，詩人的觀念產生了矛盾現象。整首詩是把林冲作爲受害的英雄歌頌的，但當林冲起而反抗，殺了陸謙夜奔梁山之後，詩人卻又沿用舊的說法，把林冲走向光明、走向起義的道路說成是「落草」，還沿用封建時代統治者把農民英雄說成是「草寇」，這使詩產生了極不和諧的氣氛。使一首好作品在結尾時被不和諧的氣氛損害了，使一個正義凛然的英雄形象也受到了汚損。這是使人感到遺憾的地方。由此看來，搞文學創作一定要有較科學的歷史觀念，這樣才能正確而科學的評價歷史事件和人物。不過，我不會因此而對楊牧詩歌創作上取得的可觀成就打什麼折扣。楊牧的《林冲夜奔》的突出藝術特色是充分地利用了各種音響，利用各種事物，構成了一個多聲部、多場次的人、神、鬼、物共鳴共奏的混聲交響樂。這種表現手法在敍事詩中，還是罕見的。

第八節　周夢蝶

周夢蝶在臺灣詩壇上是個非常奇特的詩人。他性格孤僻，沉靜寡語，由於其處女詩集爲《孤獨國》，因而人們送給他一個雅號「孤獨國主」；又由於他寫詩精雕細琢，苦苦吟思，詩中又充滿禪味，人們又饋贈他一個別號：「苦僧詩人」。

周夢蝶，本名周起述，原籍河南省淅川縣人，一九二〇年陰曆十二月二十九日生。祖祖輩輩務農，在他出生的前四個月，父親便因病去世，使他成爲一個遺腹子。母親含辛茹苦，將他和兩個姐姐養大成人。周夢蝶從小就攻讀私塾，古文基礎相當好。正因爲如此，他一進入開封一家省立小學就是五年級學生，只讀了一年小學就畢業了。後考入安陽初中（因抗戰校址遷內鄉縣赤門鎮二郎廟）。一九三八年六月開封淪陷，河南開封師範遷至鎮平縣，一九四三年，周夢蝶入該校讀書，後因該校遷回開封而輟學。一九四七年又入宛西鄉村師範，同年參加了國民黨的青年軍，一九四八年隨國民黨軍隊去臺灣。周夢蝶十七歲那年由母親包辦結婚，但夫妻感情不錯，婚後生下二男一女，均留在原籍。周夢蝶到臺灣後，一九五六年從國民黨軍中退伍，遭遇十分悲慘。從退伍那年到一九五九年在臺北市東門一帶當店員，從一九五九年起開始靠擺書攤維持生活。書攤開始擺在武昌街和重慶南路的轉彎處，後遷到武昌街鴻達茶莊和明星咖啡店之間的騎樓廊柱下。他的住處從和平東路換到金山街、臥龍街、三重等處。一九七三年夏天因颱風帶來豪雨，三重地區變爲澤國，周夢蝶被逼得無處安身，在街頭流浪三天三夜。後因茶莊老闆動了惻隱之心，收留他夜晚照看茶莊，才有了個棲身之所。由於周夢蝶是個詩人，因而他的「迷你書攤」被讀者另眼相看。有的人卽使不買書，也要到書攤前站站，瞻仰一下「孤獨國主」的尊容。有不少自費出版的書和賣不出去的雜誌，都送給周夢蝶代銷。據說白先勇主編的《現代文學》，就常在這裏代銷。周夢蝶到晚年，處境更加不幸。一九八〇年他因胃潰瘍住院，將胃切除四分之三。老來多病，落葉歸根的鄉愁時時地纏繞着他。不過周夢蝶卽使在這種艱難的處境中，還不時有詩作問世。

周夢蝶的性格孤獨卻又曠達，沉靜卻又嚮往自由，落拓但卻不自悲。他對古人莊周十分崇拜，他的筆名「夢蝶」就取自莊子的《齊物論》篇：「昔者莊周夢爲蝴蝶，栩栩然蝴蝶也，自喩適志與！不知周也。俄然覺，則蘧蘧然周也。不知周之夢爲蝴蝶與，蝴蝶之夢爲周與？周與蝴蝶；則必分矣。此之爲物化。」周夢蝶不僅以此典故爲名，而且在作品中常用此典。可見周夢蝶對莊周愛之如痴。

周夢蝶從小就對古詩有濃厚興趣，幼時就對唐詩熟讀成誦，因此他的作品受古典詩詞影響十分明顯。周夢蝶在中學時期就熟讀朱自清、劉大白的新詩作品，並模仿着創作。到臺灣從軍中退伍後，他認識了覃子豪、余光中等，並參加了藍星詩社。他從一九五二年就開始發表詩作，一九五九年由藍星詩社出版了處女詩集《孤獨國》，奠定了他詩人的地位。一九六五年出版的第二本詩集《還魂草》，使他的詩達到十分成熟的境界。這本詩集很受讀者喜愛，到一九七七年，又由領導出版社再版。周夢蝶的詩具有以下四大特色：

一、詩禪合一。周夢蝶從小養成沉靜、好思的性格。他對書法、金石、字畫具有濃厚興趣。這使他具備了「道藝兼修」的氣質和條件。後來由於生活道路的顚沛坎坷和處境的悲淒、不幸，於一九六二年開始聽經，讀經，像《金剛經》、《楞嚴經》、《華嚴經》等，他都讀得非常熟。經讀多了，讀熟了，其中的故事和主旨便慢慢地滲入到他的詩思中，有的變成了形象，有的化作了哲理，因而使他的作品彌漫着濃重的佛經氣味。

周夢蝶有一組《紅與黑》的詩，以月爲題，從一月寫到十四月。一年只有十二個月，爲什麼會有十三月和十四月呢？因有閏月和那無形之月，其中有的有一個月寫兩首和多首的。周夢蝶利用時序交替的各月的特徵，以抒發詩人對各種事情的情感和觀念。有的寫理念，有的寫情趣，有的寫寂寥，有的寫鬼魅，有的寫嚮往等等。例如《四月》一首寫的是一種強姦婦女的犯罪活動。強姦爲什麼和四月連在一起？因爲臺灣地處亞熱帶地域，四月正是脫衣解帶，血脈旺盛之時，所以四月裏強姦犯罪案件最多。詩人就以四月來反映臺灣的這一現實。不過詩和禪連在一起，給詩加添了一層迷茫的色彩，使人一下很難讀懂。首句以脫軌的美麗喩強姦的慾望是相當新奇的。次段講神靈也擋不住慾火。詩人用袈裟封火山的岩漿，既寫出了犯罪者慾望之強烈，也使詩有了佛味。二段寫強姦事件之發生，一些腼腆的少女被害。最後一段寫事情發生的情景及詩人對犯罪事件的譴責。最後一句以四月的話收題。作品寫的雖然是犯罪事件，但它是在佛家的眼裏發生的，因此事情帶着濃鬱的禪味。在周夢蝶的作品中，並非只有佛敎色彩，除了佛家還有道家、聖經和耶穌敎等的況味。有的作品中充滿耶穌敎的宿命論和原罪觀念。請看《無題之一》：

二十年前我親手射出的一枝孽箭
二十年後又冷颼颼地射回來了
我以吻十字架的血唇將它輕輕啣起
輕輕吞進我最深深處的心裏
在我最深深處的心裏，它醒睡着
像一首聖詩，一尊烏鴉帶淚的沉默……

詩中寫的是一種回報，即自己作孽自己受。而且是一種潛伏在心靈深處，對心靈的一種長期鞭笞。是一種永遠洗涮不掉的恥辱。這是因果報應在詩中的反映。

二、大量用典。新詩大量用典是不多見的，周夢蝶恐怕是一個很特殊的例外。但周夢蝶的用典和魏晉南北朝時期的那種死用典和有的爲了避禍而用典不同，和那種爲了賣弄知識之用典也不同。周夢蝶之用典，是活典，是變化後的典；是爲了作品的風格和情趣而自然用典。周夢蝶有整首用典的，如《逍遙遊》、《濠上》、《天問》、《燃燈人》、《托鉢者》、

《圓鏡》、《行到水窮處》等等，都是取自莊子、楚辭、佛經、唐朝王維的作品。有的以古作品之名寫古義，有的以古瓶裝今酒。除整首用典外，還有字句用典的。一般來說，周夢蝶的詩中用典，都有增添作品特色和深化作品思想之效。如《行到水窮處》就是如此。詩的題名《行到水窮處》取自唐朝大詩人王維的五言律詩《終南別墅》的第五句。

王維的詩描寫他得意之時，乘興而遊，遇到不少賞心悅目之事，走到水盡的地方又遇到了管樹林的老人，於是談笑風生，忘了回家。而周夢蝶雖然取其詩句爲題，卻利用「水窮處」幾個字把詩的意義大大的擴大和加深了。周夢蝶詩的開頭就開門見山講行到水窮處的情景。那裏別是番滋味，一片沁人的幽香將自己包圍了起來。周夢蝶的詩用古人之典抒自己的胸臆。身在水窮處，實際上是到了水之源頭，詩人化作了源頭中的漣漪。此時已進入天人冥合情景交融的禪趣之境，因之人的茅塞頓開，心靈頓悟，如風回到了原來的風眼，變成了你在我中，我在你中，有在無中，無在有中的化入境界。周夢蝶從景寫到人，寫到禪，寫到無我之境界。比起王維的原詩來，雖用其意但已是河中套井，園中見畦了。古詩用典，歷受非議。新詩用典，雖獨特，但卻不應作爲一種傾向提倡。如果有意作爲一種表現手法提倡，久而久之，必然陷入形式主義之泥沼，或給藝術蒙上枯澀難懂的迷霧。盡管如此，我們對於偶而用典好的詩，還是應給以充分肯定。臺灣著名文學家唐文標從詩的社會效果即文藝社會學的角度批評周夢蝶，他說：「周夢蝶寫的——舊詩固體化的新詩，新的社會，生命以致觀念，和他談引到的舊詩思想是不發生作用的。直接一點說他把舊詩中的傳統文人的悲哀，野狐禪，和一些零碎的殘句舊詩放在一起，這便是一首詩了。我看不到他詩中有什麼複雜的思想，自然更不必說他的社會觀了。奇怪的是，每日打坐在臺北街頭的他，竟對一同生活的人置之不理，而追思『想六十年後你自孤峯上坐起』這樣終日冥想，於人於己有什麼好處呢？有什麼意義呢？」（註一）唐文標的這種以現實主義文學的觀念對周夢蝶的批評是有一定道理的，是他的文學觀和社會觀的表現。但是文學是個相當廣濶的天地，是個千姿百態的藝園，我們不能要求清一色的文學，應讓文學在百花齊放中滿足各種不同人的審美要求和藝術享受。因此我從另一個角度去看周氏的作品，還是應該給予肯定的。

三、突出的哲理思想。詩故然必以表達情感爲天職，但也不可忽視深刻的哲理思想的蘊含和表現。情往往是詩動人的力量，但有時詩中的哲理使人茅塞頓開，給人撥雲見日之感，卻顯得更有力量。詩中蘊含哲理，不僅可以抑制詩之濫情，而且可以增加詩的深度。如果說情是詩的枝葉，那麼哲理就是詩的根莖；如果情是詩的江河之波濤，那麼哲理是詩的源泉。所以詩人不僅應是多情種，而且還應該是個哲學家和預言家。這樣他的作品才能既動人，又感人。周夢蝶由於詩禪合一，所以他的作品的一個特色是充滿禪道哲思。而且這種禪哲又給他的作品增加了厚重和深沉之感。就像進入一個幽遠深邃的畫廊，又像翻開一本厚厚的書，使你一時難以摸清底細。這樣的例子在周夢蝶的作品中比比皆是。例如：

「人在船上，船在水上，水在無盡上
無盡在，無盡在我刹那生滅的悲喜上」

——《擺渡船上》

「有鳥自虹外飛來
有虹自鳥外湧起——
你底幽思是出岫的羊羣
不識歸路，惟見山山秋色」

——《駢指》

周夢蝶詩中蘊含的哲理，其意義是十分豐富的。在許多情況下，這些哲理又都含有豐富的辯證法的思想。例如，上卽是下，下卽是上；你在你中，你在我中；物質不滅互相轉化的二元循環原理等。這些辯證法哲理思想，像項鍊上穿起的珠寶，在作品中閃閃發光；又像王冠上鑲嵌的綠寶石，不僅美觀，而且提高了詩的品質。

四、詩的現身性。人們批評現代派的詩脫離現實，脫離社會，陷入唯美主義的追求，這是有一定的道理和意義的。但並不是所有現代派的詩人都如此，更不是所有現代派的詩都如此。周夢蝶的相當一部分作品，是和他所處的現實社會相脫離的，但也有相當一部分作品是和現實有關。他的後一部分作品，特點是從自身出發，從自我寫起，再折射現實。因此我把這些作品稱之爲現身性，而不直接稱爲現實性。例如他精心設計的那個奇怪的《孤獨國》，實際上是自我精神世界的描摹，是自我的內在世界外部化的表現。例如他的《山中拾掇》組詩，是自我生活的寫照。其中的《守墓者》就是他於一九五九年的一天，因生活所迫，應朋友建議，到臺灣六張犁公墓去當守墓人所獲靈感的結晶，不過當他帶着麵包水壺，到墳塚壘壘，荒草滿地，墓碑如林，夜裏令人毛骨悚然的墓地住了一夜後，他再也不幹了，那一夜恐怖離奇的生活，使他創作了這首有名的詩。他的《焚麝十九首》中的《還魂草》、《尋》、《關着的夜》、《錯覺》、《晚安！小瑪麗》、《虛空的擁抱》、《空白》、《你是我的一面鏡子》、《絕響》、《落櫻後，遊陽明山》等，是分別贈送給兩位情人的，或者是和女友結伴而行的收獲。周夢蝶本來皈依佛門，談經論道，生活是相當嚴肅的。但是三十多年的獨居生活，可能使詩人感到過於乏味，從六十年代到七十年代，他的生活比較平靜點，生活中出現了兩件自稱爲「柏拉圖式」的事件。一位十七歲的臺北一女中畢業和一位身世凄涼、秉性剛烈的女子，先後闖進周夢蝶的生活。周夢蝶爲她們獻出了感情，獻出了詩。據周夢蝶講，這兩件事一出於幻覺，一出於錯覺，更多地是具有心理上的意義。而周夢蝶的《囚》，則是思念和悼亡其故鄉原配夫人之作，寫得情深意摯。周夢蝶相信佛家「輪回」的說法，因此他在詩中深情的寫道：

「梅雪都回到冬天去了
千山外，一輪斜月孤明
誰是相識而猶未誕生的那再來的人呢？」

在人們的心目中，周夢蝶的人和詩彷彿都是板起面孔，說道論禪，而沒有什麼人情味的。其實，這是一種誤會，周夢蝶的作品中的情感是相當濃烈的，有時甚至是纏綿悱惻的。

他獻給臺北一中畢業的那位十七歲的女學生的《關着的夜》等詩，就是這樣的作品。

周夢蝶的作品在臺灣詩壇上，雖然不是最優秀的，但卻是最獨特的；雖然不是最豐富的，但給人的印象卻是最深刻的。作爲中國偌大一個詩壇，它需要也能容納千姿百態，萬紫千紅的花朵。周夢蝶的詩以它特有的色彩和韻味開放在臺灣和整個中國的詩壇上，人們一定和我一樣，爲有這樣一支異花放射着幽香而高興！

第九節 向明

向明是臺灣現代派詩人中一位「中國化」的詩人。有的臺灣詩評家在評論向明的創作時說：「強調了幾十年的現代詩，錯失就由於竭力欲排斥傳統，妄想西化，故弄詰屈聱牙的玄虛，致而普遍落得中國人猜不透，西洋人看不懂。沒有傳統那有現代？沒有現代那有將來？既自絕又絕人，斷喪去時代與社會的意義，且自鑿鴻溝，孤起陣地，和音樂和藝術越距越遠了。向明勇敢於糾正這個錯失。他『化西』而不『西化』，善提煉當前的中國語言，且又善輸以新血液。」(註一二)我想，對向明的這一評論並非言過其實之詞。作爲現代派詩人，不搞「西化」而能去「化西」，實在是了不起的。如果每個臺灣現代派詩人都能像向明一樣去「化西」，那現代派就一定能在中國的詩園中扎下根，就成了眞正的中國的現代派了。向明自認爲他是一個既激進又保守的人。他在《中國現代文學選》詩部分的《向明的詩觀》中說：「所謂保守者，我不大容易爲外來的狂瀾所衝動，只能有所選擇的接受；所謂激進者，我竭力贊成詩的求變求新，只要是中國的，不悖傳統的，我認爲都值得嘗試。」這正是向明成功的關鍵所在。對外國的東西有選擇的吸收，對中國的東西放手的創新，這就是他不「西化」而能「化西」的有效法寶。在一九七八年八月的一次關於「詩的座談會」上，向明又說：「我認爲當今詩人應該重視的是，如何挽回詩的讀者，重振詩風，像過去那種自絕於人的晦澀之風，不應再提倡，而且詩不論如何嘗試，一定要是中國的。」向明反覆強調牢牢抓住「中國的」三個字，在這三個字上大作文章。他是怎樣在創作實踐中貫徹和實現「中國的」三個字呢？他既不復古，也不避今，創造了一種樸實穩健、溫柔敦厚，既有古風，又有今意的風格。請看他的《妻的手》：

一直忙碌如琴弦的
妻的一雙手
偶一握住
粗澀的，竟是一把
欲斷的枯枝

是什麼時候
那些凝若寒玉的柔嫩
被攫走了的呢？

是什麼人
會那麼貪饞地
吮吸空那些紅潤的血肉
我看着
健壯的我自己
還有與我一樣高的孩子們
這一羣
她心愛的
罪魁禍首

這首詩表現了詩人對長期爲自己和兒女們操勞而累得雙手乾瘦的妻子，多麼眞摯，深厚的感情！這是一種中國傳統式的溫柔敦厚的情感，是發自心靈深處的愛。這種愛充滿體貼、疼和敬慕。詩的尾段，詩人用調侃的口吻把作品寫得相當有情趣。如果把這看作一首愛情詩，它比那些擁抱、接吻、熱烈、觸電式的膚淺的愛情詩，不知要高出多少倍。但是我不把它看作是一首純粹的情詩，我把它看作是對聖潔的勞動者的頌歌。這是對普通的家庭主婦崇高的讚美。它充滿着中華民族的情調，具有濃鬱的中國味。這便是向明對「中國的」三個字追求的果實。在向明的作品中，不僅情調韻味都是「中國的」，就是比喻和象徵所選擇的對象物，往往也具有濃鬱的中國色彩，而且是中國老百姓的純樸無華，具有深刻內在含意的色彩。例如《書》這首詩，就很能說明問題。

詩人是非常好讀書的，但他不像一般人去對書展開眼花繚亂的想像，而是精心地擇取幾個具有民族味道，象徵性很強的意象，來表達詩人對書的情感。棉被、妻、原配、古鏡，這可以說是中國老百姓人人都日常接觸的，但這些東西又足能表達出書之特性。中國詩人寫中國的詩，本來應是不成問題的，但在六、七十年代的臺灣詩壇狂熱西化的情況下，向明能夠頂住西化之風而化西，確有力挽狂瀾之氣概！

向明本名董平，一九二九年六月四日出生，原籍湖南長沙市人。國民黨空軍電子學校和美國空軍電子學校畢業，現在是電子學工程師，藍星詩社的同仁，現任《藍星詩刊》主編。他寫詩較早，一九五五年前後，他進入覃子豪主辦的「中華文藝詩歌函授班」，得到老詩人覃子豪的眞傳，而進入詩壇。三十多年來，基本上是十年一個詩集。他出版的詩集有《雨天書》、《狼烟》、《青春的臉》和與另外四個詩人合出的《五弦琴》等。向明詩和上述中國化相連繫的另外的顯著特色是，執着地開拓生活，把生活當作詩的礦藏，求眞去僞，虛實相宜，有多少感受寫多少詩，絕不作感情上的透支。因此我們在他的詩集中，很難找到空洞無物之作。彷彿每一首詩都可追溯到提煉出它的生活的礦源中去。向明在《平淡後面執着》一文中有一句話：「讓生活作爲詩的礦源。」（註一三）向明在作品中是忠實實行這一詩觀的。例如他的《巍峨》一詩。

巍峨本是一種魁偉高大之物的形容詞，要給巍峨以形象，可以有多種構思多種寫法。但在向明的筆下，卻賦予它活生生的生活化的形象。他不直寫建築物之高大矗立，而寫巍峨的誕生。從攪拌機呑沙石，嚼水泥寫起，於是就有了生活的流程，就有了實感。但作品的第二段馬上由實而虛，「你們看見麼？我嘔心瀝血的……」這時詩已昇華，這裏是攪拌機的行爲，但又不是攪拌機的行爲。這裏是人的傾吐，人的氣概，是歷史的人，掌握着歷史的攪拌機在傾吐歷史之巍峨，在作歷史的佔領。詩既從生活出發又不拘泥於生活，在攝取了一定的生活形象之後，驟然地從生活中跳出，把生活和藝術的距離拉開，使藝術在生活的基礎上得以純化。這種有實有虛、虛實相宜的表現手法，使向明的詩進入了相當高的藝術境界。

向明的作品還展示了藝術上的另一些特色，那便是明朗而不失之膚淺，含蓄而不陷入晦澀。請看他的《烟囪》：

沒有聲音
一條冒火的喉嚨
沒有聲音
一條污染了的喉嚨
沒有聲音

一條僵直了的喉嚨
也許下面在醞釀着什麼吧
總之
正正經經的
呼吸了這麼久
就是
沒有聲音

這首詩以沒有聲音開頭，又以沒有聲音作結，而且每段每句都是沒有聲音。詩人將烟囪擬人化，這是一個壓着滿腔怒火，對現實污染極端憤怒，但只作無聲抗議的大漢。詩的結尾段十分有力，也許在下面醞釀些什麼罷？那下面可想而知，是巨大的要噴吐而出的千百條火舌，是熊熊燃燒地要照亮黑暗沖開硬殼的火山，無需作過多的引伸，其意盡在無言中。

對於詩的追求，自古以來傳有多少佳話，人們對詩的感情或許一樣濃厚，人們對詩的探求或許一樣痴迷，但是各自在詩中的表達是不會盡然相同的。從《瘤》一詩中可以看到向明愛詩的方式和感情。讀讀該詩的最後兩節：

「我吸取天地之精華
你吸取我

我口含閃電
你發出雷鳴
我胸中藏火
你燃之成燈
最後，你無非是
要把我瘦成一張薄薄的紙
紙上的一些什麼
凡掃過的日月
竟相含淚驚呼
這才是詩」

這首詩寫得相當精彩，詩人把詩比作長在他身上的瘤，說明他愛詩的病症是永遠也治不好的。嗔怪的語氣中透露出了對詩無比執着的愛。尤爲精彩的第四段，我吸天地精華，你吸我；我口含閃電，你發出雷鳴。把詩人和詩的關係，詩和生活的關係都表現得非常準確。我以爲把這首詩僅看作是詩人和詩的關係，無疑會限制了詩的內涵，我們可以把這首詩看作是任何人對自己事業無比的執着和深深的愛。

【附　註】

註一　《藍星的光痕》(《文訊月刊》一九八四年一期)。

註二　《天狼星》第一五三—一五六頁(《天狼仍嗥年外》),

註三　《天狼星》第一五五—一五六頁(《天狼仍嗥年外》),

註四　《余光中詩選》第五頁(《剖出年輪三十三——代自序》),

註五　《羅門自選集》第二四一頁(《羅門訪問記》)。

註六　同註五。

註七　《羅門自選集》第九—一四頁(《代序》)。

註八　《羅門自選集》第一七頁(《代序》)。

註九　《羅門自選集》第二五三頁(《羅門訪問記》)。

註一〇　《中國現代作家論》第三六八頁(《葉珊的傳說》)。

註一一　《天國不是我們的》第二一六頁(《什麼時候什麼地方什麼人》)。

註一二　《讀青春的臉——一本特別的現代詩》《書的世界》一九八三年冬季號,司馬司賢作)。

註一三　《創世紀》詩刊第六一期。

第十章 創世紀詩社和臺灣的軍中詩人

第一節 創世紀詩社的主張和地位

創世紀詩社，是臺灣的一個軍中詩社。它和藍星詩社、現代詩社鼎足而立，成爲臺灣詩壇上最有影響、規模最大、歷史最久、活動能力最強、成果最爲突出的主要詩社之一。就歷史之長，坎坷之多，主張變化之大等情形來看，它可居臺灣各大詩社之首。

創世紀最初是由駐紮在臺灣南部左營的海軍軍人張默、洛夫、瘂弦等發起，於一九五四年十月十日，借辛亥革命四十三周年節日正式成立的。據最初的發起人張默回顧說：「那是民國四十三年的八月，我和洛夫同在海軍陸戰隊服務，正巧暑假在桃園同期參加一個短期講習班，而且被分配在一個班裏。他是排頭，我是排中，就這樣我們很自然地認識了。結訓後他回大貝湖（卽澄清湖）駐地，我依然在左營一個炮兵中隊裏服務。有一天傍晚我在高雄大業書店翻閱一本散文集《三色堇》眼眸一閃，從書中某些篇章突然跳出創世紀三個字。當時對這三個字特別喜愛，於是興起了辦詩刊的念頭。第二天我到海軍印刷所去估計，三十二開本，三十二頁，一千册，大約印刷費是四百元（舊臺幣），是我當時月薪的三倍。於是我找了好幾位同事打了個會，就這樣決定把這個詩刊辦起來。我立卽寫信給大貝湖的洛夫，他也同意用《創世紀》爲刊名，並建議同年十月創刊。」（註一）就這樣，一個重型詩刊在張默腦子的一閃之間，奇蹟般地誕生了。在創刊號卷首登出了題爲《創世紀的路向》的發刊詞。發刊詞標明三條主張：

1. 確立新詩的民族陣線，掀起新詩的時代思潮。
2. 建立鋼鐵般的詩陣營，切忌互相攻訐製造派系。
3. 提攜青年詩人，徹底肅清赤色黃色流毒。

無需諱言，代表着國民黨軍中詩人傾向的《創世紀》詩刊，從一開始就顯示了其較強的政治色彩。這是藝術的不幸，也是創世紀自我設置的一副鐐銬。秉承這樣的詩觀和政治偏見，《創世紀》詩刊第四期編輯出版了所謂《戰鬥詩特輯》，《特輯》中發表了《詩人的宣言》，宣稱：《創世紀》是爲響應臺灣正在「積極推展的戰鬥文藝，本刊特於這期刊出戰鬥詩特輯」。宣言講：「詩的本質原就是戰鬥的，因爲它與生俱來就具備了一種反黑暗，反殘暴，反醜惡，反虛僞的本能。凡是美的，人性的，自由的，都是戰鬥詩。」他們把生活和藝術，把詩和政治混合在一起，從而使藝術的詩變成了政治的說教，把詩的藝術混同於生活的原質，剪斷了詩的翅膀，抑制了想像的起飛。可能是由於該詩社發現了他們的主張給刊物帶來的災難，於是在第六期又花樣翻新，提出了：「新民族之詩型」。並且以社論的形式發表了《建立新民族詩型的芻議》。闡釋新民族型詩的含意爲：其一，藝術的，非純理性之闡發，亦非純情緒的直陳，而是意象之表現。主張形象第一，意境至上；其二，中國風的，東方味的——運用中國文學之特異性，以表現東方民族生活之特有情趣。《創世紀》詩刊第六期，又發表了王岩的論文《談民族新詩》，對新民族型詩作了進一步闡發。該文提出了新民族型詩的六項要義：1.民族新詩要負起培養民族生機，喚起民族靈魂的使命；2.民族新詩必須肩負起指導時代，促進人生的任務；3.民族新詩必須是在大衆化的需要下而產生，從羣衆中來，也要歸向羣衆中去；4.民族新詩必須是我國文學高度美的表現；5.民族新詩必須繼承我國白話文學的血流；6.民族新詩必須是大時代中代表我民族的聲音的，一切都以善良人性，同胞愛及祖國愛出發。由這六條，使我們聯想起了紀弦關於現代派的六大信條，使我們想起了覃子豪爲批駁紀弦的六大信條而發表的中國民族新詩的六條原則。《創世紀》的這六條和覃子豪的六條有點相似。如果眞的按照這六條進行創作和評論，現代派的詩也許會在臺灣取得更好的立足之地。但可惜的是《創世紀》只停留在理論上的闡發和口頭上的叫喊，而實際行動並沒有跟上去。不但如此，而且和他們的這種理論主張相反，實際上是朝着比紀弦的現代派還要現代派，比其他領域中西化還要西化的方向走去，後來取代了現代和藍星，成了臺灣詩壇西化的大本營。到了一九五八年四月《創世紀》第十期的出版，《創世紀》的新民族型詩的主張和他們的呼喚便一起消聲匿跡。由《創世紀》的實際作爲看，上述六條的提出，只具有佔名釣譽的意義。

臺灣青年詩評家蕭蕭稱六十年代爲《創世紀》的黃金時期。從一九五九年四月，即《創世紀》第十一期開始，他們進行了一些改革。將原來三十二開的版面改爲二十開，同時趁紀弦現代詩社的倒閉，覃子豪藍星詩社的低落，他們看準了時機，開門發展，收集了兩個詩社的餘部，迅速壯大了自己。按照張默的話說，是「我們認定那是一段眞空時期，於是檢討既往，希望有一番作爲，乃決定擴版，刷新內容，提高水準，美化編排，同時擴大爲同仁雜誌，廣泛羅致優秀詩人和翻譯家。那時我和瘂弦在左營共同處理編輯事務，洛夫在臺北軍官外語學校受訓，負責拉稿……」。《創世紀》的這一轉變，大踏步的向西化道路上邁進，很快取代了現代詩社和藍星詩社的地位，成了臺灣社會西化帶動下的文化西化中的代表。他們大量轉載、傾銷西方現代派的詩歌論著和詩歌作品，發表的臺灣詩人的作品也都傾向晦澀難懂之作。因而將原來針對紀弦的、對現代派批判的鋒芒引向了自身，受到讀者和評論家的猛烈抨擊。據張默透露，臺灣新詩論爭中頗爲有名的邱言曦在臺灣《中央日報》副刊發表的四篇《新詩閒話》，就是針對《創世紀》第十一期上發表的余光中等人的作品的。並因此引發了臺灣詩壇的新詩論戰。那麼《創世紀》何以由提倡民族型新詩而一下變成了臺灣新詩西化的大本營呢。蕭蕭在《創世紀風雲》一文中用張默的話揭開了這個秘密。張默說：「我們認爲一個中國現代詩人，儘管他從外國詩人那裏吸取多方面的滋養，可是他的血液、情感、生活、語言、習慣等還是中國的。所以在他的作品中不管如何跳躍，定有其作爲一個中國人的本然的面目和特質。因此我們抖落早期那種過於偏狹的本鄉本土主義，實因我們對中國現代詩抱有更大的野心，卽強調詩的世界性，強調詩的超現實性，強調詩的獨創性以及純粹性。換言之，這裏所指的世界性，超現實性，獨創性與純粹性，就是《創世紀》後期所提倡的方向。」(註二) 創世紀的這一轉變即向「四性」：世界性、超現實性、獨創性和純粹性的轉變。既是《創世紀》打開局面迎來興旺與繁榮的一把鑰匙，同時也是他們脫離廣大讀者，引來衆矢之的，最終將現代派引向衰落的一條死胡同。進入七十年代以後，《創世紀》受到更大的挑戰，輿論界、評論界和讀者對現代派的批判更加猛烈。而現代派實際上就只有《創世紀》在獨撐局面。《創世紀》針對關傑明和唐文標的批判，於第三十七期發了《請爲中國詩壇保留一分純淨》的社論。該文提出了所謂「四反」原則：

「反對粗鄙墮落的通俗化
反對離開美學基礎的社會化
反對沒有民族背景的西化
反對三十年代的政治化」

從這沒有嚴密構思，缺乏理論深度，不成系列的東一條西一句拼湊起來的所謂「四反」原則可以看出，當時《創世紀》是處於一種手忙腳亂，窮於應付，走下坡路的有氣無力的狀態。這正是一個走向衰老和沒落人的精神狀貌。

創世紀詩社從一九五四年在左營創立至今，已有三十多年的歷史。如果回顧一下，它在五十年代雖然是現代派三大詩社中之最弱者，但進入六十年代以後，它成了現代派中的爆發戶，趁現代和藍星之危驟然升起，一躍而爲三大詩社之首。如果說紀弦於一九五三年前後在臺灣詩壇搞西化，辦現代詩刊，組織現代詩社，自立中心，想成爲詩壇霸主，帶着強烈的人爲的色彩，因而實際上並沒有取得多大成功，還親嘗了失敗之苦果。那麼，六十年代《創世紀》的發跡，則是臺灣經濟對外開放，由社會的西化，而帶來的文化西化的產物。因而《創世紀》的「黃金時代」，正是伴隨着臺灣經濟「起飛」進行的，這是一種難以阻擋的西化思潮的結晶。後來隨着臺灣經濟危機的出現，社會弊端惡相之叢生，詩壇西化之風在人們的批評中逐步轉向淡化和衰落，《創世紀》蕭條景象之到來，整個現代派從詩壇退出主流地位，這才是眞正的反映了臺灣新詩從西化到回歸的全過程，從這個意義上來說，現代詩社和藍星詩社雖然也是現代派詩社，由於他們二十年的停頓期，特別是正當現代派隨着社會西化眞正處於盛期時的停頓，已把他們的某種代表性削弱了。《創世紀》雖然也有短期停刊，但那已是後期，其時間也比現代和藍星短得多。因此我以爲最能反映臺灣現代派產生、發展和衰落歷史過程的，應該是創世紀詩社。

創世紀主張的多變，不斷的改組和改革，是它能夠贏得新的生機的主要生命源泉。《創世紀》自一九五四年十月出版以來，在三十多年歲月中，經歷了多次改革、改組。詩的主張由開始「戰鬪詩」，到「新民族詩型」，再到「超現實」；其組織上由最初的張默獨力支撐到第十期成立，王嵐、金刀、林間、洛夫、葉舟、葉笛、張默、瘂弦的八人編委會，再到十六期刊物上列出的新的編委陣容：白萩、季紅、洛夫、彩羽、商禽、黃用、張默、葉泥、葉珊、葉維廉、瘂弦、鄭愁予等，到了一九六四年十月的第二十期，編輯部由左營遷到臺北市內湖。二十三期編委陣營再作調整，這是一次重大的調整，是《創世紀》歷史上的一次重大事件。新編委名單是：大荒、羊令野、沙牧、沈甸、辛鬱、李英豪、洛夫、彩羽、馬覺、商禽、菩提、尉天聰、張默、梅新、葉泥、葉維廉、景翔、雲鶴、楚戈、管管、鄭愁予、蔡炎培、瘂弦、戰塵、戴天。這些編委分布在香港、菲律賓和美國等地。二十九期卽一九六九年元月因經濟艱困而停刊，到一九七二年十月復刊第三十期。復刊之後又吸收新鮮血液構成新的編輯陣容，如青年詩人沙穗、沈臨彬、余素、汪啓疆、季野、連水淼、夏萬洲、許丕昌，形成了《創世紀》的第二代詩人。三十期之後，隨着臺灣新詩回歸思潮之到來，《創世紀》和現代派走向下坡路。張默在《詩人張默訪問記》中，把《創世紀》的活動簡潔地概括爲這樣四個時期：1.草創期：第一至十期，（民國四十三年十月至四十八年初），採用三十二開本。2.革新（擴版）時期：第十一期至二十二期（民國四十八年四月至五十四年六月），採用二十四開本。3.改組（擴大爲同仁雜誌）時期：第二十三至二十九期（民國五十五年一月至五十八年一月），採用二十開本。4.復刊：第三十期至今（民國六十一年九月——）仍採用二十開本。」（註三）從上述情況看，創世紀是臺灣詩壇變化最多、最快、最果斷的詩社。這種頻繁的改組變異，使「創世紀」不斷傳輸新的信息、新的血液、保持着朝氣。但就歷史的趨勢和潮流來看，整個現代派是處於衰退沒落的狀態，創世紀雖有回天術，但也乏回天力。因此，它無論如何變化改組，也難挽現代派的頽勢。如果不是臺灣的具體歷史條件，人爲地形成和祖國文學傳統隔絕的五十年代無根期，現代派也很難在臺灣交二十年之好運，因而《創世紀》的「黃金時期」也將無從說起。自七十年代初臺灣文壇以詩爲先導進入回歸期，現代派的文壇霸主地位失去之後，作爲現代派一員的《創世紀》當然也就只好退居到適當地位了。不過進入八十年代之後，現代、藍星等的復刊，使現代派又有了些起色。《創世紀》在這股復甦的潮流中也在努力創造好景。這是他們適應回歸思潮，改變了詩觀和詩風後的再出發。《創世紀》在臺灣詩壇能夠成爲現代派的象徵，作出不少成就，和他們藝術上的刻苦創造有着極大關係。他們「在創作方面，儘可能作多方面的實驗，講求獨創與多樣性的展示，包括語言和技巧的探討，聲音與色彩的交感，外在形式與內在秩序的調和，想像與聽覺的開啓及切斷，象徵的運用和捕捉，以及張力、歧義、矛盾、情景的釀造等等。」一個詩社，一個詩人能否在詩壇上站住腳，求得發展，能不能取得詩國的通行證，關鍵是看他們的作品能爲社會，爲讀者提供多少藝術的審美價值；是看他能否從美感享受上征服讀者的心靈。《創世紀》的業績和他們刻苦的藝術創造和多角度的美感追求，有着極大的關係。如果把作品的思想和藝術作一個比較，《創世紀》的藝術成就大大地高過他們作品的思想意義。

第二節　《創世紀》的實績

在臺灣辦詩刊非常不易，不僅訂戶少，出版發行量小，賺不了錢，而且每個同仁都得自掏腰包，爲它賠嫁。《創世紀》創刊以來，訂戶長期只有一百多戶，加上自銷、郵寄每期只能印刷六百到八百本。有時刊物印出來了沒有錢到印刷廠去取，張默爲它當過腳踏車，瘂弦爲它當過手錶，同仁們瞞着太太、丈夫把修房子的錢、孩子的糖錢和醫藥費都交了印刷費。但是由於《創世紀》的同仁，特別是「三駕馬車」的張默、瘂弦和洛夫獻身藝術的精神和決心，使詩社和詩刊經歷了一個個難關而沒有散伙，使它成了臺灣詩壇上的「長命貓」。按照洛夫的話說：「創世紀不但聚而不散，即使散了，也散而不潰。不可諱言，創世紀的編務大多由『三駕馬車』策劃。依個性而言，瘂弦溫和穩健，點子多，處事愼重；我比較剛直，重視原則而多遠慮；張默明敏坦率，胸中藏不住話，動作快，辦事效率極高。近年來大家稱他爲『詩壇總管』，我曾戲稱他爲裝有多目標彈頭的飛彈……如果說張默是車子引擎，我與瘂弦則分掌方向盤。」（註四）從洛夫的這段話中，我們不僅了解到「三駕馬車」各人的性格和脾氣，而且知道他們各自在《創世紀》的地位和作用。的確，由於他們各有所長，互相配合，互相補充，才能越坎坷而不倒，履薄冰而不墜。並且作出了下列可喜的成績：1.《創世紀》發表了大量可稱爲傳世之作的名篇。如林泠的《非現代的抒情》，余光中的《西螺大橋》，羅英的《雲的曲調》等等。《創世紀》發表的優秀詩作非常多，楊牧在《現代文學》的《現代詩二十年回顧專號》中說：「二十年來臺灣詩刊發表優秀詩作的總量，仍以創世紀居首位。」2.譯釋和發表了西方現代派詩人的大量詩作和理論文章，這些舉動雖然對臺灣詩壇西化起了推波助瀾的作用，但也促進了東西方詩藝的交流和借鑑。3.《創世紀》曾於一九六〇年二月和一九七六年七月兩次推出《詩論專號》，針對臺灣詩壇當時的情況，發出了自己的聲音。4.創世紀詩社成立以來頒贈了兩屆詩獎，編輯出版了不少詩選和詩集，如：《中國新詩選輯》、《中國現代詩選》、《六十年代詩選》、《七十年代詩選》、《中國現代詩論選》、《八十年代詩選》、《現代詩人書簡集》、《中國現代文學大系》（詩二卷）、《中國現代文學年選》（詩）、《當代中國新文學大系》（詩）、《新銳的聲音》（青年詩選）等，共約四十餘種。5.由瘂弦收集整理和陸續發表的《中國新詩史料拾綴》，是一項很有意義的工作。一九六六年自《創世紀》第二十三期開始選注廢名的詩起，評介了五四以來不少著名詩人，如：廢名、朱湘、王獨清、孫大雨、辛笛、綠原、李金髮、劉半農、戴望舒、劉大白、康白情等。爲在臺灣傳承中國新詩的香火，很有幫助，而且這一工作仍在發展中，在臺灣極缺文學史料的情況下，瘂弦不倦的開展這項工作，可想而知，他是付出了很艱苦的勞動的。

創世紀經過多次改組變遷，目前維持着一個老中青、男和女相結合的同仁隊伍和編輯班子。目前它的同仁有：丁雄泉、古月（女）、白浪萍、朱陵（女）、辛鬱、沉冬、汪啓疆、沙穗、周鼎、季紅、季野、連水淼、彩羽、碧果、葉維廉、商禽、張堃、張漢良、渡也、管管、劉延湘（女）、劉菲、藍菱（女）、羅英（女）、蘇武雄、瘂弦、張默、洛夫等。由創世紀的同仁情況看，這是一個精力旺盛，中青年詩人居多數；水平相當高的詩歌隊伍。在這個隊伍中五位活躍在臺灣文壇的女詩人，尤爲引人注目。

第三節　瘂　弦

瘂弦是臺灣現代派的大將之一，是創世紀詩社的創辦人之一。他以少勝多，以兩本詩集，即《瘂弦詩抄》和《深淵》奪得臺灣現代派「十大詩人」之一的桂冠，並名列前茅。瘂弦是臺灣詩壇的多面手，既寫詩，也從事詩歌理論研究，還從事詩史資料收集和評注。其影響遠在臺灣一般現代派詩人之上。名爲瘂弦，但其弦不瘂。

瘂弦，本名王慶麟，一九三二年出生於河南省南陽縣東莊的一農民家庭。六歲入本地楊莊營小學，九歲入南陽私立南都中學，十七歲入豫衡聯合中學。這年的八月（即一九四九年八月），他在湖南參加了國民黨軍隊，隨之去臺。到臺灣後進政工幹校，一九五三年三月十三日在該校畢業，分配到國民黨海軍工作。一九六一年任晨光廣播電臺臺長，一九六四年與張橋橋小姐結婚，同年因在《國父傳》中飾演孫中山先生成功，被評爲臺灣十大優秀青年，並獲「金手獎」。一九六六年十二月，以少校軍銜退伍。一九六九年任臺灣「中國青年寫作協會」總幹事。一九七四年兼任華欣文化事業中心總編輯及《中華文藝》總編輯。翌年任幼獅文化公司期刊總編輯。一九七七年十月起擔任臺灣《聯合報》副刊主編至今。

瘂弦和詩結緣甚早，一九五三年他結識張默和洛夫，同年十一月參加覃子豪指導的「中華文藝函授學校」，向覃子豪學詩。次年與張默、洛夫共同創辦創世紀詩社，發行同名詩刊，開始詩歌創作。一九五五年他的《火把！火把喲》獲臺灣軍中詩歌優勝獎，一九五六年的《多天的憤怒》一詩獲臺灣《中華文藝》長詩組第二獎，一九五七年以三千行長詩《血花曲》獲臺灣軍中創作獎，一九五八年的《巴黎》一詩獲「藍星詩獎」。一九六四年的《一九六三詩抄》獲香港「好望角文學創作奬」等。

瘂弦於一九六〇年二月在《創世紀》第十四期上發表的長篇詩論《詩人手札》，和八十年代出版的專著《中國新詩硏究》，比較充分地表達了他的詩觀和對詩歌創作各種重要問題的看法。瘂弦雖然是臺灣現代派的大將，也是臺灣詩壇西化最烈《創世紀》詩刊的三駕馬車之一，但就瘂弦的詩觀來看，他卻與那些極力主張西化的現代派詩人有微妙區別，在創作實踐上也有些不同。我以爲瘂弦在詩歌主張上和其他西化的詩人的不同之處，集中地表現在這樣四個問題上：一是對待傳統的態度；二是對待西化的態度；三是對待現實社會的態度。四是對待大衆化的態度。在對待中國古代和新詩傳統的態度上，以紀弦的六大信條爲代表的「非縱的繼承」，是持虛無主義的、全盤否定的態度的。而瘂弦對待中國傳統的態度，卻不是全盤否定。羅靑在《理論與態度》一文中談到瘂弦對傳統的態度時講：「瘂弦是前衞詩人，但卻不是一個全盤西化論者。」的確如此，瘂弦把詩人的創作過程分爲「革命期」和「實驗期。」他認爲，「革命期」是破壞性的揚棄，是從傳統中跳出後的飛躍。而「實驗期」則是對傳統的吸收。但「革命期」的破壞性的揚棄必須植根於創造性的「實驗階段」之內。在揚棄中，「矯枉過正」是不可避免的。這中間包含着對傳統吸收基礎的揚棄，和在揚棄之後又走向吸收。也卽是對傳統有揚棄有吸收。瘂弦在《 詩人手札 》中說：「我們雄厚的文化遺產，値得向全世界自豪，但不可否認的，我也在這龐大的積累中發現某些阻止前進的因素。我們的關鍵是，在歷史的縱方向線上首要擺脫本位積習禁錮，並從舊有的城府中大步走出來，承認事實並接受它的挑戰，而在國際的橫斷面上，我們希望有更多現代文學藝術的朝香人，走向西方回歸東方。」（註五）瘂弦的這一觀點基本上是可行的。傳統是前人創造的，其中有精華也有糟粕，作爲時代前進中處於動態中的新人，對前人的東西全盤否定不對，因爲任何事物的發展都有一個傳承關係；但全盤吸收也不對，否則就不能發展和前進。當代人作爲歷史鎖鏈中，還在鑄造屬於我們自己的那個環節，應當創新多於繼承，這樣才能表現出屬於我們的那個環節中我們的特色。否則，如果將前人照搬過來，那就不會有新的環節誕生，舊環節承載不起新歷史的負荷，就可能出現斷裂現象。所以繼承前人只是一種借鑒，而努力創新才是我們的根本任務。不過瘂弦的這一理論將「革命期」和實驗期截然分開，將繼承和吸收完全劃斷，那是很難作到的，也缺乏更多的實際經驗的例證。

二是在對待西化的態度上，瘂弦和紀弦的「橫的移植」也不一樣。他對西方的超現實主義持保留的態度。他認爲：「堅持一種創作方法，是孤立的作法，眞正有智慧的詩人往往不囿於一種方法，而是把各種方法熔於一爐而集大成者。」因而他廣泛地吸收世界各國名人的經驗，也重視中國詩人的經驗。他的《中國新詩史料拾掇》比較系統地總結研究了廢名、徐志摩、王獨清、辛笛、劉大白等數十位五四以來中國名家的作品，就是一例。越到後來，瘂弦對中國的經驗越加重視。他在《有那麼一個人》一文中說：「中國詩人不應當像過去那樣一面倒，這個階段是應該過去了。過去五十年我們向西方熱烈擁抱，對現代詩雖然不能說沒有好處，但也有走火入魔的現象。半個世紀的今天，中國詩壇似乎應該作一通盤沉思反省與檢討。」(註六) 我認爲西化，抹殺本民族文學的性格是不對的，但是對世界各國，包括西方的學習和吸收，用以充實自己、富豐自己，不僅是應該的，而且是不可缺少的。瘂弦在東西方關係上的主要問題，是在他眞正的創作高潮期，他的注意力主要放在對西方的吸收上，而當他轉入對中國詩史的研究後，他的主要注意力才集中在中國經驗上。因此，他的這一理論和他的創作結合得並不是令人滿意的。

三是在對現實社會的態度上。也就是在評價文學作品的標準上，瘂弦不像有的現代派詩人完全忽視作品的社會意義。瘂弦認爲：「社會意義是文學的重要品質之一，但卻不是唯一品質；社會意義是批評文學作品的重要標標之一，但卻不是唯一的標準。」(註七) 瘂弦的這一觀點，在臺灣現代派中帶有一種叛逆精神。因爲有些現代派詩人，一聽說文學作品要反映社會現實，就頓時感到不適，並對持這種觀點的人大加抨擊。瘂弦不僅承認社會意義是文學作品的品質之一，而且是重要品質之一；不僅承認社會意義評價是文學作品的標準之一，而且是重要標準之一。一個現代派的大將能作出此論，實在是難能可貴的。但更可貴的是，瘂弦此論並非空談，而是他創作實踐的總結。因爲瘂弦的不少詩作，都具有很強的社會意義。

四是對大衆化的態度問題。瘂弦不但不把詩人看作是高人一等的貴族，而且他認爲：「歷來每次提出詩歌大衆化的問題，並不是一般老白姓，甚至也不是一般的讀者，而是自己本身讀詩寫詩的人。唐代的元白就是例子。當詩人所寫的詩連自己的同行都無法欣賞了解的時候，那應當檢討的是詩人本身，而非讀者。」(註八) 瘂弦的這一觀點，和那種讀不懂「其過在讀者」，形成鮮明對照。其次瘂弦在詩觀上還主張詩的口語化和以口語入詩。一九七一年他就對臺灣一些現代派詩人和《創世紀》自身語言上的弊端進行了批評和自我批判。例如，他在《詩人手扎》中說：《他們以徒然的修辭上的拗句僞裝深刻，用閃爍的模稜兩可的語意故示神秘，用詞意的偶然安排造成意外效果。只是一種空架的花拳繡腿，一種感性的偷工減料，一種詩意的墮落。」(註九)總的來看，瘂弦在詩觀上有不少可取之處。瘂弦不固守自己的觀念，他的不少觀念是在創作和生活實踐中不斷糾正和完善的。這是學識上的一種勇敢的表現，也是一個進取者所必須具備的起碼條件。一個固步自封的人，是很難前進的。

瘂弦的詩歌理論和創作結合得並不是那麼緊密，有的是一致的，有的還有差距，有的甚至存在着矛盾現象。臺灣的評論家一般都認爲，瘂弦非常歡喜冰心和何其芳的作品。瘂弦的早期創作，從何其芳和冰心的詩中吸收了大量的營養。例如他的《秋歌》、《山神》等，都明顯地留有模仿何其芳詩作的痕迹。尤其是《山神》與何其芳《秋天》的結構和有些句子都十分相似。但在學習的基礎上，瘂弦也有創新。這個事實說明，瘂弦從開始創作，就十分注意中國的經驗，就十分注意向中國的前輩學習，這無疑是一種好現象。瘂弦在創作上起步和前進都是很快的。幾年之間便奠定了他在臺灣現代派中主要詩人的地位。他一九五九年發表的長詩《深淵》，震撼了臺灣詩壇，引起了一股模仿《深淵》熱。這首長達九十八行的長句抒情詩，用一種整體性的象徵手法，表達了詩人對社會，對世事的看法和感情。詩的開頭就引用了西方現代派大家沙特的話爲題解：「我要生存，除此無他；同時我發現了他的不快。」

這既是題解，也是作品主題的暗示。這首詩中詩人要表達的是要生存，要和客觀環境搏鬪。他描寫了生存道路上的種種障碍如深淵橫亘在我們的面前。社會的荒淫無耻和虛僞，人性的痲木和墮落，這些就像深淵一樣難以逾越。詩人用他豐富的生活經歷和飛動的想像，攝取了人間有的和沒有的千奇百怪的意象，組成一首多聲部的陰暗、荒唐現實和非現實攪拌在一起的大合唱。

「一部分歲月呼喊着。肉體展開黑夜的節慶。
在有毒的月光中，在血的三角洲，
所有的靈魂蛇立起來，撲向一個垂在十字架上的
憔悴的額頭。」

……

「旗袍叉從某種小腿間擺蕩；且渴望人去讀她，
去進她體內工作。而除了死與這個，
沒有什麼是一定的。生存是風，生存是打穀場。
「在這沒有肩膀的城市，你的書第三天便會被搗爛再去作紙。
你以夜色洗臉，你同影子決鬪，
你吃遺產、吃妝奩、吃死者們小小的吶喊，

你從屋子裏走出來，又走進去，搓着手……

你不是什麼。

「當早晨我挽着滿籃子的罪惡沿街叫賣，

太陽刺麥芒在我眼中。

哈里路亞！我仍活着。」

從上述摘引的詩句中，我們已能了解這首詩的大致內容和意義了。這裏有狂亂的性，有埋掉私生子忘卻痛苦出賣剩餘人格的妓女；有用人血洗荊冠的劊子手；有吃遺產、吃妝奩、吃死者吶喊的寄生蟲；有九死一生沿街叫賣罪惡的幸存者。這裏有人，也有鬼；詞龐雜而不混亂，形象多變而各有其位；現實和非現實在一個主題線上得到了統一；人和鬼在一個統一的構思裏得到協調。上面我們已經論述過瘂弦把社會意義作爲詩的重要品質和評價詩的主要標準之一。我們不難對一首揭示血洗荊冠，吃死者吶喊，沿街叫賣罪惡，和背負着棺蓋閑蕩……社會罪惡的詩的社會意義作出評價。這裏最重要的是理論和實踐相結合，體現了詩人的創作和主張的一致性。這首詩在藝術上也有獨自的特色，那就是意象豐沛、想像新奇、色彩絢美、詩質渾厚，給人一種荒誕而又眞實、淫蕩而又包含正義、諷刺辛辣而又不失滑稽的感覺。當然這首詩不是沒有缺陷，但卽使將缺陷一一攤出，它也不失爲一首現代派的優秀之作。

和《深淵》類似的作品，在瘂弦的詩作中還有《如歌的行板》和《一般之歌》等。《如歌的行板》一九六四年在臺灣發表時，也十分轟動。和《深淵》一樣，引起一股模仿之風。這首詩的音樂性很強，類似民歌形式，將音樂和詩溶入一起，讀起來明快爽朗而甜美。

瘂弦秉着社會意義是詩重要的品質之一的主張，他對所生活的社會環境不斷給予關照和透視。《如歌的行板》這首詩就是詩人對他所關照和透視的成果。詩人一口氣寫了十九個「之必要」，總之一句話，就是「生存之必要」。但那生存之必要中有許多障礙，包括戰爭、競爭、暗殺、貪婪和自我之墮落等等。在末段中詩人頗含哲理地寫道，既然是一條河總得流下去；既然是一條人生之河，總得生存下去。世界是有規律，有秩序的，善惡總是有一定的分界的，神在山上，鬼在田裏，這表現了詩人的善惡觀和對人類的生存充滿信心。

瘂弦作品中的人物描寫，一向是被人們所稱道的。瘂弦描寫人物的作品很多。如：《乞丐》、《上校》、《山神》、《鹽》、《坤伶》、《三色柱下》、《婦人》等。瘂弦描寫人物的詩具有瘂弦個人的特色。那便是：一，他是用抒情詩的方式刻劃人物，而不是用敍事詩的方式刻劃人物，因而他的這類詩都格調甜美，感情充沛。二，他的描寫對象基本上是中下層的小人物和最普通的勞動者。例如他在《乞丐》中描繪一無所有的乞丐，在《三色柱下》中歌頌理髮師，在《坤伶》中寫戲子，在《鹽》中寫一個村農赤貧的老婦人。唯有在《上校》中，寫了一個軍官，但這也是一個被遺棄的極爲可憐的中下層軍官中的犧牲品。三，瘂弦描寫人物並不是從頭寫到腳，或從生寫到死。而是運用一種戲劇式的手法，摘取人物生活中有意義的片斷，用蒙太奇式的迭印鏡頭幾筆就把人物寫活。用抒情詩描寫人物，而且成功的描寫悲苦的小人物，是臺灣現代派詩中瘂弦獨有的特色和本領。這一類詩，短小精悍，形象鮮活，詩意濃鬱，很受讀者歡迎。例如《坤伶》這是一首由兩行一節組成的小詩，採用第三人稱的方式，以全知的觀點描寫了一個非常美麗但又極爲不幸，從小走紅，但又最終淒涼，可憐但又可嫌的活動在清末民初舞臺上的女戲子的形象。詩中的表達方法之巧妙，爲詩增添了色彩：一是瘂弦在選擇詞語上非常精心，比如第一行寫她十六歲在城市裏生活，詩人用了她的名字「流落」在城裏。這流落一詞本來是表達人的遭遇的，詩人把流落用在名字上，就有了兩種用途。一爲表示了她的成名，二爲表示這種成名是非常淒苦的。因此流落二字用在此既有本意又有引伸意，恰到好處。二是一語雙關。「哭啊……雙手放在枷裏的她」。表面是寫她扮演玉堂春，唱《女起解》的形象，實寫這位女戲子受社會的驅迫不自由的處境。戲內戲外，劇中人和表演者納入同一詩句中。三是一種替代法。詩的首段和尾段都有一句「一種淒涼的韻律」，不着意去看彷彿是前後呼應並無新意。但如果細品細析，就有不同意。前一個「淒涼的韻律」是用來寫她的成名，而最後一個「淒然的韻律」是用來代替她的身世和處境。前一個是比喻，後一個是代替，它們在詩中有着不同的功能。瘂弦的這種細功，給詩增加了含蓄美和情趣美，使這首詩顯得更有韻味。

在描寫人物的詩中，《上校》是很有特色的。請看：

那純粹是另一種玫瑰

自火焰中誕生
在蕎麥田裏他們遇見最大的會戰
而他的一條腿訣別於一九四三年

他曾聽到過歷史和笑

什麼是不朽呢
咳嗽藥刮臉刀上月房租如此等等
而在妻的縫紉機的零星戰鬪下
他覺得唯一能俘虜他的
便是太陽

在瘂弦的筆下出現的人物，幾乎全是悲劇型的。每個人，都有一曲淒苦的悲歌。《鹽》中的二嬤嬤生活裏從來沒有見到鹽，在樹上上了吊，還在呼喚着鹽呀鹽呀鹽呀。這個形象是清朝末年腐敗的滿清政府和外國列強給人們帶來沉重災難的寫照，是對貪官汚吏的血淚控訴。二嬤嬤是那時人民苦難形象的縮影。坤伶則是又一個時代的悲劇形象。她是民國初年到三十年代左右，人民不幸遭遇的投影。上校是坤伶的下一代，即從抗日戰爭到國民黨遷臺後，這一段生活的一個淒楚的側影。一個愛國軍官，在保衞祖國的抗日民族戰爭中和敵人浴血奮戰，把一條腿丟在了蕎麥田裏。他是對民族有功的軍人，但是到了晚年之後，卻是那麼悲慘：患了氣管炎，交不起房租，靠妻子踩縫紉機養活。這首詩共分兩段，只有短短的九行，前五行敍述，後四行描寫。一個經歷複雜的人物形象便活生生呈現在讀者的眼前。這首詩的段、句、詞都極爲精潔凝練，彷彿經過濾過的水，彷彿經過錘煉鍛打的鋼，彷彿經過修剪優選的花，沒有任何枝蔓，毫無拖泥帶水。在抗戰中立功受傷，這麼複雜的事，五行便交待清楚。晚年被遺棄、處境悲涼，只四句就歷歷如繪。瘂弦的文字能力和水平之高超，是令人佩服的。這首詩爲什麼會達到如此精練的程度呢？其一，詩人選取的意象十分準確。火焰中誕生的玫瑰，形容傷口；蕎麥田裏的會戰，交待環境；一條腿訣別於一九四三年，標明戰爭之殘酷程度和發生的時間。於是人們對上校的往昔便有了個完整的印象。第二段帶着強烈的反諷性質，「不朽」兩個字和後面極不相稱的詞性搭配，構成反諷內容。咳嗽藥、刮鬍子刀、上月房租，這便是今日英雄不朽的本色。妻子縫紉機零星的戰鬥之意象，和上校的身分非常切合。最後兩句可以調侃式的無可奈何結尾，唯一俘擄他的是太陽，眼前只有大自然給他溫暖。如果說這是一首英雄贊，倒不如說這是一張用眼淚寫成的控訴狀。他寫出了眼前世道的不公，激起了人們對上校的深深同情。

瘂弦的詩當然也有值得商榷之處，例如有的詩有時意象過於龐雜離析，過於突兀，使人們難以明其究竟。詩的語言一般雖然明朗甜美，但有時辭語的選擇也有冷僻之感。但是不管瘂弦的作品有多少不盡使人滿意的地方，他在臺灣現代派中名列前茅的地位，是不可動搖的。

第四節 洛夫

洛夫是臺灣詩壇上多年來最引起爭議的詩人。人們對創世紀實行超現實主義路線後的抨擊，其鋒芒所指，洛夫首當其中。在臺灣詩歌理論的論爭中，洛夫也是勁筆一支，因此洛夫是臺灣現代派大將中赫赫有名的人物。

洛夫，本名莫洛夫，一九二八年五月十一日出生於湖南衡陽，從小讀私塾三年，後進衡陽國民中心小學，初高中時分別在成章和嶽雲中學就讀。一九四八年高中畢業，考入湖南大學外文系，一九四九年七月隨國民黨去臺灣。洛夫兄弟七人，他排行第二。洛夫到臺灣後，一九五一年考入政工幹校，兩年畢業入臺灣海軍陸戰隊，一九五五年出任臺灣左營軍中電臺新聞編輯，一九五九年於軍官外語學校畢業，到金門任聯絡官，一九六〇年與陳瓊芳小姐結婚，一九六五年十一月去越南任「顧問團」顧問兼英文秘書，一九六七年十一月返臺，後又入淡江文理學院英文系讀書。一九七三年，卽洛夫四十六歲那年，才在該校畢業。同年八月，洛夫以海軍中校軍銜退役。

洛夫的詩的歷程已近四十年，早在大陸時期他便涉足詩壇。十五歲開始創作，雖有作品發表，但那只是起步。洛夫眞正進入詩壇，是到臺灣以後的事。一九五四年洛夫與張默、瘂弦共同創辦《創世紀》詩刊，成爲該刊的三駕馬車之一。洛夫刻苦經營數十年，共出版了《

靈河》、《石室之死亡》、《外外集》、《無岸之河》、《魔歌》、《衆荷喧嘩》、《洛夫自選集》、《時間之傷》、《釀酒的石頭》十本詩集和《詩人之鏡》、《洛夫詩論選集》兩本詩論集等。此外洛夫還主編了《七十年代詩選》、《中國現代詩論選》、《一九七〇詩選》、《中國現代文學大系》詩選、《中國現代文學年選》詩選等。從洛夫的著作情況看，他是一個相當努力和作品相當豐富的詩人，也是一個有非常豐富的創作經驗的詩人。

研究洛夫的詩，應該首先研究洛夫的詩觀和詩論，因爲它是引導我們走入洛夫詩國境界的一位嚮導，它是爲我們打開洛夫詩國大門的一把鑰匙。洛夫詩觀具有這樣一些內涵：其一，他認爲詩是一種有價值的創造，使人對生命有所感悟，用意象化的手段通過暗示，來傳達個人的情感和經驗。這比那種把詩當作一種玩具，利用它來進行文字遊戲的詩觀更接近詩的使命和本質。洛夫在《時間之傷》詩集序中說：「我的基本詩觀是，以小我暗示大我，以有限暗示無限。因此我認爲，詩永遠是個人情感和經驗的意象化和秩序化，而且是一種價值的創造。但必須透過暗示，才能顯示出由個人擴展爲衆人的價值。……對我而言，詩人的使命就是透過詩來解除生命的悲苦，這種詩是知性的，是批評的。詩決不像一束花一樣使人愉快和感動而已，更重要的是使人對生命有所感悟。如果我的詩能夠達到這種境界，擁有讀者的多寡已不是問題了。」(註一〇)其二，洛夫認爲詩的最高境界是物我合一，即詩人主觀情感和描寫對象、主體和客體達到高度統一，達到忘我和無我的境地，達到主體溶入客觀，客體化入主體的化入境地。也卽是達到出神入化，天然合成的境界。洛夫在《摩歌自序中說：「作爲一個詩人，我必須意識到太陽的溫熱也就是我血液的溫熱，冰雪的寒冷也就是我肌膚的寒冷，我隨雲絮而遨遊八方。海洋因我的激動而咆哮。我一揮手，羣山奔走，我一歌唱一株果樹在風中受孕，葉落花墮，我的肢體也碎裂成片，我可看到山鳥通過一幅畫而溶入自然的本身，我可以聽到樹中年輪旋轉的聲音……」洛夫進一步說：「當你寫一條河的時候，首先你在意念上必須自己變成一條河，想寫一棵樹，你得先把自己當作一棵樹，體認它們的生長與死亡，以及他們存在的價值。（註一一）洛夫稱這種詩觀爲「與物同一論」。其三，洛夫不把詩人看作是高於一般人的文化貴族。他認爲詩人和普通人一樣，所不同的是他觀察和表達事物的技藝。他說：「詩人並不比任何人高超，在萬事萬物中，詩人只是其中之一，所不同的是他能在詩中以有限暗示無限，以小我暗示大我。」（註一二）和不少現代派詩人一樣，當他們的狂熱西化受到詩論家們的激烈批評，當他們幾乎要失去自己大部分讀者的時候，形勢和輿論迫使他們進行思考，進行反思，民族的使命感和責任感迫使他們不得不由西向東，重新認識和咀嚼自己的母體文化，自己悠久的文學傳統。於是便有了向母體文學回歸之舉。洛夫作爲一個現代派的大將，當然不能越出這種規律之外。爲了適應這一客觀形勢的要求，洛夫創作的前後期不管是在詩觀上和創作的風格上都有較明顯的改變。洛夫的第二本詩集《石室之死亡》出版後受到猛烈地抨擊，於是他第三本詩集《外外集》便開始了「調整語言，改變風格」。洛夫在《無岸之河》自序中說：「近年來我的詩觀竟有了極大的改變，最顯著的一點，即認爲作爲一種探討生命奧義的詩，其力量並非純然源於自我的內在，它該出於多層次，多方面的結合，這或許就是我已不再相信世上有一種絕對的美學觀念的緣故吧。換言之，詩人不但要走向內心，探向生命的底層，同時也敞開心窗，使觸覺探向外界的現實，而求得主體與客體的融合……。」現代派的詩觀，要求表達詩人的純粹的內在世界，表現詩人的自由心象，並不注重甚至無意表現客觀現實。而洛夫能由主觀到客觀，進而達到主客觀的統一，主客體的溶合，達到詩人內心和外界現實的結合，卻是一個不小的變化。不僅在內容上，就是在表達形式上，洛夫也和前大不相同。他改變了過去在《石室之死亡》和《魔歌》階段的那種意象繁複多變，語言晦暗不明，思想捉摸不定，斷層層出不窮的那種晦澀的風貌。在《魔歌》出版自序中，洛夫說：「在風格的演變中，我要掌握的另一個因素是意象語的鮮活與精煉。我覺悟到，寫詩猶之揷花，安排意象應先求疏落有致，濃淡得宜，才能進而爭奇鬬勝……在語言的經營中，我以往過於側重意象的鑄造，致有時怯於割捨，或疏於選擇而形成浪費。因此，愼選語言，並進而將其錘煉成爲精粹而鮮活的意象，便成爲我近年來特別關注的課題。一個詩人作品風格的形成和改變，是包括着內容和形式多種複雜而微妙因素的結合。如果單有內容的改變而無形式的配合，那是無法實現風格變化的。反之，如果只有形式之蟬脫而無內容之創新，風格的轉變也是一句空話。」洛夫詩風格之變化，從內容和形式兩個方面努力，其經驗值得總結傳遞。

《石室之死亡》是洛夫早期的代表作，是臺灣新詩瘋狂西化期的產物。這本詩集出版於一九六五年元月。《石室之死亡》是一首龐大的包括六十四節，每節十行的長篇抒情詩，各節獨立可成一首短詩，而合在一起，又構成一首長詩。這首詩抒寫的對象很多，可說是內容龐雜，意象繁複密集。暗示、歧義、象徵諸手法之運用，給作品蒙上一層晦澀難懂的迷霧。使一般讀者很難鑑賞。不過憑心而論，這樣的詩是很有嚼頭的，對讀者來說並非珍品，但對研究者來說卻是一個詩質豐厚的礦藏，所以我主張即使這樣的詩我們也不應排斥。我們浩瀚的民族文化，我們豐富的中華詩園，也需要這樣的產品。這裏摘取其第一節，讓讀者從一滴水中去看藍天。

只偶然昂首向鄰居的甬道，我便怔住
在清晨，那人以裸體去背叛死
任一條黑色支流咆哮橫過他的脈管
我便怔住，我以目光掃過那座石壁
上面即鑿成兩道血槽

我的面容展開如一株樹，樹在火中成長
一切靜止，唯眸子在眼瞼後面移動
移向許多人都怕談及的方向
而我確是那株被鋸斷的苦梨
在年輪上，你仍可聽清風聲蟬聲

洛夫在《石室之死亡》自序中說：「我確曾在作品中對生與死提供了一些傳統反面的觀點，但這些觀點並非哲理，而是透過繁複的意象轉化爲純粹詩。按照超現實主義的觀念，一切都是和外在無關的，人的內心世界活動的靈象的回響，也卽是肉眼莫辨的，心靈的透視。在《石室之死亡》中，具體意象不少是超現實主義的印證，但就作品的整體構思來看，還是主客體的結合。我認爲石室是象徵着環境，卽詩人所處的社會現實。而詩中的人物事件都是這個社會活動的組成部分。詩人用石室作爲生與死搏鬥的場所。這首詩的第一段就寫出在石室裏那個狹窄的人生甬道中，在清晨發生的令人觸目驚心的事件。卽在生命本該蓬勃向上的早晨，卻看見了活不下去的人們的以死抗爭。一條黑色支流咆哮的橫過他的脈管，這是一種奪去他生命的惡勢力的凶暴之狀。石壁上的血槽就是吃人的現實之罪證。

《石室之死亡》之後，洛夫在《外外集》階段開始「調整語言，改變風格」。洛夫在《無岸之河》序中說，《外外集》在精神上仍是《石室之死亡》的餘緒，但在風格上已較前開朗而洒脫。」在這本詩集中，洛夫不斷地採輯着「外」的意象，寫成了《霧之外》、《醒之外》、《灰燼之外》、《煙之外》、《曉之外》等詩作。可能就是因爲這些「外」，才構成《外外集》這個新奇的書名。這些「之外」之作和《石室之死亡》的作品相比，已經有了很大不同，它們是變型中的產兒，因而旣有前緒又有後瞻。但其不同之處更爲顯著。現舉《曉之外》爲例：

　　猛力推開昨夜

我推開滿身的癢
雙臂高擧，任體溫透過十指直沖屋頂
而化為一聲男性的爆響

洛夫《外外集》時期的作品，比《石室之死亡》時期的作品至少有這樣一些區別，一，意象比較單純明朗；二，語言比較明白洒脫；三，詩中很少出現斷層和歧意。這正是由西向東的一種變化的顯示。

自洛夫「調整語言，改變風格」之後，對詩藝的追求是成功的，從閱讀印象看，有這樣一些特色：

1. 意象單純樸實，風格淡雅自適，像溪水淙淙從澗中流出，像小鳥展翅在藍天上自由飛翔，像串串葡萄在陽光中熟透，像朶朶小花自在地傾吐芬芳。這樣的詩作很多，如《有鳥飛過》，《金龍蟬寺》，《舞者》、《隨雨聲入山而不見雨》。請看《金龍蟬寺》：

晚鐘
是遊客下山的小路
羊齒植物
沿着白色的石階
一路嚼下去

如果此處降雪
而只見
一支驚飛的灰蟬
把心中的燈火
一盞盞地
點燃

這多麼像一幅水彩畫，詩中展示出一幅恬適但卻醉人的風景。再如《子夜讀信》這首情詩，寫接到情書夜讀時的情景。燈光像小河，信是河裏游來的魚，意象優美貼切，亦切合古代魚雁傳書之說。接着幾個讀顯示了詩人對意中人的深情。最後一個如讀泡沫既切合詩路之發展，又顯出一點雖有書信傳情，但人卻不在的空茫之感，作品短小凝煉，自然天成。

2.爆發式的詩美。洛夫特別善於經過凝聚，治煉、熔鑄，通過煉意和煉字，把飽含着濃烈詩意的意象放在詩尾。就像一桌筵席，一道道上菜，而經過厨師精心的安排，將一道最好最美、使人品味不盡的美餚放在筵席的結尾，就像一支優美的歌曲，作曲家把最動人的旋律放在最後，再通過歌手那最動人的嗓音唱出，給人餘音繞樑三日不絕的效果。現舉《隨雨聲入山而不見雨》爲例：

撐着一把油紙傘
唱着「三月李子酸」

眾山之中
我是唯一的一雙芒鞋
啄木鳥　空空
回聲　洞洞
一棵樹在啄痛中回旋而上

下山
仍不見雨
三粒苦松子
沿着路標一直滾到我脚前
伸手抓起
竟是一把鳥聲

第二段詩人把「空」、「洞」一詞變爲雙音節的疊韻詞，再巧妙地把它們隔開，造成幽遠、孤寂、靜穆的氣氛。最後一節極巧妙地將鳥在枝頭鬧松子的情節隱去，只寫三粒松子滾到腳前，再以一個動作去抓松子，但詩人卻說抓鳥聲，於是詩意爆破而出，鳥鬧松子致使松子滾落的情節頓然現出。眞是既巧妙又自然，令人擊節！再如《邊界望鄉》，詩中寫了詩人高擎着望遠鏡，在邊界眺望久別的故鄉，鏡頭隨着感情的升華逐漸放大。當鏡頭放到最大限度，思鄉的感情也升華到了無以復加之境。於是在情感的劇烈刺激下，詩人悲痛不已！此詩高明之處在於不直接寫這種思緒，而是沿着鏡中的景色，飛來了一座故鄉的山，把自己擊成的內傷。內傷二字用的極妙，不僅表明了是情感上的傷痕，而且透露出這是長久鄉愁之烈火灼成的心靈的重傷，於是使詩意達到頂峰！

3. 詩人把描寫對象中的自然現象通過擬人化的手法溶爲一體，像復調小說一樣造成一種復調詩。表達出雙重內涵，雙重意境，使作品既清新又深厚，既凝練又幽遠。收到含蓄、幽默和雄渾的特殊效果。如《第十二峰》

兩山之間
一條瀑布在滔滔地演講自殺的意義
千丈深潭
報以
轟然的掌聲
至於泡沫
大多是一些沉默的懷疑論者

兩山之間一條瀑布在談論自殺的意義，這一意象既符合瀑布跳崖自殺的情景，也暗示着那個社會人們爲生活所苦無以度日，於是跳崖自殺的社會現實。千丈深潭報以轟然的掌聲，暗示着人世之無情，泡沫處於沉默的中間狀態。這首詩在擬人化中形成了整首詩的雙關意，而且從形式上看，詩人把瀑布、深潭、泡沫幾個主要意象關連搭配穿插得那麼自然貼切，也表現出了詩人深厚的功力。再如《清明》一詩。

清明是中國民間的鬼節日，也是孩子們放風箏的好時光。但由於侵略者的殘暴轟炸殺戮，此時連放風箏的孩子都沒有了，只有蒲公英如放風箏的孩子。詩人把兩種極不相容的事物併列在一起，「雲吊着孩子，飛機吊着炸彈」形成鮮明的對比，造成了很強的反諷和控訴的效果。詩中幾個「我們委實不便說什麼」，實際上飽含着強烈的義憤。尤其是詩的結尾，「大家都已習慣這麼一種遊戲，不是哭，而是泣」。感情更爲深沉。放風箏本來是遊戲，飛機吊炸彈是戰爭，而今遊戲不見了，戰爭在眼前。侵略者把戰爭當遊戲，把千萬人的生命當遊戲。詩人將自然的遊戲和人爲的戰爭揉在一起，使詩含有雙重意義在對比中引起人們深深的思索。

洛夫還將白居易的《長恨歌》用現代化的意義和語言改寫成現代派的《長恨歌》。這是一首長達一百三十五行的敍事詩。在白居易原作的基礎上進行了現代化的處理，加入了一些現代意識，容入了更多性意識描寫，並巧妙地將床上的戰爭和戰場上的戰爭互相暗示象徵，刻畫和表現了唐明皇的昏庸和無恥。特別是該詩的第四節：

> 他開始在床上讀報、吃早點，看梳頭，批閱奏摺

蓋章
蓋章
蓋章
蓋章
從此
君王不早朝

這很能引起人們對現實社會中一些生活現象的聯想。如果把它說成是對現實貴族和極權者的諷刺和批判，我看也是十分貼切的。洛夫主張主客體的合一，我想，詩中的讀報、吃早點、蓋章諸動作，看來更像二十世紀的唐明皇。

洛夫是個創作十分豐富的詩人，他的詩是很值得研究者探索的。

第五節　張　默

張默是詩人，也是一個詩歌評論家和經營家。他花在詩歌經營上的精力比花在創作上的精力還要多，因此他有「詩壇總管」的雅號。

張默本名張德中，一九三一年十二月二十日出生於安徽省無為縣襄安鎮一個靠水邊的小村。一九三八年至一九四八年在家鄉讀私塾，後入無為縣簡師，又到南京成美中學讀書。一九四九年三月由南京流浪去臺灣。一九五〇年參加國民黨海軍，在軍中服務二十二年，以少校軍銜退役。據說是由於張默把精力幾乎全集中在詩的經營上，而怠慢了工作，才沒有得到應有的晉升。張默早在大陸讀書時便開始寫詩，但眞正把詩作爲事業，還是到臺灣以後的事。一九五〇年他開始向當時在臺灣頗享盛名的《半月文藝》投稿，一九五四年七月在左營和洛夫相識，由他發起創辦了《創世紀》詩刊。張默曾爲《創世紀》嘔心瀝血，闖郵局，進當舖，跑書攤。爲解經濟之困，他的手錶、自行車曾多次進當舖換錢。張默創作上也非常勤奮，他出版的詩集有《紫的邊陲》、《上升的風景》、《無調之歌》、《張默自選集》等。他出版的詩論集有《現代詩的投影》、《飛騰的象徵》和《無塵的鏡子》等。此外他還出版了散文集《雪泥與燈河》。張默主編的詩選集就更多了，如：《六十年代詩選》、《中國現代詩選》、《七十年代詩選》、《中國現代詩論選》《大業現代文學叢書》（六卷）、《現代詩人書簡》、《普天文學叢書》（七卷）、《世界文學家側影》、《新銳的聲音》、《中國當代十大詩人、小說家、散文家選集》、《八十年代詩選》、《現代詩人散文選》、《吟風感月多少事》（臺灣百家詩選）、《剪成碧玉葉層層》（臺灣女詩人選）等。張默既是《創世紀》的靈魂人物，也是臺灣詩壇辛勤的活動家和耕耘者，他是臺灣詩壇一名辛勤的園丁。

張默的創作具有個人的特色，按照他自己的話說就是「一般來說，我的詩是比較好懂的。主要是我不太喜歡在詩中用些怪誕的字眼，有些人的詩甚至每一句都有好幾個意象，可是我儘可能不那樣做，尤其是我近來的詩，力求意象單純化。我認爲，意象單純也有它的美。」（註一三）臺灣現代派詩之所以難懂，主要是在於它意象繁複，使人眼花繚亂，難以弄清詩人思緒的來龍去脈；它語言晦澀和西化，使人難以理解詩人所云的內涵；在於它過多的歧義，使人難以把握詩想的定向等。而在現代派詩人中上述難懂的因素，並不是在每個詩人的作品中都是相等的。在有的詩人的作品中，這些因素甚至是很輕微的。張默的作品就屬這一類。我認爲張默的作品具有這些特色：

1.意象單純明朗，但詩意卻濃郁深沉，耐人尋味。這一特色具有唐詩宋詞的風韻。張默從小讀私塾，學古詩，古典文學修養較深。因而古詩的修養對他的詩創作有不小助益。他的被人稱讚的《駝鳥》，是很好的例證：

遠遠的
靜悄悄的
閑置在地平線最陰暗的一角
一把張開的黑雨傘

這首小詩活像一幅色彩鮮明、線條清晰的素描。前面三句都是修飾和說明末句「一把張開的傘」的一個意象的。詩的主題意義可以由不同的讀者自去捉摸，但這鮮明的意象是在任何人的眼中都是一樣的，決不會發生什麼含混。張默的咏物、寫景詩非常清新優美。這清新優美的主要因素，在很大程度上是由他鑄造的單純明朗和鮮活的意象來構成的。請讀《內湖之晨》：

一片青翠蜿蜒在我的呼吸裏

今早的山路顯得特別短
伴着拾來的松枝
指點着眷舍盡處偶爾傳來的幾聲鷄啼
喔！天是真正的亮了

這是一幅湖村的晨景圖，清新滴翠令人陶醉。末句一語雙關，既指自然的黑夜過去，早晨到來，也暗示人們經過一夜的休息，倦怠之意一掃而空，蓬勃之氣與晨俱來，給人新生之感。

2.張默利用和改造古文、古詩中的回文、頂針的表現手法，爲自己的作品造成連綿不絕，令人一唱三嘆的藝術效果。請看他的代表作《無調之歌》：

月在樹梢漏下點點烟火
點點烟火漏下細草的兩岸
細草的兩岸漏下浮雕的雲層
浮雕的雲層漏下未被蘇醒的大地
未被蘇醒的大地漏下一幅未完成的潑墨
一幅未完成的潑墨漏下
　　急速地漏下
空虛而沒有脚的地平線

我是千萬遍千萬遍唱不盡的陽關

採用這種回文和頂針一類的表現手法，不但上句和下句要緊密銜接，而且要求上句和下句、上段和下段意義上必須有轉接和傳承關係。這就要求作品構思縝細、嚴密和完整。張默在這點上表現是出色的。他的《露水以及》採用的也是這種表現方法。

洛夫在分析這首詩時說：「這首詩在結構上大致與林亨泰的《風景》相似，所不同的是兩者的語法和效果。林亨泰在《風景》中使用的是一種『有無句法』以表現自然存在的原始型態，而張默在這首《露水以及》中使用的是一表態句法，以表現詩人心中所欲傳達（或暗示）的一個意念。故前者是無我的客觀寫法，後者是有我的主觀寫法。」（註一四）洛夫認爲，着眼點在於兩詩的表達內容不同，一在於表達客觀，一在於表達主觀。從一個側面來看，這樣的分析也不無道理。但我認爲在表達方式上兩詩的手法是不完全相同的，林亨泰的《風景》比較虛，而張默的《露水以及》比較實，林亨泰的現代派味道更濃，張默則更多地接近中國的傳統手法。

3.張默的詩善於採色，採聲，然後通過中繼線將他們融合，構成情景交融動感極強的畫面。所以張默有的作品可稱之爲有聲的畫和有畫的詩。例如，他的名作《紫的邊陲》，就呈現這種氣象。這首詩一開頭，就把一個有聲有色，綠香、黑髮，幽蘭的形象呈現在讀者面前。詩的題目是《紫的邊陲》，但這邊陲指的並不是地域之陲，而是愛，是理想，是精神之崇高的邊際。詩人用象徵和擬人化的手法，把詩寫得那麼清新又深沉，那麼明朗但又含蓄，彷彿詩人要從一個迷宮中探知自我，要從混沌中獲得清醒。他們在夢之海相遇，翻轉着每個光輝的自己，他們用聲光咬住素色的唇沿，興奮得以沉默來擊碎一切……。在這首詩中，張默違背了自己意象單純明朗的自許，使詩中也出現了迷陣。這裏顯示了張默作品中意象單一和繁複的矛盾。

洛夫在《無調者之歌——張默其人其詩》一文中，對張默有一個總的評價，他說：「張默是一位風格獨具的詩人，幹練的編者，積極的詩運推廣者，他也寫詩評。……大致說來，他早期的詩有着豐富的想象，經常把物和我作認同處理……對藝術有着宗教的虔誠……有些則傾向哲學的玄思，有些表現出靈與慾的衝突……。」(註一五) 洛夫和張默是幾十年的老搭當，老詩友，他的這一評價，大體上是不錯的。

第六節　葉維廉

葉維廉的詩，是臺灣現代派詩人中最難懂的，尤其是他早期的詩，常常使讀者望之卻步，見而生畏。以《愁渡》作爲分界線，葉維廉後來改變了模仿西方現代派的詩風，使他的作品稍稍羣衆化了一點。

葉維廉，廣東省中山縣人。一九三七年出生，一九四八年移居香港。一九五五年去臺灣，入臺灣大學外文系讀書，一九五九年又進臺灣師範大學英語研究所，獲英語碩士學位。葉維廉有較好的古典文學基礎，在其詩的創作道路上曾從聞一多、卞之琳、艾青、馮至、臧克家等人的作品中吸取營養。尤其是卞之琳和辛笛的作品，給了他較大的啓廸。早在香港時，葉維廉就「對五四到三、四十年代的詩及理論選抄過四、五本」。到臺灣大學讀書後，葉維廉便開始了詩的創作，起初他在日記本裏寫給自己看，後又用英文寫詩發表。臺大外文系畢業進入英文研究所後，葉維廉才邁入詩歌創作的旺盛期。這時他和商禽、紀弦、洛夫、瘂弦等交上了朋友，在互相促進下，詩歌創作突飛猛進。一九六三年，葉維廉去美國留學，入愛荷華大學詩創作班。一九六四年進美國普林斯頓大學攻讀比較文學，一九六七年獲博士學位。同年九月起在加州大學任教，講授比較詩學、英美現代詩、中國詩等。一九七〇年回臺灣，任臺灣大學外文系客座教授。葉維廉寫詩二十餘年，出版的詩集有：《賦格》、《愁渡》、《醒之邊緣》、《野花的故事》、《花開的聲音》、《葉維廉自選集》、《驚馳》和《憂鬱的鐵路》；出版的評論集有《中國現代小說的風貌》、《秩序的生長》、《論龐德的國泰集》和英譯本《中國現代詩選》、《王維詩選譯》等。

葉維廉初期的詩之所以成爲臺灣現代派詩人中最難讀懂的作品，是由於這樣的一種原因和追求造成的。那便是他超出日常的一般的思維方式，有意識地剔除作品中闡明性的敍述成分，只把事物客觀的狀貌和詩人思考的結果告訴讀者，嚴格地把自己的作品限制在「名理前的視境」狀態中。捨去了對事物來龍去脈的描繪與交待，使讀者很難探知和把握詩人的思路歷程，很難確定詩人在作品中含概的意思。詩人只是呈現了「如此」，而不告訴讀者爲什麼如此；讀者只能在作品中看到事物的平面，很難探知事物的錐體。葉維廉在《葉維廉自選集》的附錄中說：「我覺得自己的詩是略爲離開日常生活的觀看方法，而是在出神狀態下寫成的。」又說：「當瘂弦第一次見到我的時候，他第一句話說：我們一定要把敍述性剔除。這個問題在西洋詩裏面當然很早就提出來了，不過瘂弦和我當時都不了解西洋詩的發展。但冥冥中我在接觸詩的時候，我覺得詩應該這樣做，也覺得傳統的需要。所以我這樣做，他也這樣做……。」（註一六）由此可見，葉維廉的這種追求是從西方來的。我們認爲西方的東西並不都壞，或者說並不一定壞。他們的文化遺產，他們文學的表現手法，也是人類精神文明的結晶，也是人類精神財富的重要組成部分，可借鑑和能借鑑的我們一定要借鑑，不可借鑑的或借鑑不成功的可以修正和放棄。葉維廉在這一手法的借鑑上，可以說是個不成功的例子，因此造成了他早期作品的極度晦澀難懂。他早期的代表作《賦格》和《愁渡》等，就屬於這類作品。這兩首詩是形式和結構上大體相同的兩首長詩，它們都是以各自既可獨立，又可以組合的自由體來表現相同的主題。《賦格》以三節各自獨立，又可組合的短詩構成一首長詩。《愁渡》是五節各自獨立又可組合的短詩構成一部長詩。這種各自既可獨立又可以共同組合的形式，幾乎成了葉維廉所有長詩的一個共同特色。這是形成作品形式上自由的一種重要表現手法。彷彿是一套組合傢俱，大家組合起來成爲一個大型的構架。各自爲戰，也是可以成爲一個小型的武器。《賦格》一詩的題名，就是由作品的形式而來的。「賦格」是西方音樂中的一種，賦格曲沒有主旋律，沒有和聲，是由兩個以上平行的曲調組成，既可各自獨立演奏，又可一起合奏。葉維廉的長詩均取此種形式。因此他的第一首長詩便取名《賦格》。現在舉《賦格》的第一節，並稍作分析：

北風，我還能忍受這一年嗎？
冷街上，墻上，煩憂搖窗而至
帶來邊城的故事，呵氣無常的大地
草木的耐性，山巖的沉默，投下了
胡馬的長嘶；烽火擾亂了
凌駕知識的事物，雪的潔白
教堂與皇宮的宏麗，神祇的醜事
穿梭與時代之間，歌曰：
　　　　月将升
　　　　日将沒
快，快，不要在陽光下散步，你忘記了
龍漦的神諭嗎？只怕再從西軒的
梧桐落下這些高聳的建築之中，昨日
我在河畔，在激激水聲
　　冥冥蒲葦之旁似乎還遇見
羣鴉啄啣一個漂浮的生命：

往那兒去了？
北風帶着狗吠彎過陋巷
詩人都已死去，狐仙再現
獨眼的人還在嗎？
北風狂號着，冷街上，塵埃中我依稀
認出這是駛向故國的公車
兒筵和溫酒以高傲的姿態
邀我仰觀羣星；花的雜感
與神話的企圖——
我們且看風景去

如果不稍加解釋，僅從字面上是很難讀懂這首詩的，因爲詩人秉承着剔除詩的敍述成分的宗旨，已將詩中的不少東西省掉了。從優點方面說是加大了詩的跳躍性，開濶了詩的跨度；但從缺點方面看，使詩出現了不少斷裂帶，造成了詩句與詩句之間的空隙，因而增加了閱讀的難度。這首詩從積極方面講，表現了一個旅居香港的游子對祖國的憂患意識，他期盼祖國能消除戰亂重建國威，在世界上重新站立起來。詩人以冬天爲背景，把動亂中的祖國描寫得一片肅殺頹敗的氣氛，戰爭的烽火破壞了知識，暗淡了白雪，毀壞了皇宮，於是白晝不存黑夜將至，這是多麼可怕的情景，甚至古代傳說中的龍的精液也要再度流出，新的褒姒將要面世，馬上就要山傾國倒了。最後詩人將筆鋒一轉，描繪了一個百花吐艷，羣星燦爛，酒筵高築的世外桃園。而且詩人要極力擺脫那痛苦的憂慮，要超凡脫俗地看風景去。我想這個明快的結尾有兩種解釋：一種是詩人故意以喜銜憂，在對比中使人更無法忘憂；另一種是在動亂之後必然出現一種和平歡樂的景象，是對祖國的美好祝願。這首詩中，詩人用了不少典故，也是造成作品難懂的一個因素。例如「邊城故事」，是指祖國北方的故事；「胡馬長嘶」，是指古代北方民族入侵中原之事；「龍漦神僉」是指古代夏帝貯藏龍的精液，傳至周代，周厲王將木櫝打開，龍精流出，一宮女受孕，生了褒姒，周幽王寵褒釀成傾國大禍。「激激水聲，冥冥蒲葦」，係漢樂府民歌《戰城南》之句等。現代詩大量用典，雖有某種用途，但也給詩帶來了過分晦澀的損害。

大約是葉維廉從讀者的呼聲中和批評家的忠告裏看到了自己的弱點，於是自《醒之邊緣》之後，便有意識地改變自己的詩風，從此，詩的意象變得較爲單純明朗，詩中的抒情素質也趨於加強。葉維廉的這一轉變，不僅是一種個人創作風格的轉變，而且是一種適應潮流之舉。因爲當現代詩受到強烈的批評之後，臺灣的大部分現代派詩人都開始進行反思，在反思之後，他們逐步地開始了另一個進程，卽向着母體文學的回歸移動自己的步子。葉維廉的風格之轉變，也是在這一背景下進行的。

葉維廉改變風格後的《醒之邊緣》、《野花的故事》、《花開的聲音》等詩集中的作品，和早期的作品大不相同。其意象之單純明朗，語言上的淸晰易懂，讀之彷如從一個陰暗的房屋裏走出了房門一樣，給人一種明朗和開闊之感。請看他的組詩《變》中的《沒》一詩：

萬里的
山石
流泉似的
一線
一線的
滲入
洶湧的
黃沙裏

這多麼像清明恬淡、氣象高遠的風景畫。無盡的山石一線展開，被遠方的無邊黃沙吞沒。這雖然是一種純景物的描寫，但彷彿詩中還含有什麼意思。假如我們把那萬里山石看作是遼遠的人生，而把那黃沙看作是無盡的時間的洪流，表達出詩人對人生的某種感嘆，也並不是牽強附會的聯繫吧？

葉維廉的詩到了《驚馳》和《憂鬱的鐵路》兩書的出版，新的詩風到了成熟之境。在詩思的釀造上，意象的經營上，結構的把握上，均顯得勻適自然。詩中也更注入了哲理的思考。這時的詩，比起《沒》那種近似客觀白描的風景詩，彷彿多了一些風骨。如在《吐露港》一詩中，詩人以港的名稱用：「吐露」二字起興，將情操、愛、美放在港的胸中，一絲絲，一滴滴，情意綿綿地向外吐露。這種自然地運用擬人化的手法，將港化作美人，其比喻之巧，吐露之眞，已經使人忘記那是一個挺立在波濤之上的港口，而是一個站在平靜的海面上陷入沉思的多情的美女。在這裏葉維廉已經大大地超越了他的所謂「名理前的視境」的局限，已經大大地改變了他先前那純客觀的反映和不介入生活的主張。詩人描寫生活，反映人生，再鑄自然，不介入生活，不評價事件，是件很難的事，也是不智之舉。創作本身就是對生活的評價，就要充滿着強烈的主體意識，表現出詩人的心靈世界。詩人爲什麼要死死捆住自己的手腳，囚住自己的心靈，剪斷自己想象的翅膀呢？寫詩就是一種頑強的表現，即使是古代那種所謂純粹的山水詩、風景詩，也不可能不滲入詩人的意識。葉維廉改變過去那種不介入，進而對生活進行哲理的思索，應該說是在詩觀上前進了一大步。葉維廉《憂鬱的鐵路》詩集中的《麋鹿居的辭行》，更是改變風格後的一首動人的力作。現摘其中一段如下：

「他要你們像他往常那樣
戴着他的小帽子輕快地
進出樓房上下樓梯的樣子
他要你們像往常一樣
濯足試水鼓翼攀枝
因為這是你們的好主人

最愛看的晨舞
就請你們像往常那樣躍動
陪你們的好主人
走到他遙遠的旅程上的第一個長亭
麋鹿、鷓鴣、松鼠
讓我們帶着他永久的輕快與微笑開始……

如果把此詩和前面的《賦格》作個比較，掩上作者的姓名，我想是不會有人相信這兩首詩是出自一個詩人的筆下。如果把這首詩放在任何一位臺灣鄉土派詩人的詩集中，人們也不會將它作爲現代派的作品挑出。這樣的作品和鄉土派的作品相當接近。這是一首弔亡詩，詩人以多情的筆觸，用一唱三嘆的筆墨借麋鹿、鷓鴣、松鼠這些有生命但卻無情感的小動物，反複地抒情，刻劃了一個濃郁得化不開的有情天地，表現了死者坦蕩的胸襟和人們對死者深深悼念之情。情是最動人的東西，但現代派卻要以主知代替抒情，葉維廉此詩的意義在於證實了抒情是不可從詩中剔除的。從一個臺灣詩壇上最難懂的詩人，到寫出如此通俗動人之作，既是葉維廉經過二十餘年探索的結晶和歸宿，也是臺灣現代派詩人們向母體文學回歸的一種表現。詩不應該有固定的模式，更不應該只有一種模式。詩人應該大膽地進行創造，寫出各式各樣詩味濃郁，濃縮性極強的好詩來。現代派詩人的筆下出現了大量的好詩，如洛夫的《邊界望鄉》、夐虹的《夢》、瘂弦的《上校》等等。詩人既不可因回歸而束縛自己的思想和手腳，評論家亦不可因個人的好惡爲詩型劃框框定格式。

第七節　商　禽

商禽是臺灣詩壇上的典型的現代派中超現實主義的詩人之一，他超凡不羣，才華橫溢，以一本詩集，不多的創作量，贏得了詩壇的隆譽。如果想知道現代派詩人作品的狀貌，商禽的詩大概可以作爲範本。

商禽，本名羅燕，筆名羅馬、羅硯、壬癸等，四川省珙縣人，一九三〇年三月出生。從小在家鄉讀私塾和中學，一九四五年參加國民黨軍隊，一九五〇年自雲南經海南島去臺灣，一九六八年從軍中退伍，退伍時是個上士。商禽退役後生活上一直顛沛不安，當過短期的出版社編輯，在高雄碼頭做過臨時工，跑過單幫，賣過牛肉麵，當過私人園丁等。商禽和文學結緣很早，早在大陸時期，即一九四五年他便和文學有所接觸。一九四八年他在西南諸省時便搜集民歌資料，並開始了新詩創作。到臺灣後，一九五三年開始以羅馬的筆名發表詩作。一九五六年參加現代詩社，一九六〇年開始以商禽的筆名發表作品。一九六七年與臺灣著名現代派女詩人羅英結婚。一九六九年出版處女詩集《夢或者黎明》，同年赴美參加愛荷華大學作家寫作班，畢業時獲榮譽作家銜。回臺後曾任《創世紀》的編委。現任《時報週刊》副總編輯。

臺灣現代派詩人楊牧，這樣評價商禽的詩，他在《傳統的與現代的》一文中說：「在橫越北美洲的波音七二七噴氣客機上細讀商禽的詩集：《夢或者黎明》。這樣好的詩合當有最新的鉛字，最高級的紙張和最講究的裝訂，而商禽的詩集竟然顯得如此寒酸。假使我會寫詩評，我要用「淚珠的鑑照，做題目評商禽。」（註一七）而臺灣另一位詩人兼詩評家李英豪對商禽作品的評價更高，他在《批評的視覺》一文中說：「商禽的詩的價值，非但壓縮於個人的平面上，而且是在整個人類宇宙的平面上。」詩評家各有自己的審美標準和價值判斷，同樣的作品在不同人的眼裏也許有截然不同的評價，商禽的詩被現代派詩人視爲瑰寶，但在鄉土派詩人的眼裏，可能還不及格哩！在我的眼裏，商禽的詩在臺灣現代詩的水平線之上。

的確，商禽的詩有其高超的藝術造詣。他的繁複多變的意象，回旋頂針的結構，奇特驚人的詩思，冷峻悲憫的意識，豐富多樣的形式，構成了一個獨特的詩的世界。商禽是一個生活坎坷但卻行爲高潔的詩人。他雖然在軍中混了二十多年，但卻一直是個士兵，最高只當上了一個上士，因而他用普通人的眼睛去透視現實，他用普通人的心靈去感知臺灣社會中的世態炎涼和人生疾苦。雖然他並不承認，也更不有意去追求文藝的使命感，並不刻意去爲自己的作品熔鑄一個什麼深刻的主題思想，而是在爲藝術而藝術的思想狀態下進行創作。即使如此，社會的黑暗，人生的疾苦，生活的不平構成的悲劇意識，和詩人對這種悲劇意識發出的憤怒之情，也不自覺的在自然的狀態中湧進他的詩。他的《應》就是這種情緒的表現：

用不着推窗而起
向冷冷的黑暗

拋出我長長的嘶喊
熄去室內的燈
應之以方方的暗

詩人面對整個社會，四面八方都是無邊的冷冷的黑暗，內心雖憤怒已極，但只推開窗向黑暗進行嘶喊又有什麼用呢？那黑暗必將連你的吶喊都一起吞沒。去作那種無用的嘶叫，還不如熄去屋內的燈，以黑暗對黑暗，進行無聲的抗議。詩人對付黑暗的方法雖然顯得有點消極，但那反抗之情卻顯得異常內在有力。

商禽的名作《長頸鹿》是在臺灣詩壇上傳唱不息的力作。詩有分行詩；也有分段而不分行的詩，這種形式的詩，有點像散文詩，但它和散文詩又不盡相同。從內容上看，散文詩更接近散文，而這種分段詩，卻更接近於分行詩。爲了區別起見，不妨把它和分行詩對稱爲分段詩。這種詩顯得比分行詩自由些，段的容量也更大些。商禽的不少名篇如《長頸鹿》、《鴿子》、《滅火機》、《透支的腳印》等，都是用的分段詩這一形式。商禽的《長頸鹿》之優秀還不僅在於它形式上的新穎，更重要的是在於它以強烈的反諷力量，揭開了一個專制社會中，被踐踏的弱小者渴望光明和自由的光輝思想。請看他的《長頸鹿》：

那個年青的獄卒發覺囚犯們每次體格檢查時
身長的逐月增加都是在脖子之後，他報告典獄長說：

「長官，窗子太高了！」而他得到的回答却是：「不，
他們瞻望歲月。」

仁慈的青年獄卒，不識歲月的容顏，不知歲月的籍貫，不明歲月的行踪；乃夜夜往動物園中到長頸鹿欄下，去逡巡，去守候。

作品以全知觀點的第三人稱，塑造了一個傻乎乎但卻十分可愛的青年獄卒和一個深諳世態的老典獄長。作品很有畫面感，含蓄着深深的題外之意，文外之音。囚犯每每檢查身體時脖子後面的肌肉都十分發達，這是經常活動鍛煉的結果。怎麼鍛煉呢？仰着頭看窗子。這中間包含多麼殷切，多麼巨大的渴望光明和自由的期盼？從這期盼中可以想見他們被監禁，被折磨災難的深重。這一切都存在文外，但卻不是猜測和引伸，而是必然的存在。天眞的獄卒不理解眼前發生的事，他把囚犯脖頸的增長和動物園的長頸鹿連在一起，於是夜夜去動物園中去看長頸鹿。詩人把人和長頸鹿兩種毫不相干的事物連在一起，看起來荒誕，正好符合超現實主義的詩法。但細想卻更增加了作品的反諷效果。這是一首很有內在力量的好詩。商禽的另一首名詩《鴿子》，也是用分段形式寫成的。因作品過長這裏不便引錄。詩人在四段詩中，用超現實主義的表現手法表現了深刻的悲劇意識。詩人將人的兩隻手象徵人的命運，它「工作過而且仍要工作的，殺戮過終也要被殺戮的」。工作過仍要工作的，殺戮過終也要被

殺戮，彷彿是一種社會的規律，然而人來到世界上是無辜的，吃人被人吃都是社會造成的罪惡。詩人在詩的結尾處寫道：「無辜的手啊，現在，我將你們高舉，我是多麼想——如同放掉一對傷癒的雀鳥一樣——將你們從我的雙臂釋放啊！」詩人的善良，和他悲天憫人的宏願，在人吃人的社會裏是無法實現的。所以《鴿子》只是表達了詩人的美好願望而已。

商禽除了一些表現社會悲劇意識的作品之外，還有不少描寫人的荒誕意識，表現人生的哲理思考的名篇。例如他的《涉禽》，這首詩雖然是生活上一個小揷曲引起的感慨，但卻帶着普遍的人生哲理。處在生活順境的人們，人人都會有光陰似箭的感覺。雖然每人都有這種感覺，但要寫成詩卻不是人人都能辦得到的，尤其是寫出《涉禽》這種自然明暢生動的詩，更不易。詩人在講述日常生活一樣，幾句話就爆發出了形象感人的哲理，顯示了詩人不凡的功力。詩的結尾段：「竟不知時間是如此的淺／一舉步便踏上明天」，既是形象也是哲理，以形象來表達哲理，寓哲理於形象之中，讀來顯得格外自然而親切。此詩題目也令人玩味，「涉禽」看來就是「禽涉」，也就是商禽跋涉時間溝壑，含有自我調侃的幽默。

商禽有一首手法相當特別的名篇《逃亡的天空》，詩人把我國民歌的表現手法和超現實主義的荒誕意識，揉合在一起，寫出了一種既像回旋和頂針，又像過渡和接力，彷彿是多種手法相混雜的現代派的詩篇。詩雖不長，但讀之卻氣象萬千。請看《逃亡的天空》：

死者的臉是無人一見的沼澤
荒原中的沼澤是部份天空的逃亡

遁走的天空是滿溢的玫瑰
溢出的玫瑰是不曾降落的雪
未降落的雪是脈管中的眼淚
升起來的淚是撥弄的琴弦
撥弄中的琴弦是燃燒着的心
焚化了的心是沼澤的荒原

詩的每句最後一個中心詞都是後一句頭一個中心詞的再現。彷彿前一句未盡的話要由後一句補述，又彷彿頭一句是爲第二句出題目，第二句是爲第一句作答案。一句套一句，一環扣一環，直到尾句又復原首句。讀之彷彿在做文字遊戲，但似乎又在說明什麼問題。而每一句都不是直白，都必須經過分析和揣測方能知其含意。例如詩的題目《逃亡的天空》就非常費解。什麼是逃亡的天空？天空爲什麼要逃亡？讀了全詩默想一下才猜出，逃亡的天空是雲在天上飄流，之所以要逃亡，是因爲不忍看這現實。再如，天空是滿溢的玫瑰，指的是彩霞，玫瑰是不曾降落的雪，是變色的雲等等。整個詩的結構方式就是：甲是乙，乙是丙，丙是丁……如果說這首詩在玩弄文字遊戲之餘，還表現了點什麼，那便是荒唐的社會中一種荒唐的音響。是社會的一種神經錯亂在詩中的反映。以不表現來反映表現，這便是此詩的意義。

商禽還有一些名篇，例如《遞遠的催眠》和《天河的斜度》等。這些被人們恭之爲名篇的，我卻不敢妄評。因爲有的在我看來，其意義還不如《逃亡的天空》重要；有的則撲朔迷離，令人難以把握。在我看來商禽的有些非名篇之作，倒超越名篇幾等。或許是由於標準、愛好和習慣的不同，弄得玉瓦倒置了罷！但不管怎樣，我是確信自己的選擇的。例如商禽的非名作《風》，我就認爲在他的名作之上。《風》是一首生活氣息很濃，很有張力和特色的詩。詩中充滿了詩人對生活的親身感受。詩的開頭從實際生活的描寫入手，從艱難的路途跋涉引入艱苦的生活跋涉，由自然之風引渡到生活之風，表現了詩人與客觀的險惡環境、與窮困的生活進行全力搏斗的風姿。詩人充滿勝利的信心，「不信，就狂吹一陣看／你就曉得我的匍匐／並非是投降的姿勢／一寸寸地／我仍在向上爬啊，刮吧／風」這是多麼富有立體的雕塑感！一個弓着身軀在與自然的風和社會的險惡、頑強搏鬪的活的雕像。在和險惡搏鬪中，詩人還惦念着遠在家裏思念着自己的親人。詩中的這個小插曲也十分感人。整首詩與起、象徵和引伸諸手法混合並用，構成一首結構嚴緊，張力強烈，形象逼眞，生活感很強的好詩。從商禽的創作看，超現實主義的技巧雖然能夠提高詩的質量，表現出複雜生活和人物心理的內涵，但最能打動我的還是《風》這樣的作品。

第八節　辛鬱、管管

辛鬱，本名宓世森，浙江省慈谿縣宓家埭人。一九三三年出生於杭州，共有兄妹五人，他排行老三。從小在上海外婆家長大。十五歲參加國民黨軍隊當兵，到三十六歲退伍，在軍中呆了二十一年，退伍時也未當上個什麼顯赫的官職。因此，辛鬱一直是生活在軍中的底層。辛鬱從事詩歌創作的時間甚早，自五十年代初，沙牧作他的啓蒙老師開始創作至今，已有三十多年詩齡了。他出版過詩集《軍曹手記》。據說，辛鬱三十多年來共創作了一千餘首詩。辛鬱的文學趣味很廣，除寫詩外，還寫小說、劇本。他出版的小說集有《未終曲》、《不是鴕鳥》、《地平線上》、《地下火》、《我給那白痴一塊錢》、《辛鬱自選集》和雜文集《詩人掃瞄》等。雖然辛鬱出版的小說比詩集多，但辛鬱洒落在詩中的汗水卻比洒在小說中的汗水多。他在詩壇上的影響也比在小說方面的影響大得多，因此辛鬱在人們的心目中仍是一個詩人，而不是小說家。辛鬱頗好交往，在結交的詩友中曾有「三公」和「五公」之稱。他們之間的關係形同手足。三公是歪公商禽，瘟公楚戈，冷公辛鬱。再加上木公秦松，毒公沈甸為五公。另外女詩人古月和她的丈夫畫家李錫奇也加入這個陣營，被人喚作「蝗蟲東南飛」，他們「時時結隊飛入不尋常的詩人家，吃個精光」。辛鬱早期曾入藍星詩社，後又變成了創世紀詩社的大將。

辛鬱既稱「冷公」，可見其作品有一股冷冽之氣。辛鬱在臺灣現代派詩人中，是堅持主張把握詩的抒情特質並把這種主張貫徹在自己的創作實踐中的一位詩人。在臺灣詩壇反對西化的浪潮中，辛鬱也是最早發現迷誤，用自己的行動擺正自己的位置的詩人。在文學與生活的關係上，他和大多數現代派詩人有着不同的、獨立的見解。他在《我的自白》一文中說：「生活對於一個詩人來說，乃是據以創作的源頭，而決定一首詩的完成，仍在於藝術的要求。藝術的要求迫使詩人致力於語言意象化的營造。詩的境界在意象的完成中豁然而出，這便是詩的藝術的最高表現。所以，對於生活，詩人所進行的，是質的提練，並以它充實經驗與想象的能力。」（註一七）據辛鬱在《詩人辛鬱訪問記》中回憶，他小時候住在外婆家，「不論炎夏寒冬，每天至少三個小時，跟着家中的長工阿章伯到田裏去。這使我對泥土產生了一種特殊的感情。而長工阿章伯，在我心目中更是一個巨人，他憨厚樸實的個性，以及對泥土的摯愛，是促使我在詩的寫作上，致力表現土壤與人的關係的一個遠因。」（註一八）由於辛鬱的心靈中，從小就播下了熱愛勞動，熱愛勞動者，熱愛泥土，熱愛生活的種子，因此有了生活是創作的源頭的認識，故而他致力於泥土和生命的歌頌。從辛鬱三十多年的創作實踐看，他的作品充滿了對生命頑強堅韌和冷峻悲苦的描寫和讚頌，他在詩中溶入了人道的主題，滲進了人本的意識，發出了回歸的呼喚。他的自傳性長詩《演出的我》，以一種反思的筆調，描繪了對母性的呼叫和認同。

我曾是翠玉一方
透剔晶瑩
在我父我母的眼中
類似你或他
我自那奇妙的泉淵中來
被煉以父精

母血

如一首詩的

完成

作爲優秀的民族，每個炎黃子孫都有一種先天自然地眷母戀父、思念宗親的感情和品質。這種品質的升華和轉化，就變成了親情、鄉情和愛民族、愛祖國之情。這種感情小則可以維持家庭的親切和睦，大則可以維護全民族的團結和國家的統一。在辛鬱的作品中，這種母性的認同和回歸的呼喚是一脈相承的，決不是一時心血來潮的產物。他的另一首長詩《同溫層》中，對這種思想和感情表達得更爲深刻和具體。請看其中第二節《母親篇》中的最後一段：

「我必歸向你

接受你的撫慰猶是樹接受風

我願我是純粹的品質等待鑑賞

仰望時喃喃呼喚：

母親呀母親」

從《演出的我》對父親母親生我養我「生命的最初／承受太多的愛意」的思索和回憶，到《同溫層》「我必歸向你」一脈相承地表現了一種「不忘本」的思想，體現了一種期盼。「要回歸」，這是一種生命的體認和定向，這也是從蘊藏到爆發的炎黃子孫葉落歸根的巨大思想潛流。值得點明的是辛鬱作品中所歌頌、所期盼、所思念的母親，並不是一種狹隘的家族觀念，而是以母親象徵着祖國，象徵着民族。作品中表達的是一種遊子對祖國對民族的殷切思念和赤子之心。

辛鬱還有一些描寫生命茫然和寂寥的短章，不失爲詩中傑作。尤其是他的《豹》在臺灣詩壇上被傳爲名篇。請看《豹》：

一四
豹 在曠野之極
蹲着
不知為什麼
許多花 香
許多樹 綠
蒼穹開放
涵容一切

這曾嘯過
　掠食過的
豹 不知什麼是香着的花

或什麼是綠着的樹
不知為什麼的
蹲着　一匹豹
　　蒼穹默默
　　花樹寂寂
曠野
消失

像紀弦把自己比作狼一樣，辛鬱把自己比作豹。通過這隻蹲在曠野之極，天性剛烈，生命強悍但卻在現實中無所作爲的豹，來探索生命的奧秘。辛鬱在談到這首詩的創作動機時說：「這首詩寫的是生命的關照，這豹，也許就是我自己嗎？然而，在對人生的整體觀察中，我發覺，現代人類陷於物質文明的拘限桎梏下，生命的野性鈍化退化，甚至失落殆盡，人不可能回到原始找回自我，就如同我生活中所獲知的豹這種動物，它在已經逐步人工化的曠野中，又如何尋回她生命的完全自主性？」詩人生活在西化的社會中，那裏的價值觀念，道德觀念都發生了扭曲，人們的善良、淳樸、互助、友愛的美德都變了形，引起了詩人的深深憂慮。他幻想着反樸歸眞，返回原始，返回自然，返回野性。幻想着人性之初的復活。雖然這是不可能的，但卻表現了對現實的不滿和抗議，表現了對美的追求。這首詩構思獨到，語言凝凍，擬人化的手法取得良好的藝術效果。曠野的消失，實際是人的良好的本性消失於曠野，人的良好的個性被庸俗的社會所吞沒。這首詩飽含着對現實的譴責和批判。辛鬱的另一首詩《順與茶館所見》，以具體的時空揭示了臺北人的沉寂和失落之感。

這首詩在臺北市的大背景下，描寫了中華路側一個三十個座位的茶館。午夜後一個精神頹廢的男人，一杯茶，一把瓜子和花生，外加兩包長壽烟，在消磨他的生命，打發他的日子，抵禦那難耐的寂寞。除了他，茶館的三十個位置一個挨一個地塞着寂寞。這正是生活沉沒和毀滅的前兆。人們知道，臺北市是一個十分繁華，令人眼花繚亂，人口擁擠不堪的地方，何以會有這種寂落呢？這是經過詩人腦子過濾和思索之後，從都市生活的背面，寫出了它的本質。這是一種本質的眞實。表現了辛鬱一貫地對人類，對生命的一種悲天憫人的情懷。

管管，本名管運龍，山東膠縣人，一九三〇年出生。他娶了一個四川姑娘，是臺灣詩壇上的女詩人朱陵，她寫小說時署名袁瓊瓊。管管也是文壇上的多面手，寫詩，寫散文，編劇本，繪畫，還演電影。管管出版有詩集《荒蕪之臉》和散文集《請坐月亮請坐》。在管管的文壇活動中，成就最大，最引人注目的，還是詩。關於管管的生平，他有一個自題小傳，是這個詩壇「怪傑」的自畫像。讀一讀這個自題小傳，不僅可以了解管管落拓不羈的性格，而且對理解他的詩也極有幫助。他在這個小傳中寫道：

> 管管，本名管運龍，中國人，山東人，膠縣人，青島人，臺北人。
>
> 寫詩三十年，寫散文二十年，畫畫十八年，喝酒三十一年，抽烟二十六年，罵人四十年，唱戲三十五年，看女人四十年七個月，迷信鬼怪三十三年，吃大蒜三十八年零七天，單戀二十九年零二十八天，結婚八年，妻一女一子一，好友三十六，朋友四千，仇人半只，好牙二十九顆，光着屁股睡覺四十六年多一點點。書二千冊，好書五、六本，痔瘡一枚。
>
> 愛花，愛山，愛水，愛畫，愛電影，愛女人，愛小孩，愛猫，愛春天，愛月亮，愛夜，愛鳥聲，愛哭，愛吐痰，愛怪異。
>
> 詩集《荒蕪之臉》，散文《請坐月亮請坐》，《管管散文集》。畫多幅，邋遢雜誌老板，黃犬寫作坊大當家，天狗畫室當家。
>
> 某年某夜在左營住處燈下寫作，曾蒙神人於窗外說法，且有鐘磬聲盈耳。

從上述我們大體上可以知道管管是一個胸襟開闊，性格豪爽怪異，我行我素不守成規，富於創造和開拓，不拘小節的詩人。

管管雖然寫了三十年詩，但其作品的產量和創作歷史是不太相稱的，也就是說時間長作品少，這種情況可能與他的興趣過於廣泛有關。但管管的影響又和他作品的數量不太相稱，也就是說，他的作品少影響大，這和他作品的質量和怪誕有關。管管的詩有分行詩和分段詩兩種形式。分段詩在他的詩作中佔着相當的數量，這可能是由於分段詩含量大，語言比較自由，因而更適合表達管管那種「荒野大鏢客的粗獷」、「滿不在乎的醉態」和「仰天作極淒厲之呼喊」的感情之需要。洛夫是這樣給管管畫像的：「打開門一看，無人。第二次敲門，門不啓自開，迎面撞來一副三島由紀夫式的臉，上面戴着一頂法國紅絨帽，他是管管。」①像這樣一幅怪誕模樣的人在中國詩壇獨一無二，只有管管。管管也有自己的詩歌理論。他寫過一篇以散文論詩的文章叫《梯子》。其意是說他的文章是通向詩國之門的梯子，管管在這篇文章中說：

「話說明朝，

有人說：

我走遍了千山萬水，但我走不完我肚子裏的千山萬水。」

意思是說。山水有盡詩無盡。管管在這篇文章中還說：

「話說唐朝

有人問孫悟空：

你閣下為什麼能一蹦就是十萬八千里？

那還不簡單，我沒有臍帶！

意思是說，寫詩不應該有什麼清規戒律，應像孫悟空那樣，一個筋斗就是十萬八千里，任詩人自由馳騁。管管的詩也就是按照他自己的主張無拘無束的進行創作的。現舉他一首詩《春天像你你像烟烟像吾吾像春天》爲例：

春天像你你像梨花梨花像杏花杏花像桃花桃花
像你的臉臉像胭脂胭脂像大地大地像天空天空
像你的眼眼像河河像你的歌歌像楊柳楊柳像你的手手
像風風像雲雲像你的髮髮像飛花飛花像燕子燕子像
你你像雲雀雲雀像風箏風箏像你你像霧霧像烟烟像
吾吾像你你像春天春天像秦瓊宋江成吉思汗楚霸王
秦瓊宋江林黛玉秦始皇像
「花非花
霧非霧」

這首詩很像一連串的文字遊戲。讀者在一大堆層遞式的比喻中弄得眼花繚亂，應接不暇。初讀彷彿沒有什麼意思可言，再讀卻感到有點什麼，細讀才知曉詩的主題全在最後的「花非花，霧非霧」上。在數十個我像你你像他，他像……之後，詩人突然來了個花非花霧非霧。就是什麼都不是，什麼都不像，這是詩人生活的那個社會中極其荒唐迷亂狀態的一種曲折回響。就彷彿你闖進那令人眼花繚亂的臺北街頭，當你從那光怪陸離、五光十色的街道上走出，卻又突然感到什麼也不是，什麼都沒有，留下來的只有一個極度疲倦的身軀。

管管的詩雖怪，但卻不是毫無意義的怪，而是有着思想蘊蓄的怪。再請看他的《荷》：

那裏曾經是一湖一湖的泥土

你是指這一地一地的荷花
現在又是一間一間的沼澤了
你是指這一池一池的樓房
是一池一池的樓房嗎
不，却是一屋一屋的荷花了

詩人運用答非所問的形式，表現出上下詩句錯位中的禪機和哲理。而且作品很富於生活氣息和情趣，就彷彿一個頑皮的人在答話，他故意不正面回答對方的問話，要使對方着急，看對方的笑話。但詩句和詩句之間卻是經過精心安排的。在管管的作品中，有不少是描寫臺灣下層人民的生活和願望的。《月色》便是一首。這首詩描寫了一位從臺灣鄉下，瞞着家裏親人到大城市賣身以養家糊口的妓女阿秀。表現了阿秀內心的痛苦。那些農家女，一個個被生活所逼，墮入風塵。她們在夜上耕耘，在月裏收獲，然而收獲是那樣微薄。作品字裏行間表現了妓女的痛苦和不幸，阿秀是臺灣幾萬個妓女的縮影。在臺灣現代派的詩中，描寫下層勞苦人民，爲他們伸寃鳴不平的作品是不多的。尤其是像管管這樣，懷着如此深切的同情，飽蘸着辛酸描寫她們的作品就更難得了。僅此一點，這首詩就具有重要的意義。這首詩在藝術上也是相當有特色的。詩的開頭，詩人就用一幅生動的風景畫式的詩句，點出了作品的時空，「把吃剩的一半月亮晒在露臺上」，這是那麼生動的畫面。作品描寫阿秀的神態和動作維妙維肖，把半枚發澀的英文吐在一堆烟蒂上，她用牙狠狠地咬着票子。這些句子既反映了妓院的狼籍，又活畫出了妓女的神情。有的句子，寫得十分沉痛，如「弟弟不知道床上可以收割麥子」。讀之令人心碎！作爲一個放蕩不羈的現代派詩人，管管對於社會底層的奴隸、不僅沒有以玩弄爲快，而且有如此悲天憫人的胸懷，實在難能可貴。

管管詩作的數量雖然不算多，但其內容卻是相當豐富的。他的另一首分段長詩《月眉老店》，對跋涉在旅途中的勞動者那種晚上住店的心境和神態的描繪，是罕見的。他的另一首悼念臺灣著名詩人楊喚的長篇分段詩《三朶紅色的罌粟花——悼亡友Y・H》，讀之，感人至深！這都一一顯示了管管具有深沉的人道主義的友愛情感。同情勞動者和憐愛弱小者，是管管深沉的人道主義友愛情感的一體兩面的表現。他的《小樹》一詩中所描寫的象徵着一個孤立無援獨處曠野的弱者，詩人看見了這位弱者，不是可憐，不是逃避，而是恨不得馬上跑上前去擁抱他，和他站在一起。這種情懷在資本主義社會中，顯得尤爲可貴。在概略的分析了管管的作品之後，可以這樣說，管管的詩形式怪，內容不怪；思維奇，形式新，語言上頗有中國味。洛夫在評價管管時說：「在中國現代詩人中，管管是一異數，他有能耐開啓別人的門，登堂入室，俯仰自如，但別人是否也握有一把開啓管管之門的鎖匙呢？縱然今天喜歡管管的讀者日益增多，據說南部各學校正流行『管管風』，但眞正懂得管管，欣賞他那副荒蕪之臉的人恐怕只限於深具慧根的人。」(註一九)看來讀懂管管，尤其是深入管管的世界，是不太容易的事。

【附　註】

註一　《張默自選集》第二八六頁。
註二　臺灣《中國時報》一九八一年八月十九日—二十日。
註三　《張默自選集》第二八七頁。
註四　《詩壇春秋三十年》。
註五　《瘂弦自選集》第二四五頁。
註六　《瘂弦自選集》第二五八頁。
註七　《瘂弦自選集》第二四三頁。
註八　《瘂弦自選集》第二四〇頁。
註九　《瘂弦自選集》第二四四頁。
註一〇
註一一　《聽那一片洶湧而來的鐘聲——叩訪洛夫詩境的源泉》(陳義芝)，臺灣《自由日報》一九八一年六月三日。
註一二　《聽那一片洶湧而來的鐘聲——叩訪洛夫詩境的源泉》(陳義芝)。
註一三　《張默自選集》第二九四頁
註一四　《臺灣新生報》(一九七八年六月二十四—二十五日《無調的歌者》)。
註一五　《臺灣新生報》一九七八年六月二十四日—二十五日。
註一六　《葉維廉自選集》第二五三頁—二五四頁。
註一七　《中國現代作家論》第一二一頁。
註一七　臺灣《民衆日報》(一九八二年六月六日)。

註一八　《詩人辛鬱訪問記》（方生）。

註一九　《中國作家論》第二二二。

下篇

臺灣新詩的回歸期

臺灣[illegible]

下[illegible]

第十一章　臺灣新詩回歸的前奏（一）

第一節　從明朗到中國的《葡萄園》詩刊

在論述現代詩派詩時，我們從主導方面講，現代派獨霸臺灣詩壇二十年。但世界上任何事物都不是純而又純的，都是新中有舊，舊中有新的。因此，在臺灣現代派詩獨霸臺灣詩壇，以現代派的詩歌作品爲主流的五十年代、六十年代，同樣也有現實主義的詩人和作品存在。由日據時期的張我軍、楊華、巫永福，到光復初期的銀鈴會傳承下來的詩歌精神，由楊喚等從大陸帶來的大陸新詩的現實主義傳統，在現代派詩霸占臺灣詩壇時期並沒有像煙一樣被風一吹而散。而是像地下的竹筍在蔓延生長，像苦楝樹的根在慢慢的吐枝抽芽。巨石雖然可以將它壓扁和阻隔，但泥土會幫助它繁殖生長。正是現代派詩蓬勃發展，創世紀詩社處於最興旺的六十年代初期，一些現實主義詩人們，或傾向於現實主義的詩人們便開始默默聚集，組織詩社，創辦詩刊，欲與現代派詩抗衡，爭一日之短長，至少是爭一塊插針立足之地。例如：由詩人文曉村、王在軍等發起組織的，於一九六二年七月成立的「葡萄園詩社」，同時發行了《葡萄園》詩刊；一九六三年由詩人古貝、陳奇合等人發起組織的「新象詩社」，同時創刊了《新象詩刊》；一九六四年由詩人桓夫等發起組織的「笠詩社」，同時創刊了《笠》詩刊，都是臺灣現實主義詩歌重新抬頭的表現。這裏先簡略地介紹一下「新象詩社」。

「新象詩社」和《新象詩刊》成立、創刊於一九六三年十二月十六日。主要成員是青年詩人古貝、陳奇合、黃榮村和蕭蕭等。從他們的社名和刊名「新象」二字，顧名思義是要有一番新的作爲，新的創舉。雖然在當時，他們的宗旨不太明確，他們的目的還有些朦朧，但是要改善臺灣詩壇的現狀，要開創一種新的局面，要寫出一種新的作品，卻是他們的「新象」標明的含意。《新象詩刊》是一份報紙型折叠成四十開、活頁刊物，這個刊物雖然規模不大，同仁不多，發行量也很有限，在當時和後來都鮮爲人知，但卻以短暫的生命向現代派詩進行了一次小小的挑戰。在詩壇被現代派一統的局面下，以其微弱的不同聲響，以其雖然暗淡卻有一閃的螢光，在非尋常時期的臺灣詩壇上留下了一道光痕。

「葡萄園詩社」是一個非常有特色，有創見的詩社。在六十年代之初，當臺灣詩壇被現代派詩的晦澀之風籠罩的情況下，《葡萄園》詩刊的出現，從新詩「明朗化」，到「中國詩」路線的推行，給現代派的晦澀與西化極大的打擊，對臺灣新詩的發展，具有深遠的影響。《葡萄園》詩刊比《笠》詩刊的創刊早兩年，就文學史的意義來說，不論是《葡萄園》的明朗、中國，或《笠》的鄉土大衆化，都是屬於民族精神的再建，都是臺灣新詩回歸民族文化的前奏。就詩社的整體來說，葡萄園詩社是第一個眞正推行中國詩風的詩社。因此，是值得特別論述的詩社。

「葡萄園詩社」和《葡萄園》詩刊，成立和創刊於一九六二年七月十五日，發行人王在軍，社長李佩徵，主編文曉村。其他創刊同仁有陳敏華、藍雲、古丁、史義仁、宋后穎、徐和隣、楊奕彥、米若路、王鐵魂等。後來陸續加入《葡萄園》的詩人很多，但因該社屬於自由結合性質，組織比較鬆散，有些同仁出國後，因忙於事業停了筆，如陳敏華、楊奕彥、米若路；有幾位因人際關係，做了分途發展，如王幻、劉建化另創《桂冠》詩刊（一九六九年九月），古丁與涂靜怡創辦《秋水》詩刊（一九七四年元月），朱學恕創辦《大海洋》詩刊（一九七五年十月），舒蘭與林煥彰創辦《布穀鳥》兒童詩學季刊（一九八〇年四月）等。惟迄今仍爲該社同仁，並有詩集出版，或創作不輟的，有魯松（孫宗良）、路衞（周廷奎）、金筑（謝炯）、謝輝煌、藍俊、白靈、流沙、洪荒、吳青玉、吳明興、賴益成、台客、莊雲惠、晶晶、劉菲、王碧義、陳娜蓮、莫野、關雲、張太土、曾美玲、詩薇、楊金火等。現任社長文曉村，主編金筑，執行編輯台客。《葡萄園》詩刊創刊二十多年來所發行的詩刊，已經超過百期。一九八二年八月，爲紀念創刊二十周年，出版了《葡萄園詩選》。

「葡萄園詩社」對臺灣詩壇貢獻最大的，是它的主編和同仁爲之不遺餘力奮鬥的「明朗、健康、中國詩路線。」文曉村在談到他們實行這一路線的背景和目的時說：「當《葡萄園》創刊之初，正值現代詩的晦澀風雲像低氣壓一樣，籠罩着臺灣詩壇的天空，現代詩幾乎已經失去多數讀者的同情，遭受許多批評和責難，陷入孤絕危險的境地，如何挽回現代詩的聲譽，重新贏得讀者的心，讓詩在讀者的心靈中發光發熱。這種隱然的，歷史的使命感，便在我們心中升起。」(註一)基於這樣的歷史感和使命感，《葡萄園》詩刊在它的《創刊詞》中提出了明確的主張：「我們希望：一切游離社會與脫離讀者的詩人們，能夠及早覺醒，勇敢地拋棄虛無、晦澀與怪誕；而回歸眞實，回歸明朗，創造有血有肉的詩章……從而使現代詩植根於廣大讀者羣中，完成詩美化人生與淨化心靈的使命。」該發刊詞並具體闡釋了他們所倡導的明朗是具有含蓄和眞實性的明朗，是具有堅實內容的明朗。爲了應付挑戰，回答創作實踐中提出問題，該刊在第八、九兩期連續發表了《論晦澀與明朗》、《論詩與明朗》，第三十一期發表了《建設中國風格的新詩》的社論。對詩的眞實性、民族化、中國化、普及等發表了十分中肯的見解。

該刊在《論詩與明朗》的社論中指出：「現代詩決非少數自命爲心靈貴族的特殊寵物，那種在虛榮的象牙塔上以超現實者自居的貴族時代早已不復存在的，這種過時而腐敗的想法，似乎不應再占據着現代詩人聖潔的心靈，更不是移去所有的門窗，把自我關在暗晦冷僻的角落裏，更不必帶一付莫測高深的面具在詩壇上自欺欺人。藝術的火箭要以眞爲根據地，以善爲出發點，才能達到純美的世界。」(註二)

《葡萄園》雖然大聲疾呼，現代詩應走明朗化的道路，應該有眞實健康的內容，但現代詩的晦澀貧乏，並沒有斷然的改善。他們認爲：「這和詩的過分西化，缺乏中國文化的營養有關。」於是，該刊在第三十一期（一九七〇年元月）又發表了一篇極爲重要的社論——《建設中國風格的新詩》。在這篇社論中，對中國風格的詩進行論述的同時，並對西方的現代派進行了尖銳的批判。社論說：「有人批評徐志摩、李金髮和戴望舒那個時代的新詩，完全是西洋浪漫主義、象徵主義和現代主義的移植與模仿；不幸，在我們這個時代，有些詩人，也在追隨歐美詩人的腳踪，步人後塵，拾人牙慧，甚至以買辦自居而沾沾自喜。殊不知盲目地跟人學步，學得再高明，也只是二流三流貨色。尤應指出的是，這種一味模仿抄襲歐美詩人的技巧，忽視中國傳統文化與技巧至上的詩，縱然技巧圓熟，外表看來玲瓏剔透，充其量也是些模擬品，一些貧血的、沒有生命的花朵。」（註三）因而該刊殷切的呼籲：「所有忠於中國的詩人，應該將凝視歐美詩壇的目光，轉回到中國自己的土地上；讓我們接受歐美詩的優點與技巧，而不爲其詩風面貌所左右，所迷惑；讓我們擺脫新的形式與技巧至上的謬誤；讓我們的新詩在中國的土地扎下不可動搖的深根，來表現我們中國傳統文化熏陶之下的現代思想與現代生活的特質，以建設中國的新詩。」（註四）

文曉村在《葡萄園二十年回顧》中，曾經引證他在臺灣師範大學《文風》雜誌三十二期（六十六年）所發表的《健康、明朗與中國——談現代詩的三個基本觀志》時說：「中國的現代詩，應該具有健康的內容，明朗的風格，和中國文化思想的特質，可以說就是《葡萄園》二十年來的信念，和走過的道路。」《葡萄園》詩刊所主張的這種「健康、明朗、中國詩」的路線，和對這種路線所作的不遺餘力的貫徹和宣傳，對臺灣新詩產生了深遠的影響。七十年代臺灣新詩的全面回歸民族，回歸鄉土是和他們的努力所產生的影響緊緊地連在一起的。作爲臺灣新詩回歸的一種前奏、一種先導，《葡萄園》的努力和影響，是非常巨大的。

這裏我們舉一首王在軍的《螢火蟲》，看一看他實踐中國化詩風的努力。

你提着一盞翠綠的孤燈，
像有家歸不得的夜行人；
在黑暗中徘徊躑躅，
在風雨中輕喟低吟。

你到底在散播愛情的種子？
還是在尋找失落的夢？

弱不禁風的小人物呀！
我相信：天越是黑暗，
你越是光明。

這首詩不僅明朗含蓄，而且頗富哲理。詩人以擬人化的手法，用螢火蟲象徵勤勞樸拙的小人物。但這小人物身上卻有一種非凡的品質和特殊的光彩。這種品質和光彩不是表面的，不是外露的，而是像沙裏埋的金子，山裏裏的玉，石中藏的火，在一定條件下它才吐露，放出光芒。在怎樣的條件下它才閃光呢？「天越是黑暗／你越是光明」這裏包含着一種鬪爭的哲理和反抗的性格。螢火蟲在動物界，身體微小地位卑微，而且只有在黑夜裏才顯出它的存在，詩人以它來象徵小人物非常貼切。這一形象既反映了處於社會底層受着生活煎迫的小人物的現實，也贊頌了小人物不向黑暗低頭的高貴品質。

從整體來說，《葡萄園》詩刊的成就和影響，大於其同仁的創作成就和影響。《葡萄園》同仁及其詩刊發表的詩作，一般都比較明朗清新，含蓄而不晦澀，凝練度較高，有堅實的生命，有其自己的風格。尤其與現代派的作品，截然不同。現將其第一代的幾位重要詩人，論述如後。

第二節　文曉村

逆風千里中突然出現一支反叛的隊伍，要向反潮流的方向另闢蹊徑，開出一個新天地。這須要有兩個重要的條件：其一，必須有十分堅定的主張和鮮明的旗幟；其二，必須有勇敢無畏，爲新的主張赴湯蹈火大聲疾呼的旗手。「明朗、健康、中國詩路線」就是臺灣新詩西化逆風中豎起的鮮明反叛的旗幟；葡萄園詩社的靈魂人物、長期擔任《葡萄園》主編的文曉村，就是高舉這面反潮流旗幟的人。文曉村在許多論評文章和詩作中，都曾不遺餘力地爲它衝鋒陷陣，吶喊呼叫。這裏我們引一段文曉村一九八七年六月撰寫的《水碧山青》詩選自序《四分之一世紀的愛》中的一段話：「多年來，我一直堅持，現代詩應走健康、明朗、中國的道路；在西洋詩風詭譎多變的陰影中，希望能夠保持中國詩人自我的清醒；在詩的本質的追求中，感性的表現，固然以抒情爲基調，即使知性的批評諷刺，也不要忘記溫柔敦厚的用心。」文曉村不僅用理論反覆論述這條路線的內涵、依據，及其迫切性重要性，批駁和迎擊各方的障礙和阻力，而且用他的詩作爲石籽和水泥來爲這條路線墊基。在一首《橋》的詩中，文曉村這樣寫道：「不要企圖／把現代築成一座高大的水壩／不要企圖／扭斷傳統的脖子／阻斷河的前進／那樣縱然可以發電／可以灌溉／可以製造炫耀奪目的浪花／但從此之後／將不會再有河流存在」而且「一旦老天震怒／把大壩撕裂／勢必要釀成一場大地的災難」。詩人奮力呼喊不要扭斷中國傳統的脖子，不要阻斷歷史前進的河流。否則，如果讓老天——中國的老百姓憤怒，就會遭到滅頂之災。

文曉村，河南省偃師縣人，一九二八年出生，臺灣師範大學國文系畢業。他是葡萄園詩社、詩刊的創辦人及主編，一九八五年改任社長。現任中學教師和臺灣「文藝協會」理事，「新詩學會」常務理事。他從五十年代初期開始詩歌創作。文曉村回憶到那時的情況時說：「那時候，初抵臺灣，舉目無親，爲了排遣寂寞，發洩苦悶，在日記簿裏悄悄地寫詩；或悄悄地參加中華文藝函授學校詩歌班，學習寫詩的技巧和方法，也寫了不少詩作……」文曉村初學寫詩時受到覃子豪的眞傳，因而他把覃子豪視爲「啓蒙老師」。文曉村詩的成熟階段是從一九六二年七月十五日《葡萄園》詩刊創刊，他被同仁推選爲主編開始的。從那時起他告別了對繆斯「少年青澀的初戀」，進入了「對詩神最忠誠的奉獻」時期。多年來，他扮演着既是詩的情人，又是詩的媬姆的雙重角色。一方面辦詩社，辦詩刊，爲別人的作品當助產師，另一方面自己也當產婆。文曉村出版的詩集有《第八根琴弦》、《一盞小燈》、《水碧山青》

和長詩《這一代的樂章》。他出版的詩論集有《新詩評析一百首》、《橫看成嶺側成峰》等。他的作品在臺灣曾多次獲獎。如：臺灣「文藝協會」及臺灣省作家協會詩歌創作文藝獎章，臺灣「國軍文藝金像獎」長詩獎，臺北市教育局徵文中學教師組新詩創作首獎等。特別值得一提的是，文曉村由於在中學教書，對於推行詩教也特別注意和重視，他的《新詩評析一百首》，就是專門爲青少年及初習新詩的青年而寫的。據說，出版之後，深受青少年讀者和中學教師的歡迎，半年之內，曾三次擴版發行。此書之出版，爲臺灣青少年詩教史上的創舉，臺灣「教育部」曾爲此頒給「宏揚師教」獎一座。

文曉村的詩歌創作嚴格地沿着他倡導的「健康、明朗、中國詩路線」前進。他實踐這條路線包括內容和形式兩個方面的努力。從內容方面看，在讀了文曉村的詩作後，我覺得有三股力量突出地撞擊着讀者的心靈，震撼着讀者的情感。一是祖國和民族意識。這方面的作品很多。例如《鐘乳虹》、《創造者之歌》、《五章》、《海棠紅》、《給南美的明秋水》、《中國宮殿》、《懷念》、《箏》等。祖國意識和民族意識既是「健康、明朗、中國詩路線」的基礎和核心，也是文曉村詩歌創作的基調和靈魂。因而文曉村反覆地從各個角度，利用各種題材的作品，來譜寫、滙集和突出這一主題。在《創造者之歌》中，文曉村以驕傲和自豪的情感歌頌中華民族無往不前的創造精神。詩人寫道：「展開我們的胸膛／可以閱讀千萬里錦繡的大地／拍拍我們的血脈／也能聽及五千年歷史之河的奔騰／我們是偉大的中華兒女。」我們有偉大的理想，偉大的抱負，決不像醉漢一樣，只知道揮霍祖先的遺產；我們決不是敗家子，只知道出賣祖先的饋贈。於是詩人大聲號召：「兄弟們 讓我們以鋼鐵的手臂／扭斷地獄的鎖鏈／讓含垢蒙羞的山河／重沐溫暖的陽光」。在另一首詩《給南美的明秋水》中，詩人則用燃燒般的詩句，告訴遠行的兒女們，不要忘記母親，要永遠記住中國的土地上自己萌生發芽的根。詩人激情地寫道：「只要永不忘記／中國是我們的母親／她比任何地理教課書上的名字都美麗／她比任何歷史教課書上的名字都芳馨／只要永不忘記／中國是全世界華人的根／我們的血肉／都是來之於中國的土地與河流」。二是回歸意識。文曉村和所有的遊子一樣，雖然離開家鄉三十多年，但是中原土地上留下的少時的腳印，河南伊水之濱少年時赤條條游泳嬉戲的身影，以及那童夢的房屋……都仍然不斷地在他眼前映現，那些玩伴，那些親人怎麼能不魂牽夢繞？這種時時刻刻牽繫着魂魄的題材怎麼會不入詩呢？我以爲在某種意義上，文曉村的這一類詩寫的是最動人的。在《想的不願想》一詩中詩人寫道：

你想的　不願想
不願想的　却常常縈繞在心房
兒時濯玩伊水的那裸足
還是一對白白嫩嫩的小蓮藕
沒想到一穿上鞋子

就會去蕩黃河長江的浪頭
是母親親手做的啊
那黑色的布鞋　那載着你
載着浪花　也載着海鷗的小舟
當狂風驟雨襲來時
任你驚呼　任你張臂
任你向東向西　向左向右
也抓不住一隻援救的手

在風裏雨裏
在顛顛簸簸的浪頭上
你必須抓住一點什麼
而蒼天茫茫　海也茫茫
沒有植根的風雲也在海上流浪
就那樣　在河上　在海上

你流浪　日子也流浪
流浪的日子該有點詩意吧
却怎的捉不住一隻海鷗的翅膀
天際　只有寥落的星辰

如今　當蒼涼的回憶
自心底羞羞澀澀地湧起
欲再濯足　便只有這不知名的小溪
而你已失落了那份兒時的天真

這種深情的呼喚與傾訴，讀來何等感人！在另一首《生日》（之二）的詩中，詩人也寫下了令人鼻酸的詩句：「母親啊母親／你日夕倚門復倚門／縱然將九千個日子／望成九千個黯然的黃昏／奈何關山萬里海天無情／也望不見那熟悉的踪影」。在文曉村的鄉愁詩中，很多是思念母親的。我以爲在文曉村的作品中祖國、民族意識和鄉愁回歸意識是既有區別，又有連繫的。祖國和民族意識是鄉愁回歸意識的基礎，而鄉愁回歸意識則是從祖國民族意識中派生而激發的。因而文曉村在鄉愁詩中屢屢歌頌和懷念的母親形象，也具有雙重含意：既具體地思念自己故鄉的，曾經爲自己餵奶、把尿、養育自己的母親，又泛指自己母親般的祖國和民族。三是歌頌勤勞、樸實的勞動者的高尚品質，例如在《牛》一詩中，文曉村寫道：「

我只是守着一方土地／一步一步／默默耕耘」。在其他詩中也有這種主題的表露。

「健康、明朗、中國詩路線」雖然更重要的是體現在內容上，但表現形式也不容忽視。我以爲文曉村在這方面的探索也是非常可貴的。例如，把詩寫得明朗比較容易做到，但是如何把詩寫得明朗而又含蓄，易懂又不直露，卻不是一件易事。文曉村有些作品堪稱爲這方面的優秀之作。例如《迴響》：

我聽到一種聲音
從我的窗外
輕輕的叩喚
便悄悄地推開小窗
向外張望

但見一隻小小的翠鳥
掠過杜鵑花叢
飛向山前
那一片相思林間

這首詩語言凝練，意象單純明朗，表達含蓄，意味深長。詩人通過一個翠鳥的叫聲，把讀者的思緒引入一片相思林，喚起了人們心靈中和相思林相應和的美的迴響。使讀者可以根據各自不同的心緒，產生多種多樣的聯想。含蓄的詩，就像玻璃球中的花朵，精巧玲瓏，鮮艷異常。但是你卻看不到花的全貌，只能從你觀察的角度，看到那一部分，而且還隔着一層玻璃。文曉村詩歌形式方面追求的另一個側重點，是從語言上下功夫。現代派一部分詩的晦澀難懂，很大程度上是由於以語言的含混不清，莫知所云，去掩蓋內容的空虛。因此要和晦澀針鋒相對，就要創造出明朗、清新、含蓄、凝煉，並且要富有表現力的詩的語言，否則很難會有成效。文曉村詩的語言就具有這種特色。例如他在《致海外詩人——給紐約的李佩徵》一詩中有這樣的詩句：「潑一幅中國山水／在紐約天空」，「一回頭卻被一片楓紅／深深的擊中」。前兩句表達了旅美中國詩人在異國仍然堅持不渝繼承中國詩歌傳統的品格，後兩句表現了詩人在異國看到了具有中國象徵的紅楓樹，驟然而來的鄉愁幾乎將自己擊倒的情感。詩句凝練、含蓄而深沉，包容量也相當豐厚。當然文曉村的詩作也有不足，如有的作品似乎給人明朗有餘含蓄不足的感覺。此外，有的作品構思上還可進一步濃縮。

第三節　古丁

葡萄園的另一傑出詩人、文藝理論家古丁，本名鄧滋璋，湖南省瀏陽縣人，一九二七年十二月二十三日出生。一九四四年日軍侵佔湖南，古丁流亡貴州，投考貴陽「中央防空學校」，一九四六年畢業，分發國民黨軍中服務。一九四九年隨國民黨軍隊到臺灣，一九七六年空軍士官長退役。旋卽進入一所科研機構——食品工業發展研究所，擔任中文秘書，兼編「食品工業」月刊。一九八一年元月二十七日早上，於上班途中車禍喪生，享年五十四歲。十四古丁一九四六年卽開始寫詩，五十年代初期在臺灣發表作品，但其質性木訥，厭惡社交，直到一九六二年和詩人文曉村、王在軍等發起組織葡萄園詩社，創辦《葡萄園》詩刊，才受到詩壇的注目，他的第一本詩集《收穫季》一九六三年出版後，便獲得臺灣「詩人協會」的新詩創作獎。緊接着於一九六五年，一首一千二百行的長詩《革命之歌》，又獲得臺灣「國軍第一屆文藝金像獎」長詩首獎。兩年後，復以《新文藝論》獲得文藝理論獎。從此，奠定了古丁詩人理論家的地位。一九七三年九月，他脫離葡萄園詩社，與老詩人鍾鼎文，詩人綠蒂創辦了一份英文《中國詩刊》(Chinese Poetry)自任主編，由詩人鍾鼎文和綠蒂，分任發行人和社長。這份英文詩刊，雖然只發行了一期，但在臺灣新詩史上是第一本英文詩刊，有其地位和價值。一九七四年元月，與其女弟子涂靜怡，詩人綠蒂，創辦了《秋水》詩刊。一九八一年古丁不幸車禍故世，《秋水》詩刊爲他出版「紀念專輯」，臺灣詩界也在臺北市耕莘文敎院，爲他舉辦了一次有數百人參加的追悼大會。他的同學好友，向明在追悼他的文章中，曾經寫道：「生活是逼人的，孩子長大需要更多的生活費，草寮四處漏雨需要整修。他沒有別的專長，而文學是他唯一的興趣，他只有執着於詩的寫作。他的最有名的長詩《革命之歌》就是這個時候完成的。這首詩足足費了他好幾個月的時間，不眠不休的苦寫，晚上草寮蚊蟲太多，他就躲在蚊帳裏執筆。」

古丁在《收穫季》中，寫過不少反映生活現實的作品。例如《斷橋上》：

斷橋上

我是邁不開步子的趕路人
前面是水
是湍湍急流
　橫切過我夢想的前程

彼岸已不可企及
已只能投疲憊的目光
看羅馬的建築在我心中傾毀
沒有什麼可盼望的了
在這僅餘的現實的狹窄橋面
我只有嚼碎一把歲月
維持這難堪的現狀

這是一首十分耐人尋味的作品。主詞「我」在這首詩中，表面上是詩人的自稱，實際上也是具有相同境遇的許多社會人的寫照。試想，一個趕路人，站在一座斷橋上，前面是湍湍急流，夢想的前程已被切斷，理想的彼岸已經不可企及，只有嚼碎一把歲月，維持難堪的現狀，該是何等的辛酸與無奈！如果再深一層去想，這詩中的「我」，恐怕也是臺灣現實社會的象徵吧。只是詩人表現得十分含蓄，不露痕跡而已。這裏，再來讀一首《潭水》：

被圈於此
你是一潭流不動的死水
辱於泥沙，辱於頑童的撥弄
不再澄明

還激動什麼呢
縱然曾有過風雲際會
有過江河大海的閱歷
而此刻是
現實的提岸太高
你再也不會自潭底昇起

這首詩明寫潭水，實寫人生。詩人由大陸來到臺灣如同掉入一潭死水之中，人生的希望與活力，人生的理想和期盼全都被泥漿糊住。想逃離現實的堤峰是那麼高，詩中充滿絕望與無奈。

古丁在其詩集《星的故事》自序中有一段話，很能說明他對詩的基本觀念。他說：一九六二年，我「與同好創辦葡萄園詩刊，共同爲新詩的明朗化奮鬥了十餘年。我認爲臺灣現代詩的最大缺點是忽視自己的民族傳統文化，過份模仿西洋現代詩的技巧和作風，尤其所模仿的，都是本世紀初的西洋現代主義和超現實主義，再加上後來的存在主義，使臺灣的新詩由晦澀、怪異、頹廢而走入了死巷，招致許多惡評及讀者唾棄。古今中外，以晦澀、怪異、頹廢取勝的詩固然也有，但從來沒有像我們當代的新詩，竟以此爲主流。」又說：「我由於一開始就看出這種缺點，所以始終站在這個主流之外，自行摸索，在我的筆下很少去談現代主義、超現實主義和存在主義。我以爲詩人求新是必須的，因此我頗強調創造的精神，但模仿不能算是創新，尤其反對中國的傳統而去因襲西方的傳統，不但無新可言，而且自相矛盾。」這是一個現實主義詩人詩論家的心聲。

古丁在其《截斷衆流》評論集《自序》中，有一段非常精闢的話，說：「我對當今文風，尤其是一些西化派的詩人和作家，日趨形下的作風，有相當的不滿。我對作家有兩點期待：第一，他必須走中國的路線，中國的風格，中國的思想，中國的精神。第二，他應有成爲一個作家必須具備的風骨與品格。我大部份評論的焦點，可以說都集中在這上面。」（註六）這表明古丁是一個中國詩路的忠實執行者和堅決的捍衛者。

愛國的詩人，沒有不懷念故鄉的；古代放逐江南的屈原如此，現代流浪臺灣的古丁亦復如此。古丁在許多作品中都情不自禁地流露出濃濃的鄉愁，例如在九節五十行的《我的山》的最後一節，便有這樣的詩句：「我的心悲傷了許多年／許多年，山在我的心中荒蕪着／山在遠方呼喚我的名字／山在翹首／仍不見我的歸去／歸去吧！我的心中有一座山／山是我心中的神／神是我生命中的母親」。另一首數十行的《童年》的結語則是這樣：「時間不再動彈，那頑皮的孩子／不再在河上出現，不再在山上／他在幾千里外／啊！時間，他已和我一樣老去／在不屬於故鄉的日子，在懷念中／臉色蒼白……」古丁最長的一首懷鄉詩《懷鄉曲》，長達九十八行，把懷念故鄉的情感揮灑得淋漓盡致，其中有幾句是：「我是一株憂鬱的小菌／夜夜畏縮在窗邊／再也不想長高／怕長高以後，便移植不回去」「回去的意念是澎湃的江河／流過我的全身／聲聲呼喚／喚回我的思念／無論歲月怎樣流逝／我仍屹立，仍抓住一線希望／這樣才能不沉溺」。故鄉像繩索一樣牢牢拴住他的思念。

古丁過世後，他的女弟子涂靜怡，曾爲他出版了一套三巨册的《古丁全集》。

第四節　陳敏華

陳敏華，山東省黃縣人，一九三四年出生，臺灣靜宜文理學院肄業。是《葡萄園》的創辦人之一，一九六五年起，繼李佩徵擔任社長，並一度兼任過主編。又因爲主持過臺灣教育廣播電臺的「文藝橱窗」，和臺灣電視公司的「藝文沙龍」節目，知名度頗高。一九六七年起，先後出版了《雛菊》、《水晶集》、《琴窗詩抄》和《晨海的風笛》等四本詩集。臺灣「教育部」和「文藝協會」的文藝創作獎和詩歌創作獎獎章，以及國際上多項榮譽文學學位。一九七五年，陳敏華離開臺灣，在哥斯達利加習西班牙語數年，後又轉往美國，現住舊金山。

在陳敏華的幾本詩集中，《水晶集》和《晨海的風笛》，是值得特別一提的。第一，這兩本詩集，都是中英文對照本，英譯者爲美國哈佛大學文學碩士馬壯穆 (John M. Mclellan) 教授，譯筆信實而絢麗，甚受學術界的推崇。第二，這兩本詩集，都是「詩情畫意」的展現：《水晶集》的畫，全是臺灣當代著名水彩畫家的作品；《晨海的風笛》的攝影，則是詩人的丈夫，也是名建築師和攝影家張紹載的作品，詩畫媲美，相得益彰。第三，詩集「中英對照」和「詩情畫意」的展現，在當時的出版界似乎都還是創舉，引人入勝，自不待言。她的詩與畫一樣美，形成詩如畫，畫如詩的互襯景觀。請先讀一首《寶劍》：

古代的劍
燃着火的熱情
斑斕的金甲
是龍的蛻化

劍花在月夜盛放
若梅 橫過纖瘦的斜枝
朵朵寒葩 冷冷然
在雪地上鬪艷

這是《水晶集》中，爲一幅渲染水彩所作的詩，想像奇特貼切，句與句連接起來，便成一個渾然的整體，一個具有深邃的意境。文曉村在一篇評論中，曾經爲這首詩寫過一千多字的剖析。他認爲，讀者不但從「古代的劍」和「燃着火的熱情」，可以想像劍在中國的古遠歷史和劍在火中鑄鍊的痛苦；從「斑斕的金甲」和「龍的蛻化」，更可想像劍在英雄豪傑手中，那種榮耀威風，龍騰虎躍的氣概；在第二節中，又將劍比作月夜盛放的梅花，在雪地上爭奇鬬艷，表現了劍的另一面的生命的內涵；而且，「龍爲我國遠古時代黃帝軒轅氏的圖騰，是我民族文化道統的象徵；而梅則爲我國的國花，是我民族文化的另一種標誌。這龍與梅合起來，應是我中華民族崇尚武德與愛好和平精神的暗示。明白了這一層，回頭再來讀《寶劍》，聰明的讀者，必能有更深一層感受。」（註七）

陳敏華的詩，社會意識比較淡薄，除了極少數，如《鸚鵡》的諷刺，《龍山寺》的說理，《補傘老人》對窮人偶有同情之外，大部份作品都是臺灣和國外許多風景名勝地區的記遊之作，幾乎所有的作品，都可以美的追求——美的語言，美的意象，美的意境，美的結構爲重心。例如《濱海之晨》：

夜鶯已倦
雲雀啣去那方烏色的面紗
晨光像熠熠金鍊
在海的明鏡中映射
裸足的蚵女

挽着竹籃　沿岸
掇拾愛耳語的貝殼
探詢歸航的消息

這首詩中「雲雀啣去那方烏色的面紗」，是比喻夜色已在晨曦中退去；裸足的蚵女沿着海邊，「掇拾愛耳語的貝殼」。好一幅清新、明麗的蚵女圖。詩的結尾：「掇拾愛耳語的貝殼／探詢歸航的消息」把勞動和期盼，生活和遐思相融合，暗示出蚵女的內心世界。

第五節　李佩徵

李佩徵，在臺灣詩壇上，是一位現代的陶淵明，或者說「很陶淵明式」(註九)的詩人。不是說他的詩像田園大師陶淵明那樣偉大，而是說他的思想，他的詩風和陶淵明有頗多近似之處。

李佩徵，河南省信陽縣人，一九二〇年出生。信陽中學畢業後，跟隨父親在漢口經商。一九四九年去臺灣，由小攤販而獎券行，而百貨公司，成爲一個成功的商人。一九七九年二月，美、臺斷交後，去了美國。現隱居於紐約市布魯克林區。

李佩徵寫作起步較晚，大約抵臺後十年，生活比較安定了，才開始寫新詩。是《葡萄園》的創辦人之一，曾任社長和名譽社長多年。先後出版過《小船之歌》、《旅美詩抄》、《潑墨之雲》、《雕刻家的石像》、《李佩徵詩選》等五本詩集。其中《小船之歌》和《旅美詩抄》是中英文對照。英譯者，和陳敏華的《水晶集》一樣，也是臺灣師範大學美籍教授馬壯穆（John M. Mclellan），據文曉村在《李佩徵詩選》的序文中說，李佩徵的性格孤僻，厭惡社交，除了葡萄園的同仁之外，幾乎不和任何詩人作家交往；其作品也只在《葡萄園》詩刊上發表。他的詩風清純自然，樸實無華，頗有陶淵明的遺風。只是陶淵明躬耕田園，李佩徵則是隱居於鬧市。

文曉村是李佩徵的老友，對李佩徵的詩有較深的了解，他在《李佩徵詩選》的序文中，將李佩徵的詩分爲「浪漫、理想、隱逸」（註一〇）三個時期，並以很多詩例作了證明，大抵是正確的。請看他在美國寫的《庭院踱步》：

這是個詩與泉湧的源頭地
林園有野鶴棲息
湖水澄碧如鏡
遐想彼端，就是我的祖國
自這個小小的立脚點
到那個小小的立脚點

任意東方西方地
踱來踱去

一帆風順，毫無阻礙
且由我決定舉足的緩急
一切紛擾，都已遁去
陪伴我的，只是這一份安謐

詩人把那個踱步的庭院，當作「詩與泉湧的源頭地」，想像在湖的彼端，就是詩人的祖國，任由自己踱過來踱過去，一切的紛擾，都已遠去，再沒有什麼好爭的了；陪伴詩人的，只是一份心靈的安謐。詩雖明白直露，但卻在清新淡雅中透射出閒適自得的情趣。

李佩徵身在異國，心在故鄉，和任何一個遊子一樣，故土之思，故國之情濃得永難化解。「紐約大樓插天不盈尺的好光景／終不是我的國土／而修竹秀拔的林園／離我已是很久很久了」據說詩人已於近期落葉歸根，回到故鄉定居，完成了他回歸的宿願。而他與詩友在臺灣創辦的《葡萄園》卻永遠爲臺灣詩壇獻出一季季累累的甜蜜碩果。「故鄉阿，踏雪吟詩於妳胸懷／將有幾許里程？」

【附　註】

註一　《葡萄園二十年回顧》（臺灣《大學雜誌》第一七七期）。

註二　《葡萄園》詩刊第九期。

註三　《葡萄園》詩刊第三十一期（一九七〇年元月）。

註四 《臺灣大學雜誌》第一七七期第三〇頁。

註五 《秋水》詩刊第二十九期，向明《爾後切磋誰與共》。

註六 《古丁全集》第二册……切。

註七 《橫看成嶺側成成峯》中之《評陳敏華水晶集》（文曉村）。

註八 《水晶集》鍾雷的《序》。

註九 《小船之歌》序一：胡品清《李佩徵的世界》。

註一〇 《李佩徵詩選》文曉村序《旅居紐約客，難忘故鄉情》。

第十二章 臺灣新詩回歸的前奏（二）

——「笠詩社」

第一節 「笠詩社」在臺灣詩壇上的地位

一九六四年「笠詩社」和《笠》詩刊以嶄新的姿態，代表着另一種詩的潮流、詩的風格、詩的流派在臺灣詩壇破土而出。它的出現和《葡萄園》一起，打破了現代派詩在臺灣詩壇上的一統局面，成爲當時臺灣詩壇上與《創世紀》並列的最大的兩個詩社之一。「笠詩社」在臺灣出現的歷史和社會背景與葡萄園出現時大同小異。雖然西化思潮正盛，《創世紀》在剛剛擴版、整頓後正在「超現實主義」的狂熱追求中，處於一種蓬勃發展之勢。但就臺灣整個現代派來說，由於它的嚴重西化和晦澀，正逐步被廣大讀者所冷漠，怨聲載道，抨擊四起。在這種情況下，「笠」的出現無疑地爲臺灣詩壇帶進了一股新鮮的空氣，形成了鄉土派的《笠》和現代派的《創世紀》兩相對峙的局面。

「笠詩社」和《笠》詩刊，成立和創刊於一九六四年六月十五日。參加這個詩社的，幾乎是清一色的臺灣省籍詩人。「笠詩社」的出現是日據時期和光復初期臺灣詩壇現實主義精神的延續和發展。「笠詩社」的組成人員的身分就表明了它是一個承先啓後、溝通三十年代到七十年代臺灣詩壇的一座橋樑。在這個詩社中，聚集着老中青三代詩人。他們中有橫跨日據時期和光復以後的老一代詩人，如巫永福、陳秀喜、陳千武、林亨泰、吳瀛濤、詹冰、錦連、羅浪、張彥勛、杜芳格、周伯陽、黃騰輝、林外、葉笛、黃靈芝、李篤恭、何瑞雄等。由於他們是從日語創作轉入中文創作，所以被稱爲「跨越語言的一代」。笠的同仁中的第二代，卽光復以後成長起來的一代。這一代詩人年齡近乎中年，藝術創作處於中層，不妨稱爲笠的中生代。他們中有：白萩、黃荷生、趙天儀、李魁賢、非馬、林宗源、許達然、杜國清、林清泉、靜修、蔡其津等。這一代詩人既繼承了老一代的傳統，也吸收了新的藝術營養，包括西方的藝術營養。因此思想視野和藝術視野都較老一代開濶。笠的第三代，卽青年新生代，是笠隊伍中最有朝氣，最活躍的一代詩人。他們中有鄭烱明、陳明台、李敏勇、拾虹、陳鴻森、郭成義、趙廼定、莊金國、楊傑美、曾妙蓉、陳坤崙、莫渝、林鷺等。這一代詩人約二十到三十左右的年齡，正處於藝術的探索期。這三代詩人彷彿是笠的三根茁壯的柱石，撐起了一座巍峨的笠的詩歌大廈。

《笠》自創刊以來，目前已出版了一百五十餘期，是臺灣衆多詩刊中，從來不脫期的一種。《笠》的刊名象徵着普及和大衆化。將鄉村農民頭上戴的笠，作爲詩神的桂冠，這本身就代表着泥土味和鄉土氣息。笠的同仁遵奉一種新卽物主義的詩的路線，它的內容大體上包括這樣幾個特色：一是鄉土精神的維護；二是新卽物主義的探求；三是現實和人生的批判。該社在十五周年時出版的同仁詩選序言可代表該社詩的傾向和主張。該序說：「以臺灣歷史的，地理的與現實的背景出發的，同時也表現了臺灣重返祖國四十多年以來歷盡滄桑的心路歷程。」「凡我五官所走過所見過所想過所說過所把握過的一草一木，一滴血，一撮泥土，都是那樣的親切，也是那樣的苦楚與沉痛！站在我們的島上，我們擁有個人內在證明的心靈世界，也體驗羣體生活中令人心酸與感動的歷史的偉大形象。我們歌唱着我們最熱烈眞摯的情淚心聲！」笠的同仁就整體來說，創作路向大體上是一致的，但其中也有少數詩人的創作路向和笠的整體風貌並不一致。例如林亨泰、白萩等是從現代派中來，其作品便更接近現代派；而另一些詩人，例如陳秀喜等人的作品則受日本和歌和俳句的影響較爲明顯；杜國淸、陳明台等奉行超現實主義創作方法。因此在另一種意義上講，笠詩社可以說是溶滙了各種不同風格和流派的大詩社。笠詩社的出現，大大沖擊和改善了臺灣詩壇空洞晦澀的詩風，以自己質樸、踏實、淸新的風格，爲臺灣新詩喚回了一部分讀者，開闢了臺灣新詩的另一個眞摯、深沉的世界。但是由於該詩社新即物主義的追求，也給他們的作品留下了另一個缺陷，那便是似乎表現過實和語言上凝集昇華不夠。笠詩社在自己成長的歲月中，一方面抓創作出詩刊，另一方面也注意收集成果，選編詩集。他們出版的詩集、詩選集約在百種以上。詩選集方面如：《華麗島詩集》、《美麗島詩集》、《新詩集》、《臺灣現代詩集》、《小學生詩集》、《時鐘之歌》等等。詩集方面近期出版的《臺灣詩人選集三十册》，顯示了它的氣魄。這三十册詩集中，老一代詩人的包括：巫永福《永州詩集·愛》、詹冰的《實驗室》、陳秀喜的《嶺頂靜觀》、陳千武的《安全島》、林亨泰的《爪痕集》、張彥勳的《逆風的日子》等。中年詩人的有：林宗源的《濁水溪》、趙天儀的《壓歲錢》、非馬的《篤篤有聲的馬蹄》、李魁賢的《水晶的形成》、許達然的《違章建築》等。青年詩人的有：李敏勇的《暗房》、莫渝的《土地的戀歌》、陳明台的《風景畫》、鄭烱明的《最後的戀歌》等。女詩人中有利玉芳的《活的滋味》等。

經過多年來詩的歷練，「笠」也在提高和成熟。在《笠》出版一百期的日子裏，《笠》的著名詩人兼評論家趙天儀發表了《現代詩的創造》長文，對《笠》的成就和風貌進行了描述和概括，顯示了「笠」作爲臺灣詩壇現實主義的代表詩社，它具有的強大生命力。「笠」的團結所顯示出來的力量是臺灣任何一個詩社所不能比擬的，「笠」的詩人們所作出的貢獻，出版的詩集和評論集的數量，均居臺灣各詩社之首。在趙天儀的文章中，最引人注目的是他用明確的語言準確地表示出《笠》詩人羣的創作方向。趙天儀講：「我以爲中國現代詩的方向，正是笠所追求的方向。而笠開拓的腳印，正是豎立了中國現代詩的里程碑。我以爲現代詩的創造：在方法論上，是以中國現代語言爲表現的工具，以清新而確切的語言，來表現詩的感情、音響、意象及意義。而在精神論上，則以鄉土情懷，民族精神與現實意識爲融會的表現。以這種方法論與精神論並重的基礎，來探索我們共同的未來的命運。笠同仁在這十六年來的一百期之中，正是朝着這種現代詩的主流，開創了一條踏實的創作的途徑。」（註一）趙天儀的這一概述，基本上是合乎「笠」的實際的。

爲了時間上的順序和彌補歷史上的空缺，也爲了和詩人出現和活動的年代相稱，我把「笠」同仁中的老一輩，即跨越語言的一代詩人：巫永福、陳秀喜、桓夫（陳千武）、林亨泰、詹冰等放在光復初期和五十年代之間進行了論述。在此進行論述的只有「笠」的中生代詩人。而由於篇幅所限，不可能人人單獨成章，這一點只好敬請包涵了。笠詩社的一些青年詩人和其他詩社的青年詩人，將歸入到臺灣詩壇的新生代中予以論述。

第二節　白萩

白萩是臺灣詩壇上一個特殊的詩人，唯有他的足跡踏遍了臺灣各大詩社的園地，唯有他的詩播種和成熟在臺灣各大詩社的土地上。他最早是現代詩社的一員，後又成爲藍星的幕僚。他當過以張默、瘂弦、洛夫爲三架馬車的創世紀的編委。一九六四年當笠詩社成立時，他又回歸鄉土，成了笠詩社的發起人之一。白萩的創作道路由西化到回歸，由現代到鄉土，是和他曲折復雜的詩的歷程相連繫的。白萩在現代派的詩社中活動時，雖然在詩歌形式上有現代派的追求，但就其詩歌內容來看，他的悲劇精神，卻是現代派詩人中少有的；反之，在他進入鄉土詩人羣之後，雖然更增強了其詩的社會意識和批判意識，但和其他鄉土派詩人比較，他的創作還基本上呈現着獨特的風貌，那就是形式上還保留着過多的現代派的色彩。

白萩，本名何錦榮，一九三七年出生於臺中市，中學時代就和新詩結緣。十八歲時，即一九五五年便和女詩人林泠等一起獲臺灣年度詩人節詩獎。一九五六年自臺中市商業職業學校畢業，一九五八年出版處女詩集《蛾之死》，一九六〇年參加詩論戰，以現代派詩人的立場對批評現代派的邱言曦進行反批評。一九六四年成爲笠詩社的發起人之一，在《笠》詩刊的《作品合評》專欄顯示出才華。一九六五年出版第二本詩集《風的薔薇》，一九六九年第三本詩集《天空象徵》出版，一九七一年出版《白萩詩選》，一九七二年第五本詩集《香頌》出版，同年出版詩論集《現代詩散論》，後又出版《詩廣場》，一九七三年德譯本詩集《白萩詩抄——臺灣之火》出版。白萩的詩還被翻譯成英文、日文、朝鮮文流行在世界各地。白萩既是一個詩人，也是一個商人，還是一個設計師。

白萩在詩歌道路上是一個勇敢的追求者和探索者。他的追求表現在他對生活的不斷開掘，詩歌社會意識和批判意識的不斷增強，對藝術上的不斷開拓，表現手法上的更新等。白萩在《白萩的文學觀》一文中說：「我們需要檢視我們的語言。對於我們所賴以思考賴以表達的語言，需給予驚覺的凝視和解剖。我們需要以各種方法去扭曲、錘打、拉長、壓擠、碾碎我們的語言，試試我們所賴以思考賴以表達的語言，能承受何種程度。重要的是精神，而不是感覺。過去我們曾耽迷在感覺，執信着形象可解決詩的一切。然而游樂一陣之後，我們感覺空虛，擴散的形象造成歧義，扼死了我們的思想。我們要求每一個形象都能載負我們的思想，否則不惜予以丟棄，甚且從詩中驅逐一切形容詞，而以裸裸的面目逼視你。我還是要去流浪，在詩中流浪我的一生。我決不在一個定點安置自己，我的歷程就是我的目的。在地平線外空無一物。我還是要向他走去。」（註二）這一段話比較全面地表達了白萩的詩的觀念。從形式到內容，從語言到思想，從決心到目標，全都囊括其中。我們不妨從白萩的這一文學觀念出發，對他的創作進行一些探討。「我還是要流浪，在詩中流浪我的一生；我決不在一個定點安置自己」，這正是白萩創作生涯的高度概括和作爲詩人的白荻對事業執着追求不息的形象寫照。白荻在詩的道路上起步之日，正是紀弦大張旗鼓組織「現代派」之時。和「反共八股」比較，現代派當然是極具誘惑力的一朶鮮花，白荻決心投入紀弦門下，這是非常自然和正常的事。然而從白荻不斷改換門庭，由現代到藍星，再由藍星到創世紀，正好顯示了他不願在一個定點上安置自己的決心。但是白萩決不是那種見異思遷，沒有什麼見地和主張的流浪者。他是一個不願停下脚步，追求不息的開拓者。雖然他把旅程當作目標，可是在每一段旅程中他都能留下堅定的脚印，創造出出色的成果。白萩在現代派的三個詩社中活動時，他的創作成就，和任何一個現代派詩人相比都不遜色。因而他被公認爲現代派十大詩人之一。他的《流浪者》是被人們一再引用的現代派詩歌的優秀之作。請看這首詩：

望着遠方的雲的一株絲杉
望着雲的一株絲杉
一絲杉
絲杉
在 地 平 線

上
一株絲杉在地平線上

他的影子，細小。他的影子，細小
他忘却了他的名字。忘却了他的名字。
站着。　　只站着。孤獨
他站着。站着。站着
　　站着
向東方。
孤單的一株絲杉。

這首詩或許就是詩人形象的寫照。因爲詩人在前面宣告過，他要流浪，流浪，不停地流浪。在詩中流浪他的一生，並且不在一個定點上安置自己。這首詩以圖象詩的形式描寫了，或者說用文字作線條作色彩，組織圖畫，以一株孤獨的絲杉象徵着流浪者在「地平線上」無止息地流浪。這位流浪者雖然孤獨、細小，但是他並不是無目的流浪，並不是走向死亡。他有自己的理想和目標，那理想就是朝霞滿天升起紅日的，充滿着無限生機的東方。白萩另一首現代派的名作《雁》也是倍受推崇，常受到人們好評的作品。這首詩表達的思想和主題與《流浪者》有點相似。從兩首詩表達的時間順序來說，如果說《流浪者》表達的是詩人對理想的渴望，是對理想追求的前半期，那麼《雁》則是對理想的追求，已經進入跋涉階段。這裏再沒有站着，站着，觀望等待的舉動，而是一種「仍然要飛行」。這首詩中表現出詩人的追求和跋涉既是爲生存所需，也是一種傳統使然。這種追求是清醒的，但卻充滿着悲劇意識。因爲那條不斷後退的地平線到底是什麼東西，追逐它有多大意義，詩人不清楚。彷彿是履行一種職責和義務，非如此不可。卽使是意志陷入夢魘，旁邊有冷冷的雲翳將加給他某種不幸，這種追求和跋涉也非繼續下去不可。這一方面表達了雁對理想追求之執着和生命不息奮鬪不止的精神；另一方面也反映了人們不知爲什麼活着和爲什麼奮鬪的極其矛盾的心情。

白萩的作品除了表現對理想和目標的執着追求之外，另一顯著的主題是對社會不平的爭鳴，對生活不公的批判。有時這種批判表現是相當強烈的。有的人說白萩的作品缺乏社會意義，只作形式主義的追求等，其實是一種誤解。白萩筆下出現過許多小動植物，例如：雁、野草、金魚、沙粒、鷺鷥、蛾等等。這些不管是有生命的還是無生命的，他們都代表着生活中苦難、卑下、無力對抗惡劣環境和命運的小人物。白萩對他們充滿同情，充滿愛，爲它們吶喊和請命。在《金魚》中「現實的冰冷」，和「世俗殘酷」的詩句提醒讀者，金魚不過是一種象徵物，而表達人的生活才是詩人的目的，我們從這首詩中已經領略到了那非常強烈的批判意識。然而我們再讀一讀白萩的《飛蛾》，就會獲得更強的印象。請看《飛蛾》：

我來了，一個光明的靈魂
飛馳於這世界之上
散播我孵育的新奇的詩的卵子

但世界是盞高燃的油燈
雖光明，却是無情
啊啊，我竟在惡毒的燃燒中死去……

這詩頗有深意。它是寫飛蛾，因爲飛蛾被高燃的油燈誘殺；但他又不是在寫飛蛾，而是在寫飛蛾具有同樣命運的人。他們被花花世界所吸引，多少人從臺灣的鄉下背井離鄉到臺北去追尋光明，去找求生之道。但不是流落街頭，就是墮入風塵賣身延生。原因就在那閃光的東西並非眞正的光明；那五光十色的，並非眞正的美麗；那看似花團錦簇的，實際是墓穴。這詩的批判性、深刻性卽在於此。誰能說白萩的詩是無病呻吟？是虛無漂渺呢？

白萩有兩首諷刺和反對戰爭的詩，用了一個題目：《天空》。實際上這兩首詩也可以看作是一首詩的上下節。因爲人物、事件都是連在一起的。詩人在詩中用調侃的口吻，用美的詞句對醜惡的戰爭給予了強烈的諷刺。第一首寫農民阿火像一株稻草一樣卑微和可憐，他站在自己乾旱的土地上，巴望着下雨，呼叫着「放田水啊」。但是回答他的卻是天空的炮花、戰鬪機。面對這沉重的災難，阿火無可奈何地搖着頭，不停地語無倫次地自言自語，叫苦連天「天空不是老爹，天空已不是老爹」。即天空不像老爹那樣慈祥，不像老爹那麼對我們有情。同題的第二首詩寫阿火被炮彈擊中受傷，在臨死前，他憤怒地舉槍將天空射殺。

白萩是一個具有強烈社會意識和批判意識的詩人。他的這種意識使他成了笠詩社的重要一員，使他和其他鄉土派詩人有了共同點。白萩在詩的表達藝術，特別是詩的語言藝術上，使他成了笠詩社中的佼佼者。白萩的講求語言藝術和有的現代派詩人追求語言藝術的目的不同。他將語言「扭曲、鎚打、拉長、壓擠、碾碎」重新鑄造和組合的目的在於能使「每一個形象都能負載我們的思想，否則不惜予以丢棄……。」換句話說，他不是爲了玩弄文字遊戲。因此，白萩的這種精神不僅是值得提倡的，而且是值得學習的。在白萩的作品中，有很多重新鑄造、組合的語言，表現得非常出色。例如《天空》第一首中「天空不是老爹，天空已不是老爹」這種語言意既不明，且又似明的用語，表現了在極度憤怒下一個文化水平不高的農民的情態和心境，很有語言個性。再如《雁》中「鼓在風上」這種看似不合乎常規的句子，卻既形象又生動，很有生命力。既表達了雁在天空飛行的姿態和神情，又表現了雁的自信和追求不息的情感。白萩的作品顯示，他是臺灣詩壇上一個出色的詩人。

第三節　趙天儀

趙天儀是「笠詩社」中年詩人中的佼佼者，不僅是著名詩人，而且是著名的詩評家和美學家。

趙天儀，臺灣省臺中市人，一九三五年出生。獲臺灣大學哲學研究所碩士，曾任臺灣大學教授，現任國立編譯館編纂。他出版的詩集有《果園的造訪》：《大安溪畔》、《牯嶺街》、《壓歲錢》等。他出版的論文集有《美學引論》、《美學與語言》、《美學與批評》、《裸體的國王》、《詩意的與美感的》。他出版的譯詩集有《黎刹詩選》。趙天儀是歷屆吳濁流文學獎和巫永福評論獎的評審委員。

趙天儀還是一個有見地的詩歌理論家。關於詩的孕育、萌生；關於詩的表達藝術；關於詩的內容和形式的關係；關於詩的任務和使命等，他都有精闢的論述。例如他在論述詩的萌生過程和形態時說：「詩，在未通過語言符號表現以前，是一種感動，一種氣氛。而在通過語言文字表現後，則從一種未知變成一種可能，一種境界。而詩人是孕育者，也是接生者。通過語言文字的表現，把一種斷臍的行爲化爲一種推敲的活動，詩作該是一種活生生的存在。」（註三）趙天儀在論述到詩的內容和形式的關係時說：「我以爲在詩的創作上，方法論和精神論並重。蓋沒有方法是盲目的，沒有精神卻是空洞的。方法論是要通過修辭上的技術的錘煉，精神論則要通過人生觀、世界觀以及意識上的操作，批評與反省。」（註四）在論述到臺灣當前的新詩應以什麼樣的語言作工具表現時，趙天儀說：現代詩應「是以中國的現代語言爲表現的工具，以清新而確切的語言來表現詩的情感、音響、意象及意義。」趙天儀的詩歌理論是以他的詩歌創作爲實驗手段和實踐基礎的。一般來說，他的作品就是他的理論主張的體現。

趙天儀在臺灣土生土長，他熱愛臺灣這塊寶島的沃土，和這裏的普通人同甘苦共呼吸，時時關懷着他們的生活和命運。這方面內容的作品在趙天儀的詩集中隨處可見。例如《爸爸失了業》就是其中的一首。這首詩寫得非常通俗明朗，然而在自然流暢中暗藏着詩人的巧思和獨創。整首詩是由小孩聽到賣豆花的叫喊聲叫媽媽買豆花寫開去。孩子要豆花，媽媽腰中無錢，只好告訴孩子，爸爸失業了，讓孩子也知大人的苦楚。可是失業是怎麼回事，爸爸爲什麼會失業，卻引起了孩子的好奇和追問。因人間的事情太複雜了，成年人還難以解開其中的謎，何況孩子呢？這種事是他們的智力和經驗無法承載的，於是媽媽只好無可奈何地說，你長大了就知道了。這裏詩人很巧妙的把「是誰害了爸爸」的問題由孩子的口中點出，既點出了詩的更深一層的主題，又童言無忌，免得引起更大的麻煩。這首詩寫得通俗流暢。

臺灣的西化之風給臺灣同胞帶來了不少災難。表現這些災難，爲他們鳴不平，這是鄉土文學作品的最重要的特色。也是鄉土作家們筆下的中心題材之一。因爲通過這一題材的描寫，可以充分的表現鄉土作家熱愛鄉親，熱愛鄉土，關懷現實，關懷生活的主張，可以展開作家深情的愛國主義和人道主義胸懷。作爲鄉土文學派的重要詩人，趙天儀當然決不會置身於這重大題材之外。他的《鷺鷥之歌》用象徵手法表達了詩人悲天憫人的胸襟，表達了詩人對現實強烈的批判精神。請看《鷺鷥之歌》：

在暮色中
遠方的叢林充滿了瑰麗的想像
晚雲還逗留在山腰
你也在歸途

昔日的一陣暴風雨
曾有閃電擊斷了聳立雲端的古樹
從此，叢林失去了一份神奇的魅力
而你也不再成羣地
在歸隊的行列裏

誰說家在叢林那邊
但從林裏已不見棲息的同伴
昔日團聚的喧嘩也成了一片岑寂
在暮色中
你是否還在歸途

趙天儀從小生長在臺中公園附近，童年時期，那裏美麗的風景，清新的空氣十分誘人。

因而這個公園是成羣的鷺鷥的棲息之地。趙天儀和這美麗的鳥成了熟朋友。那時，雪白雪白的鷺鷥在公園裏遍地棲息、遊玩，和遊人陪伴逗趣，彷彿一個美麗的童話般的世界。然而隨着美日經濟的對臺大肆入侵，臺灣社會的西化，工業對自然生態環境的汚染和破壞，昔日那美麗的景觀不見了。詩中通過多層象徵以鷺鷥的覆巢失所象徵在西化和外資的圈地運動中，農民被逼得拆房賣田，流離失所，無家可歸。他們的處境和可憐的鷺鷥一樣。表達了西化給臺灣同胞帶來的不是福音而是災難。詩含而不露，極富藝術魅力！如果不是運用這種象徵手法，而是直寫西化給人民帶來的流離失所，它的詩味就差多了。

趙天儀的詩的題材和內容是非常豐富的，除了深沉的社會批判意識的作品外，還有不少描寫風光、風物的清新活潑怡人的詩。詩是美的藝術，美是詩的內含，一個詩人的作品不從生活中開挖出美的礦藏，不把這些美的礦藏提煉成美的精華，從而給人們以美的享受和愉悅，他遲早總會被詩神逐出詩國的大門。趙天儀不僅注意到自己作品的社會性、時代性和批判性、而且十分注意自己作品中美的熔鑄和表現。在他的豐富咏物和寫景之作中，對美的追求表現尤爲突出。現舉一首《晨露》爲例：

在清晨杜鵑花苑裏
蜘蛛贈你以細細的絲網
讓你綴成一串長長的項鍊

當你滑落於草葉的掌紋上
像摔下的一顆顆閃耀的珍珠
那樣地晶瑩

那樣的渾圓
瞧，破曉的陽光正伸長着
萬隻金光的魔指
將你輕輕地觸及

而我，像一道陽光的透視
搜索你閃光的意象
捕捉你跳動的音符
欲掌握你與我的世界的管轄
你以瞬間的燦爛，佔有你的空間
我低頭探尋你
好像是拾起一首清新的小詩

詩人通過露珠這種極爲透明美麗、極易消逝的事物，去探尋人間一切短暫而極美麗的東西，特別是人們心靈中閃出的那種極短暫而美麗的東西，並將它們欣賞和捕捉。趙天儀雖然是一位鄉土派詩人，但在他的詩中也不時地吸收了現代派詩的某些表現方法。

第四節 李魁賢

李魁賢是臺灣詩壇的多面手，寫詩也寫評論，寫小說也搞翻譯，而且還是個企業家。他充沛的精力和才華使他在多方面都取得了成就。

李魁賢，臺灣省臺北市人，一九三七年出生。臺北工業專科學校畢業，美國世紀大學肆業，臺灣笠詩社中堅詩人。現任臺灣名流企業有限公司總經理，並擔任《發明企業》雜誌的發行人。他出版的詩集有：《靈骨塔及其他》、《枇杷樹》、《南港詩抄》、《赤裸的薔薇》，《水晶的形成》、《李魁賢詩選》，評論集有：《心靈的側影》《德國文學散論》、《弄斧集》、《臺灣詩人作品論》，遊記《歐洲之旅》等共約二十多種。

李魁賢詩齡較長，他一九五三年在初中三年級讀書時就開始寫詩。作品大都發表在臺灣早期的《野風》和一九六四年創刊的《笠》詩刊上。李魁賢有自己獨自的創作意識和獨立的詩觀。他說：「詩的存在要以不阿諛社會，不取寵權貴，不討好報紙副刊及雜誌編輯，才能顯示其起碼的意義」(註五)。也就是說李魁賢主張詩就是詩，詩要來自生活，表現現實，反映人生，不能因別的任何因素使詩受到扭曲。他在同一篇文章中還說：「詩人精神領域的建立重於一切。詩的價值不在於被選入課本，不在於被譜成校園歌曲，不在於被抄夾在高中女生的筆記內，不在於被列入朗誦會的節目單內……而在於有沒有使讀者感受到心靈的悸動、不快、悲痛……。詩畢竟不是潤滑油，也不是廣告招貼，而是時代齒輪間的砂粒，是良心的追緝令。」由此可見李魁賢不僅主張詩要眞實動人，而且要具有社會意識和批判意識，要追趕時代的腳步，閃射出詩人的心靈之光。正是基於這一詩觀，李魁賢極力不因討好什麼因素或屈服於某種壓力，或被什麼東西所誘惑，而使自己的良心和詩神受到委屈。他剛直不阿地寫自己要寫的詩；他無所顧忌地讓自己的意志在詩作中自由來往；他既不爲自己立傳、不使自己的作品爲進入選集和課本而屈志逢迎；也不怕惹火燒身而改變意向，表現了一個詩人應有的創作膽識和氣魄。因而他的詩在抒情中貫穿着對現實的鞭打和批判。請看他的《鸚鵡》一詩：

「主人對我好！」
主人只教我這一句話

「主人對我好！」
我從早到晚學會了這一句話
遇到客人來的時候

我就大聲說：
「主人對我好！」
主人高興了
給我好吃好喝
客人也很高興
稱贊我乖巧
主人有時也會
得意地對我說
「有什麼話你儘管說。」
我還是重複着：
「主人對我好！」

這是一首透視心靈，震撼靈魂，含蓄、凝練、意味深長的諷刺之作。詩人抓住「鸚鵡學舌」這句成語所包含的意思和詩人所處的社會環境，以及他日常生活中的所見所聞，有機地進行交織思考，把兩者的共同點進行提煉和昇華，使自然界無意識的東西被社會上有意識的東西所利用，從而使詩人揭發社會現實的陰暗和醜惡與鸚鵡學舌的功能之間產生交響，因而使作品中所暗示的思想和讀者的生活感受一拍卽合，產生共鳴。讀者的心靈便由此而悸動和震顫。阿諛奉迎和估名釣譽是當今世界較爲普遍的病態之一。狡猾的主人利用鸚鵡只會學舌不會創造，因而絕對不會出格越規，絕對不會揭出主人老底的特點，只敎鸚鵡一句話：「主人對我好！」於是這鸚鵡就變成了一架有生命的錄音機，永遠成了主人歌功頌德、欺世盜名的工具。這種對靈魂的侵略，對意識的佔領是何等的殘酷！這裏詩人還進一步揭露了侵略和佔領者的手段，那便是給學舌者好吃的，進一步收買。還更深地揭露了侵略、佔有者的虛僞「有什麼話你儘管說」。這種揭露和刻畫可說入木三分。歷史的辯證法往往是魔鬼愈是僞裝的美麗，便愈是顯示出他的陰險和狡詐。主人的這種寬容大度，豈不是他更加僞善的表現？這首小詩包容了極爲深刻豐富的社會內容。一切弄虛作假欺世盜名者在這面鏡子面前，彷彿都難遁行迹。這首詩對魔鬼進行了沉重的鞭撻，對令人厭惡的奴性心態，也進行了批判。

詩人不僅批判時代和社會，治療社會之病，而且還注意到人們的心靈，治療人們的靈魂之病。這種對醫療心靈之病的關注，應該看作是社會批判意識的進一步深化。再請看《擦拭》一詩：

白紙上留下的污點
想用暴力的手指拭擦
無法掩飾的記錄
想用刀片細細刮除

再好的技術
也會傷害到無瑕的紙質
纖維的血管被割斷後
怎能彌補平勻的完整

在心靈的宣紙上
不小心弄污了怨恨的斑點
要用愛的畫筆加以渲染
自負的手不要輕易拭擦

詩人勸告人們，有了錯誤和污點，要從心靈上去改正、消除，而不要去勾消、掩蓋。否則，會留下永遠也難以彌補的創傷。詩人運用比興的手法，由淺入深，由物及人，很自然地揭示了人們心靈中的奧秘，開出了醫治心靈之患的良方。

李魁賢很可貴的一點，還在於他診斷出了社會中流行的一種依附、攀爬，沒有自我意識，缺乏主體觀念的軟骨病。作爲一個詩人，作爲一個靈魂的醫生，他多麼希望人們健康啊！例如他的《盆景》，詩人在此詩中描寫的是一種悲劇形象，詩人用象徵手法，把錦藤和棕櫚兩者的依附關係，描繪成一個有生命但無骨頭的生物，附着在一個有筋骨但卻沒有生命的植物身上。假如我們作一些聯想：一部分有知識但缺少靈魂的人，依附一個行將崩潰的政權；一個有活力但卻無主見的兒子不能獨立生活，在死啃着一個行將就就木的老父親；一個奴性十足的漢子，依賴着一個破落戶的主人等等社會現象，都可以與《盆景》中的情景相吻，這說明《盆景》一詩有較大的生活含量。一首詩的含量往往和它的生命強弱，質量高低，含蓄程度深淺等連在一起。詩含蓄的生活量越大，輻射面越廣，往往質量就越高，生命力就越強。李魁賢的《盆景》一詩，超越擺設——形式主義，無根——思親懷鄉等意義的描寫，而獨僻蹊徑，取其依附關係入詩是有新意的。變化是詩的生命，詩人必須不斷變化、創新，才能點鐵成金。

第五節 非馬

非馬是臺灣詩壇上一個具有獨特風格的詩人。他的詩簡潔、凝練、短小，意象鮮明突出，富於歷史感和批判意識。這些突出的因素滙聚，溶合在一起，即使不署名，甚至去掉詩的題目，人們也能準確無誤地認出：這是非馬的作品。非馬溶鄉土派和現代派兩家之長，鑄一家詩風。這種創作路向是和他的詩觀緊密地連繫在一起的。非馬是一個思想和藝術兩個至上的平衡論者。他在《中國現代詩的動向》一文中說：「我認爲詩是以最經濟的手法，表達最豐富的感情的一種文學形式。換句話說，詩人的任務是用最少的文字，負載最多的意義，打進讀者的心靈最深處。爲了達到這個目的，詩人必須是一個嚴肅的藝術工作者，他必須懂得如何去運用技巧，去選擇最有效的語言，創造最準確的意象，使寫出來的詩成爲獨特的藝術品，這樣才有希望能感動人。從這個角度看，我是絕對擁護『藝術至上』或『技巧至上』的論調的。但詩人要感動人，特別是要感動許多人，必須與大多數人的共同生活經驗息息相關，同現實世界緊緊結合。詩人雖然不一定成爲大衆的代言人，但他必須能夠與同時代的人充分溝通，才能知道他們在想些什麼，關心些什麼，希望些什麼。更重要的，我認爲一個有良知的現代詩人，必須積極參於生活，勇敢地正視社會現實，才有可能對他所處的社會與時代作忠實的批判與紀錄。從這個角度看，我又是『現實至上』論的擁護者」(註六)這種既不忽視藝術技巧的追求探索，也不偏廢作品內容的探擷表達，是非馬創作上成功的秘密。重視內容上的吸收和表達，使非馬詩的藝術技巧有了基礎和依托，不至於陷入形式主義和唯美主義的泥沼；重視藝術技巧的探索，使非馬詩的內容有最精巧優美的表達手段，不至流於標語口號式的叫喊。非馬的經驗表明，要想立於不敗之地，詩人必須同時努力追求內容和技巧兩個至上，兩個極致。

非馬，本名馬爲義，原籍廣東省潮陽縣，一九三六年九月三日出生於臺灣省臺中市。後來全家遷返廣東省潮陽縣老家。一九四八年又和父親去臺灣，臺北工專機械科畢業，畢業後到屏東糖廠工作。一九六一年秋赴美留學，先後獲馬開大學機械工程碩士及威斯康辛大學核工程博士學位。現在美國阿岡國家研究所，從事核能發電研究工作，是個詩人科學家。非馬在臺北工專讀書時便以馬石的筆名發表詩作，後成爲笠詩社同仁。他出版的詩集有《在鳳城》、《白馬集》、《路》、《非馬詩選》、《非馬集》和《篤篤有聲的馬蹄》等。並有多部譯著。他的詩多次被選入臺灣的各種詩選集，並曾獲一九八一年度吳濁流文學獎詩獎、第二屆笠詩翻譯獎及第三屆笠詩獎。

非馬的詩中交織着歷史感和現代意識，在不少作品中表現出他作爲一個炎黃子孫，作爲中華民族無盡地傳承接緒中的一員，借客觀事物發出對偉大中華民族生生不息，但又苦難重重的命運的關懷和感嘆。其中表現最突出者是《黃河》一詩。黃河是中華民族的搖籃，是中華民族和中國歷史的象徵，具有偉大的中國母親之稱。非馬寫黃河當然就是寫中華民族。黃河像母親寬闊的胸襟，千萬年來容納、經歷、吞下了多少難以想像的苦難。詩人從一個苦難開始寫到億萬個苦難，都傾入這古老的河，一方面顯示出我們民族誕生發展的艱難，整部民族史，就是用苦難堆積成的歷史。另一方面，也顯示了中國母親胸懷的寬闊，性格的堅韌，品質的善良，詩中寫黃河雖一次次的氾濫和改道，但卻永遠在自己的版圖上進行，這一方面表現在中華民族改朝換代之多，另一方面也暗示中華民族不向外擴張，不侵略別人地盤的善良本質。在短短的一首小詩中，表達了詩人對中華民族的感嘆、嚮往、歌頌和責難等極其複雜的情感。他的《醉漢》一詩是寫對大陸母親的思念，也是對國家民族的期盼和嚮往。詩人把小我和大我、家庭和民族溶合在一起，賦於了深沉的內容。請看《醉漢》一詩：

把短短的巷子
走成一條
曲折

回蕩的
萬里愁腸

左一脚
十年
右一脚
十年
母親啊
我正努力
向您
走
來

這詩可以說是增一字太多，減一字殘缺，一個字有一個字的任務，不可缺一，也不可移動。詩到了如此精練的程度，實在難得。第一節醉漢把巷子走成一條曲折廻盪的萬里愁腸，這意象非常新奇貼切。醉漢，眞是酒後的醉漢嗎？否，是遊子思鄉的如痴如醉。這和下節的左一腳十年，右一腳十年那艱難的異鄉生涯連接在一起，「母親啊，我正努力向您走來」。才越顯其情深意切！我相信非馬並非僅僅是走回廣東潮陽，他努力走回的目標是中國。他要聆聽的是黃河的呼喚，他要投入的是長城的懷抱。這首詩進入這樣的層次，才更加激動人心，更加顯出它的藝術魅力。

非馬不僅殷切的期盼和嚮往着祖國，而且還對世界人民的命運表示出關切。他對那些發動侵略戰爭，給億萬人民帶來深重災難的戰爭狂人，表現出憤慨和遣責。請看他的名篇《電視》：

一個手指頭
輕輕便能關掉的
世界

却關不掉
逐漸暗淡的螢光幕上
一粒仇恨的火種
驟然引發熊熊的戰火
燒過中東
燒過越南
燒過每一張焦灼的臉

非馬在《這隻小鳥——白馬集出版後記》中說：『寫詩在我不是一樁輕鬆的工作。一首短短幾行的詩，往往需要長長一段時間的醞釀與煎熬。」非馬的經驗表明，寫短詩並不比寫長詩容易。洋洋萬言的作品可以藏汚納垢，多幾行，少幾行，多幾個字，少幾個字，結構上稍鬆散一點似乎都不關大雅，不會造成作品的失敗，至多是白碧微瑕罷了。而短詩就不同，它要絕對的精純。少一句，多一字，都會破壞它的整體美。它的數學性，精確度，和長詩無法相比。其難度更大的是煉意，如何將繁復的思想和意象通過最精練的方法，把它容入精巧的容器中。例如，怎樣將一片洪水濃縮入一個明淨的池塘，將一堆亂石調治成一個精緻的盆景，那要比將洪水疏導入河流，將亂石擺成假山難度大多了。非馬的詩就是將洪水濃縮成池塘，將亂石調治成盆景。《電視》一詩構思相當精巧。一個手指可以輕輕關掉的世界，是電視機的機械部分，而關不掉一句便轉入了傳導的內容。卽由一個機械的世界轉入了一個心靈的世界，然而轉得非常陡峭急迫，但卻是那麼自然天成。更巧的是「卻關不掉」一句既可獨立，又可和下一節連讀。連讀和隔開具有不同的韻味。詩的最後一節，只用了六行詩就概括了一個戰火紛飛的世界，燒過中東，燒過越南，不僅表現出了帝國主義發動侵略戰爭的性質，而且表現出帝國主義到處放火，不斷擴大侵略戰爭的勢態。最後一句尤爲精彩，只一句就寫出了人民在戰爭中的處境和態度。此詩眞如一件精製的藝術品，這藝術品中充分表現了詩人的情感。

非馬是個入世的詩人。他認爲一首成功的詩，必須具備四個特徵。卽：社會性、新奇性、象徵性和濃縮性。在第一個特徵社會性中，他說：「詩人必須到太陽底下去同大家一起流血流汗，他必須成爲社會有用的一員，然後才能寫成有血有肉的作品，才有可能對他所生活的社會及時代作忠實批判和紀錄。」（註七）非馬的詩不僅有強烈的社會批判意識，而且有鮮明的時代特徵。他的不少作品運用象徵、暗示諸手段，對臺灣、美國等他所生活過的社會，進行了深入的反映和批判。他的《夜笛》一詩就是用虛實相間的暗示手法，表現了處於臺灣社會最底層的盲人按摩女，走街串巷漂泊不定的悲苦生涯。請看《夜笛》：

用竹林裏
越刮越緊的風聲
導引
一雙不眠的眼
向黑夜的巷尾
按摩過去

這首很短的詩，概括了極其豐富的生活內容。用竹林的風，是寫按摩女吹笛的聲音，因爲笛是竹做的，她吹的笛聲如夜裏竹林裏吹來的風，又凄涼又冷冽。這笛聲在呼喚顧客，導引着小巷。而一雙不眠的眼睛一語雙關，表面指按摩女是個瞎子，深一層講是她爲生活晝夜不停的奔波。向黑夜的小巷按摩過去，也具有雙重意思，一是盲人看不見，用棍子或手按着牆壁或地皮走過去；二是她給這家按摩了又給那家按摩。非馬運用這種一語雙關、明暗兼達的表現手法使他的詩具有一種深邃感。非馬還有一首詩叫《鳥籠》，該詩用象徵手法表達了現實生活中蘊藏的哲理。

這首帶有深刻反諷意味的哲理詩。籠把鳥關了起來，鳥雖然失去了自由，但同時籠爲了看守鳥，時時提心吊膽生怕鳥逃走了，於是戒備森嚴，層層防範，它不是也相對地失去了自由了嗎？詩人構思之巧不僅反映出這種關押和被關押的關係，而且用神來之筆將一般的釋放被關押者使被關押者獲得自由，寫成將自由還給關押者，這就引起了人們的趣味和反思，於是就賦於了詩非常強烈的諷刺意味。非馬還有一首詩叫《反候鳥》，人們可能會感到這個名詞彆扭和陌生，在禽鳥科動物中原來本無此種動物，是由於非馬要寫一種和候鳥不同的人鳥，特地起了這個「反候鳥」的名字。

這首詩像一個小小的攝影鏡頭，拍下了臺灣現實生活中的一個側面。而且是一個有意義的側面。有一部分人，手中持有美國的綠卡，即長期護照。他們的眼睛時刻盯着臺灣的晴雨表，當臺灣出現了氣候變化，對自己不利時，他們一張機票就可變成美國的公民，就可逃之夭夭地飛向新大陸。而另一些紮根在臺灣，在任何情況下都不可能離開的臺灣同胞們，在詩中被稱爲反候鳥，即和候鳥相反的鳥。詩人對他們是充滿敬意的。值得注意的是詩的末兩句「成羣的反候鳥將自各種天候／各個方向飛來同你們相守。」可能是指十億大陸同胞是臺灣同胞，是祖國神聖寶島的堅強後盾。

非馬是著名詩人，又是一個有成就的核科學家。他把詩人善於想象的浪漫氣質和科學家善於嚴格計算的科學精神，進行了很好的結合，並有效地消化在自己的創作中。因此就非常突出地表現出他的作品形式短，內容長，字有限意無盡，以最少的語言表達最豐富的思想的特點，也就是內容上充分地發揮詩人的想象和創造，擴大詩的視境和容量，形式上嚴格運用科學計算的方法，把詩的結構、句子和字數弄得非常精確和洗練。非馬的詩在藝術表現上，具有很強的爆破力。一個看似很平常的事物，經過詩人深入地思索，從事物的深部挖掘出它的濃郁詩情，再經過語言上的調配和詩眼的精心安排，造成爆發式的效果，給人言有盡意無窮的藝術享受。非馬還非常善於運用諷刺藝術，而且他的諷刺藝術往往飽含正義批判的思想威力。這種正義的批判不是板起面孔進行的，而是把嚴肅的主題思想寓入輕鬆活潑的藝術形式中，使人們在輕鬆的笑聲過後，留下一種深邃的沉重之感。

第六節 許達然

許達然在臺灣詩人中有自己獨自的地位。他的創作有一些任何別的詩人無法取代的特色。比如：作品短但思考深，語言凝練但意味深長，富於變化和獨創，但卻時時貼着讀者的心。許達然是笠詩社中年詩人中最年輕的一位。他的作品數量雖然不多，但是，他以自己作品的質量，贏得了讀者，贏得了他在臺灣詩壇上的地位。

許達然，本名許文雄，一九四〇年出生於臺灣省臺南市，臺灣東海大學歷史系畢業，後留校當了兩年助教。一九六五年赴美深造，先後獲哈佛大學碩士和芝加哥大學博士學位。還在英國牛津大學研究過英國經濟史。現任美國芝加哥西北大學歷史學教授。許達然在中學時代便開始了文學生涯。他是以散文作爲門票進入文壇的，直到一九六七年才加入詩的行列。他的詩作大都發表在《笠》詩雙月刊上，一九八〇年曾獲臺灣吳濁流文學獎的詩獎。一九八六年二月出版了處女詩集《違章建築》。

許達然在《從感覺到希望——我對寫作的想法》一文中表達了他的文學觀。他說：「我認爲文學是社會的事業。活在社會都對社會有責任，連紙都是別人替我們造的，寫作要擺脫社會是不可能的了。不管作者的動機如何，作品發表就是社會行爲。執意寫個人的呼吸而忽視社會與時代的脈搏，那些自喜自怒自賀自吹就自看，發表徒費樹的年輪及讀者的時間。僅寫無關人羣的不是自瀆就是自私。其實只有把別人當人，自己才算人。一個作者沒有領土，可能有的是人民與故鄉，若連故鄉的人民都不認識，愛顧與尊重，不寫也罷。構思，執筆及發表都脫離不了社會經濟結構，都和大衆有關。」（註八）從許達然的這段話看，他是笠詩社的忠誠詩人是毫無疑問了。他追求詩的社會性，就是把詩的批判性放在重要地位，就是要用詩反映社會生活，爲苦難的人民吶喊，傳達他們的脈搏和心聲。許達然的作品始終濃縮着極強的社會意識和批判意識。請看他的代表作《蕭條》：

空

前

繁榮的物價裏油條更瘦了

嫌胖碗乾閑，硬灌湯

土豆　仁都吃了
還想榨油
炒什麼？

絕後
擠不進介紹所
賁血途中風濕痛罵日頭
連景都生氣新聞又白印
黑字：失業率跳高薪水跌倒

窮

追
踏碎伸出頭來的蝸牛
幾乎忘記弱小的也要活
他媽的奶都吸盡了嬰還哭
要吃

搖啊搖

這是批判性和藝術性都很強的作品；是思想和藝術都成功的作品。詩人選取了臺灣社會處於蕭條時的一些特寫鏡頭以長鏡頭和蒙太奇的藝術技巧同時並用的手法，用強烈的諷刺鋒芒，對社會進行了有力的批判。詩的第一節頭兩個字，詩人故意將一個詞分割開，寫成兩行，造成了電影中慢慢地搖來的特寫長鏡頭。緊接着便是迭印出來的快速轉換的蒙太奇，而這迭印的鏡頭又都是對稱的。繁榮的物價對瘦瘦的油條，胖胖的大碗對清清的湯，如此加強了作品諷刺的效果。第二節詩人選擇的鏡頭更帶諷刺性，賣血途中卻犯了風濕病，憤怒罵日頭不作美。這日頭是否指着騎在人們頭上的人，我想答案是肯定的。新聞剛印，失業率又上漲，薪水又下跌，所以連景都生氣。詩人把景氣一詞隔開用，富有調侃之味。尤其是一個跳高，一個跌倒，對比得眞妙。詩的最後落在爲小人物吶喊上，點出了社會搖搖欲墜之狀。詩人另一首《違章建築》，可看作是《蕭條》的姊妹篇。但內容稍有區別，其藝術效果，社會效果都有異曲同工之妙。

許達然的詩不僅爲一般勞工呼籲、吶喊，成爲他們的代言人，表達他們的心聲。而且在不少作品中，他是把普通勞動者，把在那個社會中處於勞佣地位的卑下者，放在扭轉乾坤的主人公的地位來歌頌。請看他的《在球場打工》：

喧嚷隨陽光走失
贏輸全是他們的

污穢我們掃除

詩極短，構思巧，而且自然。許達然只用了三句詩，就把在社會上處於勞佣地位的普通勞動者，變成了文學殿堂中的主人公。

許達然是一個思索性、智慧型的詩人。他的詩中不斷的閃射出強烈的智慧之光，點燃讀者心靈的火焰。請看他的《運煤夜車》：

硬寂駛

要使出光明的黑

這首詩實寫物，虛寫人。既有實又有虛，既有客觀事物本身的意義，也有隱在客觀事物背後的象徵意義。値得注意的是詩人在詩的開頭，設置了一個「硬」字。這硬字在這裏具有非常重要的意義。不僅預示了阻力之大，困難之多，惡勢力之強大，而且更重要地在於顯示歷史的列車不可阻撓，它必定要衝破一切阻力，克服一切困難，隆隆向前。再請看《吃蛇》：

總之越冷越吃

越毒越補

蛇本來是很毒的動物，但人們卻不怕毒，有人以吃蛇爲高雅，蛇肉還是高級筵席不可少的食物哩！我們借此種情況去思考社會的變化，不是也頗能發人深思。第一種意思是以毒攻毒，會產生越毒越補的奇效；第二種意思是只有把毒的吃掉，淸除，世界才有太平。到底是前者或者是後者，各取所需，這便是藝術的張力。

許達然是非常注意詩的表達藝術的，他和非馬有許多相同之處。他們兩人對藝術的精心追求，所取得的成就是各有千秋，難分高下的。不同的是許達然在作品中多用臺灣方言，這種方言的運用，臺灣人看到親切，而異鄉人卻感到有點不習慣；這種地方方言的運用大約和詩人表達的生活有關，但最好不要用得過多，否則將會給自己作品的廣泛傳播設置障礙。

許達然在《違章建築》詩集自序中說：「執意不加糖醋，或許不合一般口味，偶而撒點鹽，也不放太多，太鹹妨礙健康。故意不寫太長，以免浪費大家的時間」（註九）。我對許達然的這種觀點是十分欣賞的。一個本來就很漂亮的姑娘，如果根據自己的特點，淡施脂粉，稍稍加一點人工芬芳，不但不破壞自然美，而且可以襯托自然美，更增加姑娘的魅力。我看是一樁好事。

許達然在表達藝術上有很多獨到之處。例如他把電影中的長鏡頭和蒙太奇手法在作品中熟練地交替使用，想拉長便拉長，欲迭印便迭印。這種藝術技巧在表現作品的內容，創造作品的韻味和情趣上，產生了奇效。許達然利用漢語的固有特性，在語法結構和遣詞造句上採取切割、斷裂、跳躍、詞斷句連、句斷段連以及詞性的靈活搭配等手段，使他的作品顯得更富於變化，更爲靈巧有風韻。不足的是，有的詩顯得有點乾枯。

第七節　杜國清

杜國清，臺灣臺中縣豐原人，一九四一年出生。臺灣大學外文系畢業，日本關西學院大學文學修士，美國史丹福大學文學博士，現任美國加州大學聖塔芭芭拉校園東方語文學系教授。曾任臺灣大學客座教授一年。是《笠》詩刊的創辦人之一。爲笠詩社中較重要的一位中年詩人。杜國清六十年代初開始寫詩。據說他走向詩歌之路，是得到其表姐夫、臺灣著名詩人桓夫的幫助。杜國清二十多年的詩路歷程師承頗多。最早曾崇拜過西方現代派大師波特來爾，後又推崇過日本的超現實主義詩人西脅順三郎，最後歸向象徵主義之路。他雖然是《笠》詩刊的創辦人之一，但他的詩觀和詩的風格和大多數笠詩社同仁很不相同。笠詩社所積極倡導的、其同仁所孜孜追求的新卽物主義、鄉土情懷、社會意識等，在杜國清的詩中表現得十分淡薄。杜國清出版的詩集有《蛙鳴集》、《島與湖》、《雪崩》、《望月》、《心雲集》、《情劫》和《殉美的憂魂》等。

讀杜國清的作品發現一個奇怪的現象，杜國清的作品中描寫現實反映人生的作品雖然極少，但他不但不是現實論的反對者，而且是現實論的支持者和擁護者。例如：他有一首詩題名叫《詩人》。詩中有這樣兩節：

「社會是製造歷史的機器
每一階層　一組齒輪
每一齒輪　一個生命
由時間的巨帶　轉動

而那操縱的手 背後
仍有操縱的手。背後
是一隻看不見的手
「時代的證詞」發自
齒輪的砂礫：
詩人不昧的良心
每當自我刑求
發出不快的噪音」

詩人在這首詩中描寫了社會制度這個歷史的機器裏，有各種各樣的齒輪，那齒輪背後有一隻看不見的操縱它的手。這些大小齒輪在時代的運轉中發揮着不同的作用。有的失落，有的頹敗，有的謀反，有的金光閃閃。杜國清認爲能使齒輪金光閃閃的不是潤滑油，而是機器中的砂礫，是這種不馴服、不協調、唱反調，起磨擦作用的砂礫。因而他主張詩人不要作潤滑油，要做砂礫，要唱出使機器不快的聲音。這樣的聲音雖然會自我「刑求」，有粉身碎骨的危險，但只有這樣才不昧良心，只有這樣的聲音才稱得上是時代的證詞。《詩人》這首詩既是杜國清主張詩人介入社會關心現實的證明，也是他爲數不多的描寫社會和反映人生作品中最好的一首。此外杜國清的《陀螺》、《一九七二年日本》、《歷史》、《生肖詩》和《望月》集中的懷鄉詩，都是杜國清屈指可數的反映現實和人生的作品。杜國清主張詩人反映現實、爲歷史寫證詞還表現在他的理論上。杜國清曾多次提出和論述他的「詩學三昧」。他說：「就詩的內在本質而言，我認爲驚訝、譏諷與哀愁是詩的『三昧』。這分別指詩的獨創性、批判性與感動性而言。」(註一〇) 杜國清把詩的譏諷，即批判看作詩的「三昧」之一，可見他是主張詩應該反映現實的。但奇怪的是杜國清爲什麼很少用自己的創作去實踐自己的主張呢？如果說他是怕「自我刑求」，看來不太符合事實。因爲他遠遠生活在臺灣的現實鞭子之外。我以爲主要的因素有兩條：一是詩人長期脫離臺灣社會現實，可寫的素材受到限制，加之他又不是像許達然、非馬那樣積極入世，因之有一定的空虛感。二是杜國清所追求的超現實和象徵主義的表現方法。極大的妨礙和限制了他的文學主張的實施。

在杜國清的作品中，愛情詩占絕對多數，占着中心位置。從《蛙鳴集》到《心雲集》，展示了一條愛的河流。他的《島與湖》詩集，便是採擷男人的凸出和女人的凹入爲整體意象的。因此把杜國清稱爲愛情詩人或許是較爲貼切的。杜國清長久的在詩的愛情王國中蕩漾，使他的愛情詩在詩壇上獨具特色。他的愛情詩描寫深入，感情細膩，含蓄而具有韻味，有的作品深深地動人心弦。如《心雲集》中的《手指》，就具有較強的可讀性。請看《手指》：

心的觸覺
分泌着欲望的黏液
在生活的枯樹上伸爬着

充滿靈敏的感覺細胞
在樂園的鬼屋裏
當手指碰着手指　那瞬間
我心的顫動甚於擁抱

當手指捏着手指　那瞬間
彼此默默印證靈通的暗號
我心是一架發報機　透過指尖
向你發布感情動蕩的消息

當手指握着手指　那瞬間
我心已布滿離愁的陰影
一聲珍重　像閃電擊亮之後
我心的暗空中已有淚雨零落

別後我的手指在生活的荒嶺上
張成雷達網　日夜探尋你的行跡

——每天搜到的只是風聲和雲影

幾番風暴之後
我那手指已銹鈍
我的心　在絶望的孤島上
一架半殘廢的無線電發報機
醒時只能微微發出噪音的哀泣

這首詩中描寫的是一種熱戀狀態中但又不能公開，不敢放心大膽去愛的戀人。或是不合法的婚外戀，或是受到某外界的強大壓力而限制了他們的自由。因而他們雖然感情的熱度很高，頗有衝動，但卻既不敢擁抱接吻，也不敢有別的放肆舉動，只能通過手指傳送感情的電波，只能在指尖的互相觸及之際，互相溝通着心靈的信息。這種方式倒有點古典愛情的味道，彷彿連鶯鶯和張生、連林黛玉和賈寶玉的開放程度都沒有。詩的情感描寫細膩入微，感觸非常眞切，如手指和手指印證暗號，指尖發布感情動蕩的消息等，這都是難得的佳句。但詩中有的意象捕捉似乎不夠準確。例如：別後我的手指在生活的荒嶺上張成雷達網日夜探尋你的行跡」，令人難解。倒不如把手指換成心靈。因爲手指是實的，只有接觸到實體才能產生觸覺，只有通過觸覺才能有感情的震顫。而心靈是虛的，即使相隔萬里之遙也會引起相思，也會有無線電波的傳遞。

在杜國淸的筆下，幸福、成功、歡樂的愛情不多，大都是哀嘆、憂鬱、感傷的愛情悲劇。而且這些愛情悲劇不少又是帶着濃郁的、古典的、封閉式的色彩。例如《對我你是一個危險的存在》，詩中描寫女方更爲迫切主動，那灼人心靈的電波都是從女方眼中送出的；而男方則似有明躲暗戀之態。以致於隕石之火燒着了他心靈的荒山，他還壓抑着感情不燃燒，他的感情的倉庫外面掛着一個「嚴禁煙火」的牌牌，當女方那四射的感情的火星飛濺入這塊禁地，那倉庫的鐵門彷彿還不能燒毁，而且他還要退到安全距離之外，隔岸觀火，去沉思人生與滅火器，眞是一個呆子加膽小鬼！這種等距離封閉式的愛情，是一種典型的中古時期的愛情。不過詩人對主人公情態的描寫和心靈的表達，都頗曲折生動，且有一定的性格特點。顯示了詩人創作上的功力。

値得思索的是，杜國淸長期生活在臺灣和美國那樣開放的社會中，接觸的是開放的女性和男人，但杜國淸的筆下爲什麼還是這樣一個封閉式的古典愛情王國呢？這一事實告訴我們，現實生活雖然是創作的一個泉源，但它並不是唯一的泉源。詩人可以寫心靈，可以寫想象，可以寫近距離和遠距離的折射等。如果我們堅持生活是創作的唯一泉源，在創作中許多和現實生活關係很淡的、甚至無關的現象，就無法解釋了。

臺灣著名詩人趙天儀說：「雖然他技巧上有浪漫的，超現實的，象徵的變化，很有趣的是，不論是一隻猫，一隻蝴蝶，甚至大海一到他手裏，都變成和愛情有關的物象，而連貫起來…在我看來愛情幾乎是他詩的全部主題。有些涉及現實的作品只算是業餘，小意思…。」

趙天儀上述對杜國清的評價是適切的。杜國清除創作外，還搞詩歌理論。他說：「我自己是學者，又是個詩人，但我寧願是個詩人學者而不是學者詩人。」不過在我看來，杜國清更具理論家的風采。

【附註】

註一 《現代詩的創造》（臺灣《民衆日報》一九八〇年十二月十三日）。
註二 臺灣《自立晚報》一九八四年九月十五日。
註三 《美麗島詩集》二一二頁（一九七九年六月）
註四 《建立詩的精神世界》（《笠》九十六期）。
註五 《詩的見證》。
註六 臺灣《文季》一九八四年七月（第二卷第二期）。
註七 《白馬集》第二四〇頁。
註八 《文學界》一九八四年第一一期。
註九 《違章建築》第三頁。
註一〇 《殉美的憂魂》第八八頁。
註一一 《杜國清作品討論會記錄》（《笠》詩刊一九八四年八月）。

第十三章 臺灣詩壇劃時代的事件——空前民族的、鄉土的回歸浪潮

第一節 回歸之初

臺灣新詩的向民族、鄉土回歸，是件隨着臺灣社會西化之風衰退、現代派的老化乏力、臺灣民族意識的覺醒，特別是知識分子民族意識的覺醒、臺灣文化心理的變化而到來的。因此，它具有朝氣蓬勃，不可阻擋之勢；它具有深厚的羣衆基礎，不是某些人爲的舉動；它是一種新思潮的產物，不是歷史上某種現象的翻版；它發展之快，來勢之猛，出人意料。從一九七一年初「龍族詩社」的成立，接着便很快掀起高潮。投入這一回歸運動的都是生機勃勃，年齡在二十歲左右的青年詩人。他們具有敢想敢說不怕鬼的精神和膽魄。現在讓我們以先後順序看看這些青年詩社、詩刊雨後春筍般出現的情況，以及他們的綱領、主張和宣言，就可對這一回歸浪潮有一個完整的、本質的認識。

一、**龍族詩社**。於一九七一年元月一日成立，同年三月三日創辦《龍族詩刊》。成員有辛牧、施善繼、蕭蕭、林煥彰、林佛兒、喬林、景翔、陳芳明、蘇紹連、高上秦、黃榮村。這是在新詩回歸浪潮中誕生的第一個青年詩社。龍，是中華民族的象徵，龍族就是中華民

族。僅從社名和刊名就可看出該社要大興民族之風，頗有在臺灣這塊土地上復興中華傳統的氣概。從這個社名、刊名也可以看出，他們要與紀弦的「橫的移植而非縱的繼承」的現代派詩歌綱領反其道而行之，進行強烈的挑戰。該社成立宣言，乾淨利落地把自己和現代派劃成了兩個陣營。這個宣言大聲號召：「敲我們自己的鑼，打我們自己的鼓，舞我們自己的龍。」該刊主編陳芳明把龍族追求的目標歸納爲：「第一，龍族同仁能夠肯定地把握住此時此地的中國風格；第二，誠誠懇懇地運用中國文字表達自己的思想；第三，詩固然要批判這個社會，但是，也要敞開胸懷讓這個社會來批判我們的詩。」(註一) 陳芳明在《龍族》詩刊第十期又發表短文，再釋「龍族」的含意。他說：「龍族是中國的龍，意味着一個深遠的傳說，一個永恆的生命，一個崇敬的形象。想起龍，便想起這個民族，想起中國的光榮和屈辱。如果以它作爲我們的名字不也象徵我們任重道遠的使命嗎？」一九七三年七月該刊編發的《龍族評論專號》，厚達三百五十四頁，登載了許多有分量的理論文章，對臺灣新詩的發展產生了較大的影響。該社重要同仁蕭蕭在《詩社與詩刊》一文中說：《龍族》詩刊的出版，預示青年詩人的覺醒，高上秦策劃出版的《龍族評論專號》更激起詩人與世人的反省。這種反省不是立卽反映，卽刻顯現，但浸潤式的效果，慢慢使現代詩更富生機。《龍族》詩人本身的貢獻不大，但詩社詩刊所象徵的意義卻極大，包括中國的、青年的、現實的三個特殊意義，與上一代詩人顯然有了不同的面貌。」

二、主流詩社。於一九七一年六月成立，七月創辦《主流》詩刊。主要同仁有：黃勁連、羊子喬、林南、吳德亮、莊金國、龔顯宗、凱若、杜皓輝等，他們是臺灣南部的一批青年詩人，以詩壇主流自許。他們是一羣天眞靈魂的結合，雄心勃勃地宣告：「將慷慨以天下爲己任，把我們的頭顱擲向這新生的大時代巨流，締造一代中國詩的復興。」(註二) 主流的主要特色是鄉土味，草莽味，俠義味。突出一個「眞」字。有一種朝氣勃勃的新生氣息，他們的創作傾向和「笠」詩刊較爲一致。

三、大地詩社。於一九七一年六月成立，同年九月創刊《大地》詩刊。主要同仁有古添洪、李弦、王浩、王潤華、余中生、何錡章、林鋒雄、林錫嘉、翔翎、林明德、吳德亮、翁國恩、秦嶽、淡瑩、黃郁銓、陳慧樺、陳德恩、陳黎、童山、翺翺（張錯）、藍影、鍾義明、蘇凌等。據說，「龍族」具有水滸精神；而「大地」具有儒林之風。他的成員主要是來自各大學的知識分子，多數來自臺灣政治大學、臺灣師範大學、中國文化大學。這是一個學者型的詩社，同仁們多半先後在臺灣和海外獲得了博士學位，所以又稱「博士詩社」。這個詩社中有師生共聚一堂，有大陸、臺灣和海外華僑一起共事。他們比較團結，表現出較大的創造力。該刊在發刊詞中講：「我們希望能推波助瀾，漸漸形成一股運動，以期二十年來在橫的移植中生長起來的現代詩，在重新重視中國傳統文化以及現實生活中獲得必要的滋潤和再生」。他們具體地強調：「審愼研究胡適以降的新詩，和近二十年來中國現代詩的成就及得失，積極地建立起較爲嚴謹的詩批評。本刊亦擬討論中外古今之詩論，深入批評中國的古典詩及民歌，以求再樹立現代中國詩的理論基礎，從而刺激新作品的產生。」這個詩社的重要支柱之一，是臺灣師範大學的「噴泉詩社」。噴泉詩社成立於一九六七年，一九六八年元旦《噴泉詩刊》正式創刊，該社社長爲秦嶽，主要成員有，李弦、陳慧樺、藍影、黃榮南等。大地詩社成立時，噴泉詩社的社長秦嶽帶領全體同仁，一起加入了該社。他們的重要同仁李弦，成了《大地》詩刊的主編。因而噴泉之魂實際上成了「大地」的主導精神，所以這裏有必要將噴泉詩社的發起者、組織者、開創者——首任社長秦嶽，稍作介紹。秦嶽，河南省修武縣東門裏南後街人，一九二九年十二月九日出生。五十年代末期登上臺灣詩壇，一面創作，一面積極推行臺灣詩運，他畢業於臺灣師範大學國文系和中華文藝函授學校詩歌班，受到覃子豪的眞傳。曾與李春生、陳錦標等共組海鷗詩社，辦《海鷗詩刊》。秦嶽積極倡導和努力追求中國民族風格。出版過《夏日、幻想節的佳期》和《井的傳說》等詩集。他的詩溫柔敦厚、樸實精美，突出表現中國的，民族的情感，《井的傳說》中五輯詩作，全用情來凝集和歸類。如：鄉情、親情、友情等。秦嶽將他的全部同仁和詩歌主張帶進大地詩社，對大地詩社、詩刊發生了重要影響，在某種意義上，大地的儒林之風，亦是噴泉之風。

四、詩人季刊。於一九七二年九月二十八日創刊，原爲十六開報紙型詩刊，一九七四年十一月改爲雜誌型詩刊。主要同仁有：莫渝、陳義芝、掌杉、許茂昌、陳珠彬、楊亭、牧尹、李仙生、廖莫白、林興華、許國耀、洪醒夫、蕭蕭等。他們大都是臺灣師範專科學校的校友，主張溫文爾雅、與世無爭。在藝術上他們主張詩「必須抓住它的本質，分清它的獨具異質是什麼，它的同質是什麼，藝術同質，然後加以利用，才能維持詩的面貌。」實際上他們所指的異質就是詩中的散文化，夾雜着非詩的散文的質。詩的同質與別的藝術同質，即藝術的相通因素，就是說要排除詩的散文化，追求共同的詩意。

這個時期還有《水星》詩刊的誕生，它成立於一九七一年。主要成員有渡也、朱陵、沙穗、連水淼、張堃、汪啓疆等。這些青年詩人被稱爲《創世紀》的第二代詩人。這個時期還有《暴風雨詩社》的問世，發行《暴風雨詩刊》，成立於一九七一年六月，主要同仁有沙穗、連水淼、張堃等。雖然壽命不長，但卻在詩壇上一展姿容。

以上從一九七一年到一九七三年裏成立了五個較大的清一色的青年詩社，這批青年詩人榜上有名可查的約有近百人，這不僅在臺灣詩壇上是空前的，即使在整個中國詩壇上也是罕見的。他們高舉民族的旗幟，迎着詩壇可能突起的任何風浪，雄心勃勃，堅定不移地要在臺灣寶島上重振中國詩風。並且要在繼承中國古詩、民歌和五四以來新詩傳統的基礎上創造出一種中國新詩。不管其成就如何，僅他們的意志、雄心和勇氣，他們這種扭轉乾坤的偉大氣魄，就是值得特別尊敬和學習的。當然，任何新生事物在誕生的初期總是不完美的，總是熱情高於實績，雄心大於成就的。這是新生事物的共同規律，因爲沒有壓倒舊事物的氣魄，沒有必勝的信念，你就休想站立起來，更不要說取得立足之地，也就無法奪得勝利。臺灣新詩向民族、鄉土回歸之初這種精神是充分的，氣魄是宏大的，步伐是堅定的，因而才有以後的良好發展。

第二節　回歸的第二階段

臺灣新詩的回歸，從七十年代初開始到一九七五年前後發展到了中期。這時期的主要特徵，是創作上和理論上都逐步地有了比較明確、系統和成熟的表現。理論上經過幾年的摸索，以中國性、民族性、鄉土性三性爲根本基礎的原則下，顯得比初期更系統更趨於成熟。創作上，經過這些青年詩人們的努力，和新創諸家青年詩刊的艱苦經營，作品也逐漸地顯出了風貌。有的青年詩人已嶄露頭角，有的初期從事現代派創作的青年詩人，已經完成和正在完成由現代派向鄉土創作風格的轉變。因而一九七五年前後，是新詩回歸的一個重要時期。前面承接着新詩回歸初期的銳氣和熱情，後面連接着一個成熟期的到來，並以它新的生命和朝氣迎接着一九七七年發生的鄉土文學論戰。鄉土文學論戰雖然主戰場是在小說領域，但是在新詩回歸中創立和不斷闡明的以中國、民族、鄉土三性爲基礎的文學理論，和由這一回歸在廣大讀者中產生的反響，贏得的人心，毫無疑問地，在這一論戰中都發揮了積極作用。當挑起論戰者以餓虎撲食之姿猛攻過來，企圖一下置鄉土作家於死地的情形下，他們又那樣迅速的偃旗息鼓走向失敗，這種奇蹟的發生，雖然功在鄉土作家的英勇抗擊和其他多種因素，但是和新詩的回歸已在廣大讀者中起的示範作用，和作的輿論準備，也是分不開的。新詩的回歸中期，先後成立的青年詩社有：

一、**《秋水詩刊》**。創刊於一九七四年元旦，主要負責人有古丁、涂靜怡、綠蒂。如今的主要同仁有：麥穗、藍雲、雪柔、靈歌、童佑華、栞川、林齡、薛林、汪洋萍、林紹梅、風信子、李塵、夏威、亞媺、趙化等。雪柔爲社長。這是臺灣很少不屬於詩社的由個人集資創辦的刊物。它發表的詩作短小、清新、活潑，是多年來臺灣很少不停刊、不脫期的刊物之一。「秋水」之名取自莊子的《秋水》篇名。他們的詩觀如其發刊詞所說：「詩藝術之無限，正如北海之天涯；以我們數十年生命所爲所見，也不過是涇流之識而已。」他們的追求是：「使一分詩刊更爲單純些，只爲開闢一塊乾淨的園地，使愛好詩的朋友作歸隱式的吟哦，在寧靜中享受詩美的人生，將名利放逐於詩國之外。」這是一分由綠蒂爲發行人，青年女詩人涂靜怡任主編的刊物。雖然屢經坎坷，但仍堅持不墜，從不脫期。顯示了很強的生命力。

《秋水詩刊》主編涂靜怡，一九四二年出生於桃園縣大溪鎮。是一位典型的自學成材的女詩人。多年來她兢兢業業的辦刊，勤勤奮奮的寫詩。在海峽兩岸，獲得了很高的聲譽和很好的口碑。由於她出色的組織才能和毫無保留的奉獻精神，《秋水詩刊》不僅不脫期，而且質量越辦越好。近年來在華文詩歌界名聲大振。涂靜怡雖然既要上班工作，又要編刊、忙家務，還要寫詩，但對該刊的新老作者，卻有信必覆。因而從感情上團結和吸引了大批海內外作者，保證了稿源，取得了成功的辦刊經驗。涂靜怡是一個很重意氣和情感的女詩人。詩人古丁是涂靜怡的啓蒙老師，古丁在世時，涂靜怡求敎若渴，古丁去世後，涂靜怡銘師在心。古丁離開人世多年之後，涂靜怡在收入不高、經濟艱困的情況下，以募捐諸辦法爲古丁出版了精美的三巨冊《古丁全集》，使許多文壇宿老羡慕不已。涂靜怡在詩歌創作上，非常刻苦和用心。她出版的詩集有《織虹的人》、《歷史的傷痕》、《從苦難中成長》、《飲水思源》、《秋箋》、《畫夢》等。詩評爲《怡園詩話》。另有散文集《我心深處》、《師生緣》等。涂靜怡的詩，像一條從生活的大山中發源的，悠遠的滋潤心靈的小河，賞心悅目，清澈見底。不僅能激起你思想的波瀾和感情的浪花，還能把你引向那神往的理想世界。讓你在美的享受中不忘思索；在思索中獲得美的享受。請看《星夜》：

星夜

是一罐陳年的
葡萄酒
芬芳而香醇
我不是一個善飲的人
酒一沾唇
便酩酊而醉
醉入夜的懷中
讓天的星子
都因我的醉意
而竊竊私語

詩人把星夜比作一罐陳年的葡萄酒，是比較新穎的。因爲葡萄酒濃度不高，比較溫和，但喝多了又能使人微微而醉，而且是一種甜蜜的醉。這種甜蜜的醉，與人們欣賞夜景時的陶醉相似。如果描寫夜像烈酒，顯然就不對了。詩人醉入夜的懷中之後，以下的三句詩寫得十分傳神『讓天的星子／都因我的醉意／而竊竊私語』這情景寫得既誇張又眞實。誇張是醉倒在夜的懷中，而眞實是在醉意朦朧中，滿天星星都因我的醉而竊竊私語。這竊竊私語並非星星眞地在互相交談，而是詩人醉意朦朧中，眼前出現幻覺，在她的眼中，星星們彷彿在移動，你和我接觸，我和你靠攏，這醉態中的朦朧意象寫得異常鮮活。這醉態中的星語反過來更襯托出了夜色之美。涂靜怡的許多詩也像這葡萄酒的夜色般醉人。

二、綠地詩社。成立於一九七五年十二月二十五日，同時創辦《綠地》詩刊。以臺灣高雄青年詩人爲主幹，其重要同仁有傅文正、艾靈、陌上塵、紀海珍、雪柔、喬洪、莊渝、葉隱、履彊、陳煌、陳炫煌、蔡忠修、靈歌、謝武彰、王廷俊等。《綠地》在《本刊徵求同仁啓事》中，表明了他們的宗旨。該啓事說：「我們是詩壇小兵，所持握的只有一股憨直的熱忱。我們深知，叫囂與標榜不能呼出燦爛的詩句，無知與狂妄只能使詩趨於紛亂，使詩逐漸死亡。《綠地》的願望是使沙漠皆植草菌，使旅行者不再感覺乾涸和饑渴。」《綠地》第十一期推出的《中國當代青年詩人大展》專號，一下發表了九十七位一九五五年以後出生的臺灣青年詩人的作品，對臺灣詩壇震動頗大。

三、草根詩社。於一九七五年五月四日成立，同時創刊《草根詩月刊》。是臺灣詩刊中少有的一月出一期的詩刊。他們的主要同仁有：羅青、李男、詹澈、邱豐松、張香華等。草根詩社的成立是臺灣七十年代新詩回歸和作爲回歸的主要潮流和動力的臺灣青年詩人運動，發展到中期的一個顯明的標誌。草根詩社成立之際，發表了自己的長篇宣言，充分地論述了他們的主張和立場，充分地闡釋了他們對一些重要問題的看法。《草根宣言》講：「對過去我們尊敬而不迷戀，對未來我們謹愼而有信心。我們擁抱傳統，但不排斥西方，過分的擁抱和過分的排斥都是變態。我們的態度是了解第一，然後吸收，消化，創造。創造是我們最終的目的。同時，我們也知道要有專一狂熱的精神，創造方能成功。我們願意把這分精神獻給我們現在所能擁有的土地：臺灣。」《草根宣言》還說：「圖象詩、分行詩、分段詩，以及其間所屬的小詩、格律詩、自由詩、戰鬪詩、民歌……等等，我們一律不排斥。或繼承，或研究，或改進，或闡揚，我們要不斷地在新詩的形式上研究、探討、實驗、創造，在某些情況下，因題材詩想的需要，我們認爲詩歌可合一，以發展新民歌的可能性。」（註三）「草根」的這種隨地扎根，普遍生長，四面開花，立足於創造，不拒絕繼承，也不排斥吸收的開擴性的主張，在當時看來是十分優越的，是趨於成熟的顯示。該社的靈魂詩人羅青，爲了提倡詩的短小化、中國化，還選編了自五四以來到當代的海峽兩岸著名詩人們的精粹小詩三百首，分上、下兩集出版，頗有示範作用。該刊雖然出刊到一九七九年六月第四十一期，迫於經濟因素而暫時停刊，但同仁間仍然保持着連繫。當其創刊十周年紀念之日，由羅青發起，在同仁的共同努力下，於一九八五年元月又推出了復刊號，並發表了《復刊宣言》。羅青在復刊宣言中說：「今後《草根》將本着過去的經驗，繼續向前做各種形式的探討，向後做各種角度的回顧，評估過去，預示未來。」（註四）不過新復刊的《草根》已是一分以詩爲主的綜合性文藝雜誌。《草根》之名蘊含着濃郁的鄉土氣味，而且表明着「野火燒不盡，春風吹又生」的及其頑強的生命力。《草根》的刊名就是這一強韌性的表示。

第三節　臺灣新詩回歸的第三階段

時序推演到一九七七年前後，是臺灣青年詩人運動和新詩回歸進入第三階段的成熟期。這時以現實主義爲創作方法的鄉土派詩歌潮流取代了現代派，佔據了臺灣詩壇的主流地位，並且在藝術上也趨於成熟。特別是一些沒有加入詩社而精神上和創作傾向上與各青年詩社一脈相通的一些青年鄉土詩人，例如吳晟、蔣勳等，作爲臺灣七十年代青年詩人運動的重要一翼，他們在創作上取得了相當可觀的成就。他們的成就，使得余光中也不得不說出：吳晟的出現，使鄉土詩有了面貌的評語。臺灣鄉土詩的成熟和躍居詩壇主流地位以及鄉土小說的崛起，使那些不喜歡他們的人產生恐懼和怨恨，於是發生了一九七七年到一九七八年之間的鄉土文學論戰。臺灣新詩正是在回歸期的第三個階段，卽成熟階段迎接了這一考驗的。不過由於挑戰者在第一個攻擊目標——鄉土小說和理論的戰役中就遭到了失敗，沒有能夠向臺灣的整個鄉土文藝展開進攻，因而鄉土詩在這次論戰中沒有進入主戰場，沒有刀光劍影的顯示。但是儘管如此，新詩的回歸，也不是沒有受到一點波及，例如臺灣著名鄉土詩人高準的《詩潮》詩刊被封閉，他的詩集《葵心集》被查禁，就是發生在此時的事。由於鄉土文學在論戰中的勝利，鄉土文學論戰遂成了臺灣文學全面回歸的重大標誌，它也促進了臺灣新詩回歸的完成。臺灣新詩的回歸進入第三階段的標誌主要有這樣幾條：其一，理論上更加明確、系統，並兼顧到人們多方面的精神需求；其二，創作上以現實主義爲主，傾向於向多元化發展；其三，詩壇表現出自由發展，再沒有詩壇霸主。進入一九七七年前後，出現了青年詩人的流動和青年詩社在發展競爭中的重新組合。臺灣新詩回歸的第三個時期是從一九七七年至七十年代末，這個時期新出現的青年詩社和詩刊有：

一、詩潮詩社：成立於一九七七年五月一日，同時創辦《詩潮》詩刊。在《詩潮》詩刊創刊號上刊登着詩社同仁的名單，他們是：丁穎、王津平、吳宏一、李利國、亞孅、高準、高上秦、郭楓。其靈魂詩人和主編是高準。該刊創刊號的第一頁上，以顯著的標題登載着《詩潮的方向》，全文共五條：「一、要發揚民族精神，創造爲廣大同胞所喜見樂聞的民族風格與民族形式；二、要把握抒情本質，以求眞求善求美的決心，燃燒起眞誠熱烈的新生命；三、要建立民主心態，在以普及爲原則的基礎上去提高，以提高爲目標的方向上去普及；四、要關心社會民主，以積極的浪漫主義與批判的現實主義，意氣風發的寫出民衆的呼聲；五、也要注重表達的技巧，須知一件沒有藝術性的作品，思想性再高也是沒有用的。」（註五）《詩潮》主編高準在該刊第二期發表了《中國現代文學的主潮》一文，聲明《詩潮》詩刊的任務就是要激揚中國現代文學的主潮。高準在文章中說：「最近創刊的《詩潮》詩刊，它是爲了實踐重振三民主義革命文學的主潮的抱負而存在的。第一集的卷首就大書特書地寫下了發揚民族精神，建立民族風格，關心社會民生，以及思想性與藝術性之並重等明確的主張，而內容上無疑也作了這樣的實踐。它要歌頌祖國，繼往開來，堅決發揚民族精神；它要把握詩的抒情本質，並鼓勵平易近人的新民歌，堅決發揚民主精神；它要刊載關於工人農人及各種現實生活的詩篇，堅決發揚民生精神；它也開闢了鼓舞戰鬪精神的專欄，堅決發揚革命豪情。這就是中國現代文學的眞正主流，這就是三民主義革命文學的正途大道。這不是任何其他帽子所戴得了的。」(註六) 該刊開闢的專欄有：《詩潮論壇》，專發理論批評文章；《歌頌祖國》，專發歌頌祖國的詩篇；《新民歌》，專發創作的和民間的民歌；《工人之詩》，專發工人寫的和描寫工人的作品；《稻穗之歌》專發農民寫的和描寫農民的詩。其他專欄還有：《號角的召喚》、《燃燒的熘火》、《釋放的吶喊》、《純情的咏唱》、《鄉土的旋律》、《新詩史料》、《詩訊》等。這個詩社和詩刊雖然生命不長，《詩潮》只發行了三期就被封禁，一個生機勃勃的新生命被無情地扼殺而死。但是我認爲：臺灣的新詩回歸，臺灣的青年詩人運動。以《詩潮》詩刊的出現，標示着進入了成熟期。因而這個雖然只存在了一年多的詩社和詩刊，在臺灣新詩發展中具有重要的意義。我這樣評論它是因爲：其一，它的主張明確而系統，顯示了理論上的成熟。就臺灣七十年代初期新詩進入回歸期以來，雖然出現過大量的青年詩社和詩刊，也發表了不少志在回歸的宣言和主張，但那都具有探索和試驗的明顯跡象，而到《詩潮詩刊》的出現，才第一次眞正明確地談到和論證了這一回歸潮流主潮的內容和本質。而且《詩潮》詩刊對這一運動的內容和本質的論證是比較適切的。其二，詩潮確確實實地為實踐自己的主張進行了扎實的努力，把自己的宗旨和宣言轉化成了具體行動。這一點，在他們刊物闢的各種專欄中有明確的規定，特別是他們的《歌頌祖國》、《工人之詩》、《稻穗之歌》、《鄉土旋律》諸專欄，非常突出明確，這是臺灣的其他任何詩刊所沒有的。其三，他們顯示了創作和理論的很好的統一和結合。而且有不少詩作達到了較高的藝術境界。例如：他們主張反映現實，反映民生的主張，就在吹黑明、葉香等詩人的作品中得到了體現。又如他們主張要歌頌祖國，高準的《祖國萬歲交響曲》則是很好的注腳。如果說我所講的前兩條還比較容易辦到，則第三條在創作上達到理論和實踐的一致，就是較難的事了。這需有長期的創作積累和準備，要有為實踐理論而不遺餘力奮鬥的決心，且要有一定藝術和思想素質的詩人作後盾。當然詩潮只是眾多的青年詩社中的一員，《詩潮》詩刊只是眾多青年詩刊中的一家，他們的主張和成就不是孤立的，而是在吸收和浴滙了其他青年詩社、詩刊和千百個青年詩人的主張、經驗和血汗的基礎上取得的。他們的實踐和主張是七十年代臺灣新詩回歸思潮和青年詩人運動成就的具體顯示。對於「詩潮詩社」的主張我並非全都贊成，對於他們的作品我並非全給好評，但他們在那樣的處境下，表現出那樣的理論和實踐的藝術勇氣，卻是值得贊佩的。遺憾的是，它還在自己的幼年時代就死於非命。（本社按：《詩潮》詩刊已於民國七十六年二月復刊發行第五集，現已發行至第六集）。

二、掌門詩社：成立於一九七八年元月，同時創辦《掌門詩刊》。成員大都由原來臺灣高雄師範學院「風燈詩社」的人員組成，地址在北港。主編為青年詩人楊子澗，詩人有鐘順文、古能豪、張詩、簡簡、江吟、張志雄、莊文統、詹義農、季寒、莊忠倉、翁鄉雨等。該刊風格清新、典雅，是一塊純淨的詩土。他們具有堅毅的精神，在臺灣詩壇多風雨的季節裏，精神振作，默默耕耘，努力高擎着多難的「風燈」。該詩社於一九八一年又創辦了姊妹詩刊《門神》，取代了原《綠地》詩刊的位置，成了臺灣詩壇一支重要的力量。

三、**陽光小集詩社**：成立於一九七九年十二月。這是經過發展變化之後的臺灣青年詩人的大組合，是臺灣七十年代新詩回歸的集中標誌。這個詩社同時創辦《陽光小集詩刊》，其成員是由各個青年詩社中分化和轉移而來的。這些成員中包括原《綠地》、《詩脈》、《北極星》、《現代》、《創世紀》等詩社的部分同仁。成員分布面很廣，臺灣北、中、南部各地都有。其主要同仁有：向陽、苦苓、李昌憲、林廣、林野、陳寧貴、張雪映、劉克襄等。他們一方面出版詩刊，另一方面還舉行詩歌活動，如舉辦大型詩朗誦會等。陽光小集的詩人們來自各方，詩的格風也各不相同，顯示着臺灣詩壇日趨多元化的傾向。《陽光小集詩刊》的主張表現在他們發表的社論中：「我們寧可踏實地站在臺灣這塊土地上，與人羣共呼吸、共苦樂；寧可磊落地站在詩的開放的陽光下，種植各種花草，欣賞各種風景——我們不強調信條、主義，不立門派，不結詩社，不主張某種來自某時或某空的『繼承』或『移植』……在這種理由下，我們一羣仍在努力摸索，同樣以詩爲最高信仰，卻各自擁有各自的詩的信條、主義的青年詩人，畫家、歌手——結合在一起辦《陽光小集》詩雜誌，在臺灣詩壇三十年來擾攘不停的環境中，在社會已趨向多元化的時代裏，我們不求純粹辦一分專門爲詩人辦的詩刊，但願爲關心詩的大衆提供一分精神口糧。以詩爲中心，嘗試各種藝術媒體與詩結合的可能。」(註七) 由於主張很不一致，陽光小集組合不到幾年，內部發生矛盾，暫告停刊。陽光小集的實踐正是臺灣詩壇上分久必合、合久必分、時盛時衰、衰後再盛的規律的表現。因此，停刊也不意味着永遠離開人世，復刊也不意味着天長地久。這正是同仁詩社詩刊在自由發展中表現出的不是規律的規律。

第四節　七十年代臺灣新詩回歸和青年詩人運動的成就和特色

發生在臺灣七十年代的新詩回歸和蓬勃的青年詩人運動，本質上是對臺灣五、六十年代新詩西化的一種反抗，是中華民族的民族精神、民族傳統、民族感情、民族意識的覺醒和回歸在臺灣新詩界產生的巨大反響。臺灣著名青年詩人向陽在《七十年代現代詩風潮試論》一文中，談到新詩回歸和青年詩人運動時說：「從三大新世代詩社的出發與反省，到學者、詩人、讀者對於現代詩歸屬性的要求，基本上是在臺灣發展的中國新詩的一個重大轉捩點——相對於世界性，超現實性，獨創性和純粹性，潮湧的新世代詩人透過詩刊詩社的創辦，詩選詩介的編輯，詩論詩集的出版，以及各種關係於詩的活動的主辦，走向他們理想中的民族性，社會性，本土性，開放性和世俗性。影響所及，七十年代的詩壇亦由昔日之頹廢轉趨於勁健有力。」(註八) 向陽在評價臺灣新詩回歸和青年詩歌運動時，給它確定了在詩國中的位置和座標，向陽說：「就七十年代現代詩風潮的定位而言，相對於六十年代以高標的超現實主義爲首的西化詩潮，七十年代的新世代詩人採取的毋寧是以民族傳統的縱經，本土社會的橫緯，從而確定座標的現實主義。」（註九）那麼到底應該怎樣評價臺灣七十年代新詩回歸浪潮和青年詩人運動呢？

一、這一回歸浪潮和青年詩人運動，是對臺灣新詩西化的否定。文藝有個怪脾氣，越是具有民族性，就越是具有世界性。越有民族特色，它便越有資格進入世界之林，由此我想起目前世界上正在興起的旅遊觀光熱。人們不惜花費重金，不惜萬里勞累去到別的國家旅行，其目的在於看看別民族與本民族不同的自然風光、文化傳統、藝術特色，如果大家都一樣，各地的文化藝術都是一個面目，就引不起大家的興趣，誰也賺不到外滙。之所以吸引人，之所以成爲無價之寶者，是本民族之絕唱，是本民族的精神和靈魂。一個國家的文化藝術全是模仿人家的，沒有了自己的面貌，都成了人家的仿製品，那就失去了自己存在的價值，就到了滅亡的時候了。而臺灣經過西化之後，首先是民族的危機感、滅亡感，民族精神、民族意識承受不了侮辱和毀滅。所以臺灣新詩西化的初期就引起了人們的猛烈抨擊，並形成了幾次批判運動，出現了「唐文標事件」，這是完全可以理解的。值得驕傲的是，在臺灣文化和文學的全面回歸中，臺灣的青年詩人們首先覺醒，臺灣的新詩作了開路先鋒。

二、臺灣新詩的回歸和青年詩人運動，其最基本和最主要的內容是民族靈魂的復歸和民族文學傳統的繼承和創新。什麼是中國民族文學的傳統呢？我想中國民族文學最核心、最主要的傳統是自古沿襲下來的「文以載道」；是「詩可以興、可以觀、可以羣、可以怨」；是

「欲開壅敝達人情，先向詩歌求諷刺」。這實際上是中國詩歌歷來的要求反映現實，關懷民生，表達人民心聲的現實主義精神在各個不同歷史時期的反映。這種精神在詩歌發展史中彷彿形成一種規律，每當社會處於極其動蕩、歷史處於轉型期、人民處於水深火熱之中時，就要求文學表現出這種精神，而且越強烈越好。也就是文學作爲社會學的子系統時，要求它作爲反映的工具爲社會變革服務的性質，越鮮明越好。一般來說，社會處於平靜，人民安居樂業，文學作爲母系統的形象才更爲明顯，對自身的發展，對藝術的追求，才更得到尊重和體現。臺灣社會的西化給臺灣帶來了許多弊端，例如農民失業，生態環境被破壞、社會被嚴重污染，人民受到外資的盤剝，民族傳統被摧殘等等，於是臺灣同胞產生了危機感，產生了失落感，在此情況下，他們要求文學作爲工具，爲自己吶喊，爲自己說話，要求文以載道。因而對臺灣的新詩在西化的夢幻中做文字遊戲，極端不滿。他們強烈要求文以載道的民族傳統的復歸，要求五四以來中國新詩現實主義傳統的復歸。這一點，在任何一個青年詩社和詩刊的宣言和宗旨中，都是放在首要地位的。他們秉承了人民的志願和要求。但是我們前面說過，卽使在這種情況下，詩仍必須以自身的形象出現，而不能作爲政治的附庸出現，詩必須是藝術品而不是政治標語口號。

三、鄉土情懷的追求。文學的民族性離不開鄉土性，只有儲滿濃郁鄉土氣息的作品，才能充分地顯示出本民族的特色。因此，我們不能把文學藝術中的鄉土氣息的追求，作爲狹隘的地方觀念予以批評。例如新疆的文學，應該有新疆的生活氣息；西藏的文學，應該有西藏生活的折射；臺灣文學，應有臺灣的生活況味。這和地方觀念和地方主義風馬牛不相及。中國是一個多省分多民族、極其遼闊的國家，其生活、習俗是豐富多彩的。通過想像和虛構，文學中反映的色彩可能比實際生活更豐富、更鮮活，然而這不同色彩的豐富性，正是各不相同的鄉土氣息構成的。因而七十年代臺灣新詩對鄉土情懷的追求和達到的成就，是七十年代臺灣新詩回歸和青年詩人運動的重要功績之一。

四、對民歌的重視，豐富了臺灣新詩回歸的內容，並對臺灣新詩的民族風格的建立，起到了示範和促進作用。

五，在批判臺灣新詩西化的同時，注意到不拒絕學習外來詩歌藝術，也不對西方作全盤的否定，這是一種相當正確和客觀的藝術主張。

六，在大追求中有小追求，在共同的目標中尊重不同詩社、詩刊和詩人的個人風格。形成了風格多樣化，藝術追求多元化的自由競爭、劣汰優勝的百花齊放的局面。

經過十年前赴後繼、此起彼伏的努力，基本上確立了臺灣新詩現實主義爲主流的地位，並造成了一大批青年詩人和詩歌理論家、批評家的朝氣蓬勃的氣象，使臺灣詩壇出現了空前未有的興旺發達局面。

【附　註】

註一　《龍族詩選序》（臺北林白出版社一九七三年六月）。

註二　《剃人頭者人恆剃之》（黃勁蓮）

註三　《草根》月刊（一卷一期一九七五年五月）。

註四　《評估過去》，《預示未來》（《草根復刊宣言》，羅青一九八五年元月）。

註五　《詩潮的方向》（《詩潮》詩刊第一集，一九七六年五月一日）。

註六　《中國現代文學的主潮》（《詩潮》詩刊第二集一九七七年十二月）。

註七　《在陽光下挺進——詩壇需要不純的詩雜誌》（《陽光小集》社論，一九八二年十月）。

註八　《七十三年文學批評選》第一一〇頁。

註九　《七十三年文學批評選》第二一一頁。

第十四章 從新詩回歸浪潮中崛起的空前規模的臺灣青年詩人羣

第一節 空前規模的七十年代青年詩人羣

臺灣七十年代新詩回歸浪潮的中心內容和構成這一浪潮的滾滾激流，是熱愛民族、熱愛中國、熱愛鄉土的蓬勃的青年詩人運動。而回歸浪潮和青年詩人運動的直接成果，是在短短的數年之間，臺灣詩壇上崛起了一個巨大的青年詩人羣。這個青年詩人羣就像臺灣的紅木林和甘蔗林，是從臺灣這塊肥美的土地上生根發芽，茁壯成長起來的。如果我們把他們每個人的名字都擺列出來，那將有不少困難。但是爲了比較眞實地反映這一浪潮，我將盡可能地注意到這一浪潮中曾經跳躍過的每一朶浪花。中國是一個詩的民族，詩的國度，有一部燦爛的詩史，以臺灣七十年代詩壇作爲例子，就可充分證明。最可貴的是這些青年詩人具有卓越的詩的才華；具有濃烈的熱愛中華民族、熱愛中國、熱愛鄉土的最寶貴的情感；他們有和西方文化打交道後經過識別和選擇，對自己的民族文化傳統產生的覺醒認同、嚮往和追求的決心；他們有兼收並蓄，志在創造中國民族詩風的努力方向；有理論和創作實踐，互補互促，相得益彰的雙軌定向；有爲中華民族詩歌事業獻身的決心和勇氣。如今經過十餘年的歷練，他們大都進入了中年。他們作爲歷史上的一個詩的梯級，目前正擔負着臺灣詩壇主力的角色他們是爲臺灣新詩的回歸一起吶喊過，同屬於七十年代新詩回歸羣的詩人。他們中的不少優秀人物，如：吳晟、蔣勳、向陽、施善繼、羅青、渡也、鄭炯明、林煥彰、李敏勇、陳明台、張香華、朵思、牧尹、陳家帶、林華洲、杜十三、白靈、紀萬生、劉克襄、蕭蕭、莊金國、汪啓疆、拾虹、黃樹根、履疆、林錫嘉、古月、李昌憲、蔡忠修、葉香、莫渝、林明德、郭成義、陳鴻森、林梵、馮青、沙穗、淡瑩、高準、蘇紹連、羊子喬、翔翎、翺翺、廖莫白、詹澈、岩上、曾貴海、喬林、李男、吳德亮、陳坤煌、黃勁蓮、連水淼、鍾順文等早已是名播臺島內外的著名詩人，大都出版過多本詩集，引以爲臺灣詩壇的驕傲。這些詩人在本書中本應闢單節論述，但由於篇幅所限，不得不忍痛割愛，從中選擇數位加以評述。目的只在使人們從他們身上進一步形象、具體地了解臺灣七十年代新詩回歸的成就和臺灣青年詩人運動達到的水準。從中可以看到他們個人爲祖國、爲民族、爲臺灣詩壇、爲全中國詩壇所作出的努力和貢獻，以及他們個人的創作風貌。

第二節 吳 晟

吳晟在七十年代的臺灣詩壇上雖然沒有參加風起雲湧般的詩社，也沒有參加哪個詩刊，但是由於他的卓越的詩才，他的刻苦的努力，他亦農亦詩，使得他取得的創作成就成了臺灣鄉土派詩人的驕傲；他毫無愧色地居於七十年代臺灣青年詩人羣的前茅。

吳晟，本名吳勝雄，一九四四年九月八日生於臺灣彰化縣溪州鄉的一個貧苦農民家庭。一九七一年從屏東農業專科學校畢業後，放棄了進城工作的機會，又回到自己的家鄉，進入溪州中學教書。他又上課堂，又下田畝，亦詩亦農，所有的節假日和課餘時間都和母親一起在農田中渡過。因而他和他的詩便深深地扎根於芬芳的泥土之中，同秧苗一起生長。他出版的詩集有「泥土」、《飄搖裏》、《吾鄉印象》、《愚直書簡》和《向孩子們說》，還有散文集《農婦》。他曾先後獲臺灣「第二屆中國現代詩獎」和臺灣「中國青年詩人獎」。

我曾以《泥土放出花千簇，汗水澆得碩果香》爲題，發表文章評論吳晟的詩。我認爲吳晟作品的最大特色是：

一、把泥土當母親，把母親當泥土，表現出對泥土對母親無比深沉的愛。在吳晟看來，泥土就是生他養他的母親，而母親又是奉獻給他生命的泥土。在他的作品中，泥土的無私奉獻，母親的寬厚慈祥，互相交織，互相襯托，互相印證，無法分割。吳晟說母親，就是說泥土；吳晟說泥土，就是說母親。他飽蘸着心血和愛的汁液，把心靈中的頌歌深情地獻給她們。請看他的《泥土》：

日日，從日出到日落
和泥土親密為伴的母親，這樣講——
水溝仔是我的洗澡間
香蕉園是我的便所

竹陰下，是我午睡的眠床

沒有週末，沒有假日的母親
用一生的汗水，辛辛勤勤
灌溉泥土中的夢
在我家這片田地上
一季一季，種植了又種植

日日，從日出到日落
不了解疲倦的母親，這樣講——
清爽的風，是最好的電扇
稻田，是最好看的風景
水聲和鳥聲，是最好聽的歌
不在意遠方城市的文明
怎樣嘲笑，母親
在我家這片田地上

用一生的汗水，灌溉她的夢

在吳晟的作品中，對母親、對泥土的深情，是水乳交融地凝聚在一起的。因此，在表現手法上，既有比喻，但又不完全像比喻，既有象徵，但又不完全是象徵。他把比喻和象徵兩種手法交織在一起，創造了一種比象徵顯明，比比喻深沉，超乎比喻和象徵兩種表現手法之上的一種表達方法。而且把這種方法滲透到他的整首詩之中，使他的作品表現出既淺顯，又深沉；既明朗，又含蓄；既清新，又渾厚的特殊韵味。

二、對祖國無比深沉的摯愛和嚮往之情。吳晟和許多臺灣土生土長的青年一樣，從來沒有到過祖國大陸，從沒有看到過長城與黃河，從沒有聽到過長江的濤聲。但是在他們的心目中，卻時時有十億同胞的面影在晃動，時時有一個雄鷄在高啼。他們的這種對祖國對民族深摯的愛，是和鄉土之愛連繫在一起的。他們既愛臺灣也愛大陸，在他們的心目中，中國始終是一個完美的整體。對祖國的整體感和渴盼心情，濃縮成了吳晟的動人的詩句。他的《晨讀》一詩中有這樣的詩句：

聽一聽我們的江河，有多少話要說
探一探我們的山峰，蘊藏多少博愛
望一望我們的平原，胸懷有多遼闊
告訴你們不要忘了
這是我們未曾見過

却是多麼親切的江河山峰和平原

吳晟作品中的愛國主義詩篇是相當感人的。在他的《向孩子們說》詩集中，有一首詩標題就是《向孩子們說》。詩人用父親的口吻，對兩個不團結親兄弟勸說，讓他們不要互相挑毛病、爭吵。兄弟倆要團結，只有家庭團結，外人才不敢欺負。讀這首詩覺得很有深意，我曾把這首詩和我們國家的分裂現狀相聯繫。我想，詩人是不是在呼籲祖國要團結統一啊！作這樣的探索，我斷定不會太曲解作品的原意的。

三、吳晟的作品充滿普通勞動者的哲理。哲理彷彿是很深奧的東西，人們一聽哲理二字似乎就感到高不可攀，其實不然。在吳晟的詩中，既豐富深刻，又淺顯易懂。經過吳晟天才的消化用最淺顯、生動、形象的語言加以表達，於是深奧的哲理就變成了明白的道理了。現在舉幾例，以示證明。

「一束稻草的過程和終局
是吾鄉人的年譜」

——《稻草》

「沒有握鉛筆，鋼筆和毛筆的
母親的雙手，一攤開
便展現一頁一頁最美麗的文字

那是讀不完的情思
那是解不開的哲理」

——《手》

「阿媽寫在泥土上的每一個足跡
——不是詩人的阿媽
才是真正的詩人」

——《阿媽不是詩人》

這些充滿生活情趣，同時飽含濃郁哲理的詩句，不需要加注婦孺皆懂。因爲這些哲理的確是從農民的生活中概括出來的。因而我把它稱之爲「普通勞動者的哲理」。余光中曾這樣評價吳晟的詩：「等到像吳晟這樣的詩人出現，鄉土詩才有了眞正的面貌。」（註一）像余光中這樣不把鄉土詩放在眼裏的現代派大將，由於吳晟的成就，也不得不對鄉土詩刮目相看了。臺灣另一個現代派詩人稱贊吳晟的《負荷》一詩說：「這篇新詩最大的優點有三：一親切自然，二濃淡適中；三情意眞摯，用喩恰當。」（註二）像張健這樣的現代派詩人，又是學院派教授、詩歌理論家，過去也是瞧不起鄉土詩的，如今對鄉土詩也改變了態度。由此也證明，吳晟創作的影響之大。

第三節 蔣勳

臺灣著名鄉土作家陳映眞在評價蔣勳的詩作時說：「蔣勳的詩可以看成第一個按着在批評現代詩中建立起來的新詩的哲學而寫詩，並獲致初步成績的作品」（註三）從陳映眞的評價，我們可以看出蔣勳在臺灣七十年代新詩回歸浪潮中的地位和他在青年詩人運動中所產生的影響。

蔣勳，原籍福建省長樂縣人，一九四七年出生於西安，後隨家人去臺。一九七二年在臺灣藝術研究所畢業後去法國留學。在旅遊了法國、意大利、美國之後，於一九七六年回到臺灣。他曾任臺灣東海、輔仁、文化大學等校副教授。蔣勳不僅是個詩人而且是個畫家，現任臺灣東海大學美術系主任和臺灣大型藝術刊物《雄獅美術》的主編。他利用這一園地爲鄉土派詩人吳晟、詹澈、施善繼、葉香等提供發表作品的機會擴大他們的影響。蔣勳出版的詩集有《少年中國》等。

蔣勳對詩產生狂熱是在中學時期。他在《青青河畔草後記》中回憶說：「初中以後，我忽然對文學、音樂、繪畫有着無可救藥的執迷，大部分的時間便用來寫小說、畫畫、唱歌，把學校的課業弄得一塌糊塗。他對詩有着更加特殊的執迷，他在同一篇文章中說：「我初中的數學本子上，（用黑色細繩穿繫起來的練習簿）寫滿了片斷的句子，有時候便是一個景緻，有時候是一種感覺，有時候幾乎是含糊的囈語。也不知道爲什麼要寫，只覺得是一種內在的衝迫，彷彿滿月的潮水，飽滿而高漲。我最初的詩，便是那少年旺盛的精力下喘息不安的聲音吧！」。蔣勳眞正開始詩的創作不是在臺灣，而是在法國。因爲六十年代中期正是現代派詩歌在臺灣的盛期，蔣勳深感找不到詩國大門的苦悶，因而不得不強迫自己放下詩筆達八年之久。他到法國留學後，攻讀的雖然是西方藝術，但在一個偶然的機會裏，他從巴黎大學的圖書館裏，發現了中國文學的寶庫，看到了許多臺灣看不到的書。於是他盡情閱讀和吸收。在學習了中國文學之後，他又重開禁筆，開始了眞正的詩的歷程。一九七四年蔣勳從法國到意大利旅行。他說：旅行中「我懷鄉的情緒如發酵的酒，努力翻湧，按抑不下，就買了一個筆記本……從詩經片斷的句子到楚辭，到史記，漢樂府，最熟的還是唐詩和宋詞，整整寫了一本。好像這就是我鄉愁的病根，把它們一一嘔盡了，心裏就暢快了些。（註四）蔣勳在默寫古詩的同時，也「直追優秀的古詩中許多直白的效果」進行創作。他一連寫下了《給故鄉之一》、《之二》、《之三》等系列作品。

思親懷鄉是蔣勳詩的重要內容之一，這方面的重要作品是他早年寫於巴黎的《給故鄉》系列作品。這些作品不同於一般的鄉愁詩，一般的鄉愁詩是表達小我的感情，表達對家鄉和親友的思念，而蔣勳的《給故鄉》系列作品，則是一種大我的情感，表現的是一種故國之思。不管是臺灣還是大陸，不管是臺灣的故人還是大陸未曾謀面的同胞，都在他的思念懷想之列。故鄉是何處，在一般情況下是不會發生疑問的，但這個問題對於身處巴黎的蔣勳，就不得不作出選擇，而蔣勳在這一選擇中，站的起點是相當高的。在《寫給故鄉之二》一詩中，有這樣的詩句：

如果再問我一次：

「哪兒是你的故鄉？」
我還說是長安嗎？

那母親口中：
門前的雙槐，
後園的棗林。
然而，
是怎樣的庵堂呢？
要走過那麼些幽秘的、窄長的廊道。
如果再問我一次：
「哪兒是你的故鄉？」
我還說臺北嗎？

小小的板屋，
可以在一夜裏給颱風掀去。
那樣的狂風，

那樣的豪雨，
那樣哭着的，
母親的影子，
在四面的墻上給燭光飄轉着。

蔣勳的詩作的重要內容之二是對臺灣社會西化的強烈批判，顯示出作品明顯的時代特徵。蔣勳的批判往往是從西化給臺灣造成的災難，給臺灣人民造成的損傷，給臺灣的環境造成的汚染入手，揭開西化的內幕，從而使人們厭惡和唾棄它去追求更理想的現實。例如他的《寫給淡水河》一詩，便充分地表達了這樣的內容。可以說，詩人是流着血，淌着淚寫下這首悲歌的。淡水河是臺灣的第三大河流，發源於大壩尖山的東側，流經臺北市區，至淡水港入海，全長一百五十九公里。它流着汚穢和泥沙，流着罪惡和哀傷，同時還流着大樓的倒影，流着霓虹的繽紛。就像西化之風是一個魔鬼似的混合物，表面看起來五彩繽紛，本質上卻深藏着罪惡。淡水河中的倒影就是西化的社會形象在河水中的反映。「你是大地上一道深深的淚痕」就是詩人對西化之風的態度和評價。這首詩構思巧妙、描寫深刻之處，是詩人沒有停留在臺灣工業化後對自然生態環境的汚染，而是通過淡水河這面鏡子，映照出了臺灣社會的汚染。因此詩的批判力大爲增強。所以這不是一首反映臺灣自然環境汚染的詩，而是一首社會批判的詩。詩人透過表面現象，把筆力深挖了一層。值得注意的是，詩人並沒有爲了驅狼而放一把火，把祖傳的家業都一起燒掉，他沒有因批判汚染，連淡水河也一起詛咒。恰恰相反，詩人對淡水河仍然懷着深情，因此才有「用我的親吻／抵贖你的哀傷」。詩人感情的層次是分明的。

蔣勳作品的內容之三，是對生活在臺灣社會底層的窮苦百姓表示深切的同情和敬意，爲被社會損害的人物、事件鳴不平。他的《躲雨》一詩自然樸實，以眞情動人。詩中主人熱情邀請客人進屋，客人深情謝絕，爲的是爲主人着想，怕把主人的房屋弄髒了。賓主的這種舉動之間，有一股難以表述於言詞的溫暖。蔣勳的詩的特色是內容充實，不求形式華麗，這是詩人着力追求的風格。

第四節　高　準

高準是臺灣詩壇上一個比較特殊的詩人。比起臺灣的新生代詩人來，他的年紀比較大，他的詩歌活動也比較早，是臺灣新詩論戰中的一員虎將。但在臺灣七十年代的新詩回歸浪潮和青年詩人運動中，他都發揮了重要作用，有着重要的位置。因此，我把他作爲臺灣新生代詩人的一員來敍述。

高準，字秉潔，原籍上海市金山縣人，一九三八年出生於上海市。一九四六年去臺灣。一九六一年畢業於臺灣大學政治系，一九六四年畢業於臺灣中國文化學院碩士班。後去美國留學，先後入堪薩斯大學及哥倫比亞大學進修。之後又到澳大利亞留學，獲悉尼大學東方文學系博士。曾遊歷英、法、意、日、泰等國，回臺灣後任臺灣中國文化學院教授。他出版的詩集有《丁香結》、《七星山》、《高準詩抄》、《葵心集》、《高準詩集》等。高準還是一個畫家和散文作家，他還出版了散文集《山的心影》、文藝論文集《文學與社會》《繪畫史導論》和人物研究專集《黃梨洲政治思想研究》等。一九七七年他創辦《詩潮》詩刊，自任主編，到一九八〇年，僅出四集就休刊。一九八七年二月第五集又復刊了。

高準在他的重要詩論《現代詩的歧途與應行方向》一文中，在批判了現代派詩的八大弊端之後，爲新詩提出了五條標準：1.詞義清新，不作漢語之罪人；2.情意眞摯，不作浮濫之吶喊；3.結構精粹，不以散漫爲自由；4.韵律諧調，不失聽覺之優美；5境界高遠，不作頹廢之虛無。高準提出的這五條是作爲新詩應該遵循的準則。除此之外，他還提出三條作爲鑒別是否好詩的標準，這三條是：1.加強吸收傳統精華，繼承光大民族的歷史命脈；2.深切地關注社會現實，堅決在中國的土地上扎根；3.熱烈地發揮抒情精神，徹底清除超現實之迷妄。高準自己的詩，大致是遵照他的上述詩觀進行創作的。高準的詩作很多，但我覺得寫得最好的是他的歌頌祖國和思親懷鄉的篇章。高準和千萬個遊子一樣，時時刻刻繫念着自己的故鄉、自己的同胞。作爲他詩觀的產物和印證，他不隱諱，不躲閃，不轉彎抹角，直抒胸懷，情眞意切，請看他的《念故鄉》一詩中寫有如下詩句：

「是永恒的情人在夢裏縹緲
是生我的母親却任我漂泊
故鄉呀

我的故鄉是中國！
自從我有了知覺　故鄉呀
我讀你的名字　聽你的名字
我寫你的名字　喊你的名字
一萬　兩萬　三萬　多少萬遍了呀！」

……

高準的故鄉之思和蔣勳的故鄉之思一樣，是一種大我的感情。他既思念着高原的風，也嚮往着江南的雨，既要看長安的月，也要聽巫峽的猿。詩中流動的情感浩瀚飛升，奔馳縱橫，充分地表達了一個遊子對祖國深深的思念之情。但是，感到不足的是詩意的凝聚不夠，用詞不夠精，削弱了詩的感染力。高準的代表作是《中國萬歲交響曲》，在這首詩中，詩人以長江的浩瀚，黃河的威壯，帕米爾的崇高，江南風月的甜美，起伏跌宕，酣暢自如地歌頌了偉大的祖國。這是一首交響樂，是一曲多聲部的大合唱。現摘引數節，讓讀者一葉知秋：

「從帕米爾皚皚雪嶺的東面
一萬里路，直到太平洋浩浩西邊
從黑龍江荒寒漠漠的河沿

一萬里路，直到茫市郁郁的芭蕉林間
那是我光榮的祖國之所在
五千年創造奮鬪的家園！」

「啊啊，青年燦爛的家園
澤畔行吟呀，是誰灑布着蘭蕙的芳潔
朶朶菊花呀，是誰釀成了永世的詩篇
擧頭望明月，是誰把清輝夾入了你的詩頁
造化鐘神秀，更何人詩聖大名揚世界
多少珍花香草呀，馥郁着人類的心田！」

……

「金光燦爛，普照世界
萬方奏樂，天上人間」

這首詩在臺灣發表後，引起詩壇轟動。臺灣有一家報紙在發表時，私自將《中國萬歲交響曲》改爲《中華民國萬歲交響曲》，激起了詩人的憤慨和抗議。在詩人的筆下，祖國是一個具有五千年豐富閱歷、年輕貌美、胸襟博大、生機勃勃、魁偉無比，集剛、柔、善、美於一身，完整而又統一，和諧而又自然的舉世無雙的巨人。祖國這一偉大的形象中，凝聚着詩人所有的親吻和愛戀，凝集着詩人的所有的心血和汗液，表達了詩人最純潔、最眞摯的赤子之情。由於高準對祖國的無比熱愛，他不允許任何汚穢來玷汚她的風貌，不允許任何外來的細菌來損害她的健康，因而他對西化之風的反對，特別強烈，他對現代派詩的批判，特別尖銳。除了理論上的批判之外，還在詩作中進行呼籲和吶喊。例如他的《陽光的召喚》一詩，就充分表達了這一思想。他呼喚現代派的詩人們走向生活，去反映生活。這是一個現實主義詩人的主張。高準的有些作品激情有餘，但熔鑄和冶煉不足。這恐怕是詩人對有些詩缺少推敲之故。

第五節 羅 青

臺灣詩壇上有個被稱爲多才多藝的青年才子，他能詩善畫，會書法、音樂，口若懸河，善於詞令，此人就叫羅青。

羅青，本名羅青哲，湖南湘潭人，一九四八年九月出生於山東青島。一九四九年，在他還未滿一歲時，被父輩經天津，過上海，帶到了臺灣。開始住高雄，一九五〇年定居基隆。曾讀基隆信義小學、基隆中學，十八歲考入臺灣私立輔仁大學英語系，一九七〇年畢業。一九七二年赴美留學，入華盛頓大學研究所，讀比較文學。一九七四年獲碩士學位，後回臺灣在輔仁大學英語系任教。現在是臺灣師範大學英語系教授。

羅青在臺灣詩壇、畫壇都賦有盛名。羅青兩歲會唱歌，九歲自習漫畫，十五歲學書法，十八歲學寫詩，表現得非常刻苦。他特別愛讀徐志摩和劉大白的詩。從小受現代派的影響，因此，他的創作吸收了現代派詩的藝術。到目前爲止，羅青已經出版了《吃西瓜的方法》、《神州豪俠傳》、《捉賊記》、《隱形藝術家》、《水稻之歌》等詩集。出版了一本詩論集《從徐志摩到余光中》、一本散文集《羅青散文集》。此外，還選編了中國五四以來小詩三百首，分上、下兩集出版書名爲《小詩三百首》。這是他作爲《草根詩刊》的主編，提倡寫小詩的成果。

羅青被臺灣詩人和評論家稱之爲「新生代詩人中的翹楚」和「新生代詩的起點」，爲初學者提供了一個「欣賞和參考的新方向」等。羅青的詩具有明顯的個人風格，那便是音樂性、繪畫性和構思的巧妙、奇特性。

一、構思巧妙，想像奇特，在普通的題材中拓出新境界。請看他的《觀音記》：

那天早上，我去看觀音山
相互以清涼風和呼吸道過寒喧之後
就面對面地雙雙坐下
中間，隔着一片靜靜的溪水

沒弄清我的來意
便說了一些山泉如何曲折
山石怎樣搗亂的事情
接着，順流而下
以淡水為話題
淡淡地，把三兩片白雲
談成四五朶流雲
聊成七八隻白鴿
吟成一兩句小令
詩成後
看我仍不說話
才開始有點不好意思起來
在晚霞的羞紅裏
慢慢伸出那寬厚的掌影——拂過水面
輕拂我粗糙的雙肩
以一種你知道我知道的情懷
使人不再感覺自己是一個

被沖涮入河的空心罐頭
沒有寒喧
那夜，觀音山凌波而來
來看我是否泛成了一條不繫之舟
然後各自悄悄離去，留下靜靜的
淡水一片

詩人不露痕跡地使用了擬人化、象徵、雙關語等手法，把這首詩寫得相當生動、有趣、優美。觀音山是臺灣北部一座出名的小山，位於臺灣北部淡水河的北岸。詩人的《觀音記》具有雙關意。一指實體觀音山，一指虛擬觀音菩薩。自然化入地描繪了詩人觀音山之遊的見聞和奇特的想像，用語俏皮。涼風是山的呼吸，而呼吸又是詩人無聲的表達感情的方式，它暗示着兩者心靈的相通。詩人極力描寫在他們的感情交流中，女觀音一直非常主動，在詩人無語的情況下，她毫不羞澀地滔滔如流，向詩人表達深情，就像一個美麗的富於開放性的女郎，抓住一個小伙子生怕不能得手，忘形地傾吐心聲。以淡水爲話題，把白帆談成流雲、白鴿、小令，情致優美淡雅。情景交融，既是吐情，又是描景，以此成詩。情如小令，景如小令，詩也如小令，三者合一，表達得十分巧妙。最後觀音不好意思起來，晚霞羞紅着臉，詩人自然地將時間的推移和觀音情感的進一步深化結合起來。這時不再是滔滔而談，而是進一步默默含情地行動了。她把影子拂過水面悄悄地去撫摸詩人的雙肩，要和詩人擁抱。……最後各自離去，留下淡水一片，頗有空谷回音之聲。整首詩，結構十分完整，抒情細膩眞實。大慈大悲的觀音菩薩，在這裏作了詩人的多情女郎。

二、利用強烈的音樂感知擴大詩意，寫出音樂性很強的五彩繽紛的詩篇。例如《金喇叭》。

這是一首大人兒童都可讀的詩，詩人從一個大喇叭的形狀和它金黃的色彩，聯想到了天上的太陽；從音樂的無形而有聲，又聯想到了風。喇叭的形狀又和花朵相連，由花朵又連繫起了蝴蝶，由蝴蝶又引來了春天，春天又使百花盛開。在詩人想象的環套上，一環扣一環的串聯成詩中的意象，源源不斷地被吸收進這詩的花園中來。眞是有聲有色炫人耳目。羅青用擬人化的手法，假設一個人在春天吹大喇叭時，所萌生的種種感想，呈現出一個活潑而交感的世界。由一支金色喇叭導引出一個生機勃勃的春天，這種構思是羅青獨有的創造。羅青在這首詩中成功的顯現出他的機敏細膩的音樂感。羅青從小生長在一個音樂世家中，母親彈風琴，妹妹彈鋼琴，父親拉胡琴，弟弟彈吉他，各種樂器應有盡有。羅青雖然不操樂器，但他是全家的知音和裁判，他在這個環境裏薰陶出了很強的音樂感。《金喇叭》就得力於這種音樂環境。羅青十分注意詩中的用語，據他自己說，這首詩的第四行原來用的是「籬笆綠雲」，詩人嫌它過於濃縮，怕人讀不懂，同時也嫌這四個字不能準確地達義，於是就改成了「她們一個個害羞地躲在綉滿一朵朵綠色雲彩的籬笆上」。這樣不僅好懂，而且詩句也活了。一根綠藤穿連其間，雲有根詩有線，飄而不散，愈集愈密，十分鮮活，顯示了羅青十分注意詩的藝術效果，和用語的科學性。

三、詩情畫意，表現出一個畫家詩人的特色。羅青的不少詩作，都具有詩中有畫，畫中有詩的特點。由於他是一個畫家，他在採擷意象，形成詩想時，總是注意詩的繪畫性。請看他的《霧社》。

紅槭樹紅着臉
在流雲中
躲躲藏藏地
跑來

微醺的茅亭
頭髮紛亂
歪歪斜斜地也跟着追了
上來

捉捉藏藏間，吵醒了
安安靜靜在山中酣睡的
泉水——都好奇的，爭先恐後

湧了出來
穿雲弄霧的
也不知究竟在哪裏
稀里嘩啦地——
偷笑了開來

霧社在臺灣南投縣的仁愛鄉，因多霧而得名。這裏是高山族同胞的聚居地。一九三八年高山族同胞數百人曾在這裏集體遇難，壯烈殉國，譜寫了一曲最壯麗的武裝抗日的戰歌，爲祖國爲民族添了光彩。特別是其頭人莫那魯道，在這一壯舉中起了重要作用。至今此地立有紀念牌坊告慰英靈。羅青以此聖地爲詩的背景，採紅槭樹爲描寫對象，是否有悼念英烈之意，不妨作此聯想。詩人用擬人化的手法，把紅槭樹寫成了一個美人。她羞紅着臉從霧中跑出來，若隱若現，柔美多情，既表現了霧社美麗的景致，又顯現了多情少女霧中美人的綽約多姿。美人居住的霧中茅屋也醉意朦朧地浮現出來，滿頭亂髮，茅屋用草蓋，暗示美人是窮家女。樹、茅屋、流水、你追我趕，笑語灑落，好一幅有聲的圖畫。詩的最妙處是稀里嘩啦偷笑的流泉，因在霧中看不見，所以爲偷笑。稀里嘩啦表明發出笑聲的並非一人，而是一羣少女。這是一幅多麼靈動傳神的風情人物畫！

羅青也有不少具有社會批判意識的詩篇。例如他的《囚人日記》，就是一首對現實非常不滿，想衝殼而出但又無可奈何的作品。

第六節　施善繼、林煥彰

施善繼是一個由現代派的崇拜者、到唾棄、批判現代派而投身於七十年代臺灣新詩回歸，並且成爲這一運動的骨幹的詩人。

施善繼，臺灣省彰化縣鹿港鎮洛津里人，一九四五年生。從中學時期起開始寫詩，早年狂熱地追求現代派。一九六三年參加了臺灣文藝協會舉辦的「文藝研究班」詩歌組學習，主任是現代派的領袖紀弦，指導老師爲現代派的大將瘂弦和鄭愁予等。施善繼「懷着虔誠感激的心」來這裏受教育，並以優異的成績結業。當時，正值臺灣現代派詩風行之時，余光中、瘂弦、鄭愁予、洛夫等現代派的明星們被施善繼尊爲大師。他懷着崇敬的心情向他們學習，把他們視爲詩國偶像。施善繼說：「在當時，眞是態度嚴肅、認眞、熱情，我研究他們的詩，他們的詩論，創作時滿腦子全是這些當時我奉爲大師所設的框框架架」。由於施善繼的天賦加上個人的努力，他學有成效，於一九六九年出版了處女詩集《傘季》。這本集子中裝的全部是現代派的實驗品。按照施善繼的說法，那些作品不過是在別人設計好的框架裏填上自己編排的語言材料而已。那麼施善繼後來是怎樣轉變的呢？他說，一次有位朋友問他：善繼，我怎麼在你的詩中一點也看不見你所敍說的童年生活的影子，一點也看不見你生活於其中的三重市的人和街市？這位朋友的問話使施善繼無以對答，深深地觸動了他的心。施善繼說：

「我聽了他的質問，感到五內俱焚。」然後這位從事新詩回歸運動的朋友告訴他：「詩要寫得明白，要寫生活，詩和小說一樣，要關懷社會，要關懷整個民族的去向……。」從此，施善繼恍然大悟。他說：「糟了，我不住地對自己說，糟了，我怎地噩噩渾渾地在現代派中蹚混了這麼久？」於是，施善繼決心跳出現代派的圈子，改變創作路向，走向一個嶄新的天地。一九七一年，作爲新詩回歸和臺灣七十年代青年詩人運動先鋒的「龍族詩社」一成立，施善繼就作爲它的發起人和中堅分子而出現於詩壇。他曾發表題爲《誠摯的反省者——談龍族詩刊》的文章，對龍族的創作進行檢視，表現出對自己成果不滿意的遺憾之情。他認爲龍族和臺灣整個詩壇沒有實現和完成反映社會、反映人生、批判現實的任務。其原因是「對東西方文化照單全收」。文中還講到了臺灣新詩對日本的達達主義，超現實主義也「照單全收的情況」。他提醒我們在研究臺灣新詩時，也不可忽視日本的影響。施善繼作爲一個現代派營壘中過來的人，表現出對現代派批判得更強烈、更徹底的態度。並且在他的創作實踐中，竭盡全力轉變風格。從一九七一年開始到一九七七年，大約是施善繼轉變的過渡期。他用了六、七年漫長的時光才徹底地完成了創作上的轉變。他是一個相當堅毅、相當頑強的詩人。是一個不達目的決不罷休的詩人。施善繼轉變期的作品，有的寫得雖然過於白了一點，但那是矯枉過正之需。在他轉變完成之後，詩的質量有所提高。施善繼轉變風格後的成果，結集爲《小耕周歲》出版。這本詩集中的作品，表現出了濃郁的中國的、民族的、鄉土的色彩。其中《小耕入學》曾獲一九七九年臺灣《中國時報》文學獎中的新詩優等獎。現將《小耕周歲》摘引如下：

「爸爸有廣東籍的朋友，
也有吉林
有湖南，
有四川，
來自中國各地的朋友。
你將來長大上學，
像爸爸也會有，
來自中國各地的小朋友。
你要用國語和他們交談
和他們互助互愛，
和他們不分彼此的遊戲，
絕對不要打架。
在學校尊敬師長，
搭車走路嚴守秩序，
無論在那裏，
要記牢我們是堂堂正正，

脊梁挺直不亢不卑的，
中國人。」

這首詩樸實、眞切而深沉。一條愛民族、愛祖國的線，像大樹的根一樣串連着整個作品，使人覺得作爲一個中國人的驕傲和自豪。作品特別注意中國人的團結互助，從自己一代到下一代都要親密無間，各個省的人都要團結在中國這面旗幟下。作品最後預祝孩子醒來迎接一個英氣風發、虎嘯鷹揚的「少年中國」。這既是一首教子詩篇，也是一首祖國的頌歌。

施善繼轉變風格以後的作品，十分注意對臺灣現實社會問題的反映，尤其是對處於社會底層的被剝削、被殘害者處境不幸的反映。他的《樣品》一樣，以深刻的寓意對被侮辱遭殺害的悲慘的妓女之死，給予了深切的同情。這首詩共分四節，現引錄其第一節和第四節如下：

「患嚴重性病的是伊
伊糜爛的程度已達梅毒一期末的症候。
陳屍於旅社房間浴室的是伊，
伊死時幾乎全裸。
上身僅掛胸罩的是伊，
伊三十剛出頭。」
……
「淡水河靜靜地，無言地躺着；

時間靜靜地，無言地淌着；
姐妹淘靜靜地，無言地嗚咽着；
伊靜靜地，無言地嗚咽着；
我們靜靜地，無言地聽着，並且看着；
伊——這年代最最苦楚的一則樣品。」

這是詩人從臺灣報紙上看到一家旅社中，一個妓女暴死的情景，受到強烈觸動寫成的詩。詩的第一節是交代現場，第二第三節敍述妓女生活的不幸，第四節表現出詩人深切的哀悼和強烈的控訴。這首詩的特色在於詩人以平靜的口吻，表達出憤怒的感情。就像地火在運行，只在某地區冒一下熱氣，便可使人們感到他胸中醞釀、潛伏的卽將爆炸的威力。作品的最後一節連用五個靜靜地和無言地，以靜顯動，以無言表有聲，取得了強烈地效果。特別是詩的結尾兩句，寫得筆力千鈞，有一種很強的穿透力，並且有一種作爲見證來日之意。詩題「樣品」兩個字取得很妙，把詩的品味和內涵都提高和擴大了。這兩個字無聲地告訴人們，這不過是千百個事件中的一個例子而已。施善繼創作風格上的轉變，有得有失。詩的生活化、社會性、批判性加強了，作品的語言更通俗易懂了。但是有的詩顯得過於鬆散，有的詩不必要的過程敍述加重了詩的負擔。所以我以爲，詩的中國化並不排斥現代派的某些較好的藝術表現手法。

林煥彰是介於臺灣老一代和新生代之間的詩人。由於他致力於臺灣的新詩回歸和青年詩人運動，因而把他放在新生代詩人中敍述。

林煥彰，臺灣省宜蘭縣人，出生於一九三九年。一九五三年小學畢業後因未考取中學，曾當過牧童、學徒，一九五六年入臺灣肥料公司的內港廠當清潔工。一九六一年開始寫詩，次年參加笠詩社。一九六六年獲臺灣優秀青年詩人獎，一九七〇年獲臺灣詩歌創作獎，成爲蜚聲臺灣詩壇的著名青年詩人。他的成名走的是一條自學成才之道。一九七一年和陳芳明、施善繼、辛牧等創辦「龍族詩社」，負責《龍族詩刊》的編務，成爲臺灣新詩回歸中的骨幹人物。一九七六年他的兒童詩集《妹妹的紅雨鞋》獲臺灣兒童詩獎。林煥彰出版的詩集有《牧雲初集》、《斑鳩與陷阱》、《歷程》、《童年的夢》、《妹妹的紅雨鞋》、《有一條小河》。前三本是成人詩集，後三本爲兒童詩集。林煥彰多年來一直努力倡導、推動臺灣的兒童詩創作，身體力行，寫了大量的兒童詩。他的三本童詩集就是他耕耘的見證。林煥彰是臺灣活躍的兒童詩刊《布谷鳥》的主編。

關於林煥彰的詩歌之路，他在《林煥彰的詩觀》中說：「我在《葡萄園》萌芽，在《笠詩刊》成長，然後和同輩詩友組織『龍族詩社』，這是我寫詩十五年來的歷程。今天，我的風格之形成與詩觀的確定，也可以《葡萄園》提倡明朗，『笠』注重鄉土感情的眞摯流露，以及『龍族』追求表現民族意識，關心現實等多種看似不同，而實是貫通的精神加以概括。」（註五）林煥彰的這段話，比較切實地畫出了他的詩人形象。從《葡萄園》起步，到《龍族》

完成，他基本上在全力追求臺灣新詩的明朗、健康寫實的路線；致力於新詩的中國氣魄中國風格的建立；致力於中國傳統精神的表達和繼承。他的《中國，中國》一詩是其代表作：

設想杯子被捏碎以後
我該怎樣在掌中找血
　在血中尋你

生命啊
原是一條河流
第一次便在我的體內走遍了祖國大陸

山在見證
海在涵納
縱流盡了我脈管中的血
躺着的河床也會甲骨文一般的寫着你
　寫着你

中國，中國

這首詩寫得凝煉、深沉，詩人把一個重大的主題——尋根，熔鑄在一首短短的小詩中。

每一句，每一字都有着沉甸甸的重量。將杯揑碎後在掌中找血，在血中尋你，這是一種十分動人的尋根的方式。將杯揑碎，表現着尋根之切，在血中尋找中國，表現着尋根之深，而且要急着驗證自己是炎黃子孫的一員。生命是一條河流，也就是要從生命的河流中去進一步找尋它的源頭。詩人在此極巧妙的將自己的身體變成祖國的版圖，而生命的河流流過自己的身軀就是流遍祖國的幅員。詩中含蘊了多麼深沉的愛民族愛祖國之情！這是典型的「龍族」精神。

林煥彰的詩非常樸素自然，然而卻有着動人的藝術魅力。如果說它是一幅畫，那畫不是用色彩描在紙上的，而是大自然的手鋪展在大地上的；如果說它是一朵花，這花不是人工的，而是開在綠油油的長春藤上的。請看他的兒童詩《妹妹的紅雨鞋》：

妹妹的紅雨鞋，
是新買的。
下雨天，
她最喜歡穿着
到室外去遊戲，
我喜歡躲在屋子裏，
隔着玻璃窗看它們
游來游去

像魚缸裏的一對
　紅金魚

這詩不加任何雕琢、修飾，但卻詩意盎然，令人陶醉。它既是生活中的自然流露，但又是經過詩人精心選擇和構思出來的。這首兒童詩，頗能表現林煥彰的創作特色。

第七節 向陽

向陽是臺灣青年詩人中的佼佼者，他的作品在臺灣連連獲獎，一九七七年獲臺灣大專院校新詩獎第一名和臺灣青年詩人獎，一九七八年獲吳濁流文學獎詩獎和臺中文化中心新詩創作獎第一名，一九七九年獲臺灣《中國時報》文學獎敍事詩甄選獎，一九八四年獲臺灣頒發的文藝獎。向陽的詩能獲得那麼多人的青睞，連拿獎牌，的確與他的詩的水平和質量有關。顯示出他不凡的詩才。

向陽，本名林淇瀁，臺灣南投縣人。一九五五年五月出生，一九七七畢業於臺灣中國文化學院日語系。一九六八年開始寫詩，並開始了詩運活動，一九七一年在竹山組建「笛韻詩社」，一九七五年主持「華崗詩社」，一九七八年加入「詩脈詩社」，一九七九年組織創辦《陽光小集詩刊》。向陽目前擔任臺灣《自立晚報》副刊的主編。他三十一歲的年紀已有十八年的寫詩歷史。十八年的寫詩生涯中出了《銀杏的仰望》、《種子》和《 十行詩 》等詩集，並出版有《流浪樹》散文集。

向陽的詩有三個顯著特色：一形式獨特；二，題材廣泛；三，語言鄉土口語化。

一、形式獨特。熟悉臺灣詩壇情況的人都知道，向陽是有名的「十行」青年詩人。他費了很大的精力，獨家試驗十行詩。每一首詩分上下兩節，每節五行，因而稱爲「十行」詩。這種詩的特點是利用傳統古文中的啓、承、轉、合的結構法，加以變通和創新，基本上構成內容上的一正，一反，一合。即第一節是正面描寫，第二節是反面印證或對比，結尾處點出全詩的主題。向陽自己把這種先有構架，再來尋找內容裝入的寫詩法，稱之爲「提着籠子捉鳥」。向陽在《試以十行寫天地——我爲何及如何從事十行詩創作》一文中說：「前期立意寫十行，多少總爲了要自鑄格律，是拿着形式的籠子，來抓合適的鳥。後期雖有十行的形式，但已偏向於精神層面的發掘。」向陽雖然年紀輕輕，但氣魄很大，他企圖創造一種向記號的詩歌形式，即新的現代格律詩。從向陽的七十二首成功之作構成的《十行詩》集中看，可以說向陽的目的在很大程度上實現了，或者說大部分達到了。一個人僅以宣言要創立什麼，並不十分可貴，但當他用事實宣告創造了什麼，那才是最可貴的，向陽屬後者。因而他贏得了人們的掌聲。從向陽的十行詩來看，他的創造是成功的。請看他的《種籽》：

除非毅然離開靠托的美麗花冠
我只能俯聞到枝椏枯萎的聲音
一切溫香，蜂蝶和昔日，都要
隨風飄散。除非拒絕綠葉掩護

我才可以等待泥土爆破的心驚

但擇居山陵便緣慳於野原空曠，
棲止海濱，則失落溪澗的洗滌
天與地之間，如是廣闊而狹仄
我飄我飛我蕩，僅為尋求固定
適合自己，去扎根繁殖的泥土

這首詩寫得成功之處在於：詩人挖出了生命共同具有的一求發展突破，二要找到自我，明白自己時空中的座標。詩的標題「種籽」就是一切生命的象徵，它要離開花冠，離開枝椏，離開綠葉的掩護，只有這樣才能迎接泥土的爆破，等到那轟然新生的一瞬。當生命出世之後，面臨着新的抉擇，卽尋找自己的世界，尋找自己扎根的泥土。這首詩拓開了人們想像的空間，可以引起人們十分豐富的聯想，甚至可以用來思考自己的人生，指導自己的生活。一個青年詩人獨力創造一種詩體，敢於編織同一個型號的籠子去捕一樣大的鳥，而且竟然捉到了一大批，這個事實本身就是一種才華的顯示。不過我還是同意向陽自己的選擇：「後期雖有十行的形式，但已偏向於精神層面的發掘。」新的形式需要去創造，去探索，因爲形式美也是文學，特別是詩美的重要內容。任何好的題材，好的思想，若沒有適當的形式去表達，它終究成不了藝術。但是就文學特別是詩來說，有了形式之後，關鍵還是要有好的內容來充實。追求形式可取，追求形式主義則不足道。

二、題材廣泛。我讀了向陽的詩，閉目思之，覺得很多方面的題材都有。有反映現實生活的，有歌頌英雄的，有寫父子兩代情，有表男女戀情的，有表意念的等等。向陽有一首詩叫《立場》，寫得相當別緻。從題材上分，彷彿難以歸類，勉強算歸政治類，但感到太牽強，所以我給它劃入表意念表思想這種中性的題材之中。請看這首詩：

你問我立場，沉默地
我望着天空的飛鳥而拒絕
答腔，在人羣中我們一樣
呼吸空氣、喜樂或者哀傷
站着，且在同一塊土地上

不一樣的是眼光，我們
同時目睹馬路兩旁，衆多
脚步來來往往。如果忘掉
不同路向，我會答覆你
　人類雙脚所踏，都是故鄉

在生活中，立場一般指人們的政治主張和思想傾向。詩人開頭便說，如果有人問他立場，他拒絕回答。這說明，詩人對這種玩藝兒非常討厭。而詩人認爲人們呼吸空氣，歡樂哀傷都是一樣的。只有忘記來來往往的不同目標，不同方向，詩人才會告訴你，人類雙腳所踏都是故鄉。這就是立場。詩人反對以不同的觀點、路線而人爲地把人們分割爲各個集團。他主張天下爲世人共歡同樂的、沒有阻隔沒有分裂的世界，這表現了詩人的廣闊胸懷。向陽是一個傑出的現實主義青年詩人。因而他主張詩必須紮根在生活的土壤裏，詩人不能成爲空中樓閣，必須有自己的生活基地。他的《草根》一詩，既是他文學和詩觀的具體表現，也是他頑強執着爲藝術獻身的形象宣言。請看這首詩：

即使是再莽撞再劇烈的鏟除，
我也會柔曲着體幹忍受。
原不善於面對烈日陰雨的，
你踢走了我藏身的泥沙
還留我一地石礫灰白……
所以只要晨露在昏暗中降臨，
我便默默伸出觸鬚，覓尋泥土，
從事另一次紮根，艱苦而愉悅的旅行。
如果你再來到唇角捺着一撇諷嘲，

我歙然還你媚綠的微笑。

我們不妨把野草看作是詩人自我形象的象徵。野草是具有最頑強的生命力的，卽使你用鐵鏟將它鏟除，將它藏身的泥沙扒掉，它也要頑強的活着。而且當晨露來臨，它將尋找泥土進行第二次紮根。向陽寫的草根，比那種野火燒不盡春風吹又生的野草還要堅毅，還要頑強，連根鬚都鏟斷了，還要再尋找泥土進行第二次紮根。不僅如此，它還要報你以綠色的微笑。這綠色的微笑實際上是一種內在的反抗，也是一種頑強探索和追求的精神。向陽在《紮根在生活的土壤中》一文裏有這樣一段話，對我們領會這首詩會有幫助。他說：「如果詩是花果，生活便是土壤，而詩人則是吸汲土壤養分，豐裕花果生命的枝幹」，「用詩反映生活，這是詩人的紮根；讓詩映照生命，這是詩人的結果。」

三、語言的鄉土口語化。向陽在臺灣詩人中是少有的以臺語入詩的詩人。這種以方言入詩，有利也有弊，其利在便於表達臺灣的地方生活，使詩增強鄉土氣息。尤其在描寫地方性的事件，或寫鄉土人物時，這種語言的表現力很強。但是，其弊也很大，它在一定程度上限制了詩的傳播。如果作通盤衡量，我以爲在詩中少用和不用方言爲好，方言的運用雖是向陽的詩的一大特色，但並不一定是一個好的特色。

第八節　鄭炯明

鄭炯明是臺灣新生代詩人中的一個異數。他擅於思考，擅於寫詩，具有非凡的寫詩才華，是最有希望的一位青年詩人。

鄭炯明，臺灣省高雄市人（原籍臺南縣），一九四八年出生，臺灣中山醫專畢業（今爲中山醫學院），現任主治醫師。一九八○年自己開設醫院。他一九六四年開始發表詩作，一九六六年受到《笠》詩刊主編桓夫的賞識，次年《笠》召開鄭炯明作品討論會，使其詩引起臺灣詩壇的注目。從此，鄭炯明正式登上詩途。到目前爲止，他已經出版了《歸途》、《悲劇的想象》、《蕃薯之歌》和《最後的戀歌》四本詩集，爲笠詩社同仁。一九八二年，他和高雄地區的文友發起創辦《文學界》綜合性文學刊物，他作經費後盾，並以家庭和醫院爲編輯部，爲文學事業不遺餘力。他的詩曾獲一九六九年臺灣「中國新詩學會」優秀青年詩人獎，一九八三年吳濁流新詩獎。他的詩曾被翻譯成英、德、日文出版。

鄭炯明的手裏握着兩個聽診器，一個聽診器爲病人聽診，爲病人治病；一個聽診器爲社會聽診，爲社會找病。他的創作經歷了兩個較爲明顯的階段：從浪漫到現實，從幻想到成熟。目前鄭炯明的詩已經達到了成熟期，就社會寫實、批判意識強烈來說，他的詩是笠詩社的佼佼者，也是臺灣詩壇這類詩中寫得最好的一位。他的詩以形象和哲理表現出強烈的現實主義精神。這種現實主義精神具有深沉的、內在的震撼力，這種震撼力包含着對社會醜惡的無情揭露和批判；包含着對人道主義的嚮往和呼喚，也包含着對一切沒落之物的鄙視和嘲諷。

鄭炯明很會把握批判和嘲諷感情的觸發點。或大笑，或大哭，或沉默，或冷笑，不管以怎樣的形態出現，他都能像鋒利的劍，寒光閃閃，以冷冽的鋒芒刺向對方。即使對方不被一擊而斃，也得渾身篩糠，顫出一身冷汗來。請看他的《搖籃曲》：

我的身體十分疲憊
但是我躺在這個
動蕩、不安、悲慘的世界
教我怎麼睡得着

我放聲大哭
籃搖得越厲害
籃搖得越厲害
我越放聲大哭

搖籃本來是哄孩子睡覺的，不安的嬰兒放在搖籃裏，媬姆一搖，孩子馬上就睡了。但詩人畢竟不是嬰兒，他是一個爲人類社會的尋病者；地球畢竟不是搖籃，特別是詩人生活的那個社會。地球和社會是一個充滿動蕩和凄慘的世界，而且它和搖籃相反，越搖災難越大；越搖罪惡越深，因此，越搖詩人越哭。詩人巧妙的以搖籃作地球和社會的反象徵。使這首語言看似平淡，但卻越思索越有味的詩，具有極大的內涵。詩人的大哭就是以嘻笑怒駡之態，對社會的一種抗議和控訴。

鄭烱明作爲一個具有卓越才華的詩人，手中當然不只握着一種武器。一種武器也不只有一種用法，既有大哭大笑的抗議，也有沉默得可怕，從沉默中升起烈焰的怒斥。他的《石灰窰》一詩表現出一種矛盾的心情。一方面在深邃的底部默默地憤怒的燃燒，要在燃燒中忘掉一切，毀掉一切，比如戰爭、死亡和辛酸。這裏蘊含着巨大的，但卻無聲的反抗，如岩漿，似地火，無法扼止。但是，這種燃燒也使自己毀滅，一天天、一點點地在燃燒中也將自己化爲灰燼。讀到此，我們感到詩並沒有完，因爲回過頭來想想：詩人爲什麼要採擷「石灰窰」這個燃燒的意象，而不採取別的意象？那就是石灰窰燃燒後的灰燼並非廢物，而是一種潔白的新生，是一種建造新世界的材料。因而詩人以石灰窰燃燒自喻，當有更高尙、更深刻的思想蘊含其中。鄭烱明對社會的批判，手法多樣，除了嘻笑怒罵、內裏燃燒之外，還有在無可奈何的情況下，用一種極其辛酸的、玩世不恭的辦法，給以鄙視。他在《襯衫》一詩裏，刻劃了一個失業的流浪者的形象。他對身處的「個性喪的社會」極爲不滿，但又無可奈何，於是便對它採不屑一顧的態度，跑到公厠裏「以沉思和寂寞打發無聊的小便。」這種態度雖然不無逃避之嫌，但卻比熟視無睹和同流合汚好得多。詩人在這種司空見慣的事物身上，挖出了含藏的詩意。這首詩形象十分鮮明。尤其是失業者把破襯衫掛在肩上，裝出很神氣的樣子，不僅以精湛的語言描繪了人物的外部形象，而且抒發了其內心的感情世界。不能不令人驚嘆詩人的概括力！

鄭烱明作品的藝術特色也非常突出，不雕琢，不做作，用平常的語言表達深邃的內涵；

用看似輕巧，實則大費神思的結構，表達出批判性極強的主題；用生活中一個極簡單的動作，推演出一系列相似的意象，最後得出繁花碩果的結局，顯示了鄭炯明高超的詩才和成熟的技巧。這方面最好的例子是他的名篇《乞丐》：

我走在黑暗的小巷
沒有人看我一眼
我蹲在閃爍的陽光下
沒有人看我一眼
我躺在公園的椅子上
沒有人看我一眼
我暴斃在一家店鋪的門口
却吸引成羣看熱鬧的人

這短短的八行詩，沒有一個華麗的詞藻，沒有一句驚人之語，沒有譁衆取寵的任何花招，但這首詩就在它沒有特色中顯出了最大的特色；在最普通的形式中，顯示了最不普通的內容。首先，詩人善於選擇表達思想的題材，詩中既有生活場景的寫照，又有深刻的批判內含。詩的批判和諷刺意義，是通過詩人的巧妙安排，由生活自身呈現出來的。

鄭炯明詩作的另一個突出的藝術特色，是他詩中爆發力的營造。詩人在構思中，蘊含着一種思想力量，這力量何時爆發，在何處爆發，能不能構成爆發？是十分關鍵的。一首平庸的詩是不會有爆發力的，就像一條缺少養分的藤結不出大瓜一樣；但是一首好詩是必須有爆發力的，就像一棵肥壯的藤必結大瓜一樣。鄭明炯的詩，底氣足，中氣大，因而在一定的時空中，必有爆發力出現，那爆發力又往往和詩眼連在一起。《乞丐》的最後兩句現出了爆發力，《襯衫》的爆發力也表現在最後兩句上。看請看他的《沒有比語言更厲害的武器》：

那天，在書攤上
看到一個人
仆倒在地上
狀極痛若的樣子
我問他什麼事
他一手按住胸口
一手指着掉在旁邊的詩集
吃力地說
「沒有什麼，沒有什麼

我被爆炸的語言碎片
殺傷了……」
然後氣絶死去

這首詩眞正的顯出了語言的威力。當然這是詩人的誇張，詩是一個怪物，有時越誇張，就越離事物本來的形狀遠，也就越眞實。「燕山雪花大如席」的詩句，不會引來人們對李白誇張的責罵；同樣，被語言爆炸的碎片所殺死，只能使人佩服鄭炯明的才氣。

鄭炯明在《歸途》詩集後記中說：「用時代隔閡的語言寫詩，那是逃避文學，寫現實中沒有的東西，那是欺騙文學」，「我嘗試用平易的語言挖掘現實生活裏那外表平凡的，不受重視的，被遺忘的事物本身所含蘊的存在精神，使它們在詩中重新獲得估價，喚起注意，以增進人類對悲慘根源的了解。」這段話對我們理解鄭炯明的詩，很有幫助。鄭炯明是極力主張詩應介入生活，介入社會，反映人生，干預人生的。因此他是個悲天憫人的入世詩人。他明確宣告：「我寫詩，因爲我關心這個社會，我不要作一個活在時代裂縫的人。成功的詩是否定流行的，因此我努力在詩的思考、詩的手法上，走出一條屬於自己的路來。」(註六)鄭炯明作品表現出的強烈的社會性和時代感，正是他積極追尋的結果。

第九節　李敏勇

臺灣的鄉土詩到了鄭炯明、李敏勇二人已達到了成熟之境，這兩個才華出衆、刻苦追求的青年詩人，可謂臺灣青年詩人中的雙碧。他們兩人的創作，把鄉土詩提升到了思想和藝術、內容和形式眞正相統一的境界。

李敏勇，筆名傅敏，臺灣高雄人，一九四七年生。臺灣「中興大學」歷史系畢業，現任《笠》詩社社長，最近又出任《臺灣文藝》雜誌社社長。他從六十年代末開始寫詩，到目前爲止出版的詩集有《雲的語言》、《野生的思考》和《暗房》等。此外還有評論集和小說集。他的詩曾被翻譯成日、德、英和朝鮮文出版。在李敏勇的詩中，表現得最突出的是「愛」、「恨」二字。在人的七情六慾中，李敏勇着力經營愛和恨這兩極。愛是要肯定人生的價值，是要人們平等友愛的生存；恨則是一種達到平等友愛和生存的手段。而愛和恨都是爲了尋求和保障一種共同的美好的價值。在李敏勇的詩中，愛、恨、希望和生存是一條強韌的金絲，串連着他的所有作品。爲了愛必須清除愛的敵人、愛的尅星、愛的阻力。因而他首先把自己的詩筆刺向扼殺愛的罪魁——那殘酷的戰爭和社會。李敏勇在詩集《野生的思考》中對毀滅人類之愛的侵略戰爭，進行了無情的揭露和批判。他寫戰爭、孤兒、刑場、俘虜，從各個角度把戰爭置於被告席上，進行審判。他在寫戰爭的殘酷時寫道：「我／在那兒死滅／世界／從那兒消失。」（《景象》）他以《焦土之死》，對戰爭進行了強烈的控訴：

炮聲停止後
　在靠近陣亡者手的地方
一朶花晃動者

曾經想伸手去採摘那花
曾經渴望那陌生的愛
却無法挪動手
……
折斷的枝椏
點綴着寧謐的土地
散落的花瓣
裝飾着死息的胸脯

一個陣亡在焦土上的戰士，身邊有一朵幸存者——花，那戰士臨死前，甚至死了之後都在想得到那朵花。但是現實已不可能，花象徵着愛，戰士沒有得到垂手可得的愛而死亡。詩人把死亡和愛放在一個展覽臺上，把花瓣和屍體裝在同一個棺木中，用這種極端殘酷的對比，讓讀者去體會，去檢驗，去否定戰爭。

如果說在《焦土》一詩中還容易誤會詩人在反對一切戰爭，那麼《孤兒》一詩，就使詩人的情感有了明白的顯示。詩人是深深的熱愛和同情人民，站在人民的立場上來反對給人民帶來深重災難和罪惡的戰爭的。詩人在《孤兒》一詩中描繪了一幅非常悲慘的，遍地死屍的廢墟景象。詩中沒有直接寫孤兒，但卻給我們造成了遍地孤兒的印象。這種以虛顯實的表現手法，是非常高明的。試想，如果詩人用細膩的筆墨去描繪、刻劃一個孤兒，那只能給讀者造成個別的印象，會大大降低對戰爭的打擊力。這種以虛顯實的手法，給人的是普遍的印象，令人感到戰爭破壞的外延的廣闊性和內涵的殘酷性，其藝術效果大得多！在《俘虜》一詩中，詩人用另外一種表現手法，同樣表現了上述主題。俘虜是戰爭的產物，詩人以標題點出詩的實質。然後再以象徵和隱喻的手法將命題深入下去。燒鳥店是一種專賣鳥肉的熟食店，他們把那些無辜的、可憐的小鳥，一個個都除毛剝光烤熟下酒，而刑場也將俘虜排列當作小鳥一樣，一個個殺掉。燒鳥店和刑場都是：「喧嘩地嚼食死的聲音」。詩人以象徵和暗喻的手法，用內在的主題串連法把兩個無關的事物搭配在一起，於是它們之間便有了連繫。主題穿連起了兩個無關的事物，兩個無關的事物又集中烘托了一個共同的主題。這種隔河過海的貫穿法，顯示了詩人的才華！

一個詩人反對不義的戰爭，就要反對那醞釀戰爭的溫床和那吃人的社會制度。李敏勇深深地看到了這一層。因此，他並沒有把筆觸限定在戰爭題材上。他的大量的作品，特別是一些優秀之作，還是擲向社會的匕首。李敏勇在他的詩集《暗房》中，所要擊破的暗房，正是這種意思的顯示，請看他的《暗房》詩集中的序詩：

這世界
害怕明亮的思想
所有的叫喊

都被堵塞出口
真理
以相反的形式存在着
只要一點光滲進來
一切都會破壞

任何詩評家決不會認爲李敏勇此詩眞的是在描繪照相館的暗房。這裏不能不驚訝詩人所選擇的意象，一個極端黑暗的社會，封閉思想的陽光，毀滅精神的火花，比之照相館的暗房，有過之而無不極。不僅如此，詩人還把自己的注意力投向暗房的最核心之處，卽攝影的「底片上」。李敏勇通過另一首詩《底片的世界》把對底片的分析、冲洗、辨認和處理過程，實際上喩作對社會的辨析、認識和對待的過程。放入淸水，洗滌汚穢，過濾雜質，然後把它放進歷史檔案，以備後來追憶這個時代。這寄托了詩人美好而遠大的願望和理想。這首詩和《暗房》相印證，可看作是暗房的續篇。由此可以看出，詩人不是停留在對社會的一般認識上，而是要對它作進一步的審視，詩人在深入研究和辨析了社會底片之後，也不甘沉默了，他要大聲疾呼，他要《說話》：

以沉默作主食，已經够久了

活在沒有語言的世界
思想旣不開花也不結果實
試着解除口罩
練習發聲吧
沒有誰有權禁止我們叫喊
我們的悲哀和喜悅
對着遼濶的天
站在遼濶的土地上
叫喊我們的愛與恨
我們一起來復活我們的母音

這首詩表明詩人的思想境界，更升高了，更博大了。詩人要人們用自己的口去喊出自己的愛與恨，這是一種覺醒。值得注意的是，詩的結尾句有深刻的意蘊。「我們一起來復活我們的母音」。「母音」何所指呢？我想有兩種理解，其一是復活我們民族的傳統之音，其二是復活人類本來應有的，但被扭曲被剝奪了的最根本、最寶貴之音，而不能再被當作牛馬那樣下去了。

李敏勇對不義戰爭的控訴，對暗房的辨識，對社會底片剖析和處置，均是植根於一個人間最美好的事物，那就是愛。

是的，愛雖然不是萬能的，但這種發自人類善良本性之源的清泉，卻能夠澆活一切枯死的生命。李敏勇的《愛》一詩，正是愛的頌歌。那長出枝椏，伸向天空的愛能使那黑暗之房洞開天窗。在另一首《思慕與悲哀》裏，則表現了民族的、祖國的母性之愛。請看《思慕與悲哀》：

陽光從玻璃窗照進來
女人的裸胸
印着黃昏

美麗的山河
連綿着我的思慕與哀愁

為了攀登那燦爛的峯頂
為了滑落那幽深的山谷

我用肉體的回音
測量愛的距離

這首詩雖短，但感情相當濃烈，主題相當突出。詩人經過與現實的拚搏，在愛的激發和護衛下，終於將現實衝開了一個缺口，從這個缺口中跳了出來。請看他的《夢》：

現實有一個缺口
我是打那兒逃亡的

雖然你
像監禁終身犯一樣
監禁着我的一生

然而
逃亡以後的我
是自由的
你不能捕獲我愛的掌紋
你不能捕獲我恨的足跡

詩人把詩的標題寫成《夢》，可見還不是現實，還是一種願望和理想。但從精神上來看，相信詩人是能衝破那個囚他的囚牢的。

李敏勇在談到他的詩觀時說：「我的詩，是我的現象學，也是我的冥想錄。現實——在我的世界，既是攝影機鏡頭能捕捉得到的事象，也有從腦髓思考出來的花朵，融合經驗與想像力的結晶，是我的憧憬。這一切，經由語言才能完成。語言不但是工具，更是存在的住所，是一切的事象，能目睹的，只能體會的，也因此不斷解放禁錮的語言，使其復活，也是我詩的追尋之途。」(註七)李敏勇把自己詩的內涵分爲經驗的和想像的兩種。這兩種內涵又必須到語言中去尋找住所，才能成爲詩。經驗的世界是現實社會，想像的世界是心靈的感應。李敏勇在此正好言中了詩的情感特徵。正好說明了詩不單純是表達生活的工具，更確切地說，它是表現情感和思想的工具。李敏勇把語言作爲詩的住所和顯像的藥水，因而他不斷解放被禁錮的語言。這種對詩和語言誠懇的認識，是李敏勇視野開濶，不斷拓寬詩的創作天地的思想基礎。

第十節　張香華、朵思

張香華，一九三九年生，原籍福建省龍岩人，出生於香港。小學、中學時期都在宜蘭度過，對宜蘭感情很深。張香華臺灣師範大學國文系畢業後曾任臺北市建國中學和臺灣新聞專科學校的語文老師。從十九歲起開始發表詩作，七十年代積極投身於臺灣的新詩回歸運動是臺灣七十年代青年詩人運動中一位優秀的青年女詩人。她力倡臺灣詩的民族化和大衆化，在新詩回歸運動中，她是《草根詩刊》的執行編輯。二十多年的創作生涯中，她出版了詩集《不眠的青春草》、《愛荷華詩抄》、《千般是情》和詩、散文合集：《只緣身在此山中》等。

張香華早期的詩歌活動和創作表現出了一種強烈的使命感那就是針對現代派詩的虛無和

晦澀，她創作出一種中國的、明朗的、能夠反映現實生活的作品。她在一篇文章中說：「我們自始至終努力要達到的目的是，讓詩大衆化、生活化。我們認爲新詩不只是少數象牙之塔裏，文人茶餘飯後的優雅與從容，也是廣大衆生心靈生活的映象與實錄。」（註八）基於這種有意識的追求，張香華早期的作品，一般都有很紮實的內容，都有較明確的主題和寄托。請看她的《碧樹》的前兩節。

「我仍要把它刻作銘
我的眼中，仍植着一株碧樹
碧樹啊，碧樹
它的根鬚舐吮着
我心底汩汩的血泉
繁複的葉掌般的
枝椏是摯誠的臂
拓向你——生活
我要全面接受了」

這是一首表達詩人詩觀的詩。詩人把碧樹象徵爲詩，提醒着，呼喊着它的根鬚必須深紮在人民和詩人的血泉中，然後才能生長出繁茂的葉子和茁壯的枝椏，也就是說詩要紮根於生活，不能飄搖在空中。由於她強調「全面接受生活」，強調詩和現實的結合，強調摒棄虛無，因而普通市民、窮愁作家、苦難的小職員和工人的形象及其生活，常是她攝取和捕捉的對象。例如她的《報紙》這首詩，描寫的是臺北街頭清晨紛亂中的一個普通的生活場景。由一張過時的被扔在馬路上的廢報紙，牽引出了那生活中的千頭萬緒。有開着卡車匆匆忙忙奔跑營生的司機，有失踪的男孩，有窕窈的時裝模特兒，有坐牢的丈夫……還有打掃垃圾的清潔女工。這些奔忙的人和登在報上的人與汽車、掃帚、垃圾……構成了一幅臺北街頭的畫面。詩中用了一句：通通來不及唉的一聲呻吟」，便將上述人物事件穿連在一起，並把車輪輾過時的情景寫活了。清潔女工將伊掃進廢紙堆的句子，告訴人們汽車輾過的是一張廢報紙，那一聲呻吟是虛驚。清潔女工，將社會垃圾掃入廢紙堆，有一種更深的寓意，使清潔女工的形象在詩中顯得非常高大。

張香華早期的詩，藝術上還顯得有點粗糙。但近期的作品和早期比較起來，有了明顯的變化。藝術上的經營加強了，使作品的思想性和藝術性逐漸趨於統一和平衡。臺灣著名現代派詩人張默對她的作品，寫過這樣一段評語：「從飽滿的人生閱歷中，汲取創作的經驗；從坎坷的現實道路上，挖掘創作的素材，張香華較之這一代女詩人，有着更多怵目驚心的感受。她把那些貯藏在內心深處意象的雨水，發爲淙淙淨淨的吟哦，使人倍感親切與酸楚。」(註九)如此評價，是符合張香華的創作實際的。張香華對作品的思想和藝術的更高追求，使她的詩日趨老練成熟。比如表達希望和理想方面的作品，一般來說創作難度較大。不是容易流於空泛，就是表現的過實而難於使理想和希望在現實的基地上起飛。而張香華把這兩者的關係處理得較好，既意象高遠，又富有實感。請看她的《行到水窮處》：

從來，我是一脈緩緩的細流
不慕揚波的矜耀
不曾駐足流連於一匹芳草
我愛戀着岸上每一處風景
我還忘不了
　我要奔向的遠方

而今，我忽然穩住了脚步
——已然行到水窮處了
從此，我要穿入地心，懷着遠行者的
夢，想試一試溫沙的熱度
把自己分作無數潛伏的脈胳
我要點點滴滴沁入其中
隔着泥層，讓我
想望一片會升起的樣子吧！

詩人對希望和理想的追求是非常頑強的，雖然是一股細流但不羨慕楊波；雖然戀着岸，但不忘遠行的目標；即使到了水窮處，也要潛入地下；雖然已經化作脈絡沁入泥土，但還不忘要升華爲天上的雲。眞是「山重水復疑無路，柳暗花明又一村」。詩人採取層層推進的手法，使作品的思想性和藝術性達到了自然融恰的境界。

張香華的名篇《四象》，更是膾炙人口。詩人通過縝密透澈的思考，牢牢抓住事物的核心和本質，然後用極富哲理、極活的語言，把那核心和本質形象地呈現在讀者面前，釀成言有盡意無窮、篇幅短意義長的藝術效果。現舉四首中的兩首：《生》和《死》：

亮麗的太陽流蘇裏，我們
是陽光撒下的一把金黃穀子
翻浪、播揚、跳躍
在每一寸時空的廣場

一項最偉大的發明
蠶絲和萱蘇、都被
織就成一襲錦衣和夏裳
沒有人記起它們原先的

這些詩稱之爲當代新絕句，亦當之無愧。詩人描生，生機勃勃：寫死，死中有生。生也是生，死也是生，可稱之爲生命的頌歌。張香華的《生》捕捉的意象是無數粒飽滿的穀子，在燦爛的陽光裏播揚跳躍，非常鮮活。人們當然可以想得到穀子在陽光裏播撒意味着什麼。這裏詩人極巧妙的用了一句「在每一寸時空的廣場」，一下就把穀子轉化成了生命的象徵物。過渡得那麼迅速，又那麼自然。詩人寫「死」，更加高明，從一項最偉大的發明開始，一下把讀者的注意力提升了。死怎麼成了最偉大的發明？然而詩人並非聳人聽聞，譁衆取寵，而是實實在在的。蠶絲和萱蔴是蠶死的結果，而錦衣和夏裳又是絲蔴的製成品，這不都是蠶的最偉大的貢獻和發明嗎？可是當人們穿起了漂亮的服裝，有多少人會想起蠶吃桑葉吐絲的辛勤勞作呢？如此寫死，是寫軀殼死亡而精神新生。張香華以簡練的篇幅，精美的語言，寫出這樣含意深刻的作品，這本身便說明了她創作上的成熟。

張香華創作上的轉變和成熟，我以爲和她詩觀的變化不無關係，張香華八十年代初去美國愛荷華國際作家寫作班進修回臺後，寫過一篇學習報告。她在報告中說過這樣幾句話：「臺灣島上的詩人，必須在中國文學歷史縱的繼承，和西方文學橫的移植，二者交互運用下，發展今後的方向。」這種既繼承又吸收的方法，無疑地對創作更有利。雖然詩人借用了「移植」二字，但我相信詩人指的乃是吸收、消化、創新的意思。這種對文學更大的包容性的詩觀，對任何一位詩人和作家都是必要的。張香華說：她「從小愛鄉野的純樸與寧靜，愛人生的眞摯與熱烈，追求透過藝術心靈呈現的美善。」又說：「身爲女性詩人，創作不願自限於閨情之類的作品，但也不逃避偏重女性色彩的題材，因爲人生一切深刻的眞相都可以入詩，是其執着的信念。」這種人生觀和詩觀，使其題材較爲廣濶。尤其是探討和讚美人生的詩篇，更是基於這種信念。

朶思，本名周翠卿，一九三九年出生於臺灣嘉義縣，嘉義縣女子高中畢業。她雖然沒有上大學，但她的超人的聰明才智彌補了她學業上的不足。她躋身文壇以來，既寫小說也寫詩，先後出版了詩集《側影》，小說集《紫紗巾和花》、《不是荒徑》等。

在臺灣，鄉愁是一種普遍意識，是一種多發症。它不僅折磨着大陸去臺的遊子，而且困擾着臺灣土生土長的人們。因而鄉愁作品不僅產生在遊子筆下，也發自臺灣本地作家的筆端。因爲臺灣孤懸海外，人爲的和祖國大陸隔絕，在某種意義上說臺灣同胞也是離娘的遊子。他們也思念着祖國大陸，思念大陸上的親人。臺灣作家筆下的鄉愁，是從祖國意識和民族意識中萌發的，因而他們筆下的鄉愁作品往往比大陸去臺作家筆下的鄉愁作品還濃烈，還動人。朶思的《鄉愁》一詩，就是一例：

自中國西南
輾轉寄來的家書

棲着陣陣寒冽雁聲

墨漶的簡體字
兀立在生疏的劣黃紙張
啊！我真的無從辨認
地圖上那塊籍貫欄改寫後的
鄉土啊！

「天無三日晴，人無三兩銀」
貴州荒瘠的形相
依稀在那老母番仔的髮絲上
無限擴張

將老母親眼裏一度苦懸的蒼茫
抹在照片上
鄉愁，竟自那塊我不曾觸及的土地
冉冉升起

雪般蕭蕭，降落在我清冷的心上

這首眞摯、深沉感人的鄉愁詩，是在寫詩人的丈夫，也是詩人畢加先生收到母親寄來家書時的感受。這首詩的靈感是被一封在郵路上輾轉了很長很長時間，從原鄉寄來的一封家書觸發的。那貧瘠的模樣是舊中國貴州的形象。這首詩好就好在：一，以典型的意象描繪了祖國大西南的蒼茫遼濶形神俱備，線條和色彩鮮明的形象。二，用倒述的筆墨，三筆兩劃就構成了一幅活動的畫，流動的詩。詩描寫詩人想像中的故鄉貴州荒凉貧瘠的景象，不平鋪直敍，相當凝練。「擴張」動詞的運用，使這幅畫的畫面和這段詩的詩意，頓時流動了起來。三，以折射和反彈的手法，增強了鄉愁的濃郁、深沉和對祖國大陸無限嚮往的情感。鄉愁本來應是發自詩人的心中，但朶思不那麼寫，而是寫鄉愁從她沒有接觸過的祖國大陸冉冉升起，於是落到詩人的心上。這是一種折射和反彈過來的力量。是詩人的嚮往、渴盼和思念遨遊到祖國大陸的土地上，然後激發反射過來的情感。

朶思也是一個寫愛情詩的能手。她的愛情詩不淺薄、不雕琢，是用濃郁的情感譜寫成的動人的樂曲，音色優美，耐人尋味。讀她的詩，就彷彿來到了生命的泉邊；無需作聲，只需靜靜呼吸，那蓬勃的生命之泉便無聲地流入你的機體。請看她的名篇《梧桐樹下》：

冷冷的風吹拂着，吹不散
那股沉寂的氣氛
我們屹然相對，便那樣

默默凝望
驟起的鐘聲來自遠處
它冉冉升起，似
我們脚下伸延無盡的小徑
我們的話語曾數度洒落，且
種植於此

沒有幽美的水聲，只有
閃爍的星光，只有樹影，只有
一片稻穗搖曳如氾濫的燈火
如一團霧。呵，夜的梧桐樹下
譜不出一點漣漪……

我們便這樣默默對視着
默默吮吸靜的奧秘

一對熱戀中的情人，在一片星光樹影下，靜靜地、靜靜地墜入幸福的對視中。這是一種感情的痴迷狀態，是爆炸前的寧靜。詩人創造出一種難耐的沉寂氣氛，好讓人們傾聽到那對戀人呼息的急促，脈跳的加速，情感的流動，彷彿愛正在無聲中絲絲的孕育。然而靜中也有動，遠處的鐘聲在腳下伸延成無盡的小路，頗有「月出驚山鳥」，「鳥鳴林更幽」的藝術效果。詩人極寫外界的靜，是爲了襯托戀人內心的動；極寫外界的冷清，是爲了襯懸托人內心之熱烈。這種情和景的逆向反差效果，比那種情景交融的同向效果，還要突出強烈。

朵思的詩歌創作，藝術上的表現手法相當豐富。除了上述外，她還有一種濃縮和放大的本領。她爲了創作的需要。將自己捕捉到的意象，在眞實合理的情況下，作無限制的放大和引伸，也可作極度的濃縮和凝聚。引伸放大，可以將作品昇華到更高更遠、更宏濶的境界；濃縮凝聚，可以使作品達到一語而驚人的效果。兩者殊途同奮，並行不悖。現在舉一首《菊》，讓人們看看朵思的放大術。

秋陽下
廊前那抹瘦小的身影
潺潺地蜿蜒成河
千古的沉默都被唱響了
沃肥的綠葉，淡泊的
伸展胳膊

伸向有雁飛掠的藍空
藍空上，居然
也種着一朶一朶的白色菊花
在月光下濯過雨季的憂鬱
全悠悠然燦開來
一排冷冷的傲岸

菊花，特別是小菊花，單個看來非常瘦弱單薄，柔弱無力，是一個不折不扣的弱小者。但是，它如以羣體出現，一叢叢，一堆堆連成一片，那就是另一種景象了。那就會由小變大，由弱變強，由單薄變雄厚，十分壯觀。詩人筆下的菊花，正是由弱而強，蜿蜒成河流，將千古沉默唱響的羣體形象。詩人以深沉濃烈的情感，歌頌和讚美了和她一樣的千千萬萬的小人物，用一種特殊的意象顯示了團結起來力量無邊的主題。朶思和她的丈夫畢加同是臺灣詩壇上的著名詩人，在畢加癱瘓、生活非常艱苦的情況下，仍能刻苦創作出如此優秀之作，令人敬佩！

第十一節　陳明台、渡也

陳明台在「笠詩社」中獨樹一幟，是屬於「笠詩社」新生代中重要的青年詩人。他的詩風與笠詩社的主張及其作品的主流，大相徑庭。笠詩社的新卽物主義主張詩要反映現實，但陳明台的作品中反映現實既不強烈，也不鮮明；笠詩社主張本土性，但陳明台的不少作品是描寫異域日本的；笠詩社主張現實主義的表現手法，但陳明台卻屬於現代派的象徵主義之列。陳明台是臺灣跨越語言一代的前輩詩人陳千武（桓夫）之子。但陳明台的詩風和他父親的詩風也大不一樣。陳明台和笠詩社中其他老中青現代派詩人的作品表明，卽使被視爲臺灣最純的笠詩社，也展現了多元化的傾向。

陳明台，臺灣臺中縣人。一九四八年出生，臺灣中國文化大學歷史研究所畢業，一九七四年赴日本留學，獲日本國立東京教育大學文學碩士。在將日本國立筑波大學歷史人類學研究所博士課程修畢後，於一九八二年返臺，現任臺灣中國醫學院、淡江大學東方語文學系講師。他出版的詩集有《孤獨的位置》、《遙遠的鄉愁》和近期出版的《風景畫》。陳明台這樣敍述他的詩觀：「世界上什麼地方，不知道的使命在等待着。看不見的那個角落，張大了手的自覺在召喚着。不斷聆聽折射在寂寞的心靈上那優美的回聲，於是，我不休輟地唱着自我之歌。不只要擁抱和接受一切，尤其要拒絕和拋棄一切，踽踽獨行的人，才理解寧靜的眞諦。要求眞摯，要求親切，給出愛，給出關懷，給出感動，然後，給出詩。」（註一〇）從陳明台這一段話中，可看出詩人突出的強調三點：一是反映自我，二是詩人要獨立自行，三是要先有眞情後有詩。陳明台的創作尤其是《遙遠的鄉愁》和《風景畫》時期的創作，基本上體現了他的這一詩觀。陳明台《遙遠的鄉愁》系列作品，是他留學日本八年心血的結晶。這一組詩情感是眞摯的，但在表現手法上卻與臺灣同類題材的作品很不一樣。請看這組作品的《骨》㈡：

白色的骨的碎片是看得見的東西
白色的溫煦的陽光是看得見的東西

骨的碎片的背後　幻影是看不見的東西
溫煦陽光的背後　神是看不見的東西

祖母的笑容是看得見的東西
不
誓去的祖母的笑容是看不見的東西

故鄉的臉是看得見的東西
不
不管何時　遙遠而飄渺
故鄉的臉是看不見的東西

白色的骨的碎片是看得見的東西
骨的碎片的背後幻影是看不見的東西
白色的溫煦陽光是看得見的東西
溫煦的陽光背後　神是看不見的東西
然而
成為神的祖母的笑容是清楚地看得見的東西
幻影一般的故鄉的臉是清楚地看得見的東西

詩人在這首詩中寫了些什麼呢？他在日本留學，久未謀面臺灣，於是引起了他對家鄉的深情思念。在鄉愁詩中，有的是眼前景觸發思緒，有的是回憶中思潮激蕩，有的是想故鄉的親人，有的則再現故鄉的草木山水。而陳明台則是從回憶故鄉的一種特殊的風情習俗拉開了鄉愁的序幕的。臺灣有一種古老的「拾骨」的風俗。臺灣女作家季季的小說《拾玉鐲》描寫的就是這種情景。老人死了，過個三年五載或十年八年，肉化了，只剩下骨頭了。親人和後輩要把墳墓挖開，將骨頭拾出來，經過涼晒，找好風水寶地，擇好吉日良辰，再進行第二次埋葬，好讓死者亡靈成神升天。陳明台在鄉愁的熬煎中，眼前幻化出給死去的老祖母拾骨的場面。這種古老的風俗最能觸動遊子的心。老祖母的形象最能使人懷念，老祖母的意象又最適合作故鄉、作生我養我的土地的象徵物。詩人選取這古老的習俗，這慈祥的老祖母來表達鄉愁，採擷的意象非常親切，最易點燃遊子心靈的火焰。這也正是象徵主義詩人選取象徵物必經的程序。這首詩在表達上非常注意藝術形式的追求。詩人採取一種雙軌同向，或並行，或溶合，或交叉的表現手法。一個是白色的骨的碎片，一個是白色的溫煦的陽光；一個是老祖母的笑容，一個是故鄉的臉。詩人虛虛實實，現實和幻影交替出現，構成一種似眞似假，恍恍惚惚的境界，從而表現出了遊子心中淤積得無法化解的鄉愁。這首詩充分地表現了象徵主義詩人，一方面追求表現自我的內在情感，另一方面刻意追求藝術形式的特點。笠的靈魂人物之一，著名詩人兼詩評家趙天儀在談到陳明台的詩時說：「尤其在旅日後的近期作品裏，顯示象徵主義傾向，這應該與他曾在東京教育大學中國文學研究室，研究一九三〇年代的中國象徵詩，以及耽讀法國詩人藍波，和日本荒地詩人，特別是鮎川信夫的作品，有相當大的關係。」（註一一）陳明台的詩的藝術追求，已經達到了相當的高度，但作品中的現實性和社會性的淡化傾向，恐怕並非詩途大道。要想走向更廣闊的詩的天地，似應有所調適。

渡也，是創世紀詩社中青年一代的現實主義詩人。鄉土派中有現代派，現代派中有鄉土派，這正是當代臺灣青年詩人中不拘一格、廣泛吸收、志在創新的一種趨向。

渡也，本名陳啓佑，臺灣嘉義縣人，一九五三年出生。臺灣文化大學中文研究所博士課程修畢，執教嘉義農專。他出版的詩集有《手套與愛》、《陽光的眼睛》、《憤怒的葡萄》等，還有詩論集《渡也論新詩》，散文集《歷山手記》、《永遠的蝴蝶》。渡也的詩創作是由寫愛情詩起步的，他的處女詩集《手套與愛》就是一部愛情詩集。渡也享有「愛情詩的聖手」的雅號。當他的第二本詩集《憤怒的葡萄》問世時，他便走出了愛情的王國，向更廣闊的領域開拓：契入生活，切進現實，表現鄉情和親情等等，這表明渡也在創作上進入了新階段。目前，渡也正處於創作盛期，他的注意力越來越多地投向臺灣的現實上，針砭時弊的作品表現了他創作意識上的進一步成熟。請看他的《講師日記：作弊》：

期中考時
有些學生夾帶
有人把課本重點影印在桌上
有人讓課本偷看考卷
都被我的眼睛當場一一逮捕

幾位個子很小的學生站起來
大聲說他們要記要背的功課太多
又要背念老師塞給他們的
將來踏入社會須知的一大堆的作業
巨大無比的人生
爭先恐後地擠入他們小小的腦袋
幾位個子很小的學生站起來
大聲說不作弊

他們會更矮
那些學生的話擊敗了高個子的我
我只好逃到教室外
讓他們安心的作弊

這首詩強烈的諷刺、批判了教育制度。老師在監考，學生作弊的花招他一一看在眼裏，但他不但不斥責、不干涉，反而可憐這些小精靈，乾脆逃到教室外面，讓學生放心的作弊。這首表面看來彷彿十分荒唐、頗具喜劇色彩的詩，其實道出了深深的悲劇內容。渡也自己是老師，對學校的事非常熟悉，因而才能寫得得心應手。詩中有的用語十分俏皮，如「課本偷看考卷」，比直寫學生偷看課本要富有新意；再如，「不作弊他們會更矮」，不禁要使人捧腹大笑，但這話中卻含有深深的辛酸，因爲不作弊分數低，社會瞧不起，家長要非難。詩人已暗中將個子很小的身材矮變成了人格上的矮了。像這樣針砭時弊的現實主義詩篇，在老一代創世紀詩人的筆下是不可能出現的。

【附　註】

註一　《從無到眞自覺》。

註二　《吳晟的負荷》（一九八六年四月）。

註三　《試論蔣勳的詩》（許南村，系陳映眞的筆名）

註四 《青青河畔草後記》。

註五 臺灣《八十年代詩選》。

註六 《笠下影》(《笠》詩刊四十二期一九八四年六月)。

註七 《美麗島詩集》(一九七九年六月笠詩社)。

註八 《八仙過海談新詩》。

註九 《剪成碧玉葉層層》第一五九頁。

註一〇 《美麗島詩集》第二三五頁。

註一一 論陳明台的詩《《笠》詩刊》一九八三年十月。

註一二 《一九四九年以後》第十五頁

註一三 《一九四九年以後》第三三頁

第十五章　臺灣「中國新詩學會」

臺灣『中國新詩學會』在臺灣詩壇上，是一個比較特殊的詩歌社團，從成立到發展，其性質和作用都有一個較爲複雜的演變過程。中國新詩學會，是在臺灣現代派新詩由中興逐漸走向衰退，臺灣新詩論爭此起彼伏，西化風潮中受到壓抑和打擊的現實主義新詩在悄悄地崛起，臺灣詩壇處於群雄逐鹿，各自爭奪生存空間的情況下，作爲臺灣詩壇的制衡和調節力量出現的。最早爲聯誼性組織，稱『中國詩人聯誼會』，於一九五七年六月二日在臺北市成立。第一次會員大會上，推選鍾雷、上官予、紀弦、覃子豪爲常務委員，彭邦楨、方思、余光中、宋膺、亞汀、夏菁、瘂弦、葛賢寧、李莎爲會務委員。根據臺灣詩壇形勢的變化，中國詩人聯誼會的作用和功能需要強化，需要進行一些獨立性的詩運活動。一九六七年十一月十二日，『中華民國新詩學會』在臺北市正式成立，取代了中國詩人聯誼會。一九六八年三月二十三日，該會在臺北舉行第一屆理、監事會議，確定該會的宗旨爲：『團結全國新詩界人士，研究新詩理論，實踐三民主義，復興中華文化，促進世界和平。』該會設有理監事會及常務理事會，以值年常務理事主持會務，先後由鍾鼎文、紀弦、鍾雷、左曙萍擔任。一九八八年改爲理事長制，由鍾鼎文出任理事長。一九九四年該會換屆選舉，由鍾雷繼任理事長、綠蒂任秘書長，劉菲、麥穗等任副秘書長。該會的會員，來自臺灣各大詩社。近年來，該會爲了將工作重心放在推動海峽兩岸詩歌交流和促進中國新詩的繁榮和發展上，又名爲『中國新詩學會』，以淡化其政治色彩。一九九一年八月，該會理事長鍾鼎文、常務理事文曉村、和秘書長綠蒂和會員：李春生、林玲、沙白等，應邀到北京參加了『艾青作品國際研討會』。一九九四年八月該會在臺北召開了第十五屆世界詩人大會。到會的有一百多個國家的四百多位詩人代表，發表了一大批學術論文，將世界詩運推進到一個新的階段。中國新詩學會在臺灣文藝界、詩歌界具有較高的威望和影響。該會成員雖然來自各個流派和社團，對詩人創作上的約束和影響不大，但對臺灣整個詩歌運動的推進卻起著重要的推動作用。該會舉辦的一年一度的優秀青年詩人獎，對全臺灣各代青年詩人均具有較大的吸引力，成了青年詩人們競逐成就和榮譽的標誌。近年來，該會集中主要精力推動海峽兩岸詩歌交流，於一九九五年元月和六月連續召開兩次『海峽兩岸詩學研討會』。向大陸許多著名詩人、詩評家發出了邀請，並花費了巨大精力和勞動爲詩人們辦好了『入臺旅行證』。但是由於某種人爲的原因，許多詩人、詩評家都未能前往，只有少收幾位詩人、詩評家如：雁翼、周良沛、劉湛秋、古繼堂、劉文玉、曉剛、羅繼仁、李秀珊、劉春雨等幸運出席了會議。會上該會爲雁翼、古繼堂頒發了『弘揚中華詩學獎』，肯定了他們在發展中華詩學和推動兩岸詩歌交流中作出的貢獻；這是海峽兩岸首次向對方頒發的高層詩歌獎。參加這兩次『海峽兩岸詩學研討會』的兩岸詩人、學者有上百人。數十位詩人在會上宣讀了論文，作了演講，不僅交流了兩岸新詩的發展現狀、創作經驗和理論認識，增進了情感，而且在許多問題上取得了共識，發展了友誼。中國新詩學會的幾位主要領導人，應該受到人們的尊敬。

鍾鼎文，安徽省舒城縣人，一九一四年出生。一九二九年在安慶中學讀書，因參加學潮被學校開除。一九三二年在北京大學借讀畢業，後去日本留學。因日本存有其反日材料，由筆名潘草易名鍾鼎文。一九三六年離日返國，出任南京軍校教官，次年改任上海《天下日報》編輯和復旦大學教授。一九三八年鍾鼎文轉往漢口，與向荃女士結婚，之後曾任《廣西日報》總編輯、國民軍事委員會桂林行營少將設計委員、安徽省機要室主任、三青團中央後補幹事、國民黨中央黨部文書處長，一九四九年去臺灣。到臺灣後任《自立晚報》總主筆三十年，《聯合報》主筆三十五年，在社會活動中，他以敢言著稱。鍾鼎文自幼酷愛詩歌，自一九二七年在安慶中學讀書時發表處女作《塔上》，已有六十多年的詩齡，著作十分豐富。他出版的詩集有《行吟者》、《山河詩抄》、《白色的花束》、《雨季》、《國旗頌》等，另有英文詩集《高原》、法文詩集《橋》、荷蘭文詩集《橋》、德文詩畫集《乘雲》和《人體素描》等。鍾鼎文的作品被譯成十多種外國文字，並被韓國選爲中學教材。鍾鼎文不僅長期擔任中國新詩學會理事長，致力於詩歌運動，而且被推爲世界詩人大會榮譽會長及其常設機構文化藝術學院院長，幾乎每一屆世界詩人大會他都參加，爲世界新詩的發展作出了很多貢獻，成爲著名的國際詩歌活動家。鍾鼎文與紀弦、覃子豪並稱爲臺灣詩壇『三老』。早在五十年代初期，鍾鼎文就利用與《自立晚報》的良好關係，聯合紀弦、覃子豪、李莎、葛賢寧等大陸去臺老詩人，創辦了國民黨遷臺後的第一份詩刊《新詩週刊》，這是當時臺灣唯一的詩歌園地。那時幾乎所有的臺灣詩人都將自己的詩種植在這塊土地上。鍾鼎文曾是『藍星詩社』的發起人之一，後因意見分歧中途退出，之後便將精力投入中國新詩學會和世界詩歌運動的組織領導工作。鍾鼎文的詩，內容上主要描寫他的軍旅生涯、人生感受。許多作品帶有較濃的政治氣息。到臺灣後，他的許多作品除追憶往昔的生活之外，鄉愁詩在他的作品中占有較重的分量。由於濃重的軍旅和新聞生活色彩，往往使他的作品表現出一種邊塞詩的風格和傳統。創作方法上多用抒情與敘事結合的形式，而敘事又占有比較多的成份。從總體上看，鍾鼎文的詩是屬於中國傳統的現實主義詩篇。

鍾雷。本名翟尹石，河南省孟縣人，一九二〇年出生。早年寄居北平，中國大學軍校特訓班中訓團、革命實踐研究院畢業、世界藝術文化學院榮譽文學博士。曾任軍中參謀長、縣長等職，一九四九年去臺灣。到臺灣後曾任臺灣中央電臺大陸廣播組組長。國民黨中央委員會專門委員及總幹事。《中央半月刊》總編輯、《中央月刊》總編輯、行政院文建會二處處長、文建會顧問、華實出版社發行人兼社長等職，現任臺灣中國新詩學會理事長。在大陸時期就從事文學創作，被譽爲『中州才子』。他寫詩、寫小說、也寫劇本。出版的詩集有《生命的火花》、《在青天白日旗幟下》、《偉大的舵手》、《天涯詩草》、《鍾雷自選集》等。出版的劇本有《尾巴的悲傷》、《風聲鶴唳》、《華夏八年》、《長虹》、《金色傀儡》、《柳暗花明》、《海寧回春》等。他出版的中短篇小說集有《榴火紅》、《江湖戀》、《青年神》等。出版的長篇小說有《小鎮春曉》等。還出版有《五十年來的中國電影》等著。他的各類作品共有一百餘部，是名副其實的高產作家。他的各類作品都曾獲獎。

鍾雷具有深厚的古典文學修養，具有淵博的文史知識；具有各種文學樣式的創作經驗；又具有卓越的創作才華。這些因素，匯集在他的作品中，使他的詩有一種衆川匯聚、百鳥歸林的豐沛氣象。他的詩繼承了中國新詩的現實主義傳統，抒情和叙事得到了較好結合。既重視景象的描寫，也兼顧思想之表達。但在詩歌意識上，卻具有較大的局限性。

綠蒂，本名王吉隆，於一九四二年出生，雲林縣北港鎮人，淡江大學中文系畢業。他不僅是一位著名詩人，而且是一位名滿天下的詩歌活動家。現擔任臺灣『中國文藝協會』、臺灣『中國新詩學會』秘書長，和《秋水詩刊》發行人的職務。自一九六九年代表臺灣詩壇出席第一屆世界詩人大會以來，每一屆世界詩人大會上都有他的聲音和身影，爲臺灣和世界詩運的發展，作出了突出的貢獻。一九九四年八月，他以世界詩人大會會長的身份，在臺北市組織召開了規模宏大、有數百名各國詩人代表參加的第十五屆世界詩人大會。推進了世界各個國家、各個民族之間的詩歌交流，爲臺灣詩壇和中國詩壇贏得了榮譽。綠蒂是一個熱愛祖國、熱愛中華民族、熱愛中華文化的詩人，他對推進海峽兩岸文學和詩歌交流嘔心瀝血，不遺餘力。在他的主持下，臺灣『中國文藝協會』和『中國新詩學會』，開展了許多各種形式的兩岸文藝交流工作，促成了一批批大陸文藝界人士到臺灣去訪問和交流。這方面，他不僅進行設計、組織和領導工作，而且參與許多具體繁瑣的申報、擔保、購買機票、迎來送往等事務。他的努力，贏得了海峽兩岸文藝界人士的敬意和讚佩。綠蒂還是一個詩歌實業家，從七十年代至今，他曾與詩友一起創辦了《野風詩刊》、《中國新詩》詩刊，爲詩歌提供了發表和出版園地。

綠蒂是個勤奮的詩人，他在兼顧生意和忙碌的文藝活動之外，還勤於思考和創作。先後出版了《藍星》、《綠色的塑像》、《風與城》、《飄泊》等詩集，目前尚有一部詩集即將面世。綠蒂的許多作品，都達到了思想和藝術的良好統一。充分吸納中外古今的詩歌藝術營養，創造出自己獨特的：既奔放又凝煉；既現代又古樸；既雄渾又清新；既明朗又深邃的風格。

續篇

臺灣新詩的多元化

第十六章　臺灣的政治解纜對新詩的影響

第一節　臺灣的政治解纜打開了詩的枷鎖

由於科學技術的迅猛發展、通訊手段的不斷進步，八十年代彷彿成了一個具有鮮明的分水嶺時代。從整體來看，世界由封閉保守，轉向開放改革；超級大國由戰爭爭奪地球，轉向了用科技爭奪宇宙；由意識形態大戰，轉向了經濟實力的競賽和競爭；由疆域割據，轉向信息匯流……於是世界上各種圍牆坍塌，大壩傾倒，繩鏈解纜。信息使時空越來越小，越來越短；而科學又把人們的目光和願望擴展得越來越大，越來越遠。『地球村』、『宇宙城』的出現，使人世間種種色色有形的、無形的、政治的、軍事的、意識形態的僵固王朝受到威脅和挑戰。如此，改革開放成了全世界不可逆轉的洶湧澎湃的大潮流。這種世界大潮流也推動著臺灣政治、經濟、社會、文化形勢的變化。臺灣經濟雖然經過六、七十年代的起飛和繁榮，但它卻是作爲資本主義世界經濟鎖鏈中一個廉價的勞力市場的姿態出現的。隨著科技進步，人的低級勞動逐步被先進的科技手段所取代，資本家再繼續靠低廉的勞動力賺錢的美夢被驚醒。於是便開始由勞力密集型企業向技術密集型企業轉換。以勞力競爭爲主，轉向以技術競爭爲主，勞力市場逐漸地讓位給技術市場。經濟投資方向的轉變，又促使社會財富迅速向技術市場傾斜。這種經濟基礎的變化，必然影響到上層建築的變化。從政治方面看，由於臺灣社會民主思潮的高漲和原有政權機構的老化，由於大陸的影響和世界各地炎黃子孫要求祖國統一的呼聲日高，臺灣當局如坐針氈，不得不改變統治方式，便提出了『革新保臺』的口號。蔣經國晚年對臺灣採取了比較開明的政策。臺灣於一九八六年十月十五日宣布解除《戒禁法》之後，隨之出現了解除言禁、黨禁、報禁、海禁的局面。被冰封了近四十年的臺灣海峽，從此冰破寒散，有了溫情和暖意。被阻斷在海峽兩岸的親人，開始了往來和團聚；被斬斷的民族骨血，開始了對接和匯流；被撕裂的民族詩魂，開始了吻合和復原。雖然，八十年代人員的交流還是單方來往，只有臺灣詩人來大陸，大陸的詩人還被拒於寶島之外，但是情感和意志的交流，已隨著信件和作品的來往逐步進入熱潮。在海峽兩岸文學的交流中，詩是先頭部隊，處於先鋒地位。臺灣詩人據說有五萬左右。出過詩集，較有影響的詩人，也有上千人。僅本人主編的《臺港澳暨海外華文新詩大辭典》中被列入條目的就有一千餘人。到目前爲止，這些詩人沒有到大陸探親、旅遊、觀光的極少，他們中的絕大多數人，都先後來大陸尋根拜祖。臺灣詩壇基本上是以詩社爲細胞構成的，絕大多數詩人都匯聚在不同的詩社中。而比較著名的詩歌社團，如：創世紀、藍星、現代、笠、葡萄園、秋水、海鷗、大海洋、新陸等的詩人們，都多次到大陸尋根、認祖。除隨旅遊團和單人來大陸外，創世紀、葡萄園、秋水和臺灣新詩學會還分別於一九八八年、一九九〇年、一九九三年大規模地組團來訪。這些詩人的足跡遍布祖國的山山水水，走遍祖國的每一個角落。透過各種座談會、研討會、詩朗誦等活動，使兩岸詩的精神、詩的情感、詩的趣味、詩的技巧，得到了交流，共同匯入了中華民族浩浩蕩蕩的大河之中。除了詩人的直接間接的交流外，兩岸詩歌界還透過報刊和出版媒體，互相發表和出版作品。臺灣的所有詩刊，幾乎都開闢了大陸作品專欄。《秋水詩刊》、《葡萄園詩刊》、《創世紀詩刊》、《大海洋詩刊》、《海鷗詩刊》、《笠詩刊》、《藍星詩刊》、《現代詩刊》、《新陸詩刊》等主要詩刊，每期發表大陸詩人的詩作，少則四分之一，多則占篇幅的一半以上。大陸的數百家文藝出版社和綜合性出版社，幾乎均出版過臺灣的詩選集、詩集和詩歌評論集、鑒賞集，總量達數百種之多。上述情況表明：尋根、認祖，向祖國詩壇靠攏，向民族詩的大河匯流，是八十年代臺灣詩壇不可阻擋的潮流，是八十年代臺灣新詩最主要的特徵之一。這既是世界開放改革的大潮迫及的結果，也是臺灣政治解纜後，詩壇內在機制變化的結晶。而這一變化，爲臺灣新詩的發展鋪開了一條新的道路。

第二節　新形勢下臺灣新詩題材的變革

就像大河湧動小河也必然跟著湧動，大氣候轉暖小氣候也必然跟著轉暖一樣，經濟和社會的變革也必然帶動和引起意識形態諸方面的變化。臺灣的新詩在臺灣的經濟、社會、政治產生比較劇烈變化的八十年代，隨著政治氣候的轉暖，思想環境的相對寬鬆，也開始進入了自身的變革和建設階段。從詩的內容到形式，從題材到媒體，從流派到社團等，都發生了一系列的變革。其中變化最爲鮮明的是詩的題材和媒體。從題材看，由於經濟、社會、政治形勢的變化，爲詩歌提出了新的內容，也爲詩歌提供了新的表現形式。最爲突出的是五大題材，即回歸詩、科技詩、環保詩、都市詩、政治詩。這五大題材的作品，是臺灣新詩中的嶄新家族，它們均是形勢變化帶來的新產兒。

1.回歸詩。海峽尚未解凍之前，臺灣同胞深爲鄉愁所苦，經受著日夜思念祖國、渴盼親人的折磨。他們日思夜盼，將這種深切而痛苦的思念發於筆端，創作了無以計數的鄉愁詩。這些鄉愁詩與古今中外的同類作品相比，毫不遜色。它們千姿百態，爭芳鬥艷，每一首，每一句，都是從心中滴出的血和淚，不論是豪壯的和輕柔的，都足以使人的靈魂爲之顫動。當你讀到『一座遠山迎面飛來/把我撞成了/嚴重的內傷』和『每回西風走過/總踩痛我思鄉的弦！』這種不同氣質、不同風格的詩句，絕不會因前者悲壯後者輕柔而叩擊到你的心靈上的重量有所差別。詩人們眞摯的情感和高超的詩藝，幾乎將鄉愁詩的創作推到了最佳之境。海峽解凍之後，臺灣詩人們紛紛回到祖國大陸探親，多年的回歸願望得到了實現；急切的鄉愁飢渴得到了緩解；許多鄉愁之夢變成了現實；無限的渴盼和思念化作了團聚時的熱淚和溫馨，即使因時過境遷和天災人禍，造成某種不幸，但那空茫的夢幻也轉變成了眞實的歷史記憶；那難耐的懸思，終化作了苦澀的眼淚。這種從思念到團聚，從夢幻到現實的生活和情感的轉變，將詩人筆下的詩篇，由鄉愁詩推到了回歸詩的階段。原來的回憶、想像中的祖國的山水、故鄉的面貌、親人的形象，統統地變成了眼前的實景、身邊的眞情。因而隨著海峽解凍，臺灣同胞日益劇增地回到大陸探親、旅遊、投資、觀光。臺灣的鄉愁詩逐步被回歸詩所取代。回歸詩是臺灣詩歌史上的新事物，它具有自己特定的歷史背景和時代內涵。它記載著一個新時期的開始，反映著一種新情感的產生，有自己特殊的生成土壤。因而它一出現，便成普及之勢。目前它已成爲臺灣詩歌一個極爲重要的方面。現列舉臺灣詩人秦嶽鄉愁詩《望月之一》中的一段和回歸詩《夜宿鄭州》對比，從中可以十分清楚地看出其中的變化。

今夜
月若是高懸的鏡
就舉頭望明月吧
拔地而起的阿姆壯
腳下仍踩著吾鄉泥濘的臉
吾兒看我凝神而視的痴迷
焦急地問俺可看到奶奶
於是　垂掛著的天河
在俺臉上氾濫成滴滴清淚
敲響了深藏著的美麗鄉愁
俺與俺兒在月光下對視著　無話可說
　就低頭思故鄉吧

這首詩中雖然也有『腳下仍踩著吾鄉泥濘的臉』這樣很實的詩句，但這是一種虛幻的想像，是詩人與小兒子在中秋的明月下，重溫李白『低頭思故鄉』引發和幻化出的故鄉景象。這首詩十分眞切感人。父子倆在異域的月光下凝視，兒子突然發問：你可看到奶奶嗎？這種明知不可能的故問，正點到父親的痛處。兒子的天眞，父親的情痴歷歷如繪。讀之，令人鼻酸。這樣的場面引發出天河般的淸淚氾濫，是十分自然的。値得注意的是，詩人在下句中用了『敲響』和『深藏』二詞。由於是『深藏』，所以需要『敲響』；因爲是『敲響』，所以引發出『深藏』，這裡旣突出了淚之重，又顯示了情之深。再看《夜宿鄭州》：

凝視著夜
凝視著冷冷的故鄉的夜
屬於臘盡冬殘的青空
有淡淡的月　疏疏的星
在小小的窗口
守護著一室的落寞和空寂
偶爾有雲經過
一如離家時踉蹌的腳步
未留下任何承諾與訊息
就匆匆的開始了無休止的飄泊
直到晨曦升起

照著我一無睡意的醉眼
才驚訝的發現
那魂牽夢繞了四十年的故鄉
突然猛力一把　擁我入懷
我以含淚的眼
噙住故鄉一片濕漉漉的風景
只要能回到家
就不管他風風雨雨　滄桑年年

這是一首非常優秀的回歸詩。詩人一別家鄉四十年，重新踏上故土，面對既熟悉又陌生的自然環境；面對一個從未見到過的社會現實；面對一個模糊不清，既可能是這樣，也可能是那樣的親人們的境況；面對一個既是客人，也是主人的自己，夢中的和現實的，遙遠的和眼前的一切，自然在胸中翻江倒海，怎麼能入睡呢？一個夜晚，又經歷了四十年，四十年全都集中在一個夜晚。輾轉反側過了一夜，天一亮，詩人突然想起，這是回到了故鄉。『那魂牽夢繞了四十年的故鄉／突然猛力一把／擁我入懷』至爲眞切，這是回歸詩中的驚策之句。詩的最後一節寫得相當俏麗。本來是兩眼含著汪汪淚水，但詩人不寫淚水，而寫『噙住故鄉一片濕漉漉的風景』，因淚水是由風景觸發的，風景是淚水之源，詩句顯得非常鮮活。『濕漉漉』一語雙關，一方面代表淚水，另一方面又形容故鄉早晨的風景，彷彿這風景新鮮得露珠欲滴，充分地表現了詩人重返故鄉的新鮮感，和無比熱愛故鄉的喜悅心情。秦嶽的詩才，在這裡得到了突出的展示。從秦嶽的兩首詩中，我們不僅看到了鄉愁詩與回歸詩的區別，而且摸著了鄉愁詩過渡到回歸詩的內在脈絡與路徑。

2.科技詩。八十年代標誌著人類歷史進入信息時代。科學技術成了時代的驕子；成了推動歷史前進和社會發展的強大動力；成了創造人類文明的主要手段；成了國家與國家、民族與民族、地區與地區之間交流的中心話題。這種情況必然在人類精神領域的重要一翼，文字世界中得到反映。臺灣雖然由於地域狹小，資源缺乏，人才大量外流，本身的科學技術不夠發達，但是本世紀六十年代初進入由農業社會向資本主義社會轉型期以來，社會開放，與西方人員交流頻繁，信息流通量大，所形成的科學技術信息的經營，遠遠超過自身科學技術實業發展的狀況。而臺灣詩壇的特點，又是專業詩人極少，幾乎百分之九十九爲業餘詩人。雖然，他們對繆斯愛得痴迷，但詩歌創作對他們來說，仍然是第二職業。這大批的業餘詩人中，各種科學技術人員占有相當數量。中老年詩人中有：非馬、詹冰、向明、林泠、鄭炯明等；青年一代詩人中有：白靈、許悔之、江自得、陳鴻森、連水淼、田運良、汪啓疆、陳亮、陳晨等。一方面，科學技術作爲歷史和時代的重要角色，要求文藝表現它的風彩，也爲文藝提供了重要內涵；另一方面，身兼科學家和詩人雙重職業的特點，也迫切需要將自己事業和生活的感受轉化爲意識。這種物質的和精神的、社會的和個人的雙重內涵、雙重需求，就決定了科技詩不僅必然出現在詩的舞臺上，而且要體現出自己應有的地位。臺灣青年詩人中，創作科技詩最多的可能要算白靈、汪啓疆、林燿德、江自得等。科技詩與科幻詩不同，科技詩是現在時，科幻詩是未來時。科技詩是現實生活和事業的實感反映；據有充分的生活依據，情感和詩意從眼前景物中昇華而起，從而去感動讀者。科幻詩基本上是憑想像的飛騰進行虛構，是以奇妙的、現實中還不存在的故事去吸引讀者。我們這裡叙述的是屬於現實的科技詩，而不是虛幻性的科幻詩。科技詩，是詩人對人類科技活動感受的外化，是情感和詩意的物化。它的任務是創造藝術，而不是論證科學和對科學成就的紀錄。因而我們研究科技詩，注重的是精神內涵，是詩人透過這種題材，爲人類提供了怎樣有價値的藝術，而不是其他。林燿德有一部詩集，書名就叫《都市終端機》。這是一部具有強烈現代科技色彩的詩集。現舉其中的《終端機》一詩，作點剖析：

……我
迷失在數字的海洋裡
顯示器上
排排浮現
降落中的符號
像是整個世界的幕落
終端機前
我的心神散落成顯示器上的顆粒

終端機内
精密的回路恰似隱藏智慧的聖櫃
加班之後我漫步在午夜的街頭
那些程式仍然狠狠地焊插在下意識裡
拔也拔不去
開始懷疑自己體内裝盛的不是血肉
而是一排排的積成電路
下班的我
帶著喪失電源的記憶體
成爲一部斷線的終端機
使所有的資料和符號
如一組擴散的星系
不斷
撞擊
爆炸

在這首詩中，詩人將電腦和人腦對照、溶匯進行抒發，表達了電腦代替人腦，人將失去精神和靈魂，成了一部喪失電源的記憶的機器，成了一部斷了線的電腦，以致到了爆炸和崩潰之境。詩的首段寫正在終端機上工作的狀況。首句就用一長串省略號表示電腦上顯示的一連串數據和圖象。但這數字和圖象後的答案都是『我』的疲倦、頹廢與灰暗情緒，是『像是整個世界的幕落』。第二段寫下班以後的精神狀態和感受。這一段將人腦電腦互相象徵和暗示，使讀者分辨不出是在寫電腦還是在寫人腦。疲倦、潰敗的身體與斷了電源的終端機對照，表現腦子的空白，意志的潰散，然後又將腦子裡閃現的無意義的思索比作斷了線的電腦中的資料和符號。而這資料和符號由於缺乏精神電源而碎裂、崩潰、爆炸。整首詩既寫物質，又寫精神，以物質暗示精神，又以精神爲全詩的支柱和靈魂。不管該詩表現的情感性質如何，詩的創意和描寫是十分精彩的。再請看臺灣青年詩人柯順隆描寫科技時代電腦與人腦互相衝突、矛盾。人腦發明了電腦，但人腦又十分憂慮被電腦所取代、所吃掉的詩《有人在吃我的腦袋》：

翻開書本
有人在背後咬我的腦袋
深沈地一聲裂開
湯匙舀腦漿濺起來水花朵朵
打開螢幕
吃髒的腦殼擺在
陽光下曝曬

水份蒸發後的乾癟腦殼
加鹽醃漬
最下飯
攤開報紙
被那張嘴殘渣似吐棄的
左眼球貼在社會版上
冷冷地盯著
正在吞食新聞的
右眼珠

創作和閱讀本來是由人腦來實現的，但如今電腦打字、激光排版，逐步取代人腦的功能，詩人擔心人的腦袋無用武之地，只曝曬後加鹽下飯。雖然這是詩的誇張，但也不能完全看作是杞人憂天。這是第二自然與第三自然在新形勢下的矛盾；這是人類社會發展和科技進步，爲人類提出新的思考課題，爲文學開闢的新的領地。它期待著更多、更有才華的詩人來開墾。

3.生態詩。生態詩也稱爲環保詩。隨著科技和社會的發展，人們對生態環境的破壞越來越嚴重，甚至已經威脅到人類自身的生存。化學污染、核輻射、人類自己產生的垃圾——廢渣、廢水、廢氣等，一天天地吞食著糧田、森林和山河，把人類的生存環境，一天天地向狹小的地域中壓縮。與這種壓縮相對的是世界人口成倍的增加和膨脹，使人們感到巨大的生存威脅。這種情況日益引起人類的不安。被稱爲人類靈魂工程師的詩人們，比一般人具有更強的敏感性和同情心，比一般人具有更強的使命感和拯救意識。面對著人類的生存威脅，他們首先發出了警戒和呼喊。八十年代臺灣的生態詩一起步，便以迅猛的趨勢發展。創作生態詩比較多的詩人有：李魁賢、莫渝、非馬、趙天儀、李敏勇、洪素麗、劉克襄、陳斐雯、利玉芳、羅任玲等。他們有的譴責隨意砍伐森林，有的批評破壞植被，有的對大氣污染表示憤慨，有的對人口的劇增感到憂慮。青年女詩人陳斐雯的《地球花園》、《我帶你們離家出走》等詩篇，產生了巨大反響。青年女詩人羅任玲的《寶寶，這不是你的錯》一詩，是這類詩中的佳品。詩人以巨大的愛心、巧妙的構思、奔放的激情和宏大的氣魄，把這首詩寫得有聲有色。現舉陳斐雯的《養鳥須知》一詩作點剖析。

　在鳥店徘徊留連
終日素描籠中的一隻畫眉
所以猜想你喜歡鳥
我也喜歡，不過
比你貪心一點
總共擁有幾萬幾千幾百零幾隻
統統養在天空裡

從來不必擔心
誰會遠走高飛
我請大風陪牠們賽跑
如果累了便躺在雲上喘口氣
如果吃膩了春天的食物
夏天自然會有新奇的菜單
夜晚如果困倦
每棵樹都可以高枕安眠
我一點也不擔心
如果眞的十分想念
一抬頭便能相見
在鳥店徘徊留連
看見你買下那隻畫眉
提籠悠哉散步離去
遺落在地上的素描簿裡
畫的竟是自己
所以我說你喜歡鳥

我也是
只是比你貪心一點
總共也才幾億幾萬幾千幾百零幾隻
養在天空裡
養在雨後的電線桿上
養在陽光午睡的草坪
養在你正提籠散步的小公園

這首詩構思十分巧妙，詩人第一句就把該詩要批評的對象亮了出來，而且造成一種假象。彷彿詩人與詩中人物是同類人，興趣相同，愛好相同，事業相同。但寫著寫著便露了餡，使詩中人猛然醒悟，自己中了圈套。原來詩人擺了一個迷魂陣，是要批評自己。詩中採用調侃手法『我也喜歡鳥，不過/比你貪心一點』，這話十分眞切，是造成假象的關鍵所在。往下『統統養在天空裡』爲分野，事情的性質發生了變化。這裡有的詩句十分俏皮，『我請大風陪牠們賽跑』，不僅寫出了天高任鳥飛的自由境界，而且表現出了詩人敞亮的胸襟。第三段沒有激烈言詞，但批判有力而發人深省，因爲詩人批評的正是那種自私自利將鳥關在籠子裡的行爲。這裡表面是批評將鳥關在籠子裡的人，實際譴責剝奪人們自由，製造人間悲劇的傢伙們，詩的內涵十分深邃。這首詩中還包含著相當豐富的辯證思想，如：『遺落在地上的素描簿裡/畫的竟是自己』。將鳥關起來，終日拴在身上，限制了鳥的行動、剝奪了鳥的自由。人離不開鳥，鳥離不開人，人鳥綁在一起，不是等於籠中關鳥，籠外關自己嗎？臺灣許多生態詩出自女詩人之手。表現了女性的仁慈寬厚，對生態環境特別關注的善良性格。

4.都市詩。社會發展的趨勢是生活現代化，農村都市化。臺灣六十年代初期開始的經濟起飛，社會轉型，就是以犧牲農業和廣大農民的利益爲代價的。大批農民失去了生產和生活基地，迫使他們失業向城市流浪遷移；衆多的內外資工商企業，尤其是各加工出口區，像血盆大口一樣，日益以極低廉的薪水，吞咽著大批農村的青壯勞動力，使他們依附於資本家，失去了人身自由。許多少女被迫出賣貞操，陷入泥沼火海，忍受著殘酷的迫害和剝削。隨著這種情況的出現，臺灣的都市詩跟著生活的腳步迅速崛起。臺灣詩人們不僅創作了大批優秀的都市詩，而且湧現了一批主要創作都市題材的詩人，他們被稱爲都市詩人，如：羅門、羅青、林燿德等。羅門被稱爲『都市詩國的發言人』。他創作都市詩最早，爲臺灣都市詩的開拓者。他創作都市詩最多，作品質量也最優。早在一九五七年，臺灣的資本主義還處於孕育時期，羅門就創作了透視資本主義都市罪惡的優秀詩篇《城裡的人》：

他們的腦部是近代最繁華的車站，
有許多行車路線通入地獄與天堂，
那閃動的眼睛是車燈，
隨時照見惡魔與天使的臉。
他們擠在城裡，

如擠在一艘開往珍珠港去的船上，
慾望是未納稅的私貨，良心是嚴正的官員。

這詩首句破題不凡，『最繁華的車站』代表著各色各樣、無窮無盡的貪婪的慾望。這種慾望由車站出發，去向兩個方向，一是地獄，一是天堂。詩人對資本主義既不一口否定，也不一口肯定，而是一分爲二。眼睛是車燈，十分貼切和傳神，連資本主義社會爾虞我詐，你盯著我，我盯著他，從一切縫隙中搜索利益的神態都描繪得逼眞。第二節『如擠在一艘開往珍珠港去的船上』，這裡的珍珠港，不是第二次世界大戰太平洋中美國的傷心地珍珠港，而是泛指發財之地。最後一句是點題，也是判斷。『慾望是未納稅的私貨，良心是嚴正的官員』，可謂具有雙重含意和思想深邃的警句。羅門死死盯住資本主義這個人類罪惡的菌床不放，一步一步深入，一錘一錘加重，一刀比一刀鋒利，對它進行解剖和審判。一九六一年，在臺灣剛剛踏進資本主義，人們正在迎接經濟起飛之日，羅門就判處了它的死刑，寫下震撼詩壇的《都市之死》長詩。詩中有這樣的句子：

『如行車抓住馬路急馳
人們抓住自己的影子急行
在來不及看的變動裡看
在來不及想的迴旋裡想
在來不及死的時刻裡死

死在酒瓶裡　死在煙灰缸里
死在床上　死在埃爾佛的鐵塔下
死在文明過量的興奮劑中』

一九七二年，他又創作了《都市的落幕式》，判定資本主義的都市『你一身都是病』。一九七六年，他還創作了《都市的旋律》，以急促的旋律和快捷的節奏，描寫資本主義都市走向崩潰的步履：

『攢攢攢
攢入地下道
爬爬爬
爬上行人橋
腳懸空
手懸空
目與天空一起空』

一九八三年，他創作了可稱爲臺灣都市詩集大成的作品《都市·方形的存在》。把資本主義都市置於方形的、死亡的棺木之中，讓它永遠壽終正寢。『天空溺死在方形的市井裡／山水枯死在方形的鋁窗外』。羅門數十首系列的都市詩，組合成資本主義都市的死刑判決書，擰成一條資本主義都市死亡的絞索。這些作品新穎、深邃、博大而豪放，思想和藝術達到了較完美的統一。羅門無愧地坐上了臺灣都市詩的首把交椅。這些詩和他關於都市詩的理論相得益彰，構成了羅門完整的都市詩學。繼羅門之後，青年詩人林燿德等，又從都市爲現代生活爲基地的角度拓展』都市詩的新景。

5.政治詩。八十年代，由於臺灣政治思潮的活躍，產生了一些政治詩人，創作了許多政治詩。這些詩人有：苦苓、詹澈、李敏勇、鄭炯明、黃樹根、宋澤萊、林雙不、劉克襄、廖莫白、紀方生、楊渡等。由於臺灣政治思想龐雜而多元，政治主張各不相同，決定了政治詩相當複雜的內涵。有反對獨裁專制的，有宣揚民主思想的，也有明顯的『臺獨』傾向的。一般來說，我們對那些反獨裁、反專制，具有愛祖國、愛民族精神內涵的政治詩，是鼓勵和肯定的；對那些打著反專制反獨裁旗號，而行『臺獨』之實的政治詩，則持否定態度。

第十七章　多元趨勢下臺灣新詩流派和媒體的演變

第一節　臺灣新詩流派多元化局面的形成

臺灣新詩發展到了八十年代，基本上告別了主潮更迭、一派獨霸的一邊倒的局面，出現了多元並存，共同發展，你吞不掉我，我火拚不了你，在較爲寬鬆的政治氣候和社會環境中自由競爭的狀況。文藝主潮的更迭，一派獨霸的局面，在許多情況下，是政治干預的結果。比如五十年代的反共八股文藝，就是靠政治手段維持的。有時文藝主潮的產生，也是文藝自身競爭的結晶，比如七十年代臺灣出現的巨大的向民族、向鄉土、向母體文學回歸的潮流，就是基於社會、讀者、作者的選擇。但是應該說，這種文學思潮的出現，與當時國際政治的大氣候，如：美、臺斷交，『保釣運動』和臺灣的政治小氣候，比如愛國主義、民族主義意識的覺醒，以及反西化、反崇洋媚外的巨大輿論影響等，是分不開的。不過五十年代是政權意識產生的政治壓力；七十年代是民衆意識產生的政治活力。一個是政權政治；一個是民衆政治，兩者有著質的不同。臺灣進入八十年代以後出現的政治解纜，爲各種思潮的產生和競爭提供了方便條件，也爲詩歌思潮和詩歌流派的出現和競爭，打開了方便之門。從整體上看，政治解纜，環境寬鬆，民主意識強化，使人們被壓抑的思想和情感得到傾吐；使人們被封閉的頭腦和聰明才智得到釋放和啓迪，是件大好事。但是，任何事物都是兩面的，寬鬆的政治環境是好的，但這種環境中出現的事物，不一定都是好的；民主的社會氛圍是好的，但這種氛圍中颳起的風，不一定都是溫暖的。正像春天也會有有毒的花朵，陽光下也會有霉爛的物質一樣，要具體情況具體分析，具體事物具體評價。因而我們對新形勢下臺灣詩壇冒出的各種新詩的流派和詩潮，也應給予具體分析。臺灣青年詩人林燿德把八十年代的臺灣詩壇形容成爲一個『不安的海域』。他寫道：『八十年代前葉，詩壇備受各種思想模式和意識型態之交互激盪，猶似一不安海域，暗潮洶湧，明浪飛騰。就臺灣現代詩現階段發展而言，成爲一大反省、大檢討之時代，亦爲再鍛接、再出發之時代。因此綜綰前文，筆者試歸納出八十年代前葉現代詩風潮的幾項重要徵候：㈠在意識型態方面→政治取向的勃興；㈡在主題意旨方面→多元思考的實踐；㈢在資訊管道方面→傳播手法的更張；㈣在內涵本質方面→都市精神的覺醒；㈤在文化生態方面→第四代的崛起。』（註一）。而臺灣的另一位青年詩人向陽，則對臺灣七十年代的新詩風潮，曾作過這樣的概括：『西化→重建民族詩風→排外，晦澀→關懷現實生活→淺白；放逐→肯認本土意識→褊狹；自我→反映大衆心聲→媚俗；單一→鼓勵多元思想→散亂。』（註二）不管是林燿德對八十年代前葉臺灣詩壇的概括，還是向陽對七十年代臺灣詩壇的總結，均存在著整體的大致符合實際，而具體的卻有不少與實際相謬的機械性的論斷。對此，我們暫且不論，這兩段引文的目的，只在於讓人們從對比中瞭解八十年代的臺灣詩壇與七十年代的臺灣詩壇的明顯差異。那就是由政治趨向文化；由主題趨向媒體；由較窄狹的題材趨向較廣泛的題材，由中年世代趨向青年世代等的轉移。按照詩人張默編寫的，於一九九一年五月四日出版的《臺灣現代詩編目》一書提供的資料，自一九八一年七月三十一日，以蕭蕭主編的《時報詩學日誌》的出刊，到一九八九年十一月十一日，以楊淑惠爲主編的《人工島》詩刊創刊的十年時間裡，臺灣共創辦詩刊五十家。其中影響比較大的有：楊莊主編的『腳印詩社』的《腳印詩刊》；何郡、黃能珍、方俊成主編的『掌握詩社』的《掌握詩刊》；路寒袖主編的『漢廣詩社』的《漢廣詩刊》；施善繼、楊渡主編的《春風詩刊》；林正芳主編的《傳說詩刊》；鍾如雲主編的『鍾山詩社』的《鍾山詩刊》；林婷、林美玲主編的『四度空間詩社』的《四度空間詩刊》；『地平線詩社』的《地平線詩刊》；苦苓主編的《兩岸詩刊》；王志堃、張國治主編的『新陸詩社』的《新陸詩刊》；楊維晨主編的『曼陀羅詩社』的《曼陀羅詩刊》等。這些詩社、詩刊，周圍聚集了數以百計的青年詩人，他們是八十年代臺灣詩壇的活水；他們是八十年代臺灣詩壇的朝陽；他們是八十年代臺灣詩河中奔湧的激流和飛濺的浪花。臺灣八十年代詩壇之所以稱之爲『不安的海域』，就是這些激流和浪花飛騰的形象和結晶。像大海中的排山巨浪，像長河中的波濤，由於受到地形、走勢和風向諸因素的影響，以及陽光的不同角度照射，顯示出各種不同的形態和斑斕的色彩，使它們表現出不同的流派和風貌。八十年代臺灣青年詩人們在前進途程中受到社會的、政治的、文化的、文藝的、理論的、實踐的、中國的、外國的、東方的、西方的等方面和地區不同傳統觀念和現實主張的影響，形成了千差萬別的創作傾向、創作風格、創作流派和藝術趣味。

第二節 色彩斑斕的八十年代臺灣新詩流派

1. 現實主義。八十年代臺灣的現實主義新詩，具有悠久而深厚的歷史基礎和寬廣博大的現實內涵。它近期接續了七十年代臺灣回歸運動的精神；遠期繼承了祖國『五四』的新詩傳統和臺灣日據時期新詩的革命經驗，以民族和祖國爲依歸，走中國新詩的路線，創造中國詩的風格和氣派，表現出高瞻遠矚、朝氣蓬勃、視野開闊、理想宏大而又腳踏實地的氣勢和風度。這一類青年詩社包括：以青年詩人路寒袖爲負責人的臺灣東吳大學的『漢廣詩社』，他們出版《漢廣詩刊》；以施善繼和楊渡爲負責人的《春風詩刊》；以林正芳爲主編的臺灣文化大學的《傳說詩刊》；以女詩人鍾如雲爲主編的『鍾山詩社』的《鍾山詩刊》；以苦苓爲主編的《兩岸詩刊》等。他們高擎新詩的現實主義大旗，堅持詩的抒情傳統，堅持新詩應干預社會、干預生活、表現和揭露社會的不平和不公，反映下層人民的意願和心聲，繼承中國古詩的優良傳統，從中國民歌中吸取營養，造就一代新的中國詩風。例如，以臺灣北部各大專院校學生和青年詩人爲主要成員的『漢廣詩社』的《漢廣詩刊》。由該刊主編、青年詩人路寒袖執筆撰寫的發刊詞中，就標出這樣的宗旨：『本社名爲「漢廣」，乃取自詩經周南漢廣篇。該篇所敘之事本只是一名男子追求不到漢水邊女孩的詠嘆，多少有點浪漫情懷。本社之所以取用於它，乃就其字面之意而言，「漢」是中華民族，「廣」是廣博，合起來就是抒發中華民族之情思，廣大包容各種風格，這是我們不變的宗旨，不是現在既有的成績。「漢廣詩社」

的同仁極爲年輕，我們對未來新詩的發展要抱著樂觀的態度，更擁有無比的眞誠；當然，目前我們的作品中，可能有些還殘留著西方主義、現代派的餘毒，可能有些人技巧還不夠純熟，然而，我們時時在自我檢討，相互批判，朝著坦蕩的路子走去。』『漢廣詩社』的同仁們，是一批出生於六十年代，崛起於八十年代，充滿民族意識和愛國熱情的青年詩人。他們爲了標定自己的人生目標和創作路向，以詩經中《漢廣》一詩的篇名爲社名、刊名。這『漢廣』二字具有雙重含意。從字面上看，『漢』代表中華民族，以此爲詩的根本；從歷史傳統看，詩經是中國詩的總根和源頭。這一方面代表著詩的民族精神和本質，代表著詩的定位；另方面，也包含著繼承和發揚詩經以來，中國詩的總根和源頭流傳下來的一脈相承的傳統。前者爲詩的現實精神，後者爲詩的淵源的歷史追溯。這些青年詩人既有現實的博大胸襟，又有悠遠的歷史使命感；既有堅定不移的意志，又有廣大的包容度。他們信誓且且地宣告：『抒中華民族之情，廣大包容各種風格，這是我們不變的宗旨。』是一種成熟的表現。這『不變的宗旨』如中流砥柱和巍峨盤石，屹立於激流滾滾的潮頭，端坐在風雨去來的天際，看潮漲潮落，觀風起雲散，有一種摧不毀、打不垮的堅強自信。

以青年詩人楊渡爲主編的《春風詩刊》，是一個風格剽悍，觀點鮮明，雖然不是同仁刊物，但卻具有明顯創作群體的詩的集體。他們以『史詩自許、寫出史詩』的氣慨，出現於八十年代的臺灣詩壇。他們堅持正義，摒除邪惡，歌頌光明，抨擊黑暗，繼承中國詩的優秀傳統和臺灣日據時期新詩的革命精神，高張現實主義的詩歌旗幟，批判西化和移植之弊。主張從韻文傳統和民間歌謠中汲取營養，使詩走向大衆化、平民化。他們在發刊詞中這樣寫道：『我們對詩的三大信念』，即：『第一，在形式上，繼承優美的韻文傳統，走向平民化、社會化。並吸收民間歌謠的精華，以更精煉有力的技巧，使詩成爲文藝壓縮的最高形式，適切地表達時代中的人與思想，摒棄沒有生活內涵的文學。第二，在內容上，秉承優秀的現實主義傳統，及其抗爭精神，勇邁前行。並認識社會的動因與方向，仔細觀察省思現代社會的人民處境，從而表現人民的心聲，傳達文學力量，揚棄一切個人化的文學觀、價值觀、生命觀。第三，在方向上，繼承新詩發展以降的平民性、運動性，批判不義，擁抱臺灣，參與改革。用詩喚醒沈睡者，鼓勵前進者，使詩成爲全面進步運動的一環。』（註三）《春風詩刊》作者群的詩人主要有：楊渡、施善繼、李魁賢、非馬、高準、莫那能、陳嘉農、李疾、廖莫白、林水茂、鍾喬、詹澈、蔣沖、李忠河、楊秋生等。該刊發表的詩作和詩論，充分地體現了上述三大信念。他們把詩納入總體人生構架和總的社會理想之中，突出批判性、人民性、民族性和生活化、平民化、社會化。《春風詩刊》的三大信念，是對詩的現實主義精神的具體化。第一條實際上是新詩民族精神的繼承，是面向民間和底層的基本路線和方向。中國歷史上儘管宮廷文藝、貴族文藝等形式主義的東西氾濫，但充滿人民性的平民文學、民間文學一直是中國文學的主流和大宗。因而，這一條是對中國文學歷史和傳統的繼承。第二條講的是文學要與人民相結合和爲人民服務的內涵。第三條講的是文學在現實生活中的位置，既不是爲文藝而文藝，又不是詩高於一切。詩只是全面運動的一環。這是典型的現實主義關於文藝與社會、與政治、與人生關係的注腳。

以林正芳爲主編，以『華崗詩社』同仁爲基本創作隊伍，由臺灣中國文化大學出版的《傳說詩刊》，是報紙型四開一張的刊物。它的最鮮明的特色是時代感和民族性，在表達方式上，堅持新詩的抒情特質。他們在創刊號上發表的發刊詞寫道：『凡是能挖掘一個時代的特點，業已表現了民族的特質，甚而作了人與人之間心靈的交通橋樑，進而達到具有普遍性與永遠性，詩歌必然普遍流傳，萬古常新，感召、鼓舞、產生巨大的震撼。也是必然了……。所謂「老」，其實指的是感情之流露……。《傳說》詩刊追求的方向正是如此，詩旨以抒情爲主，但絕不是抒情詩爲主，也還有其他各類型，只要詩質裡面表現的是情感之作，我們是竭誠歡迎。』《傳說詩刊》之名，自身就含蘊有久遠而古老的歷史意味。它們的主張，將時代性和民族性；將歷史感和現實感；將抒情和敘事互相結合，互相關照，具有獨特的個性。他們認爲，只有挖掘出了作品的時代內涵，而又表現出民族特質，並且能引起廣泛心靈共鳴的作品，才是不朽之作，才能爲民衆歡迎；才能感動人、鼓舞人、召喚人。這種將詩的思想和藝術、內容和形式進行充分結合的主張，具有相當的優越性。在新詩發展中，《傳說》的主張、自身將會成爲傳說。

如果從繼承和發展關係上追溯，這類現實主義詩社、詩刊的主張，與七十年代臺灣新詩回歸運動和青年詩人運動中湧現的衆多的青年詩社、詩刊，如：以施善繼、林煥彰、高尙秦等爲代表的『龍族詩社』，以羊子喬、林南、吳德亮等爲代表的『主流詩社』，以羅靑、張香華、詹澈等爲代表的『草根詩社』，以古添洪、秦嶽、陳慧樺爲代表的『大地詩社』，以高準爲代表的『詩潮詩社』等的主張，是一脈相承的。但八十年代的現實主義詩歌社團與七十年代的現實主義詩歌社團相比，其主張更顯示出堅韌性、繼承性和包容性。八十年代臺灣現實主義青年詩社、詩刊主張的明顯特點是：①對中國古詩傳統的繼承和吸收更加鮮明。這是追本溯源，爲了強化和豐厚臺灣新詩的民族特質的表現。《傳說詩刊》在兩千多字的發刊詞中，就用了三分之二以上的篇幅，來專門論述繼承中國古詩傳統的意義。《漢廣詩刊》把繼承中國古詩傳統的觸角，通過三千餘年的歷史故道，伸延到了中國第一部詩歌總集《詩經》。這些在七十年代的臺灣詩壇是少見的。②加深對鄉土的眷戀和擁抱。像《春風詩刊》提出『擁抱臺灣、參於改革』的主張就是例證。我們反對『臺獨』，我們主張眷戀鄉土。愛鄉土和愛祖國兩者是統一的。一個不愛鄉土的人，他愛祖國的情感就要大打折扣，但鄉土和『臺獨』是水火不容的兩碼事。一個眞正熱愛臺灣鄉土的人，他必然也反對『臺獨』。因而我們一定要把可愛的鄉土情感和可憎的『臺獨』傾向區別開來。③大衆化和普及化，成了新詩主張的核心之一。《臺灣新詩季刊》把詩的大衆化和詩人的人民化，把詩人的使命和新詩的任務融匯在一起，作爲現實主義新詩大衆化和普及化的途徑。他們在創刊詞《立之大地，行於光中》寫道：『一個文學工作者，要有天下爲己任的抱負，一個有使命感的詩人，要有關心社會和憐憫弱者的胸懷。現階段的臺灣詩人，寫詩的意義，便是闡揚這個理想。因而詩人要從人道和博愛出發，他的作品一定要關心民間疾苦，要接近群衆，和大衆結合在一起，而不是離群獨行，夜來嚎叫的一隻狼。④更加注意詩的思想和藝術、內容和形式、作者和讀者的結合。

2.現代派的後繼者。一九五四年至一九五六年之間，臺灣現代派的三大詩社，即『藍星』、『創世紀』、『現代』相繼成立。當時臺灣詩壇幾乎成爲一邊倒的局面，不僅眞正的現代派詩人們加盟了三大詩社，就是一些傳統詩人、鄉土詩人和詩批評家也都嘩啦啦，一陣風似地被捲進了這股潮流。老現代派的詩歌理論和詩歌創作，如『新詩乃橫的移植，而非縱的繼承』的民族虛無主義給臺灣新詩帶來了西化之弊。例如有一些詩人嚴重的形式主義創作雖給新詩造成晦澀難懂和脫離現實、脫離讀者等病症，但是不可否認地由於現代派的出現，使臺灣新詩擺脫反共八股桎梏，在藝術上昇華到了一個新的高度，造就了一大批有巨大影響的詩人，創作了難以計數的優秀的和比較優秀的作品。經過新詩論爭，現代派於七十年代走向衰落，退出主潮地位。『藍星詩社』、『現代詩社』相繼崩潰，兩家詩社的詩刊被迫關門。但是現代派雖然退出了主潮地位，卻並沒有退出歷史舞臺。經過近二十年的歷史沉思，到了八十年代，現代派像冬眠的鳥遇到了暖春，又出現了一個小小的復甦局面。星散、停刊近二十年的『現代』、『藍星』不僅又重新恢復了心跳，冰凍的血液又開始流動。一九八二年前後，詩刊復刊、詩社又恢復了活動。並且還吸收了一大批新鮮血液，如：簡政珍、羅智成、趙衛民、林彧、陳克華、楊澤、古月、游喚、沈志方、杜十三、連水淼、張堃、零雨、鴻鴻、楊平、汪啓疆等成爲後繼者。這批青年詩人與他們的前輩相比，一方面總結、吸收了前輩們不少有益的經驗，另一方面摒棄了前輩們身上的弱點和不足。他們在創作意識上、宗親觀念上、地域觀念上比前輩顯得更爲開闊和淡漠；他們更感到了狹窄和侷促的海島意識、海島心態與詩人的廣博胸襟和創作使命之間的矛盾。他們不斷提出立足臺灣、胸懷中國、放眼世界的口號。許多詩人爲克服和排除狹窄的生活環境和博大的藝術理想之間的壓迫感，他們不惜重金一批批地走出海島，到祖國大陸和世界各地旅遊、觀光，汲取靈氣和營養。像小鳥要飛出森林，像小魚要游向大海，他們渴求更爲廣闊，更爲自由的人生和創作空間。由於時代的優惠，這方面，他們已大大地超越了前輩。因思想意識和創作觀念的變化，對許多事物，與前輩有了不同的理解。鄉愁，在他們前輩的意識中，界限極爲明確，那就是親人之思、故土之思。但鄉愁發展到八十年代，又有了新的內涵，出現了狹義鄉愁和廣義鄉愁之分，甚至有了鄉愁和鄉疇的區別。按照新的理解，前輩人的鄉愁是屬於狹義的鄉愁。作爲鄉愁的引伸，人類的尋根、懷古、對原始的嚮往、對童年的懷戀等，均可歸入鄉愁或鄉疇的內涵。人們對田園、山水、自然和一切未加污染和雕琢的風光和環境的期盼，均可歸入大鄉愁之中。狹義鄉愁的對象和宿敵，是社會因素造成的隔絕，而廣義鄉愁的對象和宿敵，是人類現代文明的副產品，即社會污染與自然的污染和破壞。改變前者是變革社會，改變後者是淨化山水。現代派青年詩人不像他們的前輩實行一邊倒的藝術策略，他們的流派意識變得越來越淡漠，越來越模糊。如今到臺灣現代派詩人中去找一個純度較高的標竿，是辦不到的。他們的廣泛吸收和容納，使他們身上具有多種思想和藝術素質。所以往往出現把一個詩人放在這一流派中可以，而放在另一流派中也不爲錯。這種模糊流派特色的特色，恐怕是當今臺灣現代派詩人的最大特色。

3.鄉土派的新生代。臺灣鄉土派是一個十分廣闊的詩人群絡，既包括『笠詩社』中的青年詩人，也涵括非『笠詩社』的青年詩人。例如：謝武彰、宋澤萊、陳寧貴、詹澈、向陽、蔡忠修、陳坤崙、張雪映、廖莫白、鄧榮坤、蔡富澧、邱振瑞、白家華等。鄉土本來是詩的一種題材和風格，是一種詩的氣質和內涵，不完全屬於藝術流派範疇，應歸類於大現實主義之列。但是，從另一方面看，形成文學流派的因素相當複雜。它的內涵包括文學的題材、主題、風格、藝術趣味、表現方法等。而在諸因素中，題材、風格、主題、表現方法又占有重要地位。有時候，文學的題材、風格與流派幾乎難以區分。抽去題材和風格，流派彷彿就不存在；而除掉了流派，題材和風格似乎也缺少了依托。文學的題材、風格、表現方法等融合成綜合性的藝術整體，它們互相區別，又互相依存。所以似乎可以認爲流派是思想和藝術的綜合因素形成的藝術集群。臺灣的鄉土派就是以題材和風格爲主要的內涵形成的文學群絡。鄉土派因鄉土而得名，因鄉土而被重視，因鄉土而取勝。它的特色是紮根鄉土，描繪鄉土，依戀鄉土，歌頌鄉土，保護鄉土，把鄉土作爲生命和靈魂。鄉土有狹義鄉土和廣義鄉土之分。狹義鄉土是指腳下的泥土，而廣義鄉土可包括廣袤而遼闊的國土和人類生存的整個空間和地域。因而鄉土詩，既要有濃郁的泥土色彩和地域性的風情，這一點是區別其他流派的主要特徵，又要有愛祖國、愛民族、愛人類的博大胸懷。鄉土是人類之母，是萬物之源，是最崇高、最純潔、最神聖的事物和情感，不允許歪曲和褻瀆。在往昔的日子裡，它曾被一些崇洋媚外之徒所排斥，也曾被一些別有用心的『臺獨』份子所利用。作爲一個眞誠的詩人，就應該保護鄉土的崇高和聖潔，驅除來自不同方面和方向可能潑給它的污水和加給的蒙塵。

4.後現代派青年詩人群絡。臺灣的後現代派，是一個新崛起的流派，在臺灣詩壇出現的時間十分短暫。一般認爲，青年女詩人夏宇於一九八五年自費出版的詩集《備忘錄》，是臺灣後現代派的處女詩集，爲臺灣後現代派詩崛起的標誌。臺灣後現代派的理論啓蒙人，爲詩人羅青。他於一九八九年十月出版了論述後現代派文學的理論專著《什麼是後現代派?》一書。該著對後現代派在西方的歷史，何時傳播到東方和臺灣，以及它在臺灣各個方面的表現，進行了系統論述。該著所列臺灣的後現代派詩人有：夏宇、黃智溶、林燿德、鴻鴻、歐團圓、羅任玲、白靈、羅青、林群盛等。自該書出版至今，臺灣的後現代派又有了發展和擴大。如今臺灣的後現代派詩社、詩刊有『四度空間詩社』、『地平線詩社』、『群衆詩社』和他們的同名詩刊。這三個詩社目前爲臺灣後現代派實驗的主要群體；這三個詩刊，目前爲臺灣後現代派詩的主要實驗田。按照臺灣後現代派詩評家孟樊的說法，目前臺灣的後現代派詩人處於三種狀態。第一種是具有理論自覺者：羅青、林燿德、游喚、孟樊、古添洪、林群盛等。第二種是沒有理論自覺的詩人：夏宇、陳克華、羅任玲、田運良、丘緩、鴻鴻。第三種是受到後現代派影響，而還未入後現代派之林的詩人：簡政珍、萬胥亭、許悔之等。到底什麼是後現代派?羅青有這樣的說法：『老實說，後現代派也不過是一種配合時代發展的注釋方法與態度而已。正如同工業社會發展了現代主義的看法，後工業社會，自然也就順理成章的發展出屬於自己時代的詮釋觀點。因爲舊有的那一套實在無法應付各種層出不窮的新情況了。』（註四）後現代主義是一種詮釋，是一種說明，是一種對新現象新情況的合乎實際的解釋。也就是說，後現代主義是後工業社會湧現的一種時代性的理論。而後現代派的詩，不僅是詮釋，而且是一種藝術的方法和技巧。從詮釋的角度看，它認爲文學不再是創造和融鑄，而是調侃和解構。它認爲，作品不再是作品，而是不含創造意味的遊戲。從技巧和方法角度看，它不再是塑造形象和典型，而是抄襲、模仿、拼貼、博義和後設語等的操縱和變換。在後現代派眼裡，方法和技巧的意義多於和大於詮釋的意義。後現代派與現代派的區別用一種高度概括的話來講，就是：現代派的許多詩人把寫詩當作文學遊戲，而後現代派則把寫詩看作是遊戲文學。目前臺灣後現代派還處於上升時期，一大批有才華的青年詩人爭相擠入這塊園地，在賽怪異、賽才華的驅動下，拚命地進行著競技活動。他們像追逐時髦的服裝，像玩弄一種新型的化妝品一樣，玩弄著『本文』。他們理論上不叫作品，而叫『本文』，但他們卻仍然以詩人而自我得意。理論與實踐；創作心理與社會心理處於糾纏不清的矛盾中。後現代派的詩人們就像一群玩童，面對著剛從西方舶來的洋玩具，正在既興致勃勃，又懵懵懂懂地玩弄著它。

對新出現的後現代派，我們雖然已經有自己的看法和傾向，但不忍心在它處於熱潮之時，就公開地作太殘酷的判決。這裡引一段臺灣後現代派詩人兼詩評家孟樊的一段話，作一客觀的介紹。孟樊寫道：『總結上面的討論，臺灣後現代詩派大致有如下特色：寓言、移心、解構、延異、開放形式、複數文本、衆聲喧嘩、崇高滑落、精神分裂、雌雄同體、同性戀、高貴情感喪失、魔幻寫實、文類融合、後設語言、搏議、拼貼、意符遊戲、意旨失蹤、中心消失、圖像詩、打油詩、非利士汀氣質、即性演出、諧擬、徵引、形式與內容分離、黑色幽默、冰冷之感、消遣與無聊、會話……這樣的一張診斷書，自然無法完全涵蓋所有有關後現代詩的一切特徵，但相信是「雖不中，亦不遠矣。」』（註五）孟樊爲臺灣後現代派作的這張診斷書，顯然是過於龐雜。把大、小、輕、重，內疾、外疾、致命和非致命的一起羅列出來。不過我們對這份診斷書稍加集中，便可看到後現代派的致命病症是：無思想、無藝術、無內容、無意義。雖然孟樊寫了診斷書，但卻沒有開出處方，也未制定出手術方案。這不是理論家的疏忽，而是醫治者的難題。就像醫家遇到一群跛足者，本來可以手術治療，但他們卻以跛足爲榮，以跛足爲優，以跛足爲傲，醫家在他們心目中反而成了滑稽的廢物，於是滿腹經綸、一身本事的醫家，也只能望而興嘆了。

後現代派詩出現在臺灣詩壇後，曾受到讀者和詩界的尖銳批評。比較具有代表性的是《兩岸詩刊》和《洛城詩刊》。《兩岸詩刊》的文章說：『基本上後現代派的意義是建立在遊戲的基礎上的。』『後現代一再強調文字不可能反映現實的論調，就像老人歷盡滄桑，看破了人世，說人生海海啦一樣。意思就是說你不要對人生寄望太大，對於文學是否能眞實地反映現實，你也不必寄望太大了，二十世紀這老人臺灣現代先生，很新潮的如是說。』『後現代主義的文藝作品普遍顯現缺乏明確的歷史感與時代觀念。這或許是因爲這標榜的是開放系統的創作觀念的緣故。也因此它容許異質性文體的實驗。』(註六)《兩岸詩刊》對後現代派詩的批判和對羅青兩首後現代詩的『會審』，其尖銳程度，遠遠趕不上孟樊。但孟樊在這裡卻對《兩岸詩刊》進行反批評，並給其扣上『守舊派』的帽子。就彷彿禿子自己摘下帽子，露出滿頭傷疤，倒沒有什麼；而別人哪怕是揭開一點帽沿，露出紅肉的一角，也看作是一種傷害，也要激紅臉龐回敬一番。由此看來，《兩岸詩刊》並非『守舊』而是『越位』。不過文學並非私家之物，任何人都有褒貶的權利。《兩岸詩刊》實乃正義之師。對後現代派的評價，本人在《臺灣青年詩人論》中曾有過這樣一段話：『臺灣後現代派的詩，歷史十分短暫，基本型態尚未固定，大家都處於實驗階段，因而還不能給它個整體性和全面性的結論，但是我們充分肯定它的實驗價值。對於已經創作的很不成熟的作品表現出的主導傾向看，既然它自外於文學和詩的基本原則——創造；既然它解構人類最美好的東西——偉岸和輝煌；既然它排斥詩的靈魂——美；既然它推倒詩的和諧美——主張形式和內容分離；既然它否定文學的基本稱謂作品——改爲本文……我們主張文學還是文學的人們，我們主張詩還是詩的人們，用什麼來肯定它呢？即使我們努力昧著文學的良心去偏愛它，也只能作出這樣的肯定——它不是文學，它不是詩。除此之外還能說些什麼呢？這恐怕也是後現代派希望得到的「肯定」。』

5. 軟性詩。『軟性詩』是一個很不確切的名詞，也不是文學和詩歌流派的科學用語。但是依照約定俗成的原則，既然它被輿論肯定下來了，我們也不妨順水推舟。『軟性詩』，顧名思義，是一種柔軟、纏綿、嫵媚、彈性、甜美之類的物體。換一個方式說，就是缺少剛勁的風骨和豪邁、奔放的氣質。從陰柔和陽剛兩類區分，它屬於陰柔一類。從性別關係上看，陰柔一般指的是女性，因而這一類詩大都出自女性的手筆。從臺灣詩壇的具體情況看，這個名詞彷佛因席慕蓉的出現而成爲流行色。雖然其他許多女詩人，甚至男詩人的一部分作品，也可歸入這一類，但它彷佛更多地屬於席慕蓉所專有。

席慕蓉在臺灣詩壇上是一個異數。按照年齡劃分，她應該歸於中年詩人群，與羅英、夐虹、朵思、張香華、涂靜怡、劉涎湘等爲一個梯級。但由於出道遲、起步晚，她的詩齡又比她的同代人小十歲左右。她的一炮紅之作《七里香》於一九八一年七月出版時，她已三十四歲；這時，她已是一個中年婦人。嚴格地說，席慕蓉沒有詩的青少年期，因而我們研究席慕蓉，特別是以老、中、青進行群體分類時，就遇到一個定位的難題。在無可奈何之下，只好作『錯位』處置，把她歸入生理上的中年和詩齡上的青年一類。席慕蓉成爲臺灣詩壇異數的另一個內涵是，她一出現便成了臺灣詩壇的『暴發戶』，創造了『軟性詩』的『席慕蓉現象』。她的詩集成爲暢銷書排行榜上的顯位；她的作品成爲大、中學校女生手中的瑰寶；她的名字成爲報刊、電臺的熱門話題；她甚至被看成是臺灣『詩中的瓊瑤』。這一切都成爲臺灣詩壇從未有過的新鮮事。到了八十年代中後期，她又越過海峽，在祖國大陸上揭起一股『席慕蓉旋風』，成爲許多青年詩愛好者心目中的偶像。不僅她的詩集被衆多出版社盜版，養肥了許多並不懂得詩的人，而且出現了不少『冒牌』產品。『席慕蓉旋風』作爲詩壇上的一種奇特現象，詩歌發展史自然不能視若無睹和迴避它。

席慕蓉本來是學繪畫的，在繪畫之餘，作爲消遣和調劑，偶爾也隨意寫一些配畫詩。她把繪畫當作職業，而把寫詩當作副業；把繪畫作爲對社會的貢獻，把寫詩作爲『留給自己的角落』。但是，連她自己都沒有想到，陡然之間，她卻成了一位擁有衆多讀者的詩人；她的詩名卻遠遠地超過了她的畫名。她認爲，人們給她的詩的榮譽，大大超過了她自己的實際貢獻。她慶幸自己『歪打正著』。席慕蓉的詩的題材，基本上是單一的愛情題材，而且是現身說法，回溯往日悲劇性的愛的記憶，因而情感十分眞摯而不做作。多數詩夾敘夾議，有一個愛的故事情節，使情感得到恰切地依附和寄託。由於她是畫家，她的詩都有一個氣氛和諧、線條清晰的美麗的畫面。以詩入畫，以畫入詩，詩情畫意，相得益彰。她的詩是以通俗的語言表現淡淡的哀愁；短小的結構負載淺淺的思索。讀起來哀而不悲，不費神思而有所收穫。席慕蓉的詩，一般都是表現小市民、小知識份子和處於青春幻想期的少女情調，因而最容易喚起這個最大讀者層的心靈共鳴。這使它成爲流行色的主要因素。

席慕蓉的詩是愛情詩，具有相當的代表性。但它卻不是愛情詩的代表。它只是代表愛情詩中『軟』和『輕』的一面。臺灣還有許多愛情詩的高手。如：中年女詩人中的朵思、敻虹、蓉子、涂靜怡、林泠、張香華、鍾玲、亞媺；青年女詩人中的曾淑美、陳斐雯、莊雲惠、利玉芳、方娥眞、雪柔等。所以我們既不能把席慕蓉當作臺灣愛情詩的代表，也不能把

『軟性詩』作爲愛情詩的代名詞。『軟性詩』因席慕蓉而得名，席慕蓉創造了『軟性詩』。從這種意義上來說，把『軟性詩』與席慕蓉的名字聯繫在一起，比較恰切。

6.女性詩。女性詩雖然並非一個詩的流派，也不構成一個一般意義上的詩歌群絡，但是由於臺灣八十年代女詩人特別多，創作精力特別旺盛，詩的產量相當豐富，又具有鮮明的與男性詩不同的風格和個性，故把它作爲一個流派現象加以敘述。八十年代的臺灣詩壇，崛起一個龐大的女詩人群絡。她們中有：夏宇、萬志爲、沈花末、葉翠萍、梁翠梅、楊笛、雪柔、馮青、方娥眞、朱陵（袁瓊瓊）、陳斐雯、曾淑美、筱曉、利玉芳、王鎧珠、羅任玲、詩薇、闕雲、莫野、陳欣欣、尹玲、顏艾琳、斯人、曾麗容、曾妙容、鄭林、劉淑珍、謝佳樺、黃靖雅、謝馨、莊雲惠、葉香、琹川、林婷、洪淑苓、王麗華、蕭秀芳、張芳慈等。這是一個鬆散、強大、具有鮮明特色的詩的群絡。說其鬆散，是指她們既不屬於一個詩歌社團，也不屬於一個詩的沙龍，沒有任何有形的組織使她們相連；說她們強大，是因爲她們大都才華非凡，詩的觸覺和敏感性極強，詩的創造力十分旺盛。他們的作品，大都具有較高的藝術品位。似乎每個人身上都有一個神秘的詩的湧泉。說她們個性鮮明，是因爲生活範圍、社會環境、生理特點、職業特點、性別差異、思想修養、活動空間等因素，形成了女性詩不同於男性詩的個性特徵。由於社會分工的不同和女性生活的特點，女性詩的題材大都集中在愛情、婚姻、家庭和其他身邊瑣事上。她們常常在這些司空見慣的事物中，深入挖掘、精心剪裁、巧妙構思，寫出震撼人心的好詩。如朵思的愛情詩《梧桐樹下》，淡瑩的《太極拳譜》，馮青的《碟子》等，都是散發著濃郁的生活溫馨和具有強大藝術魅力的詩作。這些生活瑣事結構成的作品，比那些大而空的重大題材的詩，力量要強大得多。所以，文學題材對作品雖然具有重大影響，但並不是有了好題材就有了好詩，更不是小題材就寫不出好詩。所以不能因爲女性詩人題材的限制，就輕視她們的作品，貶低她們的成就。由於女性的特點，形成了她們情感上的善於同情、關懷、施捨、忍讓、親暱等特點。這種情感上的特點表現在詩中，就構成了女性詩的特別親切、眞摯、溫馨、祥和等素質。這種獨特的素質與生俱來，在男性的作品中是稀薄的。臺灣女詩人、詩評家鍾玲在她的詩歌專著《現代中國的繆司——臺灣女詩人作品析論》中，對臺灣女性詩的特徵進行了概括。她認爲：『身體與人的關係，再密切也不過。女性有別於男性的生理現象——諸如月經之出血、之腹痛等諸種不適，與生殖有關的懷孕、生產、流產、打胎、哺乳等——對女性心理狀態必有深刻的影響，對女作家的作品風格及內容也有某種程度的衝擊。因此我認爲對女詩人而言，她自身的生理狀況，以及她所處身的文化環境，一是小我，一是大我，一是切身體驗，對她的寫作的心理狀態，及她的語言表達，都有決定性的影響。』（註七）她還認爲：『女性詩人中常常表現出一種「母親基型」，母親基型常常代表繁殖、豐饒、生生不息、摯愛這些概念，體現於物的象徵則爲大地、陰間、月亮、樹林等。這些象徵，常受到損傷，但天生就有復元癒合能力，會治癒自己，獲得重生，例如月缺了會再圓，冬日凋零的大地會復甦。』（註八）所以一般的文學流派如果是一種社會產品，人生的後天性的聚合，那麼，作爲女性詩歌的風格和特點，則帶有先天性質，它是生理和人生兩種因素的交融。它既具有流派性質，也具有風格意義。由於臺灣社會的獨自特點，即，男人大都學工、經商、賺錢，而女性大都學文、相夫教子和理家。社會的不合理分工，把女性驅趕進了一個狹窄的工作和生活空間。不僅女性文人特別多，而且作品風格上也與男性具有顯著差別。這種差別，帶有鮮明的地域特性。因而我們論述臺灣詩的流派和風格時，千萬不能忽視臺灣詩壇的這種重要的文學現象。

【附　註】

註一　《不安的海域》第六一頁

註二　《七十三文學批評選》第一一六至一一七頁。

註三　《春風叢書》第三期扉頁《支持春風！追求進步！》

註四　《什麼是後現代主義？》第十四頁。

註五　《世紀末的偏航——八十年代臺灣文學論》第二〇九頁。

註六　《兩岸詩刊》第三期第一〇八至一一二頁。

註七　《現代中國的繆司》第一〇八頁到一〇一頁。

註八　同上書第十七頁。

第十八章　充滿創造活力的臺灣新生代詩人群(上)

第一節　蘇紹連

一個四十四歲，經歷了自六十年代到八十年代具有近三十年詩齡的詩人，仍然放入青年詩人群絡或新生代詩人的群絡，彷佛十分勉強。不過我們是把臺灣青年詩人的上線劃爲一九四九年，如是，蘇紹連正好成爲臺灣青年詩人的踏線人物。

蘇紹連，筆名蘇少憐，一九四九年出生於臺灣省臺中市沙鹿鄉，畢業於臺中師專。在師專讀書期間，曾與洪醒夫、蕭文煌共同創辦『後浪詩社』，出版《後浪詩刊》。一九七一年與施善繼、林煥彰、高尚秦、蕭蕭等一起創辦『龍族詩社』，出版《龍族詩刊》。之後又退出『龍族詩社』，重新整頓『後浪詩社』，將《後浪詩刊》易名爲《詩人季刊》。蘇紹連自師專畢業後，一直任小學教師，現任教於沙鹿小學。他自六十年代末開始寫詩，出版的詩集有《茫茫集》(一九七八年)、《童話遊行》(一九九〇年)、《驚心散文詩》(一九九〇年)、《河悲》(一九九〇年)。從蘇紹連詩的旅跡，大體可以考察出他詩的心路歷程。『後浪詩社』帶有濃厚的鄉土色彩，蘇紹連的詩從這塊鄉土的園地上起步。『龍族詩社』是臺灣七十年代新詩回歸運動和青年詩人運動的第一個詩社。在臺灣新詩向民族、向鄉土、向母體詩回歸的浪潮中，它是潮頭浪，首先響亮地喊出了『敲我們自己的鼓，打我們自己的鑼，舞我們自己的龍。』充滿反對西化思潮的民族精神。蘇紹連的詩歌道路就是沿著鄉土、民族和社會批判的軌跡走過來的。蘇紹連崛起的年代，正是臺灣全盤西化時期，西方的存在主義哲學、現代派和弗洛尹德的學說，對他們那一代詩人都產生了相當的影響。像著名的鄉土詩人吳晟、蔣勳、施善繼等都難以倖免。因而蘇紹連的詩歌歷程，是在探索中前進的。他的處女詩集《茫茫集》，就是他探索中的足跡，這部詩集的作品創作於『茫茫』期，出版於清醒期。『茫茫』二字就表現出了某種清醒後自我否定的判斷之意。進入七十年代，蘇紹連告別了『茫茫』期，於一九七八年前後創作了許多充滿民族主義、愛國主義精神，充滿社會批判意識的作品，如《小丑》、《河悲》、《中國》三大系列等。這些詩內容充實，語言明朗，情感充沛，批判鋒芒強烈，主題鮮明突出，在臺灣連連獲獎。

蘇紹連在臺灣新生代詩人中，是最傑出、最富於創造精神、最具創新意識的人。他的詩從語言到結構，從題材到主題，一直處於不斷地挖掘、變革、創新之中。豆腐塊、圖象結構、四言體詩，他都一一進行實驗。七十年代中期前後，爲了表現湧浪般的愛國激情和民族意識，他放棄了圖象式和四言體詩的實驗，走向了以創作大氣勢、大結構、大容量的系列詩和以敘事詩爲主的創作時期。形式上長短句兼容，語言上平順暢達，結構上長短段不拘，一切從有利於情感的流通和主題的表達出發。這種內容要求形式，形式適應內容的變化，大大的推動了蘇紹連的創作。

蘇紹連作品中最突出、最鮮明、最強烈的是中國人的意識和中華民族的情感。在《三代》一詩中，他要越出地域的限制和時間的羈絆，走向中國，叩開祖國的大門：

『我在房間裡來回走著，
我要腦中的石磨加速旋轉，
只是時間，你爲什麼要停止？
我走出去
向東方的天幕敲門，
中國，爲什麼曙光不透露出來？
我一直敲門，
一直敲。』

這是一個赤子要急切地回歸祖國，要看到祖國的亮光，要敲開祖國的大門，來享受祖國的養育和護衛，來感受祖國的驕傲和榮耀的心聲。他是『一個中國孩子／善良的孩子／強壯孩子』，爲什麼還要叩開中國的大門呢？中國在詩人的眼裡，是現在，也是未來，是現實，也是理想。中國處於分裂和貧窮的狀態，自己的國土卻不能自由往來；自己的同胞卻被種種藩籬阻隔，這一切使每一個中國人都不能滿意。這裡詩人一方面是要打破目前的軍事、政治、思想、情感的割據，另一方面在呼喚著一個統一、富強、自由的中國，他在叩擊明天中國的大門。蘇紹連對中國、對中華民族是以愛來擁戴，以恨來保衛的。他對曾經占領臺灣五十年、入侵中國八年、對中國人民犯了滔天罪行、而今又蠢蠢欲動的日本帝國主義，切齒痛恨。當日本的文部省篡改日本侵華史，企圖再次窺探中國時，蘇紹連怒不可遏，創作了《臉》一詩，對日本帝國主義予以揭露和怒斥，對自己同胞敲起警鐘。詩人首先揭露日本軍國主義，雖然切腹，但卻戴著面具，因而他們的切腹是一種表演。這裡把切腹和戴面具進行襯托對比，使人們一方面看到日本軍國主義的兇惡，另一面又看到他們的虛僞，所以切腹不如切面具，一下觸及了事物的本質。詩人還巧妙地把切面具露出的傷疤和日本的膏藥旗連在一起，指出這種用膏藥貼傷疤不是療傷，而是美容和化妝。這些明明白白的語言，平平常常的詩句，卻獲得了內攻外諧的雙重效應。意象的準確採擷和意義的內在對仗，普普通通的話語蘊含著深沉的思想；表面上無斧鑿之痕，內在裡功力不凡，是這詩的最大的藝術特色。

蘇紹連是寫敘事詩的能手。一九九〇年六月，他將自己的九首敘事詩結集出版，題名爲《童話遊行》。這是一個內容豐沛、五光十色、藝術奇觀疊現的世界。從內容看，這是揉和著歷史和現實、大題材和小題材，對國家、民族、個人撫摸、勸慰、揭露和指控的寫實天地。詩人在詩集後面寫了一篇《自剖》，對每首詩的創作作了內容說明和提要，《自剖》說：『遊行的腳印從一九四九年我出生開始，毫無停息地在時代的路上一步接一步地向前踩著。我在這無數的腳印中找到了幾個深深烙在臺灣土地上的腳印。我今日來爲它測量，製作幾雙鞋子。』這段話概括地介紹了九首詩的內容，也透露出詩人的自述。這九首詩透過不同歷史時期，不同人物的命運和遭遇，描繪了臺灣的過去、現在和未來的動態側影。《玉卿嫂》以白先勇的小說《玉卿嫂》立意，透過人物命運的描繪，隱喻地告訴人們，五十年代的臺灣，還是一個『玉卿嫂』的時代。貧富懸殊、封建主義的血口還在吞噬姊妹的生命。《扁鵲的故事》借用古代名醫扁鵲之名，描寫六十年代臺灣三個男女之間在社會的開放下，互相之間性意識的衝動和三角戀愛的糾葛。扁鵲、薇薇、小雅三個角色反映了六十年代西化風潮下男女青年的頹廢和昏暗的心理世界。從人物安排的結局看，作者對這種生活持否定態度。七十年代是民族意識的覺醒期，反對西化，回歸鄉土，回歸母體文化是不可阻擋的潮流。《父親與我》和《雨中的廟》是這一思潮的反映。《父親與我》透過錯亂關係的搭配，批判了光怪陸離的西化風潮，反映了幻化中的眞實。《雨中的廟》透過興建廟宇，反映了向中國傳統文化的回歸。如果說上面幾首詩是描繪臺灣的過去，那麼《三代》、《童話遊行》、《臺灣鄉鎮小孩》則是描繪臺灣社會的現在。《三代》中的三代人，第一代爲政治犯，第二代爲改革者，第三代爲希望之星。《蘇諾的一生》是展望臺灣未來的詩。詩人以幻想手法，描寫蘇諾超世紀的見聞。一九九七年臺灣大地震，一九九九年多位學者失蹤，二〇〇六年發生密林大火……。蘇諾被迫走上了政治詩人之路，創作了《失心的臺灣人》，最後遭軍警射殺。蘇紹連說：『他的一生緊緊擁抱臺灣，也呈現了臺灣的時代悲劇。我常常以寫出這首詩爲榮。』（註一）蘇紹連透過這些幻想中的悲劇事件的描寫，不是對未來的詛咒，而是一種警示，使人們不要盲目樂觀，要增加抗災能力。蘇紹連的敘事詩，構思新穎，不落俗套，想像奇詭，氣勢恢宏，時時緊扣臺灣的時代脈搏，事事連著臺灣時代精神的內涵。臺灣的敘事詩因他而閃射出光彩。

本書作者在《臺灣青年詩人論》中爲蘇紹連的詩概括出三個特點。1.不斷實驗，不斷探索，不斷調整。2.詩體結構上靈活多樣，屢出新招。3.一題多詩，系列連篇。蘇紹連對分行詩、分段詩、四言詩、圖像詩均運用自如，佳構疊現。他的分段詩《七尺布》爲傳頌之作：

母親只買回了七尺布，我悔恨得很，爲什麼不敢自己去買。我說：『媽媽七尺布是不夠的，要八尺才夠。』母親說：『以前做七尺都夠，難道你長高了嗎？』我一句話也不回答，使母親自覺地矮了下去。

母親仍照舊尺碼在布上畫了個我，然後用剪刀慢慢地剪，我慢慢哭，啊！把我剪破，把我剪開，再用針縫我，補我……使我長大。

詩中的母子之情和諧而風趣，詩的剪裁配置和情感的分流均天衣無縫。詩中飽含著兒子的深深敬意和母親的無限慈愛。尤其是剪破、剪開、再縫上，既包含著深深的母親之愛，也暗指新舊事物不斷在新陳代謝中交替。這首詩詩質豐厚，內涵深邃，稱得上是一首言簡意賅、含不盡之意於言外的好詩。

第二節 羅智成

風格剛健、氣魄宏偉和早熟早慧並擅用叙事詩表現創作意圖，是他創作的特色。

羅智成，一九五五年生於臺灣，原籍湖南安鄉人。臺灣大學哲學系畢業，美國威斯康辛大學麥迪遜校區東西文學的碩士，攻讀過博士學位。現任臺灣《中時晚報》時代副刊主編，爲『藍星詩社』成員。他出版的詩集有：《畫冊》（一九七五年）、《光之書》（一九七九年）、《傾斜之書》（一九八二年）、《擲地無聲書》（一九八九年）、《寶寶之書》（一九八九年）和《泥炭紀》等。羅智成曾獲第二、三屆臺灣《中國時報》文學獎敘事詩獎和一九八二年臺灣優秀青年詩人獎。羅智成在《光之書》詩集序中寫道：『在詩作的國度裡，我適合作島嶼與發現者，不是占領和經營的人。我瞭解自己比那些排斥浪漫與溫和的人更不易耽於情感。我願意把自己塑造成這種形象，像羅丹對巴爾扎克那種完成的方式。因此我將謹愼地避免議論到詩本身。一九七三年起，每年我固定完成一項類似慶典的詩作。如一九七三年的水瓶座，一九七四年的鬼雨書院，一九七五年的花畔金泉，一九七六年的光之書等。此後我的心力無法凝注於這儀式意義漸重於實質意義的工作，此後很長時間由於創作的低潮，我僅能從事「精神重滕式」改寫。』羅智成這段話，概括地講出了他詩歌創作的狀況。他的善於發現，使他的詩呈現新奇、詭異、隱秘等超然不群的氣象。他的不善於占領和經營，又使他的詩在整體結構上和思想寓入上留有較大的差距和縫隙，造成單體的輝煌和複體的灰冷現象。

羅智成詩的成就主要地表現在他的一系列叙事詩上，尤其是在開發和挖掘中國古老的歷史文化題材方面，他獨步臺灣詩壇。如：《問冉》、《離騷》、《李賀》、《徐霞客》、《說書人柳敬亭》、《齊天大聖》、《上邪曲》等，都是這方面的傑作。這些作品在羅智成的作品中構成一個龐大的歷史題材群體。羅智成運用他所學的哲學和掌握的豐富的中國古代歷史文化知識，把這些歷史人物和事件描寫得有聲有色，神形俱現。概括起來，羅智成的叙事詩有這樣的特色：結構宏大；想像奇特；寓意深邃；氣氛詭異、怪誕；人物鮮明、突出；既有濃郁的古代的生活氣息，又有現實的批判內涵。比如：《問冉》一詩，作者將司馬遷在《史記》中極簡單提及的『孔子適周』，中國古代史上儒、道兩家鼻祖孔子與老子相會的事，透過想像和誇張創作而成。羅智成透過神秘、詭異的情節和氣氛的描寫，將孔子的憂國、憂民、虛懷若谷，爲救世拯民萬里奔波，爲獲得新知卑屈謙恭的博大風範，揮灑得淋漓盡致。爲了向老子求教，他事先寫好了非常詳細的訪問提綱，包括管理國家的大政方針、規範人們道德行爲的可行之策；甚至出喪時遇到日蝕該怎麼辦都條條俱到。孔子是個大學問家，是中國的文化巨人，是儒學的鼻祖，但他拜見老子時卻誠惶誠恐，尊稱老子爲『龍』。當老子出場時，在孔子的眼裡有一片奇異的景象：『麟光閃閃/沿樑柱而上/再吐一口氣/竟如星辰間的潮汐/大地生息雲霞步伐/和諧一致/爲時尚早的春天呼呼欲出/外頭的夜空有流水清澈……。』這裡充分表現了孔子求賢若渴和對老子的敬慕之心。老子回答了孔子的一些什麼問題呢？當孔子說世界『一切原本井井有條』時，老子答：『不可能的』，『每個時期/在有心人的眼裡/都是亂世/都是末世。』於是孔子茅塞頓開：『我置身於通道出口/一片漆黑/望見山下燈火。』他像置身於漆黑一片的地獄中，老子的話將地獄捅了一個出口，孔子於是從這個出口看到了一片燈火，看到了一片希望之光。接著孔子問：『何時才是盛世？』這是一個很難回答的問題，既不能預卜先知，也不能胡說八道；但作爲偉大的思想家、預言家和哲人，老子自有城府。他答道：『但是眞理的路如此寬廣/雖是一個方向/兩邊卻無際涯……。』這答案雖然有點顧左右而言他的意味，但卻是從哲學上，從更廣闊的領域中去打開對方的思路和視野。孔子折服道：『這次我千百倍興奮於起始/像迷途的夜客/望見百里外的燈火。』孔子面對老子要情不自禁地呼叫一聲『大師』了。最後老子告訴孔子：『中國的古代才開始……。』作爲訪問的結束和詩的尾聲，這話意味深長。詩中既顯示了作爲中國最早的樸素的唯物主義的創始人老子理論的深邃、人格的高峻、目光的深遠，也表現了儒、道兩大學派最初合作和諧的關係。這部叙事詩根據題材的特點和塑造兩位中國古代思想、學術、文化巨人的需要，把作品的重點放在對人物思想、情操和理論的挖掘和昇華方面，是十分恰切的。人物的性格、身份和地位，在詩中都表現得恰到好處。

羅智成的叙事詩，除了獨特的神秘、驚詫和怪誕之外，還常常依題材和客體對象的不同特點，創造出不同的氣氛和色調。比起《問冉》的莊嚴和深邃，而描寫無法無天的孫悟空的《齊天大聖》則是另一番景象。詩人根據《西遊記》中的孫悟空的性格，把靈動、機敏、奇偉、澎湃、驚詫、突兀等特色熔爲一爐，使長詩和它的主人公既有鮮明的思想性，又有驚心動魄的大氣勢。請看詩人的描寫：

『風翻雷滾霜飛雪騰
星辰銜枚疾走
怒視的天地，瞬息萬變
張牙舞爪，幾乎要罵出一句髒話

我站著。毫不在乎。一塊頑石。
身後是鼓栗，跳樑的胞與
前頭萬道金光，連天旌旗
氣候的閱兵大典
颶風的兵演習
它們撲嘯而起——
危立的山川猛退一步
草木顫懼，沙岩飛走，群猴騷動
我站著，像一塊頑石。』

這節詩將天不怕，地不怕，敢與天鬥，敢與海鬥，雙腳一跺天地爲之發抖；法術無邊，來去無蹤；無比勇猛，而又沒有完全開化，無比善良，但卻不可理喻；無法無天，但卻充滿正義；喝令三山五岳，別人對他又無可奈何的中國民間神話英雄孫悟空的形象，寫得維妙維肖。尤其是『萬里雲海跟著澎湃』和『星辰銜枚疾走』等詩句，使一筋斗翻十萬八千里的『齊天大聖』的神情，躍然紙上。這部詩不僅塑造了孫悟空光華燦爛的形象，而且作者有意聯繫社會現實，進行尖銳的批判，如：『抱殘守缺，虛僞滿頂的／付不出敬意／對粉飾的／空中樓閣／付不出敬意』，『我不迎合。不迎合就是不迎合／管它強弱多寡時不時宜』，『我是一座頑石，頑固決定自己』等。這都是針對臺灣現實，有感而發。羅智成的敘事詩，歷史與現實相結合，抒情和敘事相結合，思想和藝術相結合，在廣袤的時空中尋找歷史和現實的結合點，在無邊的藝術原野上，植入思想的根基，使他的作品不斷向高峰攀登。

羅智成擅寫大結構、大氣魄、大視野的慶典式的詩篇，但他對短小精悍、立意深邃的絕句式的詩篇，也一樣得心應手，令人叫絕。如《觀音》一詩就是這樣的作品：

柔美的觀音已沈睡稀落的燭群裡，
她的睡姿是夢的黑屏風。
我偷偷到她髮下垂釣
每一顆遠方的星都大雪紛飛

這首詩採用虛實結構描寫一個夢中美人，頭兩句是實，後兩句是虛。在輕紗薄霧中美女似睡非睡。作者稱之爲『觀音』，更加重一層神秘莫測的色彩。把她置於稀落的燭群中，以燭增喜；以燭光代霧，幾層烘托，加重了愛的馬力。但這卻是一個可見不可觸，可羨慕不可親近的美人。因而她具有更普遍、更廣泛的擴展意義。可以由美人推及理想，推及一切美的事物。難怪余光中在一篇《現代詩的一種讀法》中說：這首詩『無可理喻，卻有李商隱那種逼人之美』。

羅智成詩中詭異、神秘、驚詫色彩的構成，還表現在他一系列描寫性的詩篇中，他的詩在詭異、神秘之餘，還透露出一種威猛的黑色美感。

第三節 苦 苓

『苦苓』可能來自具有苦味的中藥『茯苓』。它有利尿、安神的功能。詩人以此爲筆名，大概是爲了爲那動亂的時代『安神』吧？

苦苓，本名王裕仁，原籍內蒙古巴林左旗人（原熱河省東林縣）。一九五五年十月出生於臺灣省宜蘭縣，在新竹縣長大。新竹中學畢業後考入臺大圖書館學系，不久轉入中文系。一九七六年曾與羅智成、楊澤、詹宏志、蔡寵明一起，發起組織臺大『現代詩社』。他從中學時代開始叩擊繆司的大門，並出版了處女詩集《李白的夢魘》。大學畢業後曾任臺灣明道中學教師和《明道文藝》主編。曾加盟『陽光小集詩社』，任《晨星文藝》主編，創辦《兩岸詩叢刊》任主編。他以創作詩歌爲主，兼寫散文、小說、雜文等。出版的詩集有《李白的夢魘》（一九七五年）、《緊偎著淋淋的雨意》（一九八一年）、《躺在地上看星的人》（一九八三年）、《每一句都是不滿》（一九八六年）、《不悔》（一九八八年）。此外還出版有散文集《只能陪你到海邊》、《少年心事》、《校園檔案》、《夢與愛》、《少年叛徒》、《敏感問題》、《消遣名人》、《離家出走》、《苦苓開炮》。詩文合集有《小小江山》和雜文集《誰偏激》。其作品還有小說集《愛人天下》、《外省故鄉》及長篇小說《大男人與小女子》等，共二十餘部。現爲專業作家，作品多次獲獎。

苦苓在他創辦的《兩岸詩叢刊》撰寫的卷頭語中明白地宣告了他的詩歌主張，概括起來有三條：①以詩彌合祖國的分裂和爲兩岸同胞架起心靈之橋。他寫道：『在這斷絕與分裂的年代中，海峽兩岸人民因當政者的敵視而橫遭分割，不啻是理論與人道上的一大悲劇。《兩岸詩專輯》的作品雖然不能癒合土地的傷痕，但願能彌補每個人心中的裂縫。』②既不滿老現代派，也不滿後現代派，主張詩介入現實，批判社會。③主張創作具有批判和戰鬥精神的政治詩。苦苓被列入臺灣政治詩人群絡。他創作了許多思想深邃、鋒芒犀利、戰鬥性、批判性極強的政治詩。苦苓的政治詩有這樣一些特點：1.以『擒賊先擒王』的道理，把批判的鋒芒直指最高當局。他的《總統不要殺我》一詩，用祈求的口氣，擲出鋒利的刀劍。表面看來舒緩平和，實際上是內中有刀的致命一擊：

總統先生，我把你的肖像貼在床頭
成爲夜夜的夢魘
看見你衰老的身體，堅持愛國的心
明天早上，我還是會在擔憂中
投票選你
只因爲，從我出生以來
就只有你這一個總統
總統先生，我對你的愛永遠不變
苦難的過去，您與大家一起逃避

混亂的今天，您要獨自忍受
美好的明日，讓我們爲您創造
用選票證明
一切的迫害、囚禁、殺戮
都是爲了人民
總統先生，我已忘了您的名字
您只是我從小仰望的銅像
我雖已長高，銅像卻更巨大了
遠得看不清慈祥的臉孔
猜不透重重心事
只能確定，您永遠在對的一邊
凡錯的都已消滅
總統先生，我們習慣了您
就如孩童寧被父親責打
不願被鄰人斥罵
請您坐在永遠的位子上
更不要改變昔日的威風

外來的壓力不用怕，該死的
反對份子都別放過，但是
請不要殺我

這首詩結構完整，構思巧妙，將諷刺、調侃、揭露、斥責融化到一起，形成一種強大的威懾力量和激動人心的藝術魅力。有許多詩句是以正達反，在恭維的話語中，契入強勁的殺機。有許多詩句一語雙關，明乎此，暗乎彼，使對手防不勝防。像『只能確定，您永遠在對的一邊/凡錯的都已消滅』，從字面看『凡錯的都已消滅』，實際上這裡是指總統排斥異己，將不同政見者從肉體上消滅。詩的結尾：『反對份子都別放過，但是/請不要殺我』，這裡字面上『請不要殺我』是一種乞求，但實際上是一種調侃。其他持不同政見者都不放過，怎可能唯獨放過我呢？這裡是以乞求的口吻表英雄氣慨，使詩在結尾中氣勢突然上揚，把調侃的思想主題頓時深化、昇華。給人誓死如歸，英勇向前，面臨閻羅，卻如面對玩童的感覺。苦苓此詩發表後引起了返響，曾有署名『洪家二少爺』的作者，寫了一首《總統當然要殺你——和苦苓〈總統不要殺我〉一詩》，與苦苓此詩產生出回覆和交響的效果。 2.借助歷史事件和歷史人物，揭示出歷史的本質眞實，和現實相聯繫，以歷史啓迪現實。如《歷史考試》、《金字塔》等詩。《歷史考試》的結果是『說明這終究是/難以交卷的一門科學』，原因不是學生素質差，而是面對紛紜複雜，一會爲王，一會爲寇，一會指點江山，一會成爲糞土，詭譎多變的歷史風雲，誰也難以說淸其中的奧秘。苦苓這類詩立意深刻、內涵龐大、發人深思。3.擷取現實中最富戲劇性和批判性的題材，釀造成諷刺的意蘊。這方面的作品以《忠烈祠對話錄》最爲優秀。這首詩共四節，每節寫一個人物，塑造了四個典型，對歷史和現實進行了無情的揭露和批判。名爲『忠烈祠』，但恭坐在『忠烈祠』中的卻沒有一個是忠烈之士。作者讓早已死了的烈士的靈魂，一個個復活，作心靈獨白。第一位是『力殲十八架敵機』的眞正英雄，是最有資格坐在『忠烈祠』中的人。但當多年塵埃掩蓋了歷史的光輝，當年和自己『合打一架』的『敵人』，戴著滿懷勛章來祭典自己時，塵封的冷落，歷史化敵爲友的將角色調換，自己還能算英雄嗎？當年的榮耀又值幾何？與其如此，還不如多活幾年哩！他滿肚子都是懊悔。第二位烈士的遭遇和處境更爲不幸。十四歲那年出門買菜，碰上了厄運，被抓了壯丁，沒有與家人和未婚妻告一聲別，就走上了一生最遠的路。在隊伍裡他一直是一個落伍者，從來沒有跟上英雄的腳步。同伴死了，他接過比他還高的槍，連敵人都沒有見過就糊里糊塗地送了命。他不管所謂『剿匪』那一套，他最關心的是那個沒有過門的媳婦。像這樣的野鬼孤魂，戰爭年代數不勝數。第三位烈士是一個死後仍然被審查，被整得不能安寧的靈魂。一會兒被清除出『忠烈祠』，一會兒又被請進來，進進出出好多回了，如今還有人責怪他立場不清，吵著要把他轟出去。於是他說出了眞心話：『本來就不跟他們一夥』，只是爲了老婆、孩子能享受撫恤金，才無可奈何地『賴在這裡』。第四位烈士是一個從來就沒有產生過『革命意識』的農民。他只遵守祖宗的遺訓，安分守己，交糧納稅。一天外面乒乒乓乓地打起仗來，他以爲是過節舞龍，提著賣雞蛋的籃子看熱鬧，死於非命。就這樣也被弄到

『這陰森森的地方』來了，莫名其妙地當上了烈士。成了烈士他還喊著：『你說，我冤不冤——。』四個烈士代表四種類型人的遭遇，深刻而眞實的描繪了歷史的複雜面貌，追溯了匯成歷史大潮動的每一個彎曲的小支流，再現了浩闊歷史畫面的每個原點，揭示了種種歷史人物的不同心態和個性。這些歷史人物的獨白，又對現實構成了尖銳的批判。作爲『忠烈祠』的建造者，根據現實和某種集團和個人的需要，把不同性質的靈魂都籠絡在一起，又根據自己的法規和利益，對那些已經死去的靈魂進行清理、審查，又釀成雙重悲劇。忠烈的不忠，烈士們的質量不高，造忠烈祠者的用心和因歷史變遷、人事滄桑、意識形態演變，看事物標準變異，構成了既辛酸又好笑，既可敬又可恨，既是敬仰懷念又懊恨等極其豐富的歷史和現實的內涵。這首詩具有強大的震撼靈魂的威力。

第四節　簡政珍

他是繆司自覺的追求者，沿著詩歌理論和詩歌創作的雙軌前進。就詩的氣質和風格看，他是臺灣學院派詩的繼承人。

簡政珍，一九五〇年出生於臺灣省臺北縣，臺灣政治大學西洋語言文學系畢業，臺灣大學外文研究所碩士畢業，美國奧斯汀德州大學英美比較文學博士獲得者。現任臺灣中興大學外文系教授。簡政珍從大學時期開始寫詩，現爲『創世紀詩社』同仁。任《創世紀詩刊》總編輯。他出版的詩集有《季節過後》（一九八八年三月）、《紙上風雲》（一九八九年九月）、

《爆竹翻臉》（一九九〇年七月）、《歷史的騷味》（一九九〇年十二月）、《浮生記事》（一九九二年九月）。作爲一個詩人和詩歌理論家，他對自己所處的人文和生態環境十分重視，時刻注意著周圍環境的變化，爲自己的理論和創作尋找可靠的座標和背景。在《爆竹翻臉》詩集自序《詩和詩人》中，他寫道：『在這裡，未到世紀末，已是世紀末。這是一個不需要詩的時代，也是最適於寫詩的時代；這是一個奸淫人心的時代，也是詩人愼防流口水的時代；這是一個製造空泛口號的時代，也是詩最富於意象的時代……這是一個學生上課偷偷戴耳機聽股市行情的時代；這是一個風濕、痛風和枴杖治理國事的時代。這是一個爆竹翻臉的時代，久遠前一聲聲爆竹所散發的喜氣，在現今只留下刺耳的噪音和黑槍合韻……。』（註二）這段充滿辯證思想和內涵精闢的話語，把詩與社會、詩與時代，詩與特定條件下人與人之間的關係，作了點化式的描述。在《浮生記事》詩集序《詩的生命感》一文中，他把詩與社會，尤其是詩與人生的關係，寫得更加明白，強調得更加突出。他寫道：『詩人面對人生的困境，詩的本質才得以凸顯，詩人的存在總是牽繫著人生的浮落，而詩使詩人及人生絕境逢生。』這段話中既體現了古人的經驗之談『文窮而後工』，又擴展容納了更寬廣的社會面相，即：不僅是個人枯榮與詩好壞、優劣的關係，更注意到了詩人面對社會的黑暗和不公時的歷史使命感和社會責任感。簡政珍是一位『入世』詩人，他的詩具有很強的社會批判威力。請看《政客》一詩：

你是一枚銅幣

在手指間輾轉發亮
因此，你漸漸
喪盡顏面
但，當你薄如一張紙時
你在街頭巷尾
探測風向
然後在一疊疊的紙張裡
複製你的臉

這首詩把政客們的嘴臉刻化得維妙維肖，入木三分。詩人把政客的臉比作一枚銅幣，貼切而深刻。中國民間有句俗語：『臉像銅錢那麼厚。』這是對那些沒有廉恥，不顧面皮的傢伙們的挖苦。簡政珍的比喻正好符合這一俗語。最精彩的還在於『在手指間輾轉發亮』和『漸漸喪盡顏面』。前者明指銅錢在人們手指間轉來轉去，經千百人的手指摸捏已經受損，暗指政客們在政壇上、社會上折騰周旋，變得十分油猾和狡詐；後者說明久而久之，銅錢上原來的花紋等的特徵已看不見，其面額已不復存在，失去了原來的模樣。暗指政客們由過去的油猾走向無恥，已經完全喪失了人的面貌，沒有了起碼的作人的基準。雖然首段只有四句，但層次分明，象徵和暗示十分貼切。詩的第二段進入了另一番境界。『當你薄如一張紙時』，明指銅錢被人們捏摸得失去了分量，暗指政客逐漸被人們識破的面貌。被識破了面貌，也就失去了價值。這時只有觀測風向，尋找新的時機，待價而沽。這首詩的結尾異常精彩：『在一疊疊的紙張裡／複製你的臉』。說明詩人看透了政客們狗改不了吃屎的本性。臉怎麼能複製呢？複製出的臉不仍然是那張臉嗎？唯其用了『複製』二字，才顯得政客們的嘴臉萬變不離其本質。這首詩還深含警示意味，告誡人們警惕政客們的翻手爲雲覆手爲雨。

簡政珍詩的社會批判意識，不是用直白之法進行譴責，而是運用象徵和暗示，透過形象的力量進行發射；他不是用大炮和炸彈的狂轟濫炸式，而是透過解剖和描述，使事情本身產生出一種感人的悲劇力量，來體現作品的主題和宗旨。再請看《剃》一詩。

到了這個季節
又該剃頭的時候了
看看滿地的落髮
想起多年前還俗的事
頭上匯集的紅塵
可供環保局
作爲化驗人世的標準
累積的頭垢
可以刮下
供十大建設填土

至於這光禿禿的腦袋
每天用酸雨潑洗
就可以
阿彌陀佛

這首詩是藉一個和尚剃髮，加以暗示和引伸，發出對社會的批判。詩人將標題選定爲一個『剃』字，就表明要用刀子解剖這個社會。簡政珍的詩有一個明顯的特點，是在標題上下功夫。他的許多詩的標題，標明的並非客體，並不是對象之名，而是詩的主題和達到主題所要採取的手段。這個特點就決定和顯現了他詩作的另一個特點：沒有過門和序曲，一開門便直入核心。這個特點，又導致了另一個特點：那就是詩的精確和凝煉。這首詩的標題『剃』，就是剖開來看。詩的開篇就點出該剃頭了，也是自己該動手術了。用一句『想起多年還俗的事』，就給作品寓入了重大的諷刺性，說明這個和尚當年也曾『剃度』過，也曾葉公好龍過，但如今卻是落髮滿地。接著便一層層展開了解剖，諷刺的分量也隨著解剖的深入，層層加重。頭上的紅塵可供環保局作化驗人世的標準，表面上指的是污染，實際上是以主、客之間的互相錯位，造成一種對秩序的失常、職能倒錯的揭露。環保局是主管自然生態環境保護的，卻從和尚頭上匯積的紅塵來取樣化驗，已是一種奇事。但更奇的是環保局搞的不是環境監察、衛生實驗，而是『人世』化驗。這不僅是秩序顚倒，職能混亂，而且有更深的寓意。從頭上取下『紅塵』來作『人世化驗』，這一定是打上了引號的『環保局』。其化驗結果是凶是吉，詩人未作披露。但既然是腦袋上的『紅塵』，看來必定凶多吉少。頭垢可以供十大建築塡土用，那起碼也有億萬噸之多。如此沈重的負荷，看來動一動小手術，修修補補，可能是無濟於事的了。不過詩人的手術刀厲害，還是把堆積得如此厚的污垢給剃光了。於是露出一個紅樸樸、血淋淋的小腦袋。而這腦袋每天就只用酸雨潑洗了事。最後又歸結到環保上。不過，這環保也是不治之症了。試想，用酸雨洗頭，能洗出好效果嗎？豈不是越洗越髒嗎？

簡政珍詩作的另一個重要主題和題材，是對生命的歌頌。他將自己的才華和精力的當相一部分，化作了生命之歌。他的長篇抒情詩《浮生紀事》，就是一首充滿人生哲理的生命之歌。像『花的種子／在槍管發芽／爆發出／滿天火星』等詩句，蘊含就十分豐富。簡政珍的詩作不僅有十分敏銳的生命體驗和人生感悟，而且具有符合人類歷史發展總趨勢的思想認識和評判眼光。在《長城》一詩中，他從歷史主義的眼光出發，把巨大的同情投射給普通勞動者，唱出了『你可曾看到汗水成渠／淹沒了流汗的人』，汗水既然成渠，能淹沒了流汗的人，人民就能匯成滔滔洪流，創造奔騰不息的歷史長河。這充滿悲劇意識的歌聲，肯定了人民的歷史作用和貢獻。

第五節　黃智溶

他從七十年代的現實主義詩的舞臺，耐著寂寞默默耕耘，到了八十年代驟然崛起，成爲臺灣後現代派詩的具有代表性的明星。

黃智溶，臺灣省宜蘭縣人，一九五六年出生，一九七九年臺灣文化大學美術系畢業。一九七八年開始發表詩作，八十年代初創辦『大塊齋』畫室，招徒授畫。他擅長水墨、水彩、書法、素描等，是詩人兼畫家。一九八六年出版處女詩集《海棠研究報告》，同年與詩友吳明興、赫胥氏、許悔之、楊維晨共同創辦《象群》詩刊。一九八七年獲臺灣青年詩人獎。一九八八年出版第二部詩集《今夜，你莫要踏入我的夢境》，進入他的創作高峰期。

黃智溶在臺灣詩壇起步之日，正是臺灣新詩向民族、向鄉土、向母體詩的回歸期，因而他的詩一面世，便降生於現實主義詩歌的大土壤上。他的處女作發表在羅青、張香華、詹澈等主辦的《草根詩刊》上。黃智溶前期現實主義詩的代表作，是充滿愛國主義情感的詩篇《海棠研究報告》。詩人用詩歌形式寫報告，來表達他對祖國研究的心得。他從海棠是『多年生草本』的外部形式研究起，一直研究出它的內在素質和研究者對它的情感寄托：『又名斷陽花，相思草』。這表明久久漂泊於海外的臺灣同胞，對祖國的急切嚮往和思念。這句詩後面括弧中注說（這是感情糾葛，不能分析），更加濃了它的鄉愁色彩。在『卻深藏著滾滾的紅血在裡層』的詩句後面的括弧中注：『這是血統遺傳問題，無法注釋』，是一種血統的尋根和民族的認同。整首詩愛民族、愛祖國的主題，十分清晰鮮明。

八十年代中期以後，黃智溶的詩歌創作，有了一個根本性的大轉折，就是從現實主義過渡到了後現代主義，並且成了臺灣後現代派詩的重要代表人物。黃智溶的後現代主義詩篇，以非凡的才華、超人的想像和奇特的構思，震驚著臺灣詩壇。比如他的後現代代表作《那一個人》，就牽動著許多人的目光：

那一個人竟然
同時愛上了我們夫妻二人
既仰慕我的才德
又迷戀我妻子的姿色
那一個人竟然
同時愛上了我們夫妻二人
既仰慕我的才德
又迷戀我丈夫的姿色
那個人
既是男人
又是女人

此詩初看彷彿是寫人的特性，近似一種回環式的文字遊戲。但細讀卻不然，它有一種破除歷來社會上男性爲中心，或以男性爲主導的重男輕女觀念，高揚男女平等的旗幟。也有一種預防和消解現代社會中有所抬頭的女性爲中心的現象。詩人主張把人的社會地位和人格均擺放在一個水平線上。此詩也可以理解爲對同性戀者的反諷，對資本主義那種兩性同一的社會病態的揭露。他是男人，但又是女人；她是女人，但又是男人，抹殺了人類的性別差異，成爲雌雄同體，或稱爲陰陽兩性人。這種狀況是違背事物發展和人類生存規律的。詩以客觀敍述、讓事實本身釋放出批判的內涵。看似平淡，內含震撼；看似客觀，實則寓意突出；看似描寫個人，實則含有豐富的社會意義。作爲後現代派的代表詩人之一，黃智溶的詩作有不少後現代詩的名篇，比如：《我把一條河給弄丟了》、《電腦詩》、《今夜，你莫要踏入我的夢境》等，都是令人刮目相看的作品。這些作品和黃智溶噴泉般的詩才相對稱。這些作品，均爲組詩，一般都是採取設問式和辯證回環的寫法，給詩蒙上一層濃郁的後現代主義色彩。比如《我把一條河給弄丟了》，就是採用推理——肯定——再推理——再肯定，最後走向總瓦解、總崩潰來突出詩的首段肯定是『我的錯』；第二段又肯定是『地圖的錯』；第三段再肯定是『河自己的錯』。比如：是我的錯——不是我的錯——是地圖錯——不是地圖的錯——是河流自己的錯。詩人只表肯定而省略了否定的過程。最後來一個總否定：『是童年把我記錯』。轉了個大圈，等於開了個大玩笑。什麼都不存在，根本就沒有河，而不是我丟了河。又如《今夜，你莫要踏入我的夢境》用的幾乎是同樣的手法。『其實都是你惹的禍』，『其實，那是羊惹的禍』，『其實，都是早餐惹的禍』。這種運用推理手法，在肯定——否定；肯定——否定——否定之否定的格局下創作的這一類詩，實際上均是一種『後現代症狀』，是一種遊戲詩的模式，是一種消解意義、渙散中心、解構主題、褻瀆輝煌的演習。這種詩雖然表現出一種精神分裂症狀，但詩人卻不是精神分裂症患者。不但不是，而且是一個十分清醒和聰慧地玩弄著後現代創作技巧的智者。黃智溶在臺灣青年詩人群中，是一個不愛喧嘩，但卻才華非凡；不愛自我吹噓，但卻具有強大實力的佼佼者。他用思想來解構思想；用技巧來玩弄技巧；用智慧來否定智慧；用神聖來褻瀆神聖。這一切他做得是那麼輕鬆而熟練，就像一個高超的飛行員，駕起神鷹從地上起飛，以卓越的技巧在高空中進行了一番高難動作，令人目瞪口呆地表演，始終沒有離開人們的視線，最後安然的在原點降落。雖然沒有，也不是爲了完成什麼使命，但他的風采卻深深地烙在了人們的記憶中。的確，黃智溶的詩沒有負載什麼，但彷彿又表現了許多。

第六節　詹　澈

在我的天平上，詹澈的詩有相當份量。作爲臺灣農民詩人的代表，他和他們，應該在詩史上占有一頁。

詹澈，本名詹朝立，一九五四年十月出生於臺灣省彰化縣溪洲鄉西畔村。童年遷居臺東縣至今。他畢業於屏東農業專科學校，長期與父親在農村種西瓜，現任臺東縣農會幹事和技術推廣員。七十年代新詩回歸運動中，曾與羅青、張香華一起創辦過『草根詩社』，編輯《草根詩刊》。他曾任《夏潮》、《鼓聲》雜誌編輯和《春風》雜誌發行人。詹澈出版的詩集有《土地，請站起來說話》和《手的歷史》。詹澈是一個具有強烈使命感的詩人，以『爲天地立公，爲生民請命』爲人生和創作的原則。他在臺灣『鄉土文學論戰』中受到教育和洗禮，找到了自己在詩歌創作中的位置。他在《手的歷史》自序《探索的道路》中寫道：『這兩年間，鄉土文學論戰方興未艾，繼龍族詩刊現代詩評論專號之後，這次論戰的影響是空前的，我幾乎沒有漏掉一篇相關的文章，在荒郊野外，在暈黃的燈光下，我讀著……也寫著慢慢成形的作品……就這樣，我接受了這次論戰中，從文學的、社會的，繼而政治的、經濟的思想啓蒙，以往獨自一個人思考不解的問題，方有了比較明朗的概念。』由於強烈的使命感驅動，詹澈幾乎是以『吶喊』姿態投入詩的創作的。對繆司的期許和執著，形成了詹澈詩的鮮明個性。

1.強烈的祖國民族之愛。在詹澈的作品中，中國的、中華民族的傳統文化的基因，構成純樸、清新和厚重。詩經以來傳承下來的溫柔敦厚的風格和內涵，在他的詩中十分突出。這內涵中最主要的是民族的情感和祖國的意識，以及對充滿正義和奮進的人類以及人民革命事業的謳歌和讚頌。在他的詩中，中國人的豪氣和自尊，中華民族的勇邁與堅韌和臺灣的鄉土情懷，三者融爲一體，構成他詩的生命和靈魂，這一類詩很多，如：《寫給祖父和曾祖父的詩》、《小紅磚做的墓碑》、《可人的槍聲》和《番薯仔》等。他在《寫給祖父和曾祖父的詩》中寫道：

『小紅磚做的墓碑
遙望過中國革命
忍受過日本踐踏
在風雨中豎立不動

在雷電中豎立不動』

這不僅是詹澈祖父墳前的一塊小紅磚墓碑，這是他那飽經風霜、具有堅強革命意志的祖父、曾祖父革命者形象的寫照；這不僅是他的祖父和曾祖父的形象，這是整個苦難而無比堅毅、風吹不倒、雷轟不動的中國革命者的寫照。這不是一塊小小的墓碑，而是中國革命的豐碑。像這樣充滿革命激情，縱情爲中國革命，爲中華民族英雄們放聲歌唱的詩，在詹澈的作品中，占有相當的比例和重量。

2.臺灣農民代言人的角色。詹澈是一個地地道道、土生土長的臺灣農民的兒子。從小到大，從學校到社會，由創作到工作，他從未離開過生他養他的農民、育他教他的農村。因而，他的生命、他的思想、他的情感、他的靈魂，都是屬於中國最大的人群，農民的；他的聰明、他的智慧、他的才華、他的精力，也毫無保留地獻給農民，獻給了中國農民的事業。詩集《土地，請站起來說話》和《手的歷史》中，除少數作品外，幾乎全是獻給農村、農業和農民的歌。詹澈擅寫敘事長詩，在這些長詩中，他精心地刻畫和塑造了各種農民的形象，描繪了他們坎坷的經歷和命運。像《人民的定義在我心底沈浮》中農民老大娘柯紀貴美、《阿爸來看我》中的老爸的形象，《她不是啞巴》中被賣進妓院的農民女兒白雲的形象，在別的詩人的作品中是很難找到的。詹澈幾乎是用自己的心、自己的生命、自己的全部情感來塑造、刻畫和讚頌他們。讀著這些作品，你不得不與詩人一起悲憤、一起呼號、一起聲討、一起怒斥、一起同情、一起悲喜。

3.詹澈的詩中對被遺棄、被迫害的國民黨老兵充滿同情。臺灣詩人中寫老兵題材的詩不少，而且佳構迭現。但是用叙事的形式來塑造他們的形象，刻畫他們的性格，並以非凡的膽略透過事物的現象，揭示出被新聞媒體定性了的事情的實質，爲含冤者昭雪，似乎唯有詹澈。詹澈的叙事詩《老劉的黎明》和《還給他槍，還給她田地》等都是寫老兵題材的。這一類詩中值得特別一提的是《還給他槍，還給她田地》。詩中的主人公叫李師科，是臺灣最大的銀行搶劫案的罪犯，被國民黨法院槍決。詹澈對這件事獨具慧眼，揭示出案情的本質。他明確指出：罪犯不是李師科，而是案件基因的釀造者。據說，臺灣大批老兵處境極度困難，不少人瀕臨死亡線上，但卻上告無門，無人理睬。李師科爲了引起當局注意，爲大批老兵打開一條生路，採用了極端手法，搶劫了銀行。其目的是爲了制止更殘忍、更大規模的犯罪而犧牲自己。在槍斃李師科時，李大聲叫喊：『我還有話要說！我還有話要說！』但法官不准他講話，以槍聲回答了他的吶喊。爲了還給李師科公道，爲了還給李師科的遺孀高山族女兒的公道，詹澈特意創作了這首詩。詹澈在詩中寫道：

『他那山東人的身軀，
像森林在平原上聳立。
他的眼神微稀，
就是森林上的星星。』
『那麼還給他槍，

就像還給他青春的記憶。
讓他以最美的姿勢迎接晨旭；
讓他以最快的速度趕回故里。
快呀！還給他槍！
同時，爲了斬斷他對她的憂慮
也還給她田地——
就像還給她種族的生機，
就像還給她人民知道的權利，
就像教給她人民幸福的主義。』

在多年塵封的錯案上，詹澈的詩像一把巨帚掃除了塵埃；在被煙霧籠罩的眞理上，詹澈的詩像一陣颶風，吹散了煙霧；在被陰霾遮蓋的天空中，詹澈的詩像一束強光，射向大地，喊出了正義之聲；透露出了事物的眞象；還原了歷史本來的面貌。

詹澈的詩藝術上追求純樸、自然，在娓娓叙述中將人物、題材、時代氣氛、詩人的情感，融合爲一體。既深掘題材，又深化主題；既叙述故事，又刻劃人物。創造出思想和藝術的一體感。

第七節　莫那能

他是臺灣原住民——高山族唯一的青年詩人。在悲痛中孕育，在苦難中崛起。他如泣如訴，唱出了處於臺灣社會最底層的高山族同胞求自由、求解放、求溫飽、求尊嚴的不屈心聲。

莫那能，一九五六年出生於臺灣省臺東縣達仁鄉高山族支系之一的排灣族家庭裡。漢名曾舜旺。由於眼疾，初中畢業即失學，流落到勞力市場上做苦工。當過砂石工、捆工，後來隨著雙目失明，便轉入盲人重建院學習盲文和按摩，成了按摩師。他的弟弟和他一起在勞力市場出賣勞力，他的妹妹少女時期就被人口販子拐騙進妓院，成爲性病患者，受到百般摧殘。莫那能拚死把她救出火坑，成爲臺灣妓女從良的奇蹟。莫那能是一個堅強、聰明、能幹的小伙子，以堅毅的生命與苦難的命運搏鬥，與殘害他們的惡勢力搏鬥。一九八八年與張屏華小姐結婚，兩人相依爲命。張屏華成了莫那能的筆和眼睛。莫那能的詩透過張屏華的手和眼睛傳達給讀者。莫那能刻苦鑽研，勤奮創作，於一九八九年出版了處女詩集《美麗的稻穗——一個盲人一針一點而成的心靈之歌》，在臺灣詩壇、文壇爲高山族占據了一席之地，被陳映眞稱之爲『臺灣原住民族解放運動第一詩人』。

《美麗的稻穗》，實際上是美麗的生命之穗。它不僅是智慧的結晶、人生的結晶、藝術的結晶；它更是人類戰勝頑敵和苦難、戰勝天災和人禍獲得的戰利品和具有特殊意義的，可以懸掛在人類胸脯上閃閃發光的紀念品。莫那能的這些作品，是他人生道路上一個一個艱難的腳印。他獲得這樣的成果，付出要比一般人獲得同樣成果付出的代價，高達百倍、千倍。本來只有小學文化程度，又被一般人瞧不起的高山族少年，卻患上了眼疾，以致雙目失明。他頑強地與命運搏鬥，入盲人院艱難地學會了盲文，不料又患上絕症甲狀腺癌。命運一次次斷絕他的生路；一次次澆滅他的希望之火。但是泰山壓頂他不屈服；黑潮淹浸他心中的光芒不滅。他像一個被壓在巨石下的青藤，秉持一顆對祖國、對民族、對土地、對生活的愛心，頑強地從死亡的狹縫中抬起頭來，不僅戰勝了疾病和死亡，而且成了一個頂天立地的詩人。《美麗的稻穗》中的作品，情感眞摯，視野開闊，氣度宏大，匯流著、滾動著如潮如流的生命之汁。

臺灣社會的轉型期，在資本主義商品大潮的衝擊下，高山族同胞就像一粒粒小砂子，被衝擊得分崩離析，流離失所，四散遷徙。原來的原始社會和奴隸社會的結構被打散，多數人被沉入了資本主義社會的海底，灑落在臺灣各個角落。這種流散的結果使封閉的奴隸變成了開放的奴隸；由頭人的奴隸變成了資本家的奴隸；由貧困的折磨變成了窮困和屈辱的雙重折磨。但是資本家對奴隸的迫害和鎮壓，同時也教會了奴隸的反抗。資本主義社會解構了奴隸社會的結構，同時也加快了奴隸的覺醒和反抗。莫那能就是這種覺醒和反抗中的先驅和歌手。請看《恢復我們的姓名》一詩中的描寫：

我們的姓名

在身份證的表格裡沉沒了
無私的人生觀
在工地的鷹架上擺蕩
在拆船場、礦坑、漁船徘徊
莊嚴的神話
成了電視劇庸俗的節目
傳統的道德
也在煙花巷内被蹂躪
英勇的氣慨和純樸的屬性
隨著教堂的鐘聲沉靜下來
我們還剩下什麼？
在平地顛沛流離的足跡嗎？
我們還剩下什麼？
在懸崖猶豫不定的壯志嗎？
如果有一天
我們拒絕在歷史裡流浪
請先記下我們的神話與傳統

如果有一天
我們要停止在自己的土地上流浪
請先恢復我們的姓名和尊嚴

莫那能將個人利益融入集體利益，高高地站在歷史的山頭，站在時代的峰巔，放眼遠眺，靜靜思索，爲一個民族的不幸命運，進行吶喊和控訴。這首詩十分眞實地把高山族同胞被驅入各種低下、骯髒、笨重的勞動和屈辱場所，被剝削、被壓迫、被奴役、被蹂躪的情景，用精煉的詩句作了表達。詩中的質問相當有力，我們還剩下什麼？剩下流浪的足跡；我們還剩下什麼？剩下臨淵悲嘆的壯志。詩的最後結尾，以低姿態求高效果，要求最起碼的人身權利，以贏得世人的同情和共鳴。詩中顯現的是一個人民的忠誠兒子和一顆民族的赤子之心。

莫那能既是高山族同胞的代言人，也是中華民族的忠誠兒子。在他的心目中，民族和祖國、祖國和民族是一個整體，兩者的利益是完全一致的。但是莫那能的思考不僅不停留在這一點上，他還以哲人的智慧思索了祖國和政權的關係，從而十分清晰地把中國和中國的統治者，把中國和利用中國名義給高山族同胞製造苦難的當政者區分開來，從而正確地解決了反獨裁和愛祖國的關係。在《燃燒》的長詩中，處處顯示出這種辯證的思考。如：

『啊！中國！
你是人民的名字

還是政權的名字？
你是被壓迫者的名字？
還是壓迫者的名字？
無數小溪匯成巨大的聲音，
它叫大河；
無數民族匯成巨大的聲音，
它叫中國。
我是少數民族的一支，
我是人民，
我是小溪。
有了我，
才有中國。
政權，請你退去，
土地才是我的母親，
母親不是壓迫的藉口。』

這裡既表現了詩人清晰的智慧，也表現了詩人廣闊的胸襟；既表現了反壓迫的鬥志，也表現了祖國主人翁的思想。在臺灣，像這種具有深刻思考性，巨大雄辯性和聯繫民族，聯繫社會實踐，藝術價值和適用價值相結合的詩篇，還是少見的。

作爲臺灣高山族同胞民族解放運動的第一位詩人，作爲一個民族利益的代言人，莫那能身上具有戰士和詩人、發言者和預言家、理論家和實踐家的多重素質。而他的這些素質，是透過他的行爲和作品表現出來的。值得一提的是莫那能在他的長篇抒情詩中，創造了一種抒情和敘事、設證和論辯相結合的表現方法，既敘述了事件，也抒發了情感，同時也在設證和論辯中表現了自己的哲理思考和理論主張。

第八節　白　靈

白靈是一個創作意識極強的詩人。臺灣詩壇上許多令人耳目一新的超前舉動，都是出自他的手筆。比如，將躺著的詩變爲站起來的詩，『公車上詩』等。他的詩人兼詩評家的身份和他超人的天資，使他在今日臺灣詩壇扮演著比較特殊的角色。

白靈，本名莊祖煌，原籍福建惠安人，一九五一年生於臺灣。臺北建國中學畢業，師大美術系夜間部畢業後赴美深造，獲史帝文斯理工學院化學碩士學位，現執教於臺北工專。白靈二十歲開始發表詩作，二十二歲參加復興文藝營活動，以《巨人》一詩獲詩組第一名，曾加入『草根詩社』主編過《草根詩畫海報》，擔任過耕莘青年寫作會執行理事，現爲『葡萄園詩社』同仁。一九九二年十二月與向明、尹玲、李瑞騰、渡也、游喚、蘇紹連、蕭蕭等共同創辦《臺灣詩學季刊》，白靈爲主編。白靈是臺灣詩壇有名的革新家。一九八五年創辦

『詩的聲光』活動，一九八六年與羅青、杜十三合組『詩的聲光工作場』；將文字詩變爲有聲詩，將平面詩變爲立體詩，並長期堅持實驗和推廣工作。白靈還倡導『公車上詩』，這一建議已被正式推行。白靈出版的詩集有《後裔》、《大黃河》、《沒有一朵雲需要國界》、《土地的戀歌》、《浮雲集》等。他出版的詩評集有《一首詩的誕生》。此外還有散文集《給夢一把梯子》。他的作品曾在臺灣數度獲獎。如：《中國時報》敘事詩獎、創世紀詩獎、中興文藝獎章、臺灣中國文藝協會文藝獎章、《中央日報》文學獎、梁實秋文學獎散文首獎、臺灣優秀青年詩人獎等。一九八五年復刊後的《草根詩刊》白靈任主編。白靈在詩歌理論上具有前衛意識，他寫道：『在可見的未來，詩人（及其他文學創作）很可能其創作方式由稿紙移向終端機。投、退稿也可能由平面轉爲立體，由聲音或畫面來輔助文學。詩集的出版也可能由書籍轉爲錄音、錄影磁碟或雷射唱盤。那時候人們在家中或許可查閱任何圖書館的詩集，評論家藉助電腦將很容易分析詩人常用的辭彙、慣用的句法，及至思考方式。』（註三）白靈還認爲：詩不僅是被動的反光的鏡子，而且是主動的光的本身。他認爲：詩的語言是一匹變幻多端的快馬，詩人騎著奔馳於經驗於想像的橋——，經常是繩上，且樂此不疲。白靈從詩壇起步之日，正是臺灣詩壇如火如荼的反對新詩西化運動方興未艾之時，這一運動對他有著重要影響。他的處女詩集《後裔》中的作品，就創作於此時。羅青在對這些作品評價時寫道：『篇篇都顯出白靈對生活，對自然的情意及玄思；處處都於溫柔敦厚中透露出清新活潑的趣味。』（註四）白靈《後裔》詩集中的作品，不僅是從生活的園地上長出的詩苗，而且現實感極強，從中可瞭解到臺灣現實社會的脈動。請看《庭院》：

來，趴下臉，與草一同呼吸
這恐怕是大地，少許可呼吸的皮膚了
其餘的像不像，用硫酸潑過
若天是桑葉
則高樓大廈就是一節節的蠶了
不信，翻個身看看，像不像
我是說你，像不像試管中，斜躺的侏儒

詩人選擇臺北一個小小的庭院作爲解剖對象，把轉型期的臺灣現實描繪得維妙維肖。第一節寫污染，全臺灣就那麼一點點淨土，因而非常寶貴，才趴下身與草一起呼吸。而其他空間都被硫酸潑過，野草、莊稼被洗劫一空。第二節寫擁擠，比喻貼切而鮮活。詩人把天空比作桑葉，把大廈比作蠶，大廈爭相發展，天空迅速被蠶食。而人是斜躺在試管中的嬰兒，這樣惡劣的生存空間多麼可怕。詩人用形象的力量對現實進行了有力的抨擊和批判。

白靈的第二部詩集《大黃河》中的作品創作於八十年代。這部作品是白靈詩創作走向成熟的標誌。從題材看，《大黃河》比《後裔》顯得更爲開闊和豐富；從思想看《大黃河》比《後裔》更善於謀篇和煉意。掌握了大構架的虛實、急緩及敘事和抒情的有機結合。如果說《後裔》是初露才氣，那麼《大黃河》是才華畢露；如果說《後裔》是清澈的泉水，那麼

《大黃河》則是奔騰的河流；如果說《後裔》是清秀的花朵，那麼《大黃河》則是一樹累累的果實。在作品構思的景象之恢宏，境界之開闊，主題之集中和鮮明方面，《剝虎大師》可作爲例證。在復合意象之運用和朦朧意境之創造方面，《出口》又可視爲典範。

白靈的敘事長詩《大黃河》、《黑洞》、《圓木》，是白靈成爲臺灣詩壇重要詩人的奠基之作。其中《大黃河》和《圓木》兩首尤爲敘事詩之佳品。《大黃河》一詩，作者以中國的母親河——黃河爲題，突出地歌頌了大中華精神。透過波瀾壯闊的中華民族發展歷史的有機敘述，表現了中國即黃河、黃河即中國，中華民族的命運和黃河緊密的聯繫在一起，中華民族淵遠流長的奮鬥史、開拓史，就是一條奔騰不息的大黃河。自然景物和精神意象融合無間。『黃河沒有服輸過／中國人也沒有服輸過』的詩句，充分地表現了敢與天鬥、敢與地鬥、敢與人鬥，終操勝券的中華民族英勇、果敢、堅韌、頑強、無堅不摧，無難不克的光輝品質和無畏精神。詩人以『動』爲靈魂，把黃河的奔騰不息，中華民族之勇往直前，中國象徵龍的躍動融爲一體，造成奔騰萬里、雷霆萬鈞的大氣勢、大氣魄。請看這樣的詩句：

『而黃河，而龍啊
中國最神秘最雄壯最撼人的龍啊
終不肯藏形，不肯就擒，終不肯！
一切都因爲
動』

《圓木》是一首歷史題材的作品，詩人以激憤的情感和深入細緻的揭發和剖析，把日本帝國主義滅絕人性、慘絕人寰的滔天罪行，暴露於光天化日之下。『圓木』即日本人把中國抗日志士和普通的中國老百姓拿來作戰爭的化學實驗，這種被實驗的人體稱爲『圓木』。由於白靈是個化學家，因而對日本人罪惡的行徑，揭露得鮮血淋淋，剖析得入木三分。詩前有序言式的『本事』寫道：『民國二十九年（一九四〇年）日本於「滿州」哈爾濱成立「關東軍防疫給水部隊」，又名七三一部隊。由軍區石井四郎中將領導，專門從事細菌作戰研究。日本把中國各地搜來的抗日份子集中送往七三一作爲研究標本，名爲「圓木」，即「實驗材料」之意。七三一將圓木「養肥」之後，即施以各種聞所未聞、慘絕人寰、千奇百怪的實驗，包括餵他們黑死病、炭疽菌、鼠疫、結核霍亂、梅毒等各類病菌，建「玻璃室」施以各種毒氣。另外，像換人血爲馬血猴血、長期曬X光、注射尿液、抽乾血液、打入空氣、放手足於高溫極冷之中，用各式槍枝射擊人體不同部位……等，甚至把圓木裝在戰車中，由外頭噴火焰，觀察人體燒烤的情形。更有把少年、兒童活活全身解剖光的各種實驗。總計死於七三一的中國人至少三千多人以上，從來無一活口。他們的殘肢剩臟在七三一撤退時均被丟入松花江中。戰後石井四郎爲免於死罪，竟敢以其實驗紀錄要求美國赦免其罪，美國竟然答應了，兩千多人的七三一部隊無一人判刑，最後石井四郎還「安享晚年」、「壽終正寢」，而七三一的老兵殘將們迄今仍在不時開戰友會「團聚」之中。圓木圓木，英雄的抗日前賢們啊，這是中國子孫多大的恥辱啊！』白靈的這部長篇叙事詩，對日本帝國主義來說是匕首，是投槍，剖開了他們的狼皮，向世界公開了他們的眞面目。也揭露了美國人的僞善嘴臉，對中國人來說，這是充滿磅礴氣慨的民族的正氣歌，是對歷史奇恥大辱的正義討伐。每一節詩都進行細緻剖析，讓殺人魔鬼在殺人屠場上亮相。讀了這部正氣歌，雖然感到痛快淋漓，但當我們想到凶手們還在聚會，還在獰笑；當我們想到被殘害的抗日先賢和婦女兒童們還在地下哭泣，不禁感到，我們是否太軟弱了點，太仁慈了點。

第九節　林燿德

林燿德是臺灣青年詩人中一個很有特色，很有個性的詩人。被稱爲『黑色的精靈』。他早熟、早慧，文壇十八般武藝行行皆通，就像一個不講遊戲規則的頑童，以他自己的特異功能，讓各種玩具脫離規則但卻嫻熟運轉，使其他玩童目瞪口呆；他像無法無天大鬧天空的孫悟空，視衆神如草芥，橫行無忌卻路路皆通。他寫詩、寫小說、寫散文、寫評論，無所不能，又無不在行。

林燿德，一九六二年出生，一九七八年開始發表作品，一九八三年任《輔大新聞》總主筆，一九八五年輔仁大學法律系畢業。同年獲臺灣優秀青年詩人獎，一九八六年入伍，一九八七年退役任《臺北評論》執行主編，成爲專業作家。一九八九年任臺灣青年寫作協會秘書長。目前他出版的各類著作已達十餘部。他出版的詩集有：《銀碗盛雪》、《都市終端機》、《都市之甍》、《你不瞭解我的哀愁是怎麼一回事》和《一九九〇》等。他出版的小說集有：

《大日如來》（長篇，與黃凡合著）、《惡地形》、《一九四七年高砂百合》（長篇）等。散文為：《一座城市的身世》。評論有《一九四九年以後》、《不安的海域》、《重組的天空》等。他的作品曾多次獲獎。林燿德是臺灣後現代派中具有代表性的詩人。他才華橫溢、智慧超群。但是，天忌英才，在他如日中升各類作品泉水般噴湧的而立之年，便於一九九六年春，奪去了他的生命，可謂殘酷。

林燿德的詩，題材廣泛、主題多元、結構恢宏、想像奇詭。由於他的詩過於龐沛、豐富、駁雜、隱晦、神秘、魔幻，因而不僅有『語障』，而且有『意障』，使他的作品的發表受到很大限制。他的作品，適合於出書，卻難以發表；適合於研究，而欣賞困難；適合於研究者閱讀，卻不太適應廣大一般讀者的口味。因而他的許多作品，往往需要釋義和導讀。林燿德雖然是臺灣後現代派具有代表性的詩人，但他的詩並非都是後現代派的作品，他的《銀碗盛雪》和《都市終端機》等詩集中的多數作品，還沒有『後現代』起來，只是到了《一九九〇》和《都市之甍》，他才大大地『後現代』了。林燿德是個非常前衛的詩人，不管是詩的取材上還是創作方法上，他的嗅覺都非常敏銳，他都走在同輩詩人的前面。很多新鮮事，剛剛萌芽，別人還未發現，或者還未辨識面貌，看清本質時，林燿德已經把它們抓得緊緊了，甚至已經出現在他的作品中了。這是他『超常』的一面。白靈在給《都市終端機》詩集寫的序《停駐地上的星星——林燿德詩路新探》一文中，有這樣一段話：『大抵早慧的詩人都有兩項特色，一是他們都具有「異色」的光，對事物有獨特觀瞧方式和奇異的透視頻率，不受潮流牽絆，故能見人所不能見。二是他們腦的「反骨」突出，批判意識強烈，敢言人不能言，故一出馬草木皆驚，有「不可一世」的架式。』（註五）的確，林燿德就具有這樣鮮明的特色。

林燿德的作品號稱四大主題，四根支柱，其實也就是四大題材，即：星球、戰爭、都市、性。這四大題材『是他詩結構的四根樑柱，但又能互相移位、搭疊，甚至生鏽或咳嗽時都會垮成一堆——它們彼此具有「滲透性」，或可稱之爲「主題的互相模仿」，或「主題的互相滲透法」吧！這種手法可說是林燿德詩作結構上的最大特色。』（註六）按照四大題材的線索，我們來剖析一下林燿德的作品。關於戰爭題材的詩，在林燿德的作品中，是引人注目的，請看《世界大戰》：

□WWI□
噠噠噠
噠噠噠
噠噠噠
死亡
死亡
死亡
□WWII□

轟
轟
轟
粉碎
粉碎
粉碎
□WWⅢ□
光
更強的光

這是描寫和預想三次世界大戰，三種不同類型的戰爭的詩。第一首是一般的常規武器戰爭，『噠噠噠』代表機關槍的響聲，機關槍是第一次世界大戰中殺傷力最強的武器，在機關槍的掃射下一片死亡。第二首是描寫第二次世界大戰，『轟轟轟』代表飛機的轟炸聲，而飛機是第二次世界大戰中最先進的武器，飛機轟炸下玉石俱焚，故是粉碎粉碎粉碎。第三首是描寫未來的世界大戰，即運用光速武器，比如核彈、激光。詩中只表現了戰爭的形式和結果，不包含對戰爭性質的評價。第三首『光/更強的光』，彷彿不能十分準確地概括未來戰爭的內涵和形式。不過這三首詩結構和語言上已經達到非常凝煉、簡潔之境。林燿德是臺灣青年詩人中都市詩的代表人物，他的都市題材的詩不僅數量多，質量也比較高，都市詩構成他詩作的一大特色。請看《未來》：

未來市長會不會進化出象一般的鼻子
有夠長的管道裝置過濾設備
他府上的垃圾會不會代替了雲
市長多麼踏實
以至於無暇再嬉戲未來的空想
遙遠的事
要留給《科幻》雜誌編輯部……
因爲市長正趕忙處理：
一百年前所謂的未來

這是一首辛辣的諷刺詩，既不晦澀，也不朦朧，市長既不處理現實中的問題，他家的垃圾要代替天上的雲了，也不考慮未來的發展，他考慮的是一百年以前的未來。這是一個飽食終日無所用心，懶得出奇的市長。靠這樣的市長能管理好現代化的都市嗎？這是不言而喻的。詩的批判鋒芒十分強烈。

林燿德是臺灣後現代詩派的代表人物之一。後現代詩的所有特徵幾乎都在他的詩中出現過。比如：解構、寓言、魔幻、拼貼、搏義、性、圖象、中心消失、意旨失蹤、即性演出、高貴跌落等，他都一一進行實驗。比如，他把人類『靈魂的分子結構式』寫成十字架：

撒
旦
撒
旦
撒旦撒旦撒旦撒旦
旦
撒
旦

這裡包括著對上帝的批判，對『人之初，性本善』的質疑。圖像詩在這裡包含著一定的主題內涵，但有時爲圖像而圖像，反覆堆積正反金字塔等，恐怕就有形式主義之嫌了。在林燿德的詩中，那些對漢字構成割裂的『後現代』現象是值得商榷的，如：《五〇年代》中的：

『孤獨的孤獨勹孤獨勹孤獨』
『勹孤　孤獨勹孤犭』
『啊五〇年亻是孤蜀勹』

這些句子中的半個字的運用，或許有什麼內在深意，但用割裂漢字的方式來表達並不驚人的內涵，反而得不償失。這裡，詩人或許用半個漢字來表示孤獨者心理上、精神上的殘缺，那麼是否可以用另外的方式呢？況且那半個漢字，簡化後又變成一個完整的字了，如『獨』字。有的半邊字自身就是一個字，比如：『的』的半邊『勺』。因而這種實驗內涵是值得研究的。不過林燿德大膽的實驗和創新精神卻是值得肯定的。從某種意義上講，詩人腦後的『反骨』似乎突出一點好。但是，毫無意義、毫無道理地標新立異，恐怕不能視爲『創新』。

【附　註】

註　一　《童話遊行》第二二六頁。

註　二　《爆竹翻臉》序第五頁。

註　三　《新詩反撲》（聯合報八十六、三、二十七）

註　四　《後裔》序第十七頁。

註　五　《都市終端機》第十四頁。

註　六　《都市終端機》第十八頁。

第十九章 充滿創造活力的臺灣新生代詩人群（下）

第一節 馮青

一個才華出衆、好評如潮的女詩人。她從優美、明淨、清澈的畫面中走進詩國，走著走著，漸次邁向理性控制的世界。由深深的思索，取代了淺淺的描繪，顯出了較爲突出的現代派女詩人的氣質，並又轉而親吻腳下的土地。

馮青，本名馮靖魯，一九五○年出生於青島，在襁褓中去了臺灣，原籍江蘇省武進縣人。先後在臺灣宜蘭縣牡圍小學、板橋小學、金陵女中讀書。一九七三年畢業於臺灣中國文化大學歷史系。現爲『創世紀詩社』同仁，一九七八年發表處女作。目前已出版了三部詩集：《天河的水聲》（一九八三年）、《雪原奔火》（一九八九年）、《快樂和不快樂的魚》（一九九○年）。除寫詩外，她還寫小說、散文。馮青的創作，鮮明地分爲早、中、近三個階段。自一九七八年發表處女作至一九八三年出版《天河的水聲》處女集，爲創作的第一個階段。這個時期馮青的詩清新可人，滿紙都是動人的音樂和有聲的圖畫。請看《月下水蓮》：

原來
彈著笙的

竟是月亮
把一片屋頂
淹成荷塘
原來
滿地的水蓮
都是泡沫
讓月的鐮刀
一層層割破

這是一幅醉人的有聲圖畫，是一幅韻味十足、靈氣滿溢的『荷塘月色』圖。但它不是一般寫實的荷塘月色圖，是一片觸景生情、移位了的幻化世界。首段以聲音爲中心點，構成了有聲的畫面，月亮是主角。『原來彈著筀的竟是月亮』，把月光幻化成了一片平靜的水面。爲了顯出水的靜，就要有聲音襯托。彈筀的聲音實際上是蛙鼓聲，造成『鳥鳴林更幽』的意境。而這無聲的水面還在靜靜地向四面流溢，於是才有把屋頂淹成池塘的鏡頭出現。第二段詩，以無聲的動作爲中心點，構成一幅動的畫面。水本來是月光幻化成的，自然不能眞的長出水蓮來，因而水蓮都是泡沫。既然是泡沫，在微風湧動下就顯現出了月的鐮刀，一朵朵將它們割破的景象。這首詩想像奇特優美，構思大膽精巧，集誇張、幻化、蒙太奇於一身，造成一種詩中有畫、畫中有詩；畫中有聲、聲中有畫的境界，達到了很高的美學追求。這首詩基本上可代表馮青前期的創作風格。

馮青的第二部詩集《雪原奔火》，是她晉身現代派詩創作的明顯例證。《雪原奔火》的書名，取自該書中的《雪》、《原》、《奔》、《火》四首詩。這四首詩是以隱喻和象徵的手法，描寫她在別的作品中常涉及到的女性的原罪和男女的歡愛。即人類生存絕續中既普普通通，又具濃郁神秘色彩的生命現象性。『原』爲女性身體的象徵，有原野、母性、母體的博大、浩闊、坦然、再植等擴展和繁殖的內涵。這四首詩中《雪》與《原》爲一組，象徵著母性的靜，象徵著母性的孕育和生殖。《奔》與《火》爲另一組，象徵著男性的動，象徵著新生命的產生和躍動。《雪》之二，象徵著新生命的種殖的性活動：『那立起弦月的帆／經過幾千里的閱讀／經過雪墜及白色風暴的音響／釋放我們蠟淚的體質』。這裡的『雪墜』、『白色風暴』均爲性高潮狀態。『蠟淚』是排泄。巧妙之處是詩人把性行爲的生理和精神狀態與雪原上的雪崩、風暴之間架上了一道無形的橋樑，產生了相同、相似的形象，使人們產生了合理的聯想和共鳴。《雪原奔火》是母體的頌歌，是新生命的頌歌，寫出了母體的無比偉大和浩闊，是無窮無盡的生命之源；寫出了新生命如朝陽一般，從一個世界向另一個世界『擺蒿而過』的躍動過程和不可阻擋的威力。馮青早、中期詩作相比較，有這樣一些主要差異：1.《天河的水聲》中那種少女的天眞浪漫情懷，在《雪原奔火》中讓位給了較爲深邃的思索。2.《天河的水聲》中處處可見、大量的客觀景物描寫，在《雪原奔火》中，變成了對人世的思考。3.《天河的水聲》中，那淡淡的哀怨和輕愁，在《雪原奔火》中讓位給了較爲沉重的情感抒發。4.《天河的水聲》中的明朗和清新，化作了《雪原奔火》中相對的朦朧和晦澀。5.馮青早期的輕盈的小結構，舒緩的慢節拍和輕柔的語碼組合，在中期的詩中變成了大結構、急旋律和較爲堅挺的語碼組合。詩的題材上也由一般的愛情抒發，讓位給了對生命的探源和禮讚。

馮青於一九九〇年出版的第三部詩集《快樂和不快樂的魚》，比起《雪原奔火》來，又有所變化。從整體風貌看，由虛向實進行了有限度的轉移。她把自己的注意力對一般生命的本源探索，悄悄地轉向了現實人生；轉向了人類生存空間的關照。這部詩集中占著相當份量的七首《臺灣組曲》，具有不凡的意義，表現了大陸四九年去臺的第二代子民，開始與腳下的土地與身邊普通勞動者的結合。它既是對養育自己的土地的認同，也是向腳下泥土的紮根。《黃昏嶺》中描寫了臺灣女工生活的苦難；《臺東人》中，表現了對墜入風塵姐妹的同情；《南都戀曲》中，試圖挖掘和探討臺灣社會墮落的根源；《補破網》一詩中，巧妙的用民歌《補破網》的曲牌，譜寫了一曲漁民現實生活的悲歌。或許馮青描寫臺灣下層勞動者生活和形象的詩，沒有她寫《天河的水聲》、《雪原奔火》那麼熟練，那麼得心應手，作品中還存在一些可改進的地方，但這些詩是馮青人生觀、世界觀和創作觀上的重大轉折。藝術是人民創造的，人民有權利擁有它。一個眞正偉大的藝術家，絕不可能是脫離泥土和人民的人。因而我們對馮青的轉折有一種欣喜的感覺。

第二節 夏 宇

反叛傳統詩法，反叛舊的思維方式，反叛文藝的成規，以嘲弄和褻瀆的方式，建立起一種詩的新秩序，成爲臺灣後現代派詩的發難人。

夏宇，一九五六年出生於臺灣，原籍廣東五華人，畢業於臺灣藝專影劇科。曾任出版社和電視臺編輯。她寫詩、寫小說，也寫散文、戲劇，曾獲臺灣《中國時報》散文優等獎，『創世紀詩社』詩創作獎。七十年代中期開始寫詩，一九八四年自費出版的詩集《備忘錄》，被看作是臺灣後現代派詩的開山之作。

夏宇的作品中，愛情詩占了相當的比重，她既不屬於狂熱型，也不屬於熾熱型，而是屬於思索型。因而她的愛情詩不是軟綿綿的百花殘、嬌無力，而是充滿著內在的震撼力量。冷峻中蘊藏著熱烈；苦澀中充溢著甜蜜。請看《愛情》一詩：

爲蛀牙寫的
一首詩，很
短
念給你聽：
『拔掉了還
疼 一種

空
洞的疼
就是
只是
這樣，很
短
彷彿
愛情

把愛情比作『蛀牙』，是深有體驗並具有震撼力的比喩。俗話說『牙痛不是病，痛起來要了命』。蛀牙疼痛得揪心難忍，坐臥不寧，但卻又拔不掉，即使拔掉了還痛。這是一種要死要活的愛情折磨。『拔掉了還痛』是失戀之苦，是一種失落、寂寞、無聊的空寂感，甚至比不拔還難受。此詩雖短，但還可以再短，再精煉。因爲標題是『愛情』，詩中不必再出現『愛情』。似乎從『就是』起，以下一律可以刪除。夏宇還有一首五十三行的愛情詩《蛀牙記》，可能是夏宇自我愛情和婚姻的寫照。這首詩站在女方的立場上，以調侃的口吻敍述她們似眞似幻的愛情經歷。有兩種東西在女方身上蛀蝕，一是蛀牙，一是細菌。這兩種東西竟然置女方於死地，但死了仍然感到甜蜜，眞是『寧在花下死，作鬼也風流』。女方死了後決定下一輩子離男人遠一點，距離是一萬光年。她在另一個星球上對男人進行調侃，看男人小丑式的表演。但當戲散了，她仍然回到了人間，並信誓旦旦地向男人宣誓：『要焚燒／要亮著要／讓你看到荒了／天老了 地／我努力努力／焚燒／暴躁的／焚燒。』愛情雖然折磨人，像蛀牙和細菌，能夠置人於死地，但人間離不開愛情，需要愛情的人也離不開人間，即使升了天也要再回來。這首詩有故事，有情節，有人物，有個性，帶著一種幻想的神話色彩，讀之激人遐想。夏宇另有一首愛情詩《甜蜜的復仇》，最爲優秀，請看：

把你的影子加點鹽
醃起來
風乾
老的時候
下酒

這首詩別緻而誘人，帶著很強的調侃性。它既是甜蜜的，但又是復仇的。詩人利用正反、褒貶相反的詞性搭配，形成巨大反差，取得極具震撼和刺激的效果。『把你的影子加點鹽／醃起來』，而且還要『風乾』，這是何等殘酷的事！但醃起來的原因是難以割捨和丟棄。『風乾』的目的是爲了『老的時候／下酒』。直到老年也不忘記你，不但不忘記，而且要像品嚐美酒一樣，細細地、一點一點地，對你的美，你的情意，進行反覆咀嚼。形式殘酷、內涵優美，充滿著打是親罵是愛的情趣。這樣寫，比『海枯石爛』、『至死不忘』等古老的表情方式，更具刺激性和震撼力。夏宇是一個想像力非常豐富的女詩人，許多愛情詩令讀者讚嘆。

她的《疲於抒情的抒情方式》，也是愛情詩中的佳構。這首詩把一閃即逝的初戀和初吻，比作種在鼻子上的痘痘，別出心裁。

夏宇作爲臺灣後現代詩的發難人，她的詩中有著許多後現代派的特徵。而且，這些特徵均在夏宇的詩中作了定型。後現代派詩的特徵很多，一一敘述不下數十種。這裡我們主要談談夏宇詩作中的反叛和解構。反叛主要是表現在對傳統詩法、現有成規和傳統意識的固有型態的破壞和挑戰。比如，傳統詩的成規表現詩歌形式方面，就是意義和結構的完整性、聯貫性。但夏宇在詩中卻有意摒除這種完整，留下破綻和空白，讓讀者去塡補。如《造句》組詩就是典型的『破綻』詩。請看《不得不》：

不得不
留下腳印
謙虛和善地
在他們
水泥未乾
的
心

詩中的主人公『不得不/留下腳印』，但爲什麼不得不留下腳印，是爲了喚醒人們的記憶，還是要人們不要忘記過去？這腳印是實指，還是象徵，都被省略。『謙虛和善地』和

『他們』之間，還隱藏著被省略的東西。『水泥未乾的心』指的又是什麼？詩的結構殘缺，意義模糊。但這不是夏宇的疏忽和才華不濟，恰恰相反，是她爲達到後現代派詩的要求，是一種玩弄技巧的表現。這種現象不是偶然有之，而是每首詩均如此。再請看《就》：

就走了
丟下髒話：
『我愛你們。』

『我愛你們』這種充滿激情的話，爲什麼是『髒話』？這與具體的語言環境有關；與主人公走之前的行爲有關。比如：強姦、侮辱少女、進行流氓活動等，但詩人未寫。而且這首詩沒有主語，讀者可以任意改變人稱，可以是『我』，可以是『他』，也可以是複數『他們』等。這裡也給詩留下了某種張力。

解構，在後現代派詩中也是非常時髦的東西。即褻瀆神聖、否定輝煌、排斥英雄、蔑視眞理，對一切正面的東西進行挑戰。如：《姜嫄》一詩：

每逢下雨天
我就有一種感覺
想要交配　繁殖
子嗣　遍布
於世上　各隨各的

方言
宗族
立國
像一頭獸
在一個隱密的洞穴
每逢下雨天
像一頭獸
用人的方式

這裡，夏宇解構了人的傳統生活方式和目的，即交配、繁殖、子嗣、立國等，而將人之最初的神聖和輝煌，最值得驕傲的人生之母——姜嫄，比作一頭沒有人性的野獸。而且這首詩是對《詩經》中《生民》一詩的解構。『厥初生民／時維姜嫄／生民如何／克禋克祀／以弗無子』。

在破壞詩的完整結構和意義，造成無秩序、無意義、無內涵、無主題、遊戲、調侃、拼貼等方面，夏宇的《連連看》，或許是集大成的詩：

信封　自由　人行道　手電筒　方法
鉛字　著　寶藍
圖釘　磁鐵　五樓　鼓　笑　□□

無邪的　挖

恐怕將上帝請來，也看不懂這是一首什麼詩。在後現代派那裡，文學作品不叫文學作品，而叫『本文』。這就說明，他們已不承認文學爲文學，作品爲作品。照此延伸，他們也不把詩看作詩。因而我們用詩的意義、規範、標準和要求來看待和評價，不是文學，不是詩，不是作品的東西，首先不是後現代派的錯誤，而是詩評家的錯誤。對後現代的詩不能用詩的成規來評價，非詩正好是後現代派的詩。

第三節　利玉芳

大膽，潑辣，以犀利的詩筆探入男女生活的隱秘地帶，並以自身的經驗和感觸剖析女性的胴體，爲臺灣新詩拓展開一方田地。她就是利玉芳。

利玉芳，筆名綠莎，一九五二年生，臺灣成功大學空中商專會統科肄業。曾任電子檢驗、會計、電臺童詩撰稿與配音等工作。現從事畜牧業兼教職。她既寫詩，也寫散文。出版的詩集有《活的滋味》，散文集有《心香瓣瓣》，現爲『笠詩社』同仁。

利玉芳的作品可分爲兩大類：一類是關於農村、農業和家庭題材的詩，如《回娘家》、《讓果園長草吧》、《屏鵝公路的秋天》等。《回娘家》以樸實、清新的筆觸，描寫一個嫁娘，回娘家探親，時過境遷，從童年玩伴們下一代的臉上，一一認出他們的父輩：『我是他們阿爸童年的新娘。』一句話喚回了無窮的童年記憶。而熟悉的狗竟然將自己忘記，齜牙咧嘴向自己撲過來。詩中溢滿純樸的鄉情和溫馨的回憶。眞有『兒童相見不相識，笑問客從何處來』的意趣。《屏鵝公路的秋天》，對臺灣社會西化中出現的某些以破壞爲『革新』，以狂熱爲『時尙』的現代文明病症，進行了激烈的抨擊和批判：

患輕微職業病的
怪手
大口大口地吃掉故鄉的千株翠柳
吞服南國的萬帖熱情
不剩一片椰影
不幸我的愛人
也在這個早上的春天裡
著魔似的剝光了衣裳
在瀝青延伸的屏鵝風景
狂奔
強調赤裸裸地生活的趣味
是誰 使他罹患了文明白痴
猥褻了故鄉的泥土
誰來爲我的南國

把脈

在人類前進和社會的變遷之中，常常會颳起這種風或那種風。本來是非常幼稚可笑的，或者是極爲有害的東西，卻風靡一時，有許多人卻以怪爲美，以恥爲榮。利玉芳詩中描寫的大肆砍伐林木，呑掉千株翠柳和萬帖熱情，甚至類似著魔似的剝光衣裳在瀝青馬路上狂奔，以體驗裸奔滋味的事，如今在我們的身邊彷彿也並非稀奇和陌生。利玉芳是懷著沉痛的心情來批判這種『文明白痴』症的。她指出，這種『文明的白痴』症，『猥褻了故鄉的泥土』。利玉芳懷著對故鄉、對南國的一片赤誠，發出了痛苦的呼籲：『誰來爲我的南國／把脈。』這種呼籲彷彿也應該引起我們的警覺，因爲祖國的北國似乎也有某種感染。

利玉芳作品數量較多、也較有特色的是對女性自我的挖掘。臺灣女詩人鍾玲在《現代中國繆司——臺灣女詩人作品析論》一書中，談到利玉芳時寫道：『她是臺灣所有女詩人中，表現最濃烈的女性身體意識的詩人，利玉芳是少數敢直接處理情慾題材的女詩人，她不僅集中描寫情慾感官經驗，對女體其他生理變化也同樣關注。』（註二）在同一書中，鍾玲將利玉芳與自己並稱爲敢於在情慾題材方面突破的兩位女詩人。在臺灣各個流派、各個群體和各個年齡段的女詩人中，利玉芳描寫女性胴體、情慾、性慾的詩是最多、最潑辣、最大膽，也是最成功的一個。她以捨得一刮的精神，向這一領域衝刺，揭掉了許多古舊的面紗。比較引人注目的作品有：《咖啡屋沉思》、《水稻不稔症》、《古蹟修護》、《放生》、《斷尾壁虎》、《難圓的夢》、《給我醉醉的夜》等。《給我醉醉的夜》中她寫道：

『給我勇氣
給我微微的醉意
用來擊破虛僞的牆
讓眞情俘虜我的靈魂
給我用肉體歌唱不朽的詩
給我厚實堅強的肩膀
我需要灌一夜的愛』

這裡，利玉芳已撕下了羞澀而朦朧的面紗，面對男性，赤裸裸地提出了性慾的要求，用勇氣和醉意來擊破虛僞的牆。這裡僅僅有勇氣是不夠的，因爲勇氣是外力相加，還需要進入無我之境。當主體還意識到她是在鼓勇氣的時候，正好證明她還膽怯，還有障礙。而只有進入陶醉狀態，才轉入了內力放射，才解除了一切顧慮而進入了赤裸的眞情世界。這裡利玉芳主要是創造性慾的氣氛和環境，呼喚人性的赤裸和眞誠。既潑辣又大膽，表現上又不十分直露和庸俗。如：『用肉體歌唱不朽的詩』代替性活動的狀態和過程，就顯得不俗。

母性、女體，是生命的土壤；性，是生命的播種和栽植。這都是人世間最光明、最偉大、最神聖的事情。畫家以其爲模特兒，繪出不朽的圖畫；詩人以其爲題材，寫出偉大的詩篇。人類描寫和歌頌自我，將生活和物體變成永恆的藝術，本來是十分自然的事，是值得鼓勵的事。但人世的確是很複雜的，也有不少無恥之徒，或出於經濟利益，或出於骯髒的意淫，或出於污染社會的罪惡意圖，寫出一些黃色下流、不堪入目、根本沒有美學價值、沒有思想內涵的所謂作品，來破壞傳統道德，破壞社會安寧，引誘青少年犯罪。這一類低級下流的東西，不是藝術，是應該交給『掃黃』鐵帚的。所以我們應該把藝術和非藝術區別開來，既不可爲了『掃黃』而傷害了藝術；也不准以藝術爲藉口販賣黃毒。

第四節　陳斐雯

詩壇上一面世，便引起衆目關注，她以非凡的才華，創作出了驚人的詩，成爲臺灣最年輕一代女詩人中的佼佼者。

陳斐雯，臺灣省臺中市人，一九六三年出生，臺中女中畢業。一九八五年臺灣中國文化大學中文系文藝創作組畢業。她寫詩，也寫散文。出版的詩集有《陳斐雯詩集》（一九八六年）、《貓蚤札》（一九八八年）。曾任臺灣《人間雜誌》特約採訪記者、《自立晚報》文藝組記者兼《自立早報》兒童版主編。她從中學時代開始寫詩，曾獲『華崗文學』詩獎。本書作者在《臺灣青年詩人論》中這樣評價陳斐雯：『她不是一個無所作爲，消極遁世的浪蕩女，也不是一個玩世不恭否定人生解構輝煌、褻瀆正義的後現代主義者，而是一個積極進取、追求美好、變革生存環境，希望世界越來越光明，生活越來越美好的現實主義者。』她主張變革現實、變革社會、變革人生。她的作品充滿著對人類、對生活的熱愛；充滿著對破壞人類生存環境惡行的勸導和指斥；洋溢著人道和人性的激情。陳斐雯詩歌創作中最引人注目的突出成就，是她以非凡的才華，創作出足可使人震聾發聵的優秀詩篇《地球花園》、《養鳥須知》和《帶你們離家出走——致空虛城的老鼠》。這三首詩視野開闊，氣度宏偉，胸襟博大。從表層看，這三首可稱之爲『生態詩』，『環保詩』。但這三首詩除了表層意義之外，還有更爲深層的東西。詩的創作意圖不僅僅是爲了生態環境的改善，爲了環保意識的增強，爲了對動植物的保護。這些甚至可以說不是詩創作意圖和作品主題的重點思考。詩人最大的用心還在於關注人類的健康發展和社會的淨化和進步。要瞭解這三首詩的眞諦，需先瞭解陳斐雯詩歌創作的特點。它概括起來是：近距離，遠目標；小題材，大企劃；活潑的形式，嚴肅的主題；公開的叙事，暗示的內涵；柔和的調子，堅定的原則。這三首詩，均是較長的抒情詩，且引一首作些剖析。請看《帶你們離家出走——致空虛城的老鼠》：

今年冬天
太長太長了
楚辭漢賦唐詩宋詞元曲
水滸傳西遊記
就連紅樓夢
都已經當柴燒盡
這空虛城還有什麼
可供偷吃？我不知道

到底是什麼罪狀要
『大家一起撲滅老鼠』？
與其不清不白地死去
笛音清輕帶引你們
離開破敗的危牆
走出潮穢的陰洞
跟隨我淳淨鮮美的笛音
穿越落葉無聲的巷弄
踏上冬陽冷冽的大街
成群結隊，來
我帶你們離家出走
忠孝仁愛信義和平
自由民主救中國
就連愛
也都已經當柴燒盡了
冬天一長
這空虛城還會剩下什麼

值得你們忍辱窺伺
不如聽我吹吹小笛
笛音彷彿春風呼吸
跟隨我離開冬天
走出這座虛城
成群結隊
我帶你們離家出走
前往一個有理由
撲滅老鼠的地方

這是一首令人忍俊不禁想笑，調侃性、喜劇性極強的詩。詩人十分獨特地選擇了世界上最令人討厭、絕對有害而無利、人人喊打、個個痛恨、必欲置之死地而後快的醜物老鼠，作爲詩的主角和同情對象。在一般情況下，這樣做可能是有神經病了。但詩人的巧妙和詩作的靈氣，恰恰就在於她設計了一群不如老鼠，沒有資格和理由撲滅老鼠的人，偏要來撲滅老鼠。而這個對立面又巧妙得使你感覺得到，但卻看不見，摸不著。即使想對號入座對詩人進行報復，但又抓不住有形的根據。笛音驅逐老鼠，本是一則童話故事。一個城市老鼠成災，來了個善吹笛的人。他的笛音能消滅老鼠，將老鼠趕走。當他把老鼠們趕走之後，市民們違約，於是吹笛者又笛聲悠揚，將滿城的兒童都帶走了，不知去向。陳斐雯將這則童話進行了改造，創作出了現在的詩。與童話相比，這首詩寓入了十分強烈而鮮明的主題，放入了現實的時空背景，增添了濃烈的喜劇色彩。詩的開頭『今年冬天／太長太長了』，除指自然的冬天之外，還暗指社會之冬天，人類文明之冬天。往下即是冬天的景象：『楚辭漢賦唐詩宋詞元曲／水滸傳西遊記／就連紅樓夢／都已當柴燒盡』。這既是虛指，也是實指。實指是這些中國的文化的精典；虛指是人類精神文明的果實，被敗家子們破壞毀滅殆盡。這裡可能是暗指臺灣全盤西化對中國傳統文化的巨大破壞。當然也不排除大陸『文化大革命』的浩劫。不過詩中寫得清楚明白，『忠孝仁愛信義和平／自由民主救中國／就連愛／也都當柴燒盡了。』『忠孝仁愛信義和平』一方面是國民黨的口頭禪，另一方面又是臺北市四條街道的名稱。『自由民主救中國』是國民黨不離嘴，喊膩了的政治口號。這都無疑證明，詩人寫的是她腳下的臺北市，是臺灣。臺灣處於亞熱帶地區，自然氣候是沒有冬天的，這又證明詩人指的是社會政治氣候的冬天。在這社會政治氣候的冬天裡，敗家子們早已將祖宗的遺產吃光燒光了，早已變成了一個一無所有的空虛城市。在這什麼都沒有的空虛城裡，即使身懷偷竊絕技的老鼠，也必定是清白的。那些眞正偷竊祖宗遺產者嫁禍於老鼠，不是造成了無數老鼠冤案了嗎？爲了打抱不平，爲了防止千千萬萬的老鼠冤案，一個美麗漂亮的青年女詩人，竟挺身而出，吹起笛聲，帶領成群結隊的老鼠去逃難。這是何等荒唐的事，但又含有多麼深刻的諷刺和調侃。賊不如鼠的關係和哲理，繪成了一幅十分傳神的圖畫。批判效果和喜劇效應從文字中透射而出。不過詩人一再爲老鼠們打抱不平，並帶領牠們一起離家出走，脫離險境，一不是喜歡牠們，與其爲伍；二不是說牠們不該死。而是說牠們不該在不該死的地方死；不該在比牠們還不如的人手裡死，而要死得其所，死而無冤。所以詩人最終不是救老鼠的命，與人類作對，而是要帶老鼠們去一個有理由撲滅老鼠的地方去死。批判鋒芒更加犀利，喜劇色彩更加濃烈。眞是構思奇巧，別有風采。

陳斐雯的《地球花園》，是透過一個制止小姑娘攀折花朵的小事情，展開恢宏的描述。一個小姑娘攀折一朵花，可能是一件微不足道的小事。但陳斐雯利用象徵、轉移、誇張、縮小等藝術手法，暗中合理地將對象轉換，使內涵和主題變得十分深宏。在地球花園中，在全人類生活的基地上，摘去一朵花，它就不再是一朵花，而是人類生存希望的一部分，是美好道德的一部分。透過對象轉換，小女孩不再是小女孩，而是一朵有生命的花朵。花朵摘花又釋放出了自傷自殘的內蘊。在《養鳥須知》一詩中，詩人採用欲擒故縱的手法，先將自己與用籠子養鳥的人歸爲一類，都是愛鳥者。寫著寫著，突然打破假象，說自己與他不同之處在於更貪心，養幾千幾百萬隻鳥，而且不養在籠中，而養在天空中。頓時，對提籠養鳥者將鳥囚在籠子裡，限制鳥的自由，剝奪鳥的權利的行爲形成批判之勢。這首詩具有強大張力，它可以使人們聯想到人世間那些高唱愛人類、愛自由、愛民主，但實際上卻築高牆建監獄，隨意抓人、捕人，剝奪他人民主和自由的傢伙們的醜態。讀了陳斐雯的這些作品，眞是感嘆萬千。作品內涵的豐富，張力之強大，象徵意義之深刻，使人感到有如火中帶電，雨中挾雷之景象。

第五節　曾淑美

她以勃發的青春和無畏的創作衝動，在臺灣青年女詩人中顯示出特色，成爲詩歌原野上點燃美的火焰的縱火者。

曾淑美，臺灣省南投縣草屯鎮人，一九六二年出生。臺灣輔仁大學哲學系畢業。一九八一年開始發表作品，在大學讀書期間曾與詩友們共同創辦『草原詩社』，任社長，並出版《草原詩刊》。與陳斐雯爲同窗。她出版的詩集有《墮入花叢的女子》。曾淑美主張詩應介入社會，參與變革，反對虛無和晦澀。她在《詩果眞是虛無的》一文中寫道：『面對活生生的人，時時會觸及詩的有限性。特別在面對時代和社會這些詩的後設條件時，提問題的詩作一旦無法解決本身所提的問題，則作品和現實之間的鴻溝，只好作者劍及履及自動以行動補充。就這個層面看，一個社會詩人若不親自參與變革，他的詩將是虛無的。其品格的誠實度値得懷疑。但就詩言詩，作品本身豈無自主性？當一次飛躍的想像，一個飽滿的音節，如此眞實地重塑我們的感觀經驗，甚至改善我們對人、對自然的情感，詩就自動發光了啊！在這裡，詩又是最不虛無的。』（註二）這段話中曾淑美特別強調詩人要走進社會實踐，要親身參與變革，要『劍及履及』。這是詩人的『入』。是深入生活，體驗生活。另一方面，當詩人眞正重塑人的感官經驗，作用於人的思想和情感時，它就會自動地閃射出藝術的光芒，這是詩的『出』。只有作到詩人的『入』和詩的『出』，才能避免虛無。這裡表現了曾淑美樸素的唯物辯證的觀點，也看到了藝術自身的能動作用。

曾淑美的詩大體上可分爲兩類：一是介入生活、介入社會、參與變革，表達理想和願望的作品；二是關於愛情題材的詩。在這兩個領域，她均有突破。尤其是關於愛情和性慾題材方面的作品，她是臺灣青年女詩人中最具特色，達到了新的境界的詩人。曾淑美出生成長之日，正是臺灣經濟起飛、社會文化惡性西化之時。在學校的課堂上，在家庭和社會的交往中，她作爲一個敏感的詩人，對臺灣物質富裕、精神貧困之間越來越大的反差，對社會上較爲普遍流行的頹廢墮落的世紀末的情緒，有著極強的警覺和感受。父輩們爲挽救中國文化進行的反西化、反崇洋媚外的一系列運動，如：保釣運動、新詩論爭、鄉土文學論戰等，對她也有較大的教育和影響。因此她寫出了《在最寒冷的黑夜醒來》等詩篇。在這首詩中她寫道：

『我目睹彩霞一瓣一瓣凋零
黑暗逐漸復活……
（我是白晝最後的遺族麼？）
在最寒冷的黑夜醒來
我想對你描述陽光，但是口齒不清
彷彿在夢的泥沼裡』

詩人看到在惡性西化中，中國的傳統文化像彩霞一瓣一瓣凋零，她不甘心淪喪，但卻欲奮乏力。這十分眞實地反映了當時臺灣知識份子的處境和心態。曾淑美有一組寫人生和生命的短詩《生命》、《生存》、《生活》，是引人注目之作。第一首寫生命的本體，即生命的孕育、發芽和成長。雖是生命之初、最低能的生長肉體的階段，比起生長的靈魂來是卑屈的，但我卻如神聖般供奉，因爲只有這樣方能借軀而復。第二首，寫生存的三種方式：一是用白鳥象徵靈魂，從遙遠的天邊落入體內；二是潔白，一塵不染；三是要美麗，不醜惡。這種重視精神品格，保持靈魂純潔和人格美麗三個生存條件合在一起，就是女詩人曾淑美完美的人生追求。第三首是寫奮鬥，寫前進：

我的生活充滿戰鬥
戰鬥戰鬥戰鬥
爲了停止流血必須天天流血——
啊　愛！

這裡儲滿了哲學思考，爲了前進就要不斷戰鬥；爲了停止流血，就必須先流血。這是以戰止戰，以刑止刑，以血止血的辯證思想。也是對用正義戰爭消滅非正義戰爭的一種肯定。這個道理既豐富，又簡單；既明確，又深刻。詩的結尾『啊　愛！』表明戰鬥流血，流血戰鬥的最終目的是爲了對人類的愛。詩中表現了曾淑美男性化的爽朗、堅毅、果斷、豪放的氣慨。

曾淑美詩中有一個較爲完整的情慾世界，她像一隻美麗的花蝴蝶，無畏地飛進了風景區；飛了一陣，似乎感到也不過如此；她像一隻梅花鹿，唰地一聲闖入熊熊火陣，奔跑了一陣，看來也沒有被燒焦。在情慾和性慾世界中，她盡量向傳統的禁區深入，不斷地開拓、實驗，作藝術的馴化。曾淑美關於情慾和性慾的詩，有一個顯著的特點，就是抓住特定環境中特定對象的肉體活動和精神感覺，如洪水決口，如大壩傾倒，如滾雷過境，如山體滑坡般毫不猶豫，毫不隱晦，毫不羞羞答答地一洩而快。如《哀愁》二首就是典型的例子：

一

在荒野裡，青天的明鏡裡
我看見一個善良而受困的靈魂
（一棵大樹無言地搖落一聲無由的
吶喊I want a woman 並四散碎裂）
而和我的靈魂一樣蒼白的
伊的裸體彷彿說
請完成我……

二

做愛之前，我們
坐下來傾聽所有的慾望
自軀體嘩然崩落

這種性愛詩雖然比較直露，很少用象徵物掩蓋，即使用象徵，形象也較爲鮮明和確定。如『一棵大樹』就是男性陽具的象徵物。第二首破題就用『做愛』二字。這種寫法很符合曾淑美近似男性化的豪爽、潑辣和奔放的個性。這些詩雖然直白，但它並不醜惡和乏味，也沒有煽起讀者非非之想的負效應。究其原因是曾淑美十分善於選擇肢體情節和動作，善於抓住一剎那的神情特徵，不煽情，不挑逗，作速戰速決的表達。摒除了那些可能引起人們不良衝動的因素，用人生最基本的正常生理需求壓倒了邪念；用藝術的和諧之美，摒除了某些醜陋。所以我們稱她爲『將性愛轉化爲詩美』的女詩人。

第六節　羅任玲

臺灣詩壇上的才女甚多，羅任玲就是她們中心較突出的一個。一個女子，有著博大的胸襟，她關懷人生，關注人類的命運和生存，將自己的歌獻給全人類，在廣袤的人類舞臺上展示詩的風彩，這與一般女詩人將自己束縛於家庭、婚戀題材的狹區，形成了鮮明的對照。

羅任玲，一九六三年出生於臺灣，原籍廣東省大埔縣，臺灣師範大學國文系畢業，現在臺灣任報社編輯。羅任玲創作的主要著眼點和思考的主要問題，是放在現實生活的重大題材上，或者與現實密切相關的社會生活層面上。比如對世界人口爆炸性的增長，造成人類走向自殺之路等重大課題，她都非常關注。《寶寶，這不是你的錯》就是這方面的佳作。該詩前面有個小序，其中寫道：

〔合衆國際社華盛頓六日電〕

世界人口研究所今天說，明天的某個時辰全世界將邁入一個新的里程——某個地方將有一名嬰兒誕生，使全球人口達到五十億——有史以來最大的數目。該研究所所長佛諾斯說：『從前並沒有這麼多人分享地球的空間。……由於目前新生兒有十分之九出生於第三世界，第三世界即很可能是該名新生兒的出生地。可預料的，他將在『貧窮、疾病、飢餓、文盲和失業的環境中成長……』

該詩描述：

清晨。
鳥聲喧噪，落滿紫藤。
我無力地闔上報紙，無力地，
想申辯什麼。
寶寶，這不是你的錯。
分享世界的清涼和寂寞。
陌生的七月裡，我們該爲你歡呼喝彩的。
啊，多麼不易，五十億分之一的機會，
而你光榮地領取了，
世界爲你準備的，最大的一份賀禮

貧窮、疾病、飢餓、文盲，和失業。
趁七月還美麗。
伸出你稚嫩的小手
悄悄領回罷！
有一天，你也將看到：
精子與卵子如何激烈地爭辯，
粗糙的擁抱，然後
像所有神經質的人類，
你屏息等待，張口：
『明天，世界還要送出什麼禮物？』
七月裡
我彷彿看見，你，在世界的角落裡——
無·聲·發·問·

這是一首構思巧妙，激情飽滿，震撼人心的詩篇。首段既是描寫詩人的活動和心情，又是該詩極好的序曲和背景襯托。清晨，本來是『一天之計在於晨』的良辰美景，是最清新、涼爽而美麗的時刻，但詩人筆下的清晨卻『鳥聲喧噪』，而不是鳥聲啁啾，鳥聲宛轉；清晨，本來是新葉展姿，花容滴露的時刻，但詩人筆下卻是『落滿紫藤』，再加上兩個『無力』爲詩釀造了一個煩躁、沒落，衰頹而無力的背景。這預示著景況的不妙。第二段接第一段回答『想申辯什麼』，詩人要申辯的，就是『誰之錯』。第二段開門見山『寶寶，不是你的錯』。詩的起首剛勁有力，明確而果斷，但卻給人深思。只有肯定有錯，才能判斷誰之錯。這句詩含蓄著沒有說出，但分明能夠感覺得到的內涵：即寶寶本身是個錯誤，但卻不是寶寶的錯誤。這句詩之後，詩人將誰錯誰對的問題，表面上暫且放下，實際用巧妙的方式作了形象有力的回答。第二句『分享世界的清涼和寂寞』表面上似乎與第一句無關，但卻有著內在的聯繫。第三句把問題再說開去，實際內涵緊扣，我們本來應該爲你喝彩的，因爲五十億分之一的機會，你光榮地領取了，表現出強烈的調侃性，光榮領取的本來應該是好東西，但寶寶領取的卻是：『貧窮、疾病、飢餓、文盲、和失業。』這裡『光榮』一詞與去領取的東西之間呈現巨大的反差。這關係到數十億人命運的反差，撞擊著全人類的心靈，產生了強大的震撼和認同感。值得特別一提的是詩中出現的：『有一天，你也將看到：/精子與卵子如何激烈地爭辯/粗糙擁抱』。這裡寫的是極度貧窮狀態下進行的低下的、缺乏情趣和美感的性活動。害著疾病，餓著肚子，沒有工作，缺乏起碼物質和精神文明下的性活動，近乎野蠻缺乏節制，是人口爆炸的根源；是蠶食和吞噬人類美好幸福存在環境的血盆大口，它使地球在超負荷狀態中運轉。然而這災難和危機不但無望減輕和止息，而且不斷地向惡性循環的泥沼中推進。『你屏息等待，張口質問：明天，世界還要送出什麼禮物？』問題提得十分尖銳，迫使每個人都必須思考。詩的結尾是巨大的驚嘆號，或者說是一聲震撼地球的警鐘：『我彷彿看見，你，在世界的角落裡——/無·聲·發·問·』。這首詩選材好，角度新，構思巧，結構緊，許多地方用蒙太奇剪接法，在飛騰跳躍中產生層出不窮的內在含意。

羅任玲還特別善於利用身邊的瑣事，展開豐富的聯繫和想像，從中挖掘出具有重要或重大意義的社會主題。比如《鞋子傳奇》、《盲腸》等，《鞋子傳奇》一詩，作者採用寓言形式以鞋子爲第一人稱，敘述它在市場上的經歷。從而將弄虛作假、欺世盜名之輩和拜金主義、下流色情行爲一起押上道德法庭的審判臺，給予審視和批判。《盲腸》一詩，以十分精巧的形式，表達了巨大的內涵：

古道後面一條
小小盲腸
風起時
隱隱作痛
一截潰瘍的
鄉愁

這首詩僅有六行二十四個字，但它的容量卻相當大。它不是陶瓷盆，而是橡皮袋，其容積遠遠超過其體積。盲腸是人體唯一的廢物，雖然無用，但卻有害。如果患了盲腸炎，不及時有效地治療，弄得不好，會要命的。羅任玲緊緊抓住盲腸的這一特徵，進行發揮，將其作爲鄉愁的象徵，顯得十分新穎、貼切。『古道後面一條/小小盲腸』餘韻深遠。一般來說，鄉愁產生於長期遠離親人家鄉的遊子身上，對他們來說，故鄉是十分遙遠，可想而不可及的。『古道後面』幾個字，一下就十分傳神的顯現出了這種複雜的境況。時間上的長久分離，地域上的遙遠阻隔，心理上的可望而不可達，諸方面的情狀，幾個字就表達了出來。『古道後面／小小盲腸』，還將詩的境界又深化了一層，盲腸是無用的，但患了盲腸炎又是非常疼痛和不安的，它與鄉愁具有同樣的特性。此詩想像奇特，形象鮮明。不但詩句古樸典雅，而且深沉動人。『風起時／隱隱作痛』。這裡『風起』二字內涵豐碩深邃，可能是指世界的動盪不安，可能是指故鄉的天災人禍，也可能是指遠方親人的疾苦和不測等等。總之，有關故鄉和親人的每一個風吹草動，都會牽動萬里以外遊子的心。『一截潰瘍的／鄉愁』，表明病情已處於惡化狀態，鄉愁病已經到了非治療不可的地步。否則肝腸痛斷，或造成腸穿孔，就不可收拾了。羅任玲的詩善於思索、採擷和剪裁、語言凝煉，內涵深邃，她是一個很有潛力和希望的女詩人。

〔附〕本書的主要參考資料和書目

1.《中國新詩賞析》(林明德、李豐楙、呂正惠、何寄澎、劉龍勛)
2.《中國現代作家論》(葉維廉編)
3.《天國不是我們的》(唐文標)
4.《鄉土文學討論集》(尉天驄編)
5.《七十年代詩風潮試論》(向陽)
6.《臺灣抒情詩欣賞》(紀壁華)
7.《中學白話詩》(蕭蕭、楊子潤)
8.《中國現代文學大系》詩部分評議(陳芳明)
9.《五十年代的新詩》(上官予)
10.《中國新詩的發展》(王志健)
11.《從徐志摩到余光中》(羅青)
12.《三十年來臺灣的文藝論爭》(何欣)
13.《詩壇春秋三十年》(洛夫)

14.《期春華於秋實》（向陽）
15.《漫談新詩與現代》（余光中）
16.《現代詩對傳統的再認識》（談錫永）
17.《新生代詩壇的崛起與挑戰》（趙天儀）
18.《文學與社會》（高準）
19.《現代詩的歧途與應行方向》（高準）
20.《臺灣的鄉土文學論戰》（陳正作、路人譯）
21.《抒情變革的軌跡》（林亨泰）
22.《我的詩路歷程——從西方到東方》（瘂弦）
23.《試論施善繼的詩》（許南村）
24.《詩社與詩刊》（蕭蕭）
25.《新詩的傳薪者》（麥穗）
26.《文壇剪影》（林海音）
27.《第二十八個春秋》（《創世紀》社論）
28.《創世紀風雲》（蕭蕭）
29.《葡萄園》二十年回顧（文曉村）
30.《談現代派的影響》（林亨泰）

31.《現代詩的展望》（張健）
32.《在無限的時空裏流動》（向明）
33.《光復前臺灣新詩論》（羊子喬）
34.《詩人林亨泰與風景》（陳千武）
35.《臺灣文學的歷史與個性》（松永正義著，許南村譯）
36.《論詹冰的詩》（李魁賢）
37.《崇高的母性》（趙天儀）
38.《日據時期臺灣文學作家小傳》
39.《評估過去，預示未來》（羅青）
40.《光復前臺灣文學全集總序》（葉石濤）
41.《藍星的光痕》（羅門）
42.《紀念藍星詩社成立三十周年》（羅門）
43.《燃燈人》（陳芳明）
44.《城市詩國的發言人》（陳煌）
45.《羅門訪問記》（高歌）
46.《新詩評析一百首》（文曉村）
47.《橫看成嶺側成峯》（文曉村）

48.《截斷衆流集》（古丁）
49.《詩人的時空感知》（李瑞騰）
50.《新時代的採菊人》（戴訓揚）